BIBLIOTHEK DEUTSCHER KLASSIKER

HOFFMANN

BIBLIOTHEK DEUTSCHER KLASSIKER

BDK

HERAUSGEGEBEN VON DEN
NATIONALEN FORSCHUNGS- UND GEDENKSTÄTTEN
DER KLASSISCHEN DEUTSCHEN LITERATUR
IN WEIMAR

HOFFMANNS WERKE

IN DREI BÄNDEN

ZWEITER BAND

Erzählungen · Märchen

Aufbau-Verlag Berlin und Weimar

1990

Ausgewählt und eingeleitet von Gerhard Schneider

E. T. A. Hoffmann, Werke 1–3
ISBN 3-351-00139-8
Bd. 2
ISBN 3-351-00142-8

9. Auflage 1990

Einbandgestaltung Horst Erich Wolter
Lichtsatz Interdruck GmbH Leipzig
Druck Leipziger Druck u. Buchbinderei GmbH

ERZÄHLUNGEN UND MÄRCHEN

MEISTER MARTIN DER KÜFNER UND SEINE GESELLEN

Wohl mag dir auch, geliebter Leser, das Herz aufgehen in ahnungsvoller Wehmut, wenn du über eine Stätte wandelst, wo die herrlichen Denkmäler altdeutscher Kunst wie beredte Zeugen den Glanz, den frommen Fleiß, die Wahrhaftigkeit einer schönen vergangenen Zeit verkünden. Ist es nicht so, als trätest du in ein verlassenes Haus? – Noch liegt aufgeschlagen auf dem Tische das fromme Buch, in dem der Hausvater gelesen, noch ist das reiche bunte Gewebe aufgehängt, das die Hausfrau gefertigt; allerlei köstliche Gaben des Kunstfleißes, an Ehrentagen beschert, stehen umher in saubern Schränken. Es ist, als werde nun gleich einer von den Hausgenossen eintreten und mit treuherziger Gastlichkeit dich empfangen. Aber vergebens wartest du auf die, welche das ewig rollende Rad der Zeit fortriß, du magst dich denn überlassen dem süßen Traum, der dir die alten Meister zuführt, die zu dir reden fromm und kräftig, daß es dir recht durch Mark und Bein dringt. Und nun verstehst du erst den tiefen Sinn ihrer Werke, denn du lebst in ihrer Zeit und hast die Zeit begriffen, welche Meister und Werk erzeugen konnte. Doch ach! geschieht es nicht, daß die holde Traumgestalt, eben als du sie zu umfangen gedachtest mit liebenden Armen, auf lichten Morgenwolken scheu entflieht vor dem polternden Treiben des Tages und du, brennende Tränen im Auge, dem immer mehr verbleichenden Schimmer nachschauest? – So erwachst du auch plötzlich, hart berührt von dem um dich wogenden Leben, aus dem schönen Traum, und nichts bleibt dir zurück als die tiefe Sehnsucht, welche mit süßen Schauern deine Brust durchbebt.

Solche Empfindungen erfüllten den, der für dich, geliebter

Leser, diese Blätter schreibt, jedesmal, wenn ihn sein Weg durch die weltberühmte Stadt Nürnberg führte. Bald vor dem wundervollen Bau des Brunnens am Markte verweilend, bald das Grabmal in St. Sebald, das Sakramenthäuslein in St. Laurenz, bald auf der Burg, auf dem Rathause Albrecht Dürers tiefsinnige Meisterwerke betrachtend, gab er sich ganz hin der süßen Träumerei, die ihn mitten in alle Herrlichkeit der alten Reichsstadt versetzte. Er gedachte jener treuherzigen Verse des Paters Rosenblüth:

„O Nürnberg, du edler Fleck,
Deiner Ehren Bolz steckt am Zweck,
Den hat die Weisheit daran geschossen,
Die Wahrheit ist in dir entsprossen."

Manches Bild des tüchtigen Bürgerlebens zu jener Zeit, wo Kunst und Handwerk sich in wackerm Treiben die Hände boten, stieg hell empor und prägte sich ein dem Gemüt mit besonderer Lust und Heiterkeit. Laß es dir nun gefallen, geliebter Leser, daß eins dieser Bilder vor dir aufgestellt werde. Vielleicht magst du es mit Behaglichkeit, ja wohl mit gemütlichem Lächeln anschauen, vielleicht wirst du selbst heimisch in Meister Martins Hause und verweilst gern bei seinen Kufen und Kannen. Nun! – dann geschähe ja das wirklich, was der Schreiber dieser Blätter so recht aus Grund des Herzens wünscht.

Wie Herr Martin zum Kerzenmeister erwählt wurde und sich dafür bedankte

Am ersten Mai des Jahres eintausendfünfhundertundachtzig hielt die ehrsame Zunft der Böttcher, Küper oder Küfner in der Freien Reichsstadt Nürnberg, alter Sitte und Gewohnheit gemäß, ihre feierliche Gewerksversammlung. Kurze Zeit vorher war einer der Vorsteher oder sogenannten Kerzenmeister zu Grabe getragen worden, deshalb mußte ein neuer gewählt werden. Die Wahl fiel auf den Meister Martin. In der Tat mochte es beinahe keiner ihm gleichtun an festem und zierlichem Bau der Fässer, keiner verstand sich so wie er auf die Weinwirtschaft im Keller, weshalb er denn die vornehmsten Herren unter seinen Kunden hatte und in dem blühendsten Wohlstande, ja wohl in vollem Reichtum lebte. Deshalb sprach, als Meister Martin gewählt worden, der würdige Ratsherr Jakobus Paumgartner, der der Zunft als Handwerksherr vorstand: „Ihr habt sehr wohlgetan, meine Freunde, den Meister Martin zu euerm Vorsteher zu erkiesen, denn in bessern Händen kann sich gar nicht das Amt befinden. Meister Martin ist hochgeachtet von allen, die ihn kennen, ob seiner großen Geschicklichkeit und seiner tiefen Erfahrnis in der Kunst, den edlen Wein zu hegen und zu pflegen. Sein wackrer Fleiß, sein frommes Leben, trotz alles Reichtums, den er erworben, mag euch allen zum Vorbilde dienen. So seid denn, mein lieber Meister Martin, vieltausendmal begrüßt als unser würdiger Vorsteher!" Mit diesen Worten stand Paumgartner von seinem Sitze auf und trat einige Schritte vor mit offnen Armen, erwartend, daß Meister Martin ihm entgegenkommen werde. Dieser stemmte denn auch alsbald beide Ärme auf die Stuhllehnen und erhob sich langsam und schwerfällig, wie es sein wohlgenährter Körper nur zulassen wollte. Dann schritt er ebenso langsam hinein in Paumgartners herzliche Umarmung, die er kaum erwiderte. „Nun", sprach Paumgartner, darob etwas befremdet, „nun, Meister Martin, ist's Euch etwa nicht recht, daß wir Euch zu unserm Kerzenmeister erwählet?" – Meister Martin warf, wie es seine Gewohnheit war, den Kopf in den Nacken, fingerte mit beiden Händen auf dem dicken Bauche und schaute mit weit aufgerissenen Augen, die Unterlippe vorgekniffen, in der Versammlung umher. Dann fing er, zu Paumgartner gewendet, also an: „Ei, mein lieber würdiger Herr, wie sollt es mir denn nicht recht sein, daß ich empfange, was mir gebührt. Wer verschmäht es, den Lohn zu nehmen für wackere Arbeit, wer weiset den bösen Schuldner von der Schwelle, der endlich kömmt, das Geld zu zahlen, das er seit langer Zeit geborgt. Ei, ihr lieben Männer" (so wandte sich Martin zu den Meistern, die ringsumher saßen), „ei, ihr lieben Männer, ist's euch denn nun endlich eingefallen, daß – *ich* –

ich der Vorsteher unserer ehrbaren Zunft sein *muß*? – Was verlangt ihr vom Vorsteher? – Soll er der Geschickteste sein im Handwerk? Geht hin und schaut mein zweifudriges Faß, ohne Feuer getrieben, mein wackres Meisterstück an, und dann sagt, ob sich einer von euch rühmen darf, was Stärke und Zierlichkeit der Arbeit betrifft, Ähnliches geliefert zu haben. Wollt ihr, daß der Vorsteher Geld und Gut besitze? Kommt in mein Haus, da will ich meine Kisten und Kasten aufschließen, und ihr sollt euch erfreuen an dem Glanz des funkelnden Goldes und Silbers. Soll der Vorsteher geehrt sein von Großen und Niedern? – Fragt doch nur unsere ehrsamen Herren des Rats, fragt Fürsten und Herren rings um unsere gute Stadt Nürnberg her, fragt den hochwürdigen Bischof von Bamberg, fragt, was die alle von dem Meister Martin halten. Nun! – ich denke, ihr sollt nichts Arges vernehmen!" – Dabei klopfte sich Herr Martin recht behaglich auf den dicken Bauch, schmunzelte mit halbgeschlossenen Augen und fuhr dann, da alles schwieg und nur hin und wieder ein bedenkliches Räuspern laut wurde, also fort: „Aber ich merk es, ich weiß es wohl, daß ich mich nun noch schönstens bedanken soll dafür, daß der Herr endlich bei der Wahl eure Köpfe erleuchtet hat. – Nun! – wenn ich den Lohn empfange für die Arbeit, wenn der Schuldner mir das geborgte Geld bezahlt, da schreib ich wohl unter die Rechnung, unter den Schein: ‚Zu Dank bezahlt, Thomas Martin, Küpermeister allhier!' – So seid denn alle von Herzen bedankt dafür, daß ihr mir, indem ihr mich zu euerm Vorsteher und Kerzenherrn wähltet, eine alte Schuld abtruget. Übrigens verspreche ich euch, daß ich mein Amt mit aller Treue und Frömmigkeit verwalten werde. Der Zunft, jedem von euch, stehe ich, wenn es not tut, bei mit Rat und Tat, wie ich es nur vermag mit allen meinen Kräften. Mir soll es recht anliegen, unser berühmtes Gewerk in vollen Ehren und Würden, wie es jetzt besteht, zu erhalten. Ich lade Euch, mein würdiger Handwerksherr, euch alle, ihr lieben Freunde und Meister, zu einem frohen Mahle auf künftigen Sonntag ein. Da laßt uns frohen Muts bei einem tüchtigen Glase Hochheimer, Johannisberger, oder was ihr sonst an edlen Weinen aus meinem reichen Keller trinken möget, überlegen, was jetzt fordersamst zu tun ist für unser aller Bestes! – Seid nochmals alle herzlichst eingeladen."

Die Gesichter der ehrsamen Meister, die sich bei Martins stolzer Rede merklich verfinstert hatten, heiterten sich nun auf, und dem dumpfen Schweigen folgte ein fröhliches Geplapper, worin vieles von Herrn Martins hohen Verdiensten und seinem auserlesenen Keller vorkam. Alle versprachen, am Sonntag zu erscheinen, und reichten dem neuerwählten Kerzenmeister die Hände, der sie treuherzig schüttelte und auch wohl diesen, jenen Meister ein klein wenig an seinen Bauch drückte, als woll er ihn umarmen. Man schied fröhlich und guter Dinge.

Was sich darauf weiter in Meister Martins Hause begab

Es traf sich, daß der Ratsherr Jakobus Paumgartner, um zu seiner Behausung zu gelangen, bei Meister Martins Hause vorübergehen mußte. Als beide, Paumgartner und Martin, nun vor der Türe dieses Hauses standen und Paumgartner weiter fortschreiten wollte, zog Meister Martin sein Mützlein vom Kopf, und sich ehrfurchtsvoll so tief neigend, als er es nur vermochte, sprach er zu dem Ratsherrn: „O wenn Ihr es doch nicht verschmähen wolltet, in mein schlechtes Haus auf ein Stündchen einzutreten, mein lieber würdiger Herr! – Laßt es Euch gefallen, daß ich mich an Euern weisen Reden ergötze und erbaue." – „Ei, lieber Meister Martin", erwiderte Paumgartner lächelnd, „gern mag ich bei Euch verweilen, aber warum nennt Ihr Euer Haus ein schlechtes? Ich weiß es ja, daß an Schmuck und köstlicher Gerätschaft es keiner der reichsten Bürger Euch zuvortut! Habt Ihr nicht erst vor kurzer Zeit den schönen Bau vollendet, der Euer Haus zur Zierde unserer berühmten Reichsstadt macht, und von der inneren Einrichtung mag ich gar nicht reden, denn deren dürft sich ja kein Patrizier schämen."

Der alte Paumgartner hatte recht, denn sowie man die hell gebohnte, mit reichem Messingwerk verzierte Tür geöffnet hatte, war der geräumige Flur mit sauber ausgelegtem Fußboden, mit schönen Bildern an den Wänden, mit kunstvoll gearbeiteten Schränken und Stühlen beinahe anzusehen wie ein Prunksaal. Da folgte denn auch jeder gern der Weisung, die alter Sitte gemäß ein Täfelchen, das gleich neben der Türe hing, in den Versen gab:

„Wer tretten wil die Stiegen hinein,
Dem sollen die Schue fein sauber sein
Oder vorhero streiffen ab,
Daß man nit drüber zu klagen hab.
Ein Verständiger weiß das vorhin,
Wie er sich halten soll darinn."

Der Tag war heiß, die Luft in den Stuben jetzt, da die Abenddämmerung einbrach, schwül und dunstig, deshalb führte Meister Martin seinen edlen Gast in die geräumige kühle Prangkuchen. So hieß zu jener Zeit der Platz in den Häusern der reichen Bürger, der zwar wie eine Küche eingerichtet, aber nicht zum Gebrauch, sondern nur zur Schau mit allerlei köstlichen Gerätschaften des Hausbedarfs ausgeschmückt war. Kaum eingetreten, rief Meister Martin mit lauter Stimme: „Rosa – Rosa!" – alsbald öffnete sich denn auch die Tür, und Rosa, Meister Martins einzige Tochter, kam hineingegangen. –

Möchtest du, vielgeliebter Leser, in diesem Augenblick doch recht lebhaft dich der Meisterwerke unseres großen Albrecht Dürers erinnern. Möchten dir doch die herrlichen Jungfrauengestalten voll hoher Anmut, voll süßer Milde und Frömmigkeit, wie sie dort zu finden, recht lebendig aufgehen. Denk an den edlen zarten Wuchs, an die schön gewölbte, lilienweiße Stirn, an das Inkarnat, das wie Rosenhauch die Wangen überfliegt, an die feinen kirschrot brennenden Lippen, an das in frommer Sehnsucht hinschauende Auge, von dunkler Wimper halb verhängt, wie Mondesstrahl von düsterm Laube – denk an das seidne Haar, in zierlichen Flechten kunstreich aufgenestelt – denk an alle Himmelsschönheit jener Jungfrauen, und du schauest die holde Rosa. Wie vermöchte auch sonst der Erzähler dir das liebe Himmelskind zu schildern? – Doch sei es erlaubt, hier noch eines wackern jungen Künstlers zu gedenken, in dessen Brust ein leuchtender Strahl aus jener schönen alten Zeit gedrungen. Es ist der deutsche Maler Cornelius in Rom gemeint. – „Bin weder Fräulein noch schön!“ – So wie in Cornelius’ Zeichnungen zu Goethes gewaltigem „Faust“ Margarete anzuschauen ist, als sie diese Worte spricht, so mochte auch wohl Rosa anzusehen sein, wenn sie in frommer züchtiger Scheu übermütigen Bewerbungen auszuweichen sich gedrungen fühlte.

Rosa verneigte sich in kindlicher Demut vor Paumgartner, ergriff seine Hand und drückte sie an ihre Lippen. Die blassen Wangen des alten Herrn färbten sich hochrot, und wie der Abendschein, im Versinken noch einmal aufflackernd, das schwarze Laub plötzlich vergoldet, so blitzte das Feuer längst vergangener Jugend auf in seinen Augen. „Ei“, rief er mit heller Stimme, „ei, mein lieber Meister Martin, Ihr seid ein wohlhabender, ein reicher Mann, aber die schönste Himmelsgabe, die Euch der Herr beschert hat, ist doch Eure holde Tochter Rosa. Geht uns alten Herren, wie wir alle im Rat sitzen, das Herz auf, und können wir nicht die blöden Augen wegwenden, wenn wir das liebe Kind schauen, wer mag’s denn den jungen Leuten verargen, daß sie versteinert und erstarrt stehenbleiben, wenn sie auf der Straße Eurer Tochter begegnen, daß sie in der Kirche Eure Tochter sehen, aber nicht den geistlichen Herrn, daß sie auf der Allerwiese, oder wo es sonst ein Fest gibt, zum Verdruß aller Mägdlein nur hinter Eurer Tochter her sind mit Seufzern, Liebesblicken und honigsüßen Reden. – Nun, Meister Martin, Ihr möget Euch Euren Eidam wählen unter unsern jungen Patriziern, oder wo Ihr sonst wollet.“

Meister Martins Gesicht verzog sich in finstre Falten, er gebot der Tochter, edlen alten Wein herzubringen, und sprach, als sie, über und über glühend im Gesicht, den Blick zu Boden gesenkt, fortgegangen, zu dem alten Paumgartner: „Ei, mein lieber Herr, es ist zwar in der Wahrheit, daß mein Kind geschmückt ist mit ausnehmender Schönheit und daß auch hierin mich der Himmel reich gemacht hat, aber wie mögt Ihr denn davon sprechen in des Mägdleins Gegenwart, und mit dem Eidam Patrizier ist es nun ganz und gar nichts." – „Schweigt", erwiderte Paumgartner lachend, „schweigt, Meister Martin, wovon das Herz voll ist, davon geht der Mund über! – glaubt Ihr denn nicht, daß mir auch das träge Blut im alten Herzen zu hüpfen beginnt, wenn ich Rosa sehe, und wenn ich dann treuherzig heraussage, was sie ja selbst recht gut wissen muß, daraus wird kein Arges entstehen."

Rosa brachte den Wein und zwei stattliche Trinkgläser herbei. Martin rückte dagegen den schweren, mit wunderlichem Schnitzwerk verzierten Tisch in die Mitte. Kaum hatten die alten Herren indessen Platz genommen, kaum hatte Meister Martin die Gläser vollgeschenkt, als sich ein Pferdegetrappel vor dem Hause vernehmen ließ. Es war, als hielte ein Reuter an, dessen Stimme im Flur laut wurde; Rosa eilte hinab und kam bald mit der Nachricht zurück, der alte Junker Heinrich von Spangenberg sei da und wünsche bei dem Meister Martin einzusprechen. „Nun", rief Martin, „so ist das heute ein schöner, glücklicher Abend, da mein wackerer ältester Kundmann bei mir einkehrt. Gewiß neue Bestellungen, gewiß soll ich neu auflagern." – Und damit eilte er, so schnell als es gehen wollte, dem willkommnen Gast entgegen.

Wie Meister Martin sein Handwerk über alle andere erhob

Der Hochheimer perlte in den schmucken geschliffenen Trinkgläsern und erschloß den drei Alten Zunge und Herz. Zumal wußte der alte Spangenberg, bei hohen Jahren noch von frischem Lebensmut durchdrungen, manchen lustigen Schwank aus froher Jugendzeit aufzutischen, so daß Meister Martins Bauch weidlich wackelte und er vor ausgelassenem Lachen sich ein Mal über das andere die Tränen aus den Augen wischen mußte. Auch Herr Paumgartner vergaß mehr als sonst den ratsherrlichen Ernst und tat sich gütlich mit dem edlen Getränk und dem lustigen Gespräch. Als nun aber Rosa wieder eintrat, den saubern Handkorb unter dem Arm, aus dem sie Tischzeug langte, blendendweiß, wie frischgefallener Schnee; als sie, mit häuslicher Geschäftigkeit hin und her trippelnd, den Tisch deckte und ihn mit allerlei würzreichen Speisen besetzte, als sie mit holdem Lächeln die Herren einlud, nun auch nicht zu verschmähen, was in der Eil bereitet worden, da schwieg Gespräch und Gelächter. Beide, Paumgartner und Spangenberg, wandten die leuchtenden Blicke nicht ab von der lieblichen Jungfrau, und selbst Meister Martin schaute, zurückgelehnt in den Sessel, die Hände zusammengefaltet, ihrem wirtlichen Treiben zu mit behaglichem Lächeln. Rosa wollte sich entfernen, da sprang aber der alte Spangenberg rasch auf wie ein Jüngling, faßte das Mädchen bei beiden Schultern und rief, indem die hellen Tränen ihm aus den Augen rannen, ein Mal über das andere: „O du frommes holdes Engelskind – du herziges liebes Mägdlein“, dann küßte er sie zwei-, dreimal auf die Stirne und kehrte wie in tiefem Sinnen auf seinen Platz zurück. Paumgartner brachte Rosas Gesundheit aus. – „Ja“, fing Spangenberg an, als Rosa hinausgegangen, „ja, Meister Martin, der Himmel hat Euch in Eurer Tochter ein Kleinod beschert, das Ihr gar nicht hoch genug schätzen könnet. Sie bringt Euch noch zu hohen Ehren, *wer*, sei es aus welchem Stande es wolle, möchte nicht Euer Eidam werden?“ – „Seht Ihr wohl“, fiel Paumgartner ein, „seht Ihr wohl, Meister Martin, daß der edle Herr von Spangenberg ganz so denkt wie ich? – Ich sehe schon meine liebe Rosa als Patrizierbraut mit dem reichen Perlenschmuck in den schönen blonden Haaren.“ – „Liebe Herren“, fing Meister Martin ganz verdrießlich an, „liebe Herren, wie möget ihr denn nur immer von einer Sache reden, an die ich zur Zeit noch gar nicht denke. Meine Rosa hat nun das achtzehnte Jahr erreicht, und solch ein blutjunges Ding darf noch nicht ausschauen nach dem Bräutigam. Wie es sich künftig fügen mag, überlasse ich ganz dem Willen des Herrn, aber so viel ist gewiß, daß weder ein Patrizier noch ein anderer meiner Tochter Hand berühren wird als *der* Küper, der sich mir als den tüchtigsten geschicktesten Meister bewährt hat. Vorausgesetzt, daß ihn meine Tochter mag, denn zwingen werde ich mein liebes Kind zu nichts in der Welt, am wenigsten zu einer Heirat, die ihr nicht ansteht." Spangenberg und Paumgartner schauten sich an, voll Erstaunen über diesen seltsamen Ausspruch des Meisters. Endlich nach einigem Räuspern fing Spangenberg an: „Also aus Euerm Stande heraus soll Eure Tochter nicht freien?" – „Gott soll sie dafür bewahren", erwiderte Martin. „Aber", fuhr Spangenberg fort, „wenn nun ein junger, tüchtiger Meister aus einem edlen Handwerk, vielleicht ein Goldschmied oder gar ein junger wackrer Künstler um Eure Rosa freite und ihr ganz ausnehmend gefiele vor allen andern jungen Gesellen, wie dann?" – „Zeigt mir", erwiderte Martin, indem er den Kopf in den Nacken warf, „zeigt mir, lieber junger Gesell, würde ich sprechen, das schöne zweifudrige Faß, welches Ihr als Meisterstück gebaut habt, und wenn er das nicht könnte, würd ich freundlich die Tür öffnen und ihn höflichst bitten, doch sich anderswo zu versuchen." – „Wenn aber", sprach Spangenberg weiter, „wenn aber der junge Gesell spräche: ‚Solch einen kleinen Bau kann ich Euch nicht zeigen, aber kommt mit mir auf den Markt, schaut jenes stattliche Haus, das die schlanken Gipfel kühn emporstreckt in die hohen Lüfte – das ist *mein* Meisterbau.'" – „Ach, lieber Herr", unterbrach Meister Martin ungeduldig Spangenbergs Rede, „ach, lieber Herr, was gebt Ihr Euch denn für Mühe, mich eines andern zu überzeugen. Aus *meinem* Handwerk soll nun einmal mein Eidam sein, denn mein Handwerk halt ich für das Herrlichste, was es auf der Welt geben kann. Glaubt Ihr denn, daß es genug ist, die Bände aufzutreiben auf die Dauben, damit das Faß zusammenhalte? Ei, ist es nicht schon herrlich und schön, daß unser Handwerk den Verstand voraussetzt, wie man die schöne Himmelsgabe, den edlen Wein, hegen und pflegen muß, damit er gedeihe und mit aller Kraft und Süßigkeit, wie ein wahrer, glühender Lebensgeist, uns durchdringe? Aber dann der Bau der Fässer selbst. Müssen wir, soll der Bau gelingen, nicht erst alles fein abzirkeln und abmessen? Wir müssen Rechenmeister und Meßkünstler sein, denn wie möchten wir sonst Proportion und Gehalt der Gefäße einsehen. Ei, Herr, mir lacht das Herz im Leibe, wenn ich solch ein tüchtig

Faß auf den Endstuhl bringe, nachdem die Stäbe mit dem Klöbeisen und dem Lenkbeil tüchtig bereitet, wenn dann die Gesellen die Schlägel schwingen und klipp, klapp, – klipp, klapp, es niederfällt auf die Treiber, hei! das ist lustige Musik. Da steht nun das wohlgeratene Gebäude, und wohl mag ich ein wenig stolz umschauen, wenn ich den Reißer zur Hand nehme und mein Handwerkszeichen, gekannt und geehrt von allen wackern Weinmeistern, in des Fasses Boden einreiße. – Ihr spracht von Baumeistern, lieber Herr, ei nun, solch ein stattliches Haus ist wohl ein herrliches Werk, aber wär ich ein Baumeister, ginge ich vor meinem Werke vorüber und oben vom Erker schaute irgendein unsaubrer Geist, ein nichtsnütziger schuftiger Geselle, der das Haus erworben, auf mich herab, ich würde mich schämen ins Innerste hinein, mir würde vor lauter Ärger und Verdruß die Lust ankommen, mein eignes Werk zu zerstören. Doch so etwas kann mir nicht geschehen mit meinen Gebäuden. Da drinnen wohnt ein für allemal nur der sauberste Geist auf Erden, der edle Wein. – Gott lobe mir mein Handwerk." – „Eure Lobrede", sprach Spangenberg, „war recht tüchtig und wacker gemeint. Es macht Euch Ehre, wenn Ihr Euer Handwerk recht hochhaltet, aber werdet nur nicht ungeduldig, wenn ich Euch noch nicht loslassen kann. Wenn nun doch wirklich ein Patrizier käme und um Eure Tochter anhielte? – Wenn das Leben einem so recht auf den Hals tritt, da gestaltet sich denn wohl manches ganz anders, als wie man es geglaubt." – „Ach", rief Meister Martin ziemlich heftig, „ach, wie könnt ich denn anders tun, als mich höflich neigen und sprechen: ‚Lieber Herr, wäret Ihr ein tüchtiger Küper, aber so'" – „Hört weiter", fiel ihm Spangenberg in die Rede, „wenn aber nun gar an einem schönen Tage ein schmucker Junker auf stolzem Pferde, mit glänzendem Gefolge, in prächtigen Kleidern angetan, vor Euerm Hause hielt und begehrte Eure Rosa zur Hausfrau?" – „Hei, hei", rief Meister Martin noch heftiger als vorher, „hei, hei, wie würd ich hastig, wie ich nur könnte, rennen und die Haustür versperren mit Schlössern und Riegeln – wie würd ich rufen und schreien: ‚Reitet weiter! reitet weiter, gestrenger Herr Junker, solche

Rosen wie die meinige blühen nicht für Euch, ei, mein Weinkeller, meine Goldbatzen mögen Euch anstehen, das Mägdlein nehmt Ihr in den Kauf – aber reitet weiter! reitet weiter!'" – Der alte Spangenberg erhob sich, blutrot im ganzen Gesicht, er stemmte beide Hände auf den Tisch und schaute vor sich nieder. „Nun", fing er nach einer Weile an, „nun noch die letzte Frage, Meister Martin. Wenn der Junker vor Euerm Hause mein eigner Sohn wäre, wenn ich selbst mit ihm vor Euerm Hause hielte, würdet Ihr da auch die Tür verschließen, würdet Ihr da auch glauben, wir wären nur gekommen Eures Weinkellers, Eurer Goldbatzen wegen?" – „Mitnichten", erwiderte Meister Martin, „mitnichten, mein lieber gnädiger Herr, ich würde Euch freundlich die Tür öffnen, alles in meinem Hause sollte zu Euerm und Euers Herrn Sohnes Befehl sein, aber was meine Rosa betrifft, da würde ich sprechen: ‚Möcht es doch der Himmel gefügt haben, daß Euer wackrer Herr Junker ein tüchtiger Küper hätte werden können, keiner auf Erden sollte mir dann solch ein willkommner Eidam sein als er, aber jetzt!' – Doch, lieber würdiger Herr, warum neckt und quält Ihr mich denn mit solchen wunderlichen Fragen? – Seht nur, wie unser lustiges Gespräch ganz und gar ein Ende genommen, wie die Gläser gefüllt stehenbleiben. Lassen wir doch den Eidam und Rosas Hochzeit ganz beiseite, ich bringe Euch die Gesundheit Euers Junkers zu, der, wie ich höre, ein schmucker Herr sein soll." Meister Martin ergriff sein Trinkglas, Paumgartner folgte seinem Beispiel, indem er rief: „Alles verfängliche Gespräch soll ein Ende haben und Euer wackrer Junker hochleben!" – Spangenberg stieß an und sprach dann mit erzwungenem Lächeln: „Ihr könnet denken, daß ich im Scherze zu Euch sprach, denn nur frecher Liebeswahnsinn könnte wohl meinen Sohn, der unter den edelsten Geschlechtern seine Hausfrau erkiesen darf, dazu treiben, Rang und Geburt nicht achtend, um Eure Tochter zu freien. Aber etwas freundlicher hättet Ihr mir doch antworten können." – „Ach, lieber Herr", erwiderte Meister Martin, „auch im Scherz konnt ich nicht anders reden, als wie ich es tun würde, wenn solch wunderliches Zeug, wie Ihr es fabeltet, wirklich geschähe. Laßt mir übrigens meinen Stolz, denn Ihr selbst müßt mir doch bezeugen, daß ich der tüchtigste Küper bin auf weit und breit, daß ich mich auf den Wein verstehe, daß ich an unseres in Gott ruhenden Kaisers Maximilian tüchtige Weinordnung fest und getreulich halte, daß ich alle Gottlosigkeit als ein frommer Mann verschmähe, daß ich in mein zweifudriges Faß niemals mehr verdampfe als ein Lötlein lautern Schwefels, welches not tut zur Erhaltung, das alles, ihr lieben würdigen Herrn, werdet ihr wohl genüglich kosten an meinem Wein." – Spangenberg versuchte, indem er wieder seinen Platz einnahm, ein heitres Gesicht anzunehmen, und Paumgartner brachte andere Dinge aufs Tapet. Aber wie es geschieht, daß die einmal verstimmten Saiten eines Instruments sich immer wieder verziehn und der Meister sich vergebens müht, die wohltönenden Akkorde, wie sie erst erklangen, aufs neue hervorzurufen, so wollte auch unter den drei Alten nun keine Rede, kein Wort mehr zusammenpassen. Spangenberg rief nach seinen Knechten und verließ ganz mißmutig Meister Martins Haus, in das er fröhlich und guter Dinge getreten.

Die Weissagung der alten Großmutter

Meister Martin war über das unmutige Scheiden seines alten wackern Kundmanns ein wenig betreten und sprach zu Paumgartner, der eben das letzte Glas ausgetrunken hatte und nun auch scheiden wollte: „Ich weiß doch nun aber gar nicht, was der alte Herr wollte mit seinen Reden und wie er darüber am Ende noch verdrießlich werden konnte." – „Lieber Meister Martin", begann Paumgartner, „Ihr seid ein tüchtiger, frommer Mann, und wohl mag der was halten darauf, was er mit Gottes Hilfe wacker treibt und was ihm Reichtum und Ehre gebracht hat. Nur darf dies nicht ausarten in prahlerischen Stolz, das streitet gegen allen christlichen Sinn. Schon in der Gewerksversammlung heute war es nicht recht von Euch, daß Ihr Euch selbst über alle übrige Meister setztet: möget Ihr doch wirklich mehr verstehen von Eurer Kunst als die anderen, aber daß Ihr das geradezu ihnen an den Hals werfet, das kann ja nur Ärger und Mißmut erregen. Und nun vollends heute abend! – So verblendet konntet Ihr doch wohl nicht sein, in Spangenbergs Reden etwas anders zu suchen als die scherzhafte Prüfung, wie weit Ihr es wohl treiben würdet mit Euerm starrsinnigen Stolz. Schwer mußte es ja den würdigen Herrn verletzen, als Ihr in der Bewerbung jedes Junkers um Eure Tochter nur niedrige Habsucht finden wolltet. Und noch wäre alles gut gegangen, wenn Ihr eingelenkt hättet, als Spangenberg von seinem Sohne zu reden begann. Wie, wenn Ihr spracht: ‚Ja, mein lieber würdiger Herr, wenn Ihr selbst kämt als Brautwerber mit Euerm Sohne, ja auf solche Ehre wär ich nimmer gefaßt, da würd ich wanken in meinen festesten Entschlüssen.‘ Ja! wenn Ihr so spracht, was wäre dann davon andres die Folge gewesen, als daß der alte Spangenberg, die vorige Unbill ganz vergessend, heiter gelächelt und guter Dinge geworden wie vorher.“ – „Scheltet mich nur“, sprach Meister Martin, „scheltet mich nur wacker aus, ich hab es wohl verdient, aber als der Alte solch abgeschmacktes Zeug redete, es schnürte mir die Kehle zu, ich konnte nicht anders antworten.“ – „Und dann“, fuhr Paumgartner fort, „und dann der tolle Vorsatz selbst, Eure Tochter durchaus nur einem Küper geben zu wollen. Dem Himmel, spracht Ihr, soll Eurer Tochter Schicksal anheimgestellt sein, und doch greift Ihr mit irdischer Blödsinnigkeit dem Ratschluß der ewigen Macht vor, indem Ihr eigensinnig vorher festsetzt, aus welchem kleinen Kreise Ihr den Eidam nehmen wollt. Das kann Euch und Eure Rosa ins Verderben stürzen. Laßt ab, Meister Martin, laßt ab von solcher unchristlicher kindischer Torheit, laßt die ewige Macht gebieten, die in Eurer Tochter frommes Herz schon den richtigen Ausspruch legen wird.“ – „Ach, mein würdiger Herr“, sprach Meister Martin ganz kleinmütig, „nun erst sehe ich ein, wie übel ich daran tat, nicht gleich alles herauszusagen. Ihr meint, nur die Hochschätzung meines Handwerks habe mich zu dem unabänderlichen Entschluß gebracht, Rosa nur an einen Küpermeister zu verheiraten, es ist dem aber nicht so, noch ein anderer, gar wunderbarer geheimnisvoller Grund dazu ist vorhanden. – Ich kann Euch nicht fortlassen, ohne daß Ihr alles erfahren habt, Ihr sollt nicht über Nacht auf mich grollen. Setzt Euch, ich bitte gar herzlich darum, verweilt noch einige Augenblicke. Seht, hier steht noch eine Flasche des ältesten Weins, den der mißmutige Junker verschmäht hat, laßt es Euch noch bei mir gefallen." Paumgartner erstaunte über Meister Martins zutrauliches Eindringen, das sonst gar nicht in seiner Natur lag, es war, als laste dem Mann etwas gar schwer auf dem Herzen, das er los sein wollte. Als nun Paumgartner sich gesetzt und ein Glas Wein getrunken hatte, fing Meister Martin auf folgende Weise an: „Ihr wißt, mein lieber würdiger Herr, daß meine brave Hausfrau, bald nachdem Rosa geboren, an den Folgen des schweren Kindbettes starb. Damals lebte meine uralte Großmutter noch, wenn stocktaub und blind, kaum der Sprache fähig, gelähmt an allen Gliedern, im Bette liegen Tag und Nacht anders leben genannt zu werden verdient. Meine Rosa war getauft worden, und die Amme saß mit dem Kinde in der Stube, wo die Großmutter lag. Mir war es so traurig und, wenn ich das schöne Kind anblickte, so wunderbar freudig und wehmütig zu Sinn, ich war so tief bewegt, daß ich zu jeder Arbeit mich untauglich fühlte und still, in mich gekehrt, neben dem Bett der alten Großmutter stand, die ich glücklich pries, da ihr schon jetzt aller irdische Schmerz entnommen. Und als ich ihr nun so ins bleiche Antlitz schaue, da fängt sie mit einemmal an, seltsam zu lächeln, es ist, als glätteten sich die verschrumpften Züge aus, als färbten sich die blassen Wangen. – Sie richtet sich empor, sie streckt, wie plötzlich beseelt von wunderbarer Kraft, die gelähmten Arme aus, wie sie es sonst nicht vermochte, sie ruft vernehmlich mit leiser lieblicher Stimme: ‚Rosa – meine liebe Rosa!' – Die Amme steht auf und bringt ihr das Kind, das sie in den Armen auf und nieder wiegt. Aber nun, mein würdiger Herr, nun denkt Euch mein Erstaunen, ja meinen Schreck, als die Alte mit heller kräftiger Stimme ein Lied in der hohen fröhlichen Lobeweis Herrn Hans Berchlers, Gastgebers zum Geist in Straßburg, zu singen beginnt, das also lautet:

‚Mägdlein zart mit roten Wangen,
Rosa, hör das Gebot,
Magst dich wahren vor Not und Bangen.
Halt im Herzen nur Gott,
Treib keinen Spott,
Heg kein töricht Verlangen.
Ein glänzend Häuslein wird er bringen,
Würzige Fluten treiben drin,
Blanke Englein gar lustig singen,
Mit frommen Sinn
Horch treuster Minn,
Ha! lieblichem Liebesklingen.
Das Häuslein mit güldnem Prangen,
Der hat's ins Haus getrag'n,
Den wirst du süß umfangen,
Darfst nicht den Vater frag'n,
Ist dein Bräut'gam minniglich.
Ins Haus das Häuslein bringt allwegen
Reichtum, Glück, Heil und Hort,
Jungfräulein! – Augen klar!
Öhrlein auf vor treuem Wort,
Magst wohl hinfort
Blühen in Gottes Segen!‘

Und als sie dies Lied ausgesungen hat, legt sie das Kind leise und behutsam auf das Deckbette nieder, und die welke zitternde Hand auf seine Stirn gelegt, lispelt sie unverständliche Worte, aber das ganz verklärte Antlitz der Alten zeigt wohl, daß sie Gebete spricht. Nun sinkt sie nieder mit dem Kopfe auf die Bettkissen, und in dem Augenblick, als die Amme das Kind fortträgt, seufzt sie tief auf. Sie ist gestorben!" – „Das ist", sprach Paumgartner, als Meister Martin schwieg, „das ist eine wunderbare Geschichte, aber doch sehe ich gar nicht ein, wie das weissagende Lied der alten Großmutter mit Euerm starrsinnigen Vorsatz, Rosa nur einem Küpermeister geben zu wollen, zusammenhängen kann." – „Ach", erwiderte Meister Martin,

„was kann denn klarer sein, als daß die Alte in dem letzten Augenblick ihres Lebens von dem Herrn ganz besonders erleuchtet, mit weissagender Stimme verkündete, wie es mit Rosa, sollte sie glücklich sein, sich fügen müsse. Der Bräutigam, der mit dem blanken Häuslein Reichtum, Glück, Heil und Hort ins Haus bringt: wer kann das anders sein als der tüchtige Küper, der bei mir sein Meisterstück, sein blankes Häuslein gefertigt hat? In welchem andern Häuslein treiben würzige Fluten als in dem Weinfaß? Und wenn der Wein arbeitet, dann rauscht und summt es wohl auch und plätschert, das sind die lieben Englein, die in den Fluten auf- und abfahren und lustige Liedlein singen. Ja, ja! – keinen andern Bräutigam hat die alte Großmutter gemeint als den Küpermeister, und dabei soll es denn auch bleiben." – „Ihr erklärt", sprach Paumgartner, „Ihr erklärt, lieber Meister Martin, die Worte der alten Großmutter nun einmal nach Eurer Weise. *Mir* will Eure Deutung gar nicht recht zu Sinn, und ich bleibe dabei, daß Ihr alles der Fügung des Himmels und dem Herzen Eurer Tochter, in dem gewiß der richtige Ausspruch verborgen liegt, lediglich überlassen sollt." – „Und ich", fiel Martin ungeduldig ein, „ich bleibe dabei, daß mein Eidam nun ein für allemal kein anderer sein soll als ein tüchtiger Küper!" Paumgartner wäre beinahe zornig geworden über Martins Eigensinn, doch hielt er an sich und stand auf vom Sitze, indem er sprach: „Es ist spät geworden, Meister Martin, laßt uns jetzt aufhören mit Trinken und Reden, beides scheint uns nicht mehr dienlich zu sein." – Als sie nun hinaustraten auf den Flur, stand ein junges Weib da mit fünf Knaben, von denen der älteste kaum acht, der jüngste kaum ein halbes Jahr alt sein mochte. Das Weib jammerte und schluchzte. Rosa eilte den Eintretenden entgegen und sprach: „Ach Gott im Himmel, Valentin ist nun doch gestorben, dort steht sein Weib mit den Kindern." – „Was? – Valentin gestorben?" rief Meister Martin ganz bestürzt – „ei, über das Unglück – über das Unglück! – Denkt Euch", wandte er sich dann zu Paumgartner, „denkt Euch, mein würdiger Herr! Valentin war der geschickteste Geselle, den ich in der Arbeit hatte, und dabei fleißig und fromm.

Vor einiger Zeit verwundete er sich bei dem Bau eines großen Fasses gefährlich mit dem Lenkbeil, die Wunde wurde schlimmer und schlimmer, er verfiel in ein heftiges Fieber und hat nun gar sterben müssen in seinen blühendsten Jahren." Darauf schritt Meister Martin zu auf das trostlose Weib, die, in Tränen gebadet, klagte, daß sie nun wohl verderben werde in Not und Elend. „Was", sprach Martin, „was denkt Ihr denn von mir? In meiner Arbeit brachte sich Euer Mann die gefährliche Wunde bei, und ich sollte Euch verlassen in Eurer Not? – Nein, ihr alle gehört fortan zu meinem Hause. Morgen, oder wenn Ihr wollt, begraben wir Euern armen Mann, und dann zieht Ihr mit Euern Knaben auf meinen Meierhof vor dem Frauentor, wo ich meine schöne offne Werkstatt habe und täglich mit meinen Gesellen arbeite. Da könnt Ihr dann meiner Hauswirtschaft vorstehen, und Eure tüchtigen Knaben will ich erziehen, als wären es meine eigenen Söhne. Und daß Ihr's nur wißt, Euern alten Vater nehme ich auch in mein Haus. Das war sonst ein tüchtiger Küpergeselle, als er noch Kraft in den Ärmen hatte. Nun! – wenn er auch nicht mehr Schlägel, Kimmkeule oder Bandhake regieren oder auf der Fügbank arbeiten kann, so ist er doch wohl noch des Degsels mächtig oder schabt mir mit dem Krummesser die Bände aus. Genug, er soll mit Euch zusammen in meinem Hause aufgenommen sein." Hätte Meister Martin das Weib nicht erfaßt, sie wäre ihm vor Schmerz und tiefer Rührung beinahe entseelt zu Füßen gesunken. Die ältesten Jungen hingen sich an sein Wams, und die beiden jüngsten, die Rosa auf den Arm genommen, streckten die Händchen nach ihm aus, als hätten sie alles verstanden. Der alte Paumgartner sprach lächelnd, indem ihm die hellen Tränen in den Augen standen: „Meister Martin, man kann Euch nicht gram werden", und begab sich dann nach seiner Behausung.

Wie die beiden jungen Gesellen, Friedrich und Reinhold, miteinander bekannt wurden

Auf einer schönen grasichten, von hohen Bäumen beschatteten Anhöhe lag ein junger Gesell von stattlichem Ansehen, Friedrich geheißen. Die Sonne war schon herabgesunken, und rosige Flammen leuchteten auf aus dem tiefen Himmelsgrunde. Ganz deutlich konnte man in der Ferne die berühmte Reichsstadt Nürnberg sehen, die sich im Tale ausbreitete und ihre stolzen Türme kühn in das Abendrot hinaufstreckte, das sein Gold ausströmte auf ihre Spitzen. Der junge Gesell hatte den Arm gestützt auf das Reisebündel, das neben ihm lag, und schaute mit sehnsuchtsvollen Blicken herab in das Tal. Dann pflückte er einige Blumen, die um ihn her in dem Grase standen, und warf sie in die Lüfte dem Abendrot zu, dann sah er wieder traurig vor sich hin, und heiße Tränen perlten in seinen Augen. Endlich erhob er den Kopf, breitete beide Ärme aus, als wolle er eine geliebte Gestalt umfangen, und sang mit heller, gar lieblicher Stimme folgendes Lied:

„Schau ich dich wieder,
O Heimat süß,
Nicht von dir ließ
Mein Herz getreu und bieder.
O rosiges Rot, geh mir auf,
Mag nur schauen Rosen,
Blühnde Liebesblüt',
Neig dem Gemüt
Dich zu mit wonnigem Kosen,
Willst du springen, o schwellende Brust?
Halt dich fest in Schmerz und süßer Lust.
O goldnes Abendrot!
Schöner Strahl, sei mein frommer Bot'
Seufzer – Tränen mußt
Treulich zu ihr tragen.
Und stürb ich nun,

Möchten Röslein dich fragen,
Sprich: ‚In Lieb' verging sein Herz.'"

Nachdem Friedrich dies Lied gesungen, zog er aus seinem Reisebündel ein Stücklein Wachs hervor, erwärmte es an seiner Brust und begann eine schöne Rose mit hundert feinen Blättern sauber und kunstvoll auszukneten. Während der Arbeit summte er einzelne Strophen aus dem Liede vor sich hin, das er gesungen, und so ganz in sich selbst vertieft, bemerkte er nicht den hübschen Jüngling, der schon lange hinter ihm stand und emsig seiner Arbeit zuschaute. „Ei, mein Freund", fing nun der Jüngling an, „ei, mein Freund, das ist ein sauberes Stück, was Ihr da formt." Friedrich schaute ganz erschrocken um sich, als er aber dem fremden Jüngling in die dunklen freundlichen Augen sah, war es ihm, als kenne er ihn schon lange; lächelnd erwiderte er: „Ach, lieber Herr, wie möget Ihr nur eine Spielerei beachten, die mir zum Zeitvertreibe dient auf der Reise." – „Nun", fuhr der fremde Jüngling fort, „nun, wenn Ihr die so getreulich nach der Natur zartgeformte Blume eine Spielerei nennt, so müßt Ihr ein gar wackrer geübter Bildner sein. Ihr ergötzt mich auf doppelte Art. Erst drang mir Euer Lied, das Ihr nach der zarten Buchstabenweis Martin Häschers so lieblich absanget, recht durch die Brust, und jetzt muß ich Eure Kunstfertigkeit im Formen hoch bewundern. Wo gedenkt Ihr denn noch heute hinzuwandern?" – „Das Ziel", erwiderte Friedrich, „das Ziel meiner Reise liegt dort uns vor Augen. Ich will hin nach meiner Heimat, nach der berühmten Reichsstadt Nürnberg. Doch die Sonne ist schon tief hinabgesunken, deshalb will ich unten im Dorfe übernachten, morgen in aller Frühe geht's dann fort, und zu Mittag kann ich in Nürnberg sein." – „Ei", rief der Jüngling freudig, „ei, wie sich das so schön trifft, wir haben denselben Weg, auch ich will nach Nürnberg. Mit Euch übernachte ich auch hier im Dorfe, und dann ziehen wir morgen weiter. Nun laßt uns noch eins plaudern." Der Jüngling, Reinhold geheißen, warf sich neben Friedrich ins Gras und fuhr dann fort: „Nicht wahr, ich irre mich nicht, Ihr seid ein tüchtiger Gießkünstler, das merk ich an der

Art zu modellieren, oder Ihr arbeitet in Gold und Silber?" Friedrich sah ganz traurig vor sich nieder und fing dann kleinmütig an: „Ach, lieber Herr, Ihr haltet mich für etwas viel Besseres und Höheres, als ich wirklich bin. Ich will es Euch nur geradehin sagen, daß ich die Küperprofession erlernt habe und nach Nürnberg zu einem bekannten Meister in die Arbeit gehen will. Ihr werdet mich nun wohl verachten, da ich nicht herrliche Bilder zu modellieren und zu gießen vermag, sondern nur Reife um Fässer und Kufen schlage." Reinhold lachte laut auf und rief: „Nun, das ist in der Tat lustig. Ich soll Euch verachten, weil Ihr ein Küper seid, und ich – ich bin ja selbst gar nichts anderes als das." Friedrich blickte ihn starr an, er wußte nicht, was er glauben sollte, denn Reinholds Aufzug paßte freilich zu nichts weniger als zu einem reisenden Küpergesellen. Das Wams von feinem schwarzen Tuch, mit gerissenem Samt besetzt, die zierliche Halskrause, das kurze breite Schwert, das Barett mit einer langen herabhängenden Feder ließen eher auf einen wohlbegüterten Handelsmann schließen, und doch lag wieder in dem Antlitz, in der ganzen Gestalt des Jünglings ein wunderbares Etwas, das dem Gedanken an den Handelsmann nicht Raum gab. Reinhold merkte Friedrichs Zweifel, er riß sein Reisebündel auf, holte das Küperschurzfell, sein Messerbesteck hervor und rief: „Schau doch her, mein Freund, schau doch nur her! – zweifelst du noch daran, daß ich dein Kamerad bin? – Ich weiß, dir ist mein Anzug befremdlich, aber ich komme von Straßburg, da gehen die Küper stattlich einher wie Edelleute. Freilich hatte ich sonst, gleich dir, auch wohl Lust zu etwas anderm, aber nun geht mir das Küperhandwerk über alles, und ich habe manch schöne Lebenshoffnung darauf gestellt. Geht's dir nicht auch so, Kamerad? – Aber beinahe scheint es mir, als habe sich unversehens ein düstrer Wolkenschatten in dein heiteres Jugendleben hineingehängt, vor dem du nicht fröhlich um dich zu blicken vermagst. Das Lied, das du vorhin sangst, war voll Liebessehnsucht und Schmerz, aber es kamen Klänge darin vor, die wie aus meiner eignen Brust hervorleuchteten, und es ist mir, als wisse ich schon alles, was in dir verschlossen. Um so mehr magst du mir alles vertrauen, werden wir denn nicht ohnedies in Nürnberg wackre Kumpane sein und bleiben?“ Reinhold schlang einen Arm um den Friedrich und sah ihm freundlich ins Auge. Darauf sprach Friedrich: „Je mehr ich dich anschaue, frommer Geselle, desto stärker zieht es mich zu dir hin, ich vernehme deutlich die wunderbare Stimme in meinem Innern, die wie ein treues Echo widerklingt vom Ruf des befreundeten Geistes. Ich muß dir alles sagen! – Nicht als ob ich armer Mensch dir wichtige Geheimnisse zu vertrauen hätte, aber weil nur die Brust des treuesten Freundes Raum gibt dem fremden Schmerz und ich in den ersten Augenblicken unsrer jungen Bekanntschaft dich eben für meinen treuesten Freund halte. – Ich bin nun ein Küper worden und darf mich rühmen, mein Handwerk zu verstehen, aber einer andern, wohl schönern Kunst war mein ganzer Sinn zugewandt von Kindheit auf. Ich wollte ein großer Meister im Bildergießen und in der Silberarbeit werden, wie Peter Vischer oder der italische Benvenuto Cellini. Mit glühendem Eifer arbeitete ich beim Herrn Johannes Holzschuer, dem berühmten Silberarbeiter in meiner Heimat, der, ohne gerade selbst Bilder zu gießen, mir doch alle Anleitung dazu zu geben wußte. In Herrn Holzschuers Haus kam nicht selten Herr Tobias Martin, der Küpermeister, mit seiner Tochter, der holdseligen Rosa. Ohne daß ich es selbst ahnete, kam ich in Liebe. Ich verließ die Heimat und ging nach Augsburg, um die Bildergießerei recht zu erlernen, aber nun schlugen erst recht die hellen Liebesflammen in meinem Innern auf. Ich sah und hörte nur Rosa; alles Streben, alles Mühen, das mich nicht zu ihrem Besitz führte, ekelte mich an. Den einzigen Weg dazu schlug ich ein. Meister Martin gibt seine Tochter nur dem Küper, der in seinem Hause das tüchtigste Meisterstück macht und übrigens der Tochter wohl ansteht. Ich warf meine Kunst beiseite und erlernte das Küperhandwerk. Ich will hin nach Nürnberg und bei Meister Martin in Arbeit gehen. Aber nun die Heimat vor mir liegt und Rosas Bild recht in lebendigem Glühen mir vor Augen steht, nun möcht ich vergehen in Zagen, Angst und Not. Nun seh ich klar das Törichte meines Beginnens. Weiß ich's denn, ob Rosa mich liebt, ob sie mich jemals lieben wird?" – Reinhold hatte Friedrichs Geschichte mit steigender Aufmerksamkeit angehört. Jetzt stützte er den Kopf auf den Arm, und indem er die flache Hand vor die Augen hielt, fragte er dumpf und düster: „Hat Rosa Euch denn niemals Zeichen der Liebe gegeben?" – „Ach", erwiderte Friedrich, „ach, Rosa war, als ich Nürnberg verließ, mehr Kind als Jungfrau. Sie mochte mich zwar gern leiden, sie lächelte mich gar holdselig an, wenn ich in Herrn Holzschuers Garten unermüdlich mit ihr Blumen pflückte und Kränze wand, aber" – „Nun, so ist ja noch gar keine Hoffnung verloren", rief auf einmal Reinhold so heftig und mit solch widrig gellender Stimme, daß Friedrich sich fast entsetzte. Dabei raffte er sich auf, das Schwert klirrte an seiner Seite, und als er nun hoch aufgerichtet dastand, fielen die tiefen Nachtschatten auf sein verblaßtes Antlitz und verzerrten die milden Züge des Jünglings auf recht häßliche Weise, so daß Friedrich ganz ängstlich rief: „Was ist dir denn nun auf einmal geschehen?" Dabei trat er ein paar Schritte zurück und stieß mit dem Fuß an Reinholds Reisebündel. Da rauschte aber ein Saitenklang auf, und Reinhold rief zornig: „Du böser Geselle, zerbrich mir nicht meine Laute." Das Instrument war in dem Reisebündel befestigt, Reinhold schnallte es los und griff stürmisch hinein, als wolle er alle Saiten zersprengen. Bald wurde aber das Spiel sanft und melodisch. „Laß uns", sprach er ganz in dem milden Ton wie zuvor, „laß uns, lieber Bruder, nun hinabgehen in das Dorf. Hier trage ich ein gutes Mittel in den Händen, die bösen Geister zu bannen, die uns etwa in den Weg treten und vorzüglich mir was anhaben könnten." – „Ei, lieber Bruder", erwiderte Friedrich, „was sollten uns denn auf unserm Wege böse Geister anhaben? Aber dein Spiel ist gar lieblich, fahr nur damit fort." – Die goldnen Sterne waren hinaufgezogen an des Himmels dunklem Azur. Der Nachtwind strich im dumpfen Gesäusel über die duftenden Wiesen. Lauter murmelten die Bäche, ringsumher rauschten die düstern Bäume des fernen Waldes. Da zogen Friedrich und Reinhold hinab, spielend und singend, und hell und klar wie auf leuchtenden Schwingen wogten die süßen Töne ihrer sehnsüchtigen Lieder durch die Lüfte. Im Nachtlager angekommen, warf Reinhold Laute und Reisebündel schnell ab und drückte Friedrich stürmisch an seine Brust, der auf seinen Wangen die brennenden Tränen fühlte, die Reinhold vergossen.

Wie die beiden jungen Gesellen, Reinhold und Friedrich, in Meister Martins Hause aufgenommen wurden

Als am andern Morgen Friedrich erwachte, vermißte er den neuerworbnen Freund, der ihm zur Seite sich auf das Strohlager geworfen hatte, und da er auch Laute und Reisebündel nicht mehr sah, so glaubte er nicht anders, als daß Reinhold aus ihm unbekannten Ursachen ihn verlassen und einen andern Weg eingeschlagen habe. Kaum trat Friedrich aber zum Hause heraus, als ihm Reinhold, Reisebündel auf dem Rücken, Laute unterm Arm, ganz anders gekleidet als gestern, entgegentrat. Er hatte die Feder vom Barett genommen, das Schwert abgelegt und statt des zierlichen Wamses mit dem Samtbesatz ein schlichtes Bürgerwams von unscheinbarer Farbe angezogen. „Nun", rief er fröhlich lachend dem verwunderten Freunde entgegen, „nun, Bruder, hältst du mich doch gewiß für deinen wahren Kumpan und wackern Kameraden. – Aber höre, für einen, der in Liebe ist, hast du tüchtig genug geschlafen. Sieh nur, wie hoch schon die Sonne steht. Laß uns nur gleich fortwandern." – Friedrich war still und in sich gekehrt, er antwortete kaum auf Reinholds Fragen, achtete kaum auf seine Scherze. Ganz ausgelassen sprang Reinhold hin und her, jauchzte und schwenkte das Barett in den Lüften. Doch auch er wurde stiller und stiller, je näher sie der Stadt kamen. „Ich kann vor Angst, vor Beklommenheit, vor süßem Weh nicht weiter, laß uns hier unter diesen Bäumen ein wenig ruhen." So sprach Friedrich, als sie schon beinahe das Tor von Nürnberg erreicht hatten, und warf sich ganz erschöpft nieder in das Gras. Reinhold setzte sich zu ihm und fing nach einer Weile an: „Ich muß dir, mein herziger Bruder, gestern abend recht verwunderlich vorgekommen sein. Aber als du mir von deiner Liebe erzähltest, als du so trostlos warst, da ging mir allerlei einfältiges Zeug durch den Kopf, welches mich verwirrte und am Ende hätte tollmachen können, vertrieb nicht dein schöner Gesang und meine Laute die bösen Geister. Heute, als mich der erste Strahl der Morgensonne weckte, war nun vollends, da schon vom Abend der schlimme Spuk gewichen, alle Lebenslust in mein Gemüt zurückgekehrt. Ich lief hinaus, und, im Gebüsch umherkreuzend, kamen mir allerlei herrliche Dinge in den Sinn. Wie ich dich so gefunden, wie mein ganzes Gemüt sich dir zugewandt! – Eine anmutige Geschichte, die sich vor einiger Zeit in Italien zutrug, eben als ich dort war, fiel mir ein, ich will sie dir erzählen, da sie recht lebendig zeigt, was wahre Freundschaft vermag. Es begab sich, daß ein edler Fürst, eifriger Freund und Beschützer der schönen Künste, einen sehr hohen Preis ausgesetzt hatte für ein Gemälde, dessen herrlicher, aber gar schwer zu behandelnder Gegenstand genau bestimmt war. Zwei junge Maler, die, durch das engste Freundschaftsband verbunden, zusammen zu arbeiten pflegten, beschlossen, um den Preis zu ringen. Sie teilten sich ihre Entwürfe mit und sprachen viel darüber, wie die Schwierigkeit des Gegenstandes zu überwinden. Der Ältere, im Zeichnen, im Ordnen der Gruppen erfahrner, hatte bald das Bild erfaßt und entworfen und stand nun bei dem Jüngern, der, schon im Entwurf ganz verzagt, von dem Bilde abgelassen, hätte der Ältere ihn nicht unablässig ermuntert und guten Rat erteilt. Als sie nun zu malen begannen, wußte der Jüngere, ein Meister in der Kunst der Farbe, dagegen dem Ältern manchen Wink zu geben, den dieser mit tüchtigem Erfolg benutzte, so daß der Jüngere nie ein Bild besser gezeichnet, der Ältere nie ein Bild besser gefärbt hatte. Als die Gemälde vollendet waren, fielen sich beide Meister in die Arme, jeder war innig erfreut – entzückt über die Arbeit des andern, jeder dem andern den wacker verdienten Preis zuerkennend. Es begab sich aber, daß der Jüngere den Preis erhielt, da rief er ganz beschämt: ‚O wie konnte ich denn den Preis erringen, was ist mein Verdienst gegen das meines Freundes, wie hätte ich denn nur ohne seinen Rat, ohne seinen wackern Beistand etwas Tüchtiges hervorbringen können?‘ Da sprach aber der Ältere: ‚Und hast du mir denn nicht auch beigestanden mit tüchtigem Rat? Mein Gemälde ist wohl auch nichts Schlechtes, aber du hast den Preis davongetragen, wie sich's gebührt. Nach gleichem Ziel zu streben, wacker und offen, das ist recht Freundes Sache, der Lorbeer, den der Sieger erhält, ehrt auch den Besiegten; ich liebe dich nun noch mehr, da du so tapfer gerungen und mit deinem Siege mir auch Ruhm und Ehre gebracht hast.‘ – Nicht wahr, Friedrich, der Maler hatte recht? – Wacker, ohne allen tückischen Hinterhalt um gleichen Preis ringen, sollte das wahre Freunde nicht noch mehr, recht aus der Tiefe des Herzens einigen, statt sie zu entzweien? Sollte in edlen Gemütern wohl kleinlicher Neid oder gar hämischer Haß Raum finden können?“ – „Niemals“, erwiderte Friedrich, „gewiß niemals. Wir sind nun recht liebende Brüder geworden, in kurzer Zeit fertigen wir beide wohl das Nürnberger Meisterstück, ein tüchtiges zweifudriges Faß, ohne Feuer getrieben, aber der Himmel mag mich davor bewahren, daß ich auch nur den kleinsten Neid spüren sollte, wenn das deinige, lieber Bruder Reinhold, besser gerät als das meinige.“ – „Hahaha“, lachte Reinhold laut auf, „geh mir mit deinem Meisterstück, das wirst du schon fertigen, zur Lust aller tüchtigen Küper. Und daß du's nur weißt, was das Berechnen der Größe, der Proportion, das Abzirkeln der hübschen Rundung betrifft, da findest du an mir deinen Mann. Und auch in Ansehung des Holzes kannst du dich auf mich verlassen. Stabholz von im Winter gefällten Steineichen, ohne Wurmstich, ohne weiße oder rote Streifen, ohne Flammen, das suchen wir aus, du kannst meinem Auge trauen. Ich steh dir in allem bei mit Rat und Tat. Und darum soll mein Meisterstück nicht geringer ausfallen.“ – „Aber du Herr im Himmelsthrone“, unterbrach hier Friedrich den Freund, „was schwatzen wir denn davon, wer das beste Meisterstück machen soll? – Sind wir denn im Streit deshalb? – Das beste Meisterstück – um Rosa zu verdienen! – Wie kommen wir denn darauf! – mir schwindelt's im Kopfe.“ – „Ei, Bruder“, rief Reinhold, immer noch lachend, „an Rosa war ja gar nicht gedacht. Du bist ein Träumer. Komm nur, daß wir endlich die Stadt erreichen." Friedrich raffte sich auf und wanderte ganz verwirrten Sinnes weiter. Als sie im Wirtshause sich wuschen und abstäubten, sprach Reinhold zu Friedrich: „Eigentlich weiß ich für mein Teil gar nicht, bei welchem Meister ich in Arbeit gehen soll, es fehlt mir hier an aller Bekanntschaft, und da dächt ich, du nähmst mich nur gleich mit zum Meister Martin, lieber Bruder! Vielleicht gelingt es mir, bei ihm anzukommen." – „Du nimmst mir", erwiderte Friedrich, „eine schwere Last vom Herzen, denn wenn du bei mir bleibst, wird es mir leichter werden, meine Angst, meine Beklommenheit zu besiegen." So schritten nun beide junge Gesellen rüstig fort nach dem Hause des berühmten Küpers Meister Martin. – Es war gerade der Sonntag, an dem Meister Martin seinen Kerzenmeister-Schmaus gab, und hohe Mittagszeit. So kam es, daß, als Reinhold und Friedrich in Martins Haus hineintraten, ihnen Gläsergeklirr und das verwirrte Getöse einer lustigen Tischgesellschaft entgegenklang. „Ach", sprach Friedrich ganz kleinmütig, „da sind wir wohl zur unrechten Stunde gekommen." – „Ich denke", erwiderte Reinhold, „gerade zur rechten, denn beim frohen Mahl ist Meister Martin gewiß guter Dinge und aufgelegt, unsere Wünsche zu erfüllen." Bald trat auch Meister Martin, dem sie sich hatten ankündigen lassen, in festlichen Kleidern angetan, mit nicht geringer Glut auf Nas' und Wange heraus auf den Flur. Sowie er Friedrich gewahrte, rief er laut: „Sieh da, Friedrich! guter Junge, bist du wieder heimgekommen? – Das ist brav! – Und hast dich auch zu dem hochherrlichen Küperhandwerk gewandt! – Zwar zieht Herr Holzschuer, wenn von dir die Rede ist, verdammte Gesichter und meint, an dir sei nun gar ein großer Künstler verdorben und du hättest wohl solche hübsche Bildlein und Geländer gießen können, wie sie in St. Sebald und an Fuggers Hause zu Augsburg zu sehen, aber das ist nur dummes Gewäsche, du hast recht getan, dich zu dem Rechten zu wenden. Sei mir viel tausendmal willkommen." Und damit faßte ihn Herr Martin bei den Schultern und drückte ihn an sich, wie er es zu tun pflegte, in herzlicher Freude. Friedrich lebte ganz auf bei Meister Martins freundlichem Empfang, alle Beklommenheit war von ihm gewichen, und er trug frei und unverzagt dem Meister nicht allein sein Anliegen vor, sondern empfahl auch Reinhold zur Aufnahme. „Nun“, sprach Meister Martin, „nun in der Tat, zu gelegnerer Zeit hättet ihr gar nicht kommen können, als eben jetzt, da sich die Arbeit häuft und es mir an Arbeitern gebricht. Seid mir beide herzlich willkommen. Legt nur eure Reisebündel ab und tretet hinein, die Mahlzeit ist zwar beinahe geendet, aber ihr könnt doch noch Platz nehmen an der Tafel, und Rosa soll für euch noch sorgen.“ Damit ging Herr Martin mit den beiden Gesellen hinein. Da saßen denn nun die ehrsamen Meister, obenan der würdige Handwerksherr Jakobus Paumgartner, mit glühenden Gesichtern. Der Nachtisch war eben aufgetragen, und ein edlerer Wein perlte in den großen Trinkgläsern. Es war an dem, daß jeder Meister mit lauter Stimme von etwas anderm sprach, und doch alle meinten sich zu verstehen, und daß bald dieser oder jener laut auflachte, er wußte nicht, warum. Aber wie nun der Meister Martin, beide Jünglinge an der Hand, laut verkündete, daß soeben sich ganz erwünscht die beiden mit guten Handwerkszeugnissen versehenen Gesellen bei ihm eingefunden hätten, wurde alles still, und jeder betrachtete die schmucken Leute mit behaglichem Wohlgefallen. Reinhold schaute mit hellen Augen beinahe stolz umher, aber Friedrich schlug die Augen nieder und drehte das Barett in den Händen. Meister Martin wies den Jünglingen Plätze an dem untersten Ende der Tafel an, aber das waren wohl gerade die herrlichsten, die es nur gab, denn alsbald erschien Rosa, setzte sich zwischen beiden und bediente sie sorglich mit köstlichen Speisen und edlem Getränk. – Die holde Rosa, in hoher Anmut, in vollem Liebreiz prangend, zwischen den beiden bildschönen Jünglingen, mitten unter den alten bärtigen Meistern – das war gar lieblich anzuschauen, man mußte an ein leuchtendes Morgenwölklein denken, das einzeln am düstern Himmel heraufgezogen, oder es mochten auch wohl schöne Frühlingsblumen sein, die ihre glänzenden Häupter aus trübem, farblosen Grase erhoben. Friedrich vermochte vor lauter Wonne und Seligkeit kaum zu atmen, nur verstohlen blickte er dann und wann nach der, die sein ganzes Gemüt erfüllte: er starrte vor sich hin auf den Teller – wie wär es ihm möglich gewesen, nur einen Bissen herunterzubringen. Reinhold dagegen wandte die Augen, aus denen funkelnde Blitze strahlten, nicht ab von der lieblichen Jungfrau. Er fing an, von seinen weiten Reisen zu erzählen auf solch wunderbare Art, wie es Rosa noch niemals gehört hatte. Es war ihr, als wenn alles, wovon Reinhold nur sprach, lebendig aufginge in tausend stets wechselnden Gestalten. Sie war ganz Aug', ganz Ohr, sie wußte nicht, wie ihr geschah, wenn Reinhold in vollem Feuer der Rede ihre Hand ergriff und sie an seine Brust drückte. „Aber", brach Reinhold plötzlich ab, „aber Friedrich, was sitzest du da stumm und starr. Ist dir die Rede vergangen? Komm! – laß uns anstoßen auf das Wohl der lieben holden Jungfrau, die uns so gastlich bewirtet." Friedrich ergriff mit zitternder Hand das große Trinkglas, das Reinhold bis an den Rand gefüllt hatte und das er (Reinhold ließ nicht nach) bis auf den letzten Tropfen leeren mußte. „Nun soll unser brave Meister leben", rief Reinhold, schenkte wieder ein, und abermals mußte Friedrich das Glas austrinken. Da fuhren die Feuergeister des Weins durch sein Inneres und regten das stockende Blut an, daß es siedend in allen Pulsen und Adern hüpfte. „Ach, mir ist so unbeschreiblich wohl", lispelte er, indem glühende Röte in sein Antlitz stieg, „ach, so gut ist es mir auch ja noch nicht geworden." Rosa, die seine Worte wohl ganz anders deuten mochte, lächelte ihn an mit unbeschreiblicher Milde. Da sprach Friedrich, befreit von aller Bangigkeit: „Liebe Rosa, Ihr möget Euch meiner wohl gar nicht mehr erinnern?" – „Ei, lieber Friedrich", erwiderte Rosa mit niedergeschlagenen Augen, „ei, wie wär's denn möglich, daß ich Euch vergessen haben sollte in so kurzer Zeit. Bei dem alten Herrn Holzschuer – damals war ich zwar noch ein Kind, aber Ihr verschmähtet es nicht, mit mir zu spielen, und wußtet immer was Hübsches, was Artiges aufs Tapet zu bringen. Und das kleine allerliebste Körblein von feinem Silberdraht, das Ihr mir damals zu Weihnachten schenktet, das habe ich noch und verwahre es sorglich als ein teures Andenken." Tränen glänzten in den Augen des wonnetrunknen Jünglings, er wollte sprechen, aber nur wie ein tiefer Seufzer entquollen der Brust die Worte: „O Rosa – liebe, liebe – Rosa!" – „Immer", fuhr Rosa fort, „immer hab ich recht herzlich gewünscht, Euch wiederzusehen, aber daß Ihr zum Küperhandwerk übergehen würdet, das hab ich nimmermehr geglaubt. Ach, wenn ich an die schönen Sachen denke, die Ihr damals bei dem Meister Holzschuer verfertigtet, es ist doch schade, daß Ihr nicht bei Eurer Kunst geblieben seid." – „Ach Rosa", sprach Friedrich, „nur um Euretwillen wurde ich ja untreu meiner lieben Kunst." – Kaum waren diese Worte heraus, als Friedrich hätte in die Erde sinken mögen vor Angst und Scham! – Das unbesonnenste Geständnis war auf seine Lippen gekommen. Rosa, wie alles ahnend, wandte das Gesicht von ihm weg, er rang vergebens nach Worten. Da schlug Herr Paumgartner mit dem Messer hart auf den Tisch und verkündete der Gesellschaft, daß Herr Vollrad, ein würdiger Meistersinger, ein Lied anstimmen werde. Herr Vollrad stand denn auch alsbald auf, räusperte sich und sang solch ein schönes Lied in der güldnen Tonweis Hanns Vogelgesangs, daß allen das Herz vor Freuden hüpfte und selbst Friedrich sich wieder erholte von seiner schlimmen Bedrängnis. Nachdem Herr Vollrad noch mehrere schöne Lieder in andern herrlichen Weisen, als da ist: der süße Ton, die Krummzinkenweis, die geblümte Paradiesweis, die frisch Pomeranzenweis u. a., gesungen, sprach er, daß, wenn jemand an der Tafel was von der holdseligen Kunst der Meistersinger verstehe, er nun auch ein Lied anstimmen möge. Da stand Reinhold auf und sprach, wenn es ihm erlaubt sei, sich auf italische Weise mit der Laute zu begleiten, so wolle er wohl auch ein Lied anstimmen und dabei die deutsche Weis ganz beibehalten. Er holte, als niemand etwas dagegen hatte, sein Instrument herbei und hub, nachdem er in gar lieblichen Klängen präludiert hatte, folgendes Lied an:

„Wo steht das Brünnelein,
Was sprudelt würzigen Wein?
Im tiefen Grund,

Da kunt
Ihr fröhlich schaun
Sein lieblich golden Rinnen,
Das schöne Brünnelein,
Drin sprudelt goldner Wein,
Wer hat's gemacht,
Bedacht
Mit hoher Kunst
Und wackrem Fleiß daneben?
Das lust'ge Brünnelein
Mit hoher Kunst gar fein,
Allein
Tät es der Küper machen.
Erglüht von edlem Wein,
Im Herzen Liebe rein,
Jung Küpers Art,
Gar zart
Ist das in allen Sachen."

Das Lied gefiel allen über die Maßen wohl, aber keinem so sehr als dem Meister Martin, dem die Augen vor Freude und Entzücken glänzten. Ohne auf Vollrad zu achten, der beinahe zuviel von der stumpfen Schoßweis Hans Müllers sprach, die der Geselle gut genug getroffen – ohne auf ihn zu achten, stand Meister Martin auf von seinem Sitze und schrie, indem er sein Paßglas in die Höhe hob: „Komm her – du wackrer Küper und Meistersinger – komm her, mit mir, mit deinem Meister Martin, sollst du dies Glas leeren!" Reinhold mußte tun, wie ihm geboten. Als er zu seinem Platz zurückkehrte, raunte er dem tiefsinnigen Friedrich ins Ohr: „Nun mußt du singen – sing das Lied von gestern abend." – „Bist du rasend?" erwiderte Friedrich ganz erzürnt. Da sprach Reinhold mit lauter Stimme zur Gesellschaft: „Ihr ehrbaren Herren und Meister! Hier mein lieber Bruder Friedrich ist noch viel schönerer Lieder mächtig und hat eine viel lieblichere Stimme als ich, aber die Kehle ist ihm verstaubt von der Reise, und da wird er ein andermal seine

Lieder in den herrlichsten Weisen euch auftischen!“ Nun fielen alle mit Lobeserhebungen über Friedrich her, als ob er schon gesungen hätte. Manche Meister meinten sogar endlich, daß seine Stimme in der Tat doch lieblicher sei, als die des Gesellen Reinhold, so wie Herr Vollrad, nachdem er noch ein volles Glas geleert hatte, überzeugt war, daß Friedrich doch die deutschen schönen Weisen besser treffe als Reinhold, der gar zuviel Italisches an sich habe. Aber Meister Martin warf den Kopf in den Nacken, schlug sich auf den runden Bauch, daß es klatschte, und rief: „Das sind nun *meine* Gesellen – *meine*, sag ich, des Küpermeisters Tobias Martin zu Nürnberg Gesellen!“ – Und alle Meister nickten mit den Häuptern und sprachen, die letzten Tropfen aus den hohen Trinkgläsern nippend: „Ja, ja! – Eure, des Meister Martins brave, wackre Gesellen!“ – Man begab sich endlich zur Ruhe. Reinhold und Friedrich, jedem wies Meister Martin eine schmucke helle Kammer in seinem Hause an.

Wie der dritte Gesell zum Meister Martin ins Haus kam, und was sich darauf weiter begab

Als die beiden Gesellen Reinhold und Friedrich einige Wochen hindurch in Meister Martins Werkstatt gearbeitet hatten, bemerkte dieser, daß, was Messung mit Lineal und Zirkel, Berechnung und richtiges Augenmaß betraf, Reinhold wohl seinesgleichen suchte, doch anders war es bei der Arbeit auf der Fügbank, mit dem Lenkbeil oder mit dem Schlägel. Da ermattete Reinhold sehr bald, und das Werk förderte nicht, er mochte sich mühen, wie er wollte. Friedrich dagegen hobelte und hämmerte frisch darauf los, ohne sonderlich zu ermüden. Was sie aber miteinander gemein hatten, war ein sittiges Betragen, in das, vorzüglich auf Reinholds Anlaß, viel unbefangene Heiterkeit und gemütliche Lust kam. Dazu schonten sie in voller Arbeit, zumal wenn die holde Rosa zugegen war, nicht ihre Kehlen, sondern sangen mit ihren lieblichen Stimmen, die gar anmutig zusammengingen, manches herrliche Lied. Und wollte dann auch Friedrich, indem er hinüberschielte nach Rosen, in den schwermütigen Ton verfallen, so stimmte Reinhold sogleich ein Spottlied an, das er ersonnen und das anfing: „Das Faß ist nicht die Zither, die Zither nicht das Faß“, so daß der alte Herr Martin oft den Degsel, den er schon zum Schlage erhoben, wieder sinken ließ und sich den wackelnden Bauch hielt vor innigem Lachen. Überhaupt hatten die beiden Gesellen, vorzüglich aber Reinhold, sich ganz in Martins Gunst festgenistet, und wohl konnte man bemerken, daß Rosa auch manchen Vorwand suchte, um öfter und länger in der Werkstatt zu verweilen, als sonst wohl geschehen sein mochte.

Eines Tages trat Herr Martin ganz nachdenklich in seine offne Werkstatt vor dem Tore hinein, wo Sommer über gearbeitet wurde. Eben setzten Reinhold und Friedrich ein kleines Faß auf. Da stellte sich Meister Martin vor sie hin mit übereinandergeschlagenen Armen und sprach: „Ich kann euch gar nicht sagen, ihr lieben Gesellen, wie sehr ich mit euch zufrieden bin, aber nun komme ich doch in große Verlegenheit. Vom Rhein her schreiben sie, daß das heurige Jahr, was den Weinbau betrifft, gesegneter sein werde, als je eins gewesen. Ein weiser Mann hat gesagt, der Komet, der am Himmel heraufgezogen, befruchte mit seinen wunderbaren Strahlen die Erde, so daß sie aus den tiefsten Schachten alle Glut, die die edlen Metalle kocht, herausströmen und ausdunsten werde in die durstigen Reben, die in üppigem Gedeihen Traub' auf Traube hervorarbeiten und das flüssige Feuer, von dem sie getränkt, hineinsprudeln würden in das Gewächs. Erst nach beinahe dreihundert Jahren werde solch günstige Konstellation wieder eintreten. – Da wird's nun Arbeit geben die Hülle und Fülle. Und dazu kommt noch, daß auch der hochwürdige Herr Bischof von Bamberg an mich geschrieben und ein großes Faß bei mir bestellt hat. Damit können wir nicht fertig werden, und es tut not, daß ich mich noch nach einem tüchtigen Gesellen umschaue. Nun möcht ich aber auch nicht gleich diesen oder jenen von der Straße unter uns aufnehmen, und doch brennt mir das Feuer auf den Nägeln. Wenn ihr einen wackern Gesellen irgendwo wißt, den ihr unter euch leiden möchtet, so sagt's nur, ich schaff ihn her, und sollt es mir auch ein gut Stück Geld kosten." Kaum hatte Meister Martin dies gesprochen, als ein junger Mensch von hohem kräftigen Bau mit starker Stimme hineinrief: „He da! ist das hier Meister Martins Werkstatt?" – „Freilich", erwiderte Meister Martin, indem er auf den jungen Gesellen losschritt, „freilich ist sie das, aber Ihr braucht gar nicht so mörderlich hineinzuschreien und hineinzutappen, so kommt man nicht zu den Leuten." – „Hahaha", lachte der junge Gesell, „Ihr seid wohl Meister Martin selbst, denn so mit dem dicken Bauche, mit dem stattlichen Unterkinn, mit den blinzelnden Augen, mit der roten Nase, gerade so ist er mir beschrieben worden. Seid mir schön gegrüßt, Meister Martin." – „Nun, was wollt Ihr denn vom Meister Martin?" fragte dieser ganz unmutig. „Ich bin", antwortete der junge Mensch, „ich bin ein Küpergesell und wollte nur fragen, ob ich bei Euch in Arbeit kommen könnte." Meister Martin trat vor Verwunderung, daß gerade in dem Augenblick, als er gesonnen war, einen Gesellen zu suchen, sich einer meldete, ein paar Schritte zurück und maß den jungen Menschen von Kopf bis zum Fuße. Der schaute ihn aber keck an mit blitzenden Augen. Als nun Meister Martin die breite Brust, den starken Gliederbau, die kräftigen Fäuste des jungen Menschen bemerkte, dachte er bei sich selbst: „Gerade solch einen tüchtigen Kerl brauche ich ja", und fragte ihn sogleich nach den Handwerkszeugnissen. „Die hab ich nicht zur Hand", erwiderte der junge Mensch, „aber ich werde sie beschaffen in kurzer Zeit und geb Euch jetzt mein Ehrenwort, daß ich treu und redlich arbeiten will, das muß Euch gnügen." Und damit, ohne Meister Martins Antwort abzuwarten, schritt der junge Gesell zur Werkstatt hinein, warf Barett und Reisebündel ab, zog das Wams herunter, band das Schurzfell vor und sprach: „Sagt nur gleich an, Meister Martin, was ich jetzt arbeiten soll." Meister Martin, ganz verdutzt über des fremden Jünglings keckes Betragen, mußte sich einen Augenblick besinnen, dann sprach er: „Nun, Geselle, beweiset einmal gleich, daß Ihr ein tüchtiger Küper seid, nehmt den Gargelkamm zur Hand und fertigt an dem Faß, das dort auf dem Endstuhl liegt, die Kröse." Der fremde Gesell vollführte das, was ihm geheißen, mit besonderer Stärke, Schnelle und Geschicklichkeit und rief dann, indem er hell auflachte: „Nun, Meister Martin, zweifelt Ihr noch daran, daß ich ein tüchtiger Küper bin? – Aber", fuhr er fort, indem er, in der Werkstatt auf und ab gehend, mit den Blicken Handwerkszeug und Holzvorrat musterte, „aber habt Ihr auch tüchtiges Gerät, und – was ist denn das für ein Schlägelchen dort, damit spielen wohl Eure Kinder? – und das Lenkbeilchen, hei! das ist wohl für die Lehrburschen?" – Und damit schwang er den großen schweren Schlägel, den Reinhold gar nicht regieren konnte und mit dem Friedrich nur mühsam hantierte, das wuchtige Lenkbeil, mit dem Meister Martin selbst arbeitete, hoch in den Lüften. Dann rollte er ein paar große Fässer wie leichte Bälle beiseite und ergriff eine von den dicken, noch nicht ausgearbeiteten Dauben. „Ei", rief er, „ei, Meister, das ist gutes Eichenstabholz, das muß springen wie Glas!" Und damit schlug er die Daube gegen den Schleifstein, daß sie mit lautem Schall glatt ab in zwei Stücke zerbrach. „O wollt Ihr doch", sprach Meister Martin, „wollt Ihr doch, lieber Gesell, nicht etwa jenes zweifudrige Faß herausschmeißen oder gar die ganze Werkstatt zusammenschlagen. Zum Schlägel könnt Ihr ja den Balken dort brauchen, und damit Ihr auch ein Lenkbeil nach Eurem Sinn bekommt, will ich Euch das drei Ellen lange Rolandsschwert vom Rathause herunterholen." – „Das wär mir nun eben recht", rief der junge Mensch, indem ihm die Augen funkelten, aber sogleich schlug er den Blick nieder und sprach mit gesenkter Stimme: „Ich dachte nur, lieber Meister, daß Ihr zu Eurer großen Arbeit recht starke Gesellen nötig hättet, und da bin ich wohl mit meiner Leibeskraft etwas zu vorlaut, zu prahlerisch gewesen. Nehmt mich aber immerhin in Arbeit, ich will wacker schaffen, was Ihr von mir begehrt." Meister Martin sah dem Jüngling ins Gesicht und mußte sich gestehen, daß ihm wohl nie edlere und dabei grundehrlichere Züge vorgekommen. Ja, es war ihm, als rege sich bei dem Anblick des Jünglings die dunkle Erinnerung irgendeines Mannes auf, den er schon seit langer Zeit geliebt und hochverehrt, doch konnte er diese Erinnerung nicht ins klare bringen, wiewohl er deshalb des Jünglings Verlangen auf der Stelle erfüllte und ihm nur aufgab, sich nächstens durch glaubhafte Atteste, zum Handwerk gehörig, auszuweisen. Reinhold und Friedrich waren indessen mit dem Aufsetzen des Fasses fertig geworden und trieben nun die ersten Bände auf. Dabei pflegten sie immer ein Lied anzustimmen und taten es nun auch, indem sie ein feines Lied in der Stieglitzweis Adam Puschmanns begannen. Da schrie aber Konrad (so war der neue Gesell geheißen) von der Fügbank, an die ihn Meister Martin gestellt, herüber: „Ei, was ist denn das für ein Quinkelieren? Kommt es mir doch vor, als wenn die Mäuse pfeifen hier in der Werkstatt. Wollt ihr was singen, so singt so, daß es einem das Herz erfrischt und Lust macht zur Arbeit. Solches mag ich auch wohl bisweilen tun.“ Und damit begann er ein tolles Jagdlied mit Halloh und Hussah! und dabei ahmte er das Gebell der Hundekoppeln, die gellenden Rufe der Jäger mit solch durchdringender, schmetternder Stimme nach, daß die großen Fässer widerklangen und die ganze Werkstatt erdröhnte. Meister Martin verhielt sich mit beiden Händen die Ohren, und der Frau Marthe (Valentins Witwe) Knaben, die in der Werkstatt spielten, verkrochen sich furchtsam unters Stabholz. In dem Augenblick trat Rosa hinein, verwundert, erschrocken über das fürchterliche Geschrei, was gar nicht Singen zu nennen. Sowie Konrad Rosa gewahrte, schwieg er augenblicklich, stand von der Fügbank auf und nahte sich ihr, sie mit dem edelsten Anstande grüßend. Dann sprach er mit sanfter Stimme, leuchtendes Feuer in den hellen braunen Augen: „Mein holdes Fräulein, welch ein süßer Rosenschimmer ging denn auf in dieser schlechten Arbeitshütte, als Ihr eintratet, o wäre ich Euer doch nur früher ansichtig geworden, nicht Eure zarten Ohren hätt ich beleidigt mit meinem wilden Jagdliede! – Oh“ (so rief er, sich zu Meister Martin und den andern Gesellen wendend), „oh, hört doch nur auf mit euerm abscheulichen Geklapper! – Solange euch das liebe Fräulein ihres Anblicks würdigt, mögen Schlägel und Treiber ruhn. Nur *ihre* süße Stimme wollen wir hören und mit gebeugtem Haupt erlauschen, was *sie* gebietet uns demütigen Knechten.“ Reinhold und Friedrich schauten sich ganz verwundert an, aber Meister Martin lachte hell auf und rief: „Nun, Konrad! – nun ist's klar, daß Ihr der allernärrischste Kauz seid, der jemals ein Schurzfell vorgebunden. Erst kommt Ihr her und wollt mir wie ein ungeschlachter Riese alles zerschmeißen, dann brüllt Ihr dermaßen, daß uns allen die Ohren gellen, und zum würdigen Schluß aller Tollheit seht Ihr mein Töchterlein Rosa für ein Edelfräulein an und gebärdet Euch wie ein verliebter Junker!" – „Eure holde Tochter", erwiderte Konrad gelassen, „Eure holde Tochter kenne ich gar wohl, lieber Meister Martin, aber ich sage Euch, daß sie das hochherrlichste Fräulein ist, das auf Erden wandelt, und mag der Himmel verleihen, daß sie den edelsten Junker würdige, in treuer, ritterlicher Liebe ihr Paladin zu sein." Meister Martin hielt sich die Seiten, er wollte ersticken, bis er dem Lachen Luft gab durch Krächzen und Hüsteln. Kaum der Sprache mächtig, stotterte er dann: „Gut – sehr gut, mein allerliebster Junge, magst du meine Rosa immerhin für ein hochadlig Fräulein halten, ich gönn es dir – aber dem unbeschadet – sei so gut und gehe fein zurück an deine Fügbank!" Konrad blieb eingewurzelt mit niedergeschlagenem Blick, rieb sich die Stirn, sprach leise: „Es ist ja wahr", und tat dann, wie ihm geheißen. Rosa setzte sich, wie sie immer in der Werkstatt zu tun pflegte, auf ein klein Fäßlein, das Reinhold sorglich abgestäubt und Friedrich herbeigeschoben hatte. Beide fingen, Meister Martin gebot es ihnen, nun aufs neue das schöne Lied an, in dem sie der wilde Konrad unterbrochen, der nun, still und ganz in sich versunken, an der Fügbank fortarbeitete.

Als das Lied geendet, sprach Meister Martin: „Euch hat der Himmel eine schöne Gabe verliehn, ihr lieben Gesellen! – ihr glaubt gar nicht, wie hoch ich die holdselige Singekunst achte. Wollt ich doch auch einmal ein Meistersinger werden, aber das ging nun ganz und gar nicht, ich mochte es auch anstellen, wie ich wollte. Mit aller meiner Mühe erntete ich nur Hohn und Spott ein. Beim Freisingen machte ich bald falsche Anhänge, bald Klebsilben, bald ein falsch Gebäude, bald falsche Blumen oder verfiel ganz und gar in falsche Melodei. – Nun, ihr werdet es besser machen, und es wird heißen, was der Meister nicht vermag, das tun doch seine Gesellen. Künftigen Sonntag ist zur gewöhnlichen Zeit nach der Mittagspredigt ein Meistersingen in der St. Katharinenkirche, da könnet ihr beide, Reinhold und Friedrich, Lob und Ehre erlangen mit eurer schönen Kunst, denn vor dem Hauptsingen wird ein Freisingen gehalten, woran ihr sowie jeder Fremde, der der Singekunst mächtig, ungehindert teilnehmen könnet. Nun, Gesell Konrad" (so rief Meister Martin herüber zur Fügbank), „nun, Gesell Konrad, möcht' Ihr nicht auch den Singstuhl besteigen und Euer schönes Jagdlied anstimmen?" – „Spottet nicht", erwiderte Konrad, ohne aufzublicken, „spottet nicht, lieber Meister! jedes an seinem Platze. Während Ihr Euch an dem Meistersingen erbaut, werde ich auf der Allerwiese meinem Vergnügen nachgehn."

Es kam so, wie Meister Martin wohl vermutet. Reinhold bestieg den Singestuhl und sang Lieder in unterschiedlichen Weisen, die alle Meistersinger erfreuten, wiewohl sie meinten, daß dem Sänger zwar kein Fehler, aber eine gewisse ausländische Art, selbst könnten sie nicht sagen, worin die eigentlich bestehe, vorzuwerfen sei. Bald darauf setzte sich Friedrich auf den Singestuhl, zog sein Barett ab und begann, nachdem er einige Sekunden vor sich hingeschaut, dann aber einen Blick in die Versammlung geworfen, der wie ein glühender Pfeil der holden Rosa in die Brust traf, daß sie tief aufseufzen mußte, ein solches herrliches Lied im zarten Ton Heinrich Frauenlobs, daß alle Meister einmütiglich bekannten, keiner unter ihnen vermöge den jungen Gesellen zu übertreffen.

Als der Abend herangekommen und die Singschule geendigt, begab sich Meister Martin, um den Tag recht zu genießen, in heller Fröhlichkeit mit Rosa nach der Allerwiese. Die beiden Gesellen Reinhold und Friedrich durften mitgehen. Rosa schritt in ihrer Mitte. Friedrich, ganz verklärt von dem Lobe der Meister, in seliger Trunkenheit, wagte manches kühne Wort, das Rosa, die Augen verschämt niederschlagend, nicht vernehmen zu wollen schien. Sie wandte sich lieber zu Reinhold, der nach seiner Weise allerlei Lustiges schwatzte und sich nicht scheute, seinen Arm um Rosas Arm zu schlingen. Schon in der Ferne hörten sie das jauchzende Getöse auf der Allerwiese. An den Platz gekommen, wo die Jünglinge sich in allerlei, zum Teil ritterlichen Spielen ergötzten, vernahmen sie, wie das Volk ein Mal übers andere rief: „Gewonnen, gewonnen – er ist's wieder, der Starke! – ja, gegen den kommt niemand auf!" – Meister Martin gewahrte, als er sich durchs Volk gedrängt hatte, daß alles Lob, alles Jauchzen des Volks niemandem anders galt als seinem Gesellen Konrad. Der hatte im Wettrennen, im Faustkampf, im Wurfspießwerfen alle übrige übertroffen. Als Martin herankam, rief Konrad eben, ob es jemand mit ihm aufnehmen wolle im lustigen Kampfspiel mit stumpfen Schwertern. Mehrere wackre Patrizierjünglinge, solch ritterlichen Spiels gewohnt, ließen sich ein auf die Forderung. Nicht lange dauerte es aber, so hatte Konrad auch hier ohne alle große Mühe und Anstrengung sämtliche Gegner überwunden, so daß des Lobpreisens seiner Gewandtheit und Stärke gar kein Ende war.

Die Sonne war herabgesunken, das Abendrot erlöschte, und die Dämmerung stieg mit Macht herauf. Meister Martin, Rosa und die beiden Gesellen hatten sich an einem plätschernden Springquell gelagert. Reinhold erzählte viel Herrliches von dem fernen Italien, aber Friedrich schaute still und selig der holden Rosa in die Augen. Da kam Konrad heran, leisen zögernden Schrittes, wie mit sich selbst uneins, ob er sich zu den andern lagern solle oder nicht. Meister Martin rief ihm entgegen: „Nun, Konrad, kommt nur immer heran, Ihr habt Euch tapfer gehalten auf der Wiese, so kann ich's wohl leiden an meinen Gesellen, so ziemt es ihnen auch. Scheut Euch nicht, Geselle! setzt Euch zu uns, ich erlaub es Euch!" Konrad warf einen durchbohrenden Blick auf den Meister, der ihm gnädig zunickte, und sprach dann mit dumpfer Stimme: „Vor Euch scheue ich mich nun ganz und gar nicht, hab Euch auch noch gar nicht nach der Erlaubnis gefragt, ob ich mich hier lagern darf oder nicht, komme überhaupt auch gar nicht zu *Euch*. Alle meine Gegner hab ich in den Sand gestreckt im lustigen Ritterspiel, und da wollt ich nur das holde Fräulein fragen, ob sie mir nicht auch wie zum Preis des lustigen Spiels den schönen Strauß verehren wollte, den sie an der Brust trägt." Damit ließ sich Konrad vor Rosa auf ein Knie nieder, schaute mit seinen klaren braunen Augen ihr recht ehrlich ins Antlitz und bat: „Gebt mir immer den schönen Strauß als Siegespreis, holde Rosa, Ihr dürft mir das nun durchaus nicht abschlagen." Rosa nestelte auch gleich den Strauß los und gab ihn Konrad, indem sie lachend sprach: „Ei, ich weiß ja wohl, daß einem solchen tapfern Ritter, wie Ihr seid, solch ein Ehrenzeichen von einer Dame gebührt, und so nehmt immerhin meine welk gewordenen Blumen." Konrad küßte den ihm dargebotenen Strauß und steckte ihn dann an sein Barett, aber Meister Martin rief, indem er aufstand: „Nun seh mir einer die tollen Possen! – doch laßt uns nach Hause wandeln, die Nacht bricht ein." Herr Martin schritt vorauf, Konrad ergriff mit sittigem, zierlichem Anstande Rosas Arm, Reinhold und Friedrich schritten ganz unmutig hinterher. Die Leute, denen sie begegneten, blieben stehn und schauten ihnen nach, indem sie sprachen: „Ei seht nur, seht, das ist der reiche Küper Tobias Martin mit seinem holden Töchterlein und seinen wackern Gesellen. Das nenn ich mir hübsche Leute!" –

Wie Frau Marthe mit Rosa von den drei Gesellen sprach. Konrads Streit mit dem Meister Martin

Junge Mägdlein pflegen wohl alle Lust des Festtages erst am andern Morgen sich so recht durch Sinn und Gemüt gehen zu lassen, und diese Nachfeier dünkt ihnen dann beinahe noch schöner als das Fest selbst. So saß auch die holde Rosa am andern Morgen einsam in ihrem Gemach und ließ, die gefalteten Hände auf dem Schoß, das Köpfchen sinnend vor sich hingeneigt, Spindel und Nähterei ruhen. Wohl mocht es sein, daß sie bald Reinholds und Friedrichs Lieder hörte, bald den gewandten Konrad sah, wie er seine Gegner besiegte, wie er sich von ihr den Preis des Siegers holte, denn bald summte sie ein paar Zeilen irgendeines Liedleins, bald lispelte sie: „Meinen Strauß wollt

Ihr?", und dann leuchtete höheres Rot auf ihren Wangen, schimmerten Blitze durch die niedergesenkten Wimpern, stahlen sich leise Seufzer fort aus der innersten Brust. Da trat Frau Marthe hinein, und Rosa freute sich nun, recht umständlich erzählen zu können, wie alles sich in der St. Katharinenkirche und auf der Allerwiese begeben. Als Rosa geendet, sprach Frau Marthe lächelnd: „Nun, liebe Rosa, nun werdet Ihr wohl bald unter drei schmucken Freiern wählen können." – „Um Gott", fuhr Rosa auf, ganz erschrocken und blutrot im Gesicht bis unter die Augen, „um Gott, Frau Marthe, wie meint Ihr denn das? – ich! – drei Freier?" – „Tut nur nicht so", sprach Frau Marthe weiter, „tut nur nicht so, liebe Rosa, als ob Ihr gar nichts wissen, nichts ahnen könntet. Man müßte ja wahrhaftig gar keine Augen haben, man müßte ganz verblendet sein, sollte man nicht schauen, daß unsere Gesellen Reinhold, Friedrich und Konrad, ja daß alle drei in der heftigsten Liebe zu Euch sind." – „Was bildet Ihr Euch ein, Frau Marthe?" lispelte Rosa, indem sie die Hand vor die Augen hielt. „Ei", fuhr Frau Marthe fort, indem sie sich vor Rosa hinsetzte und sie mit einem Arm umschlang, „ei du holdes, verschämtes Kind, die Hände weg, schau mir recht fest in die Augen, und dann leugne, daß du es längst gut gemerkt hast, wie die Gesellen dich in Herz und Sinn tragen, leugne das! – Siehst du wohl, daß du das nicht kannst? – Nun, es wär auch wirklich wunderbar, wenn eines Mägdleins Augen nicht so was gleich erschauen sollten. Wie die Blicke von der Arbeit weg dir zufliegen, wie ein rascherer Takt alles belebt, wenn du in die Werkstatt trittst. Wie Reinhold und Friedrich ihre schönsten Lieder anstimmen, wie selbst der wilde Konrad fromm und freundlich wird, wie jeder sich müht dir zu nahen, wie flammendes Feuer aufflackert im Antlitz dessen, den du eines holden Blicks, eines freundlichen Worts würdigst! Ei, mein Töchterchen, ist es denn nicht schön, daß solche schmucke Leute um dich buhlen? – Ob du überhaupt einen und wen von den dreien du wählen wirst, das kann ich in der Tat gar nicht sagen, denn freundlich und gut bist du gegen alle, wiewohl ich – doch still, still davon. Kämst du nun zu mir und sprächst: ‚Ratet mir,

Frau Marthe, wem von diesen Jünglingen, die sich um mich mühen, soll ich Herz und Hand zuwenden?‘, da würd ich denn freilich antworten: ‚Spricht dein Herz nicht ganz laut und vernehmlich: *der* ist es, dann laß sie nur alle drei laufen.‘ Sonst aber gefällt mir Reinhold sehr wohl, auch Friedrich, auch Konrad, und dann hab ich gegen alle drei auch manches einzuwenden. – Ja in der Tat, liebe Rosa, wenn ich die jungen Gesellen so tapfer arbeiten sehe, gedenke ich immer meines lieben armen Valentins, und da muß ich doch sagen, sowenig er vielleicht noch bessere Arbeit schaffen mochte, so war doch in allem, was er förderte, solch ein ganz anderer Schwung, eine andere Manier. Man merkte, daß er bei dem Dinge war mit ganzer Seele, aber bei den jungen Gesellen ist es mir immer, als täten sie nur so und hätten ganz andere Sachen im Kopfe als ihre Arbeit, ja, als sei diese nur eine Bürde, die sie freiwillig sich aufgelastet und nun mit wakkerm Mute trügen. Mit Friedrich kann ich mich nun am besten vertragen, das ist ein gar treues herziges Gemüt. Es ist, als gehöre der am mehrsten zu uns, ich verstehe alles, was er spricht, und daß er Euch so still, mit aller Schüchternheit eines frommen Kindes liebt, daß er kaum wagt, Euch anzublicken, daß er errötet, sowie Ihr ein Wort mit ihm redet, das ist's, was ich so sehr an dem lieben Jungen rühme.“ Es war, als trete eine Träne in Rosas Auge, als Frau Marthe dies sagte. Sie stand auf und sprach, zum Fenster gewendet: „Friedrich ist mir auch recht lieb, aber daß du mir ja nicht den Reinhold verachtest.“ – „Wie könnte ich denn das?“ erwiderte Frau Marthe, „Reinhold ist nun offenbar der Schönste von allen. Was für Augen! nein, wenn er einen so durch und durch blitzt mit den leuchtenden Blicken, man kann es gar nicht ertragen! – Aber dabei ist in seinem ganzen Wesen so etwas Verwunderliches, das mir ordentlich Schauer erregt und mich von ihm zurückschreckt. Ich denke, Herrn Martin müßte, wenn Reinhold in seiner Werkstatt arbeitet und er ihn dieses, jenes fördern heißt, so zumute sein, wie mir es sein würde, wenn jemand in meine Küche ein von Gold und Edelsteinen funkelndes Gerät hingestellt hätte, und das solle ich nun brauchen wie gewöhnliches, schlechtes Hausgerät, da ich denn doch gar nicht wagen möchte, es nur anzurühren. Er erzählt und spricht und spricht, und das alles klingt wie süße Musik, und man wird ganz hingerissen davon, aber wenn ich nun ernstlich daran denke, was er gesprochen, so hab ich am Ende kein Wörtlein davon verstanden. Und wenn er denn auch wohl einmal nach unserer Weise scherzt und ich denke, nun ist er denn doch so wie wir, so sieht er mit einemmal so vornehm darein, daß ich ordentlich erschrecke. Und dabei kann ich gar nicht sagen, daß sein Ansehn der Art gliche, wie mancher Junker, mancher Patrizier sich bläht, nein, es ist etwas ganz anderes. Mit einem Wort, es kommt mir, Gott weiß es, so vor, als habe er Umgang mit höheren Geistern, als gehöre er überhaupt einer andern Welt an. Konrad ist ein wilder, übermütiger Geselle und hat dabei in seinem ganzen Wesen auch ganz etwas verdammt Vornehmes, was zum Schurzfell nicht recht passen will. Und dabei tut er so, als wenn nur er allein zu gebieten hätte und die andern ihm gehorchen müßten. Hat er es doch in der kurzen Zeit seines Hierseins dahin gebracht, daß Meister Martin, von Konrads schallender Stimme angedonnert, sich seinem Willen fügt. Aber dabei ist Konrad wieder so gutmütig und grundehrlich, daß man ihm gar nicht gram werden kann. Vielmehr muß ich sagen, daß er mir trotz seiner Wildheit beinahe lieber ist als Reinhold, denn zwar spricht er auch oft gewaltig hoch, aber man versteht's doch recht gut. Ich wette, *der* ist einmal, mag er sich auch stellen, wie er will, ein Kriegsmann gewesen. Deshalb versteht er sich noch so gut auf die Waffen und hat sogar was vom Ritterwesen angenommen, das ihm gar nicht übel steht. – Nun sagt mir nur ganz unverhohlen, liebe Rosa, wer von den drei Gesellen *Euch* am besten gefällt?" – „Fragt", erwiderte Rosa, „fragt mich nicht so verfänglich, liebe Frau Marthe. Doch so viel ist gewiß, daß es mir mit Reinhold gar nicht so geht wie Euch. Zwar ist es richtig, daß er ganz anderer Art ist als seinesgleichen, daß mir bei seinen Gesprächen zumute wird, als tue sich mir plötzlich ein schöner Garten auf voll herrlicher glänzender Blumen, Blüten und Früchten, wie sie auf Erden gar nicht zu finden, aber ich schaue gern hinein. Seit Reinhold hier ist, kommen mir auch manche Dinge ganz anders vor, und manches, was sonst trübe und gestaltlos in meiner Seele lag, ist nun so hell und klar geworden, daß ich es ganz deutlich zu erkennen vermag." Frau Marthe stand auf, und, im Davongehen Rosen mit dem Finger drohend, sprach sie: „Ei, ei, Rosa, also wird wohl Reinhold dein Auserwählter sein. Das hatte ich nicht vermutet, nicht geahnet!" – „Ich bitte Euch", erwiderte Rosa, sie zur Türe geleitend, „ich bitte Euch, liebe Frau Marthe, vermutet, ahnet gar nichts, sondern überlasset alles den kommenden Tagen. Was *die* bringen, ist Fügung des Himmels, der sich jeder schicken muß in Frömmigkeit und Demut." – In Meister Martins Werkstatt war es indessen sehr lebhaft worden. Um alles Bestellte fördern zu können, hatte er noch Handlanger und Lehrburschen angenommen; und nun wurde gehämmert und gepocht, daß man es weit und breit hören konnte. Reinhold war mit der Messung des großen Fasses, das für den Bischof von Bamberg gebaut werden sollte, fertig worden und hatte es mit Friedrich und Konrad so geschickt aufgesetzt, daß dem Meister Martin das Herz im Leibe lachte und er ein Mal über das andere rief: „Das nenn ich mir ein Stück Arbeit, das wird ein Fäßlein, wie ich noch keines gefertiget, mein Meisterstück ausgenommen." – Da standen nun die drei Gesellen und trieben die Bände auf die gefügten Dauben, daß alles vom lauten Getöse der Schlägel widerhallte. Der alte Valentin schabte emsig mit dem Krummesser, und Frau Marthe, die beiden kleinsten Kinder auf dem Schoße, saß dicht hinter Konrad, während die andern muntern Buben schreiend und lärmend sich mit den Reifen herumtummelten und jagten. Das gab eine lustige Wirtschaft, so daß man kaum den alten Herrn Johannes Holzschuer bemerkte, der zur Werkstatt hineintrat. Meister Martin schritt ihm entgegen und fragte höflich nach seinem Begehren. „Ei", erwiderte Holzschuer, „ich wollte einmal meinen lieben Friedrich wiederschauen, der dort so wacker arbeitet. Aber dann, lieber Meister Martin, tut in meinem Weinkeller ein tüchtiges Faß not, um dessen Fertigung ich Euch bitten wollte. – Seht nur, dort wird ja eben solch ein Faß errichtet, wie ich es brauche, das könnt Ihr mir ja überlassen, Ihr dürft mir nur den Preis sagen." Reinhold, der ermüdet einige Minuten in der Werkstatt geruht hatte und nun wieder zum Gerüst heraufsteigen wollte, hörte Holzschuers Worte und sprach, den Kopf nach ihm wendend: „Ei, lieber Herr Holzschuer, die Lust nach unserm Fäßlein laßt Euch nur vergehen, *das* arbeiten wir für den hochwürdigen Herrn Bischof von Bamberg!" – Meister Martin, die Ärme über den Rücken zusammengeschlagen, den linken Fuß vorgesetzt, den Kopf in den Nacken geworfen, blinzelte nach dem Faß hin und sprach dann mit stolzem Ton: „Mein lieber Meister, schon an dem ausgesuchten Holz, an der Sauberkeit der Arbeit hättet Ihr bemerken können, daß solch ein Meisterstück nur dem fürstlichen Keller ziemt. Mein Geselle Reinhold hat richtig gesprochen, nach solchem Werk laßt Euch die Lust vergehn, wenn die Weinlese vorüber, werd ich Euch ein tüchtiges schlichtes Fäßlein fertigen lassen, wie es sich für Euern Keller schickt." Der alte Holzschuer, aufgebracht über Meister Martins Stolz, meinte dagegen, daß seine Goldstücke geradesoviel wögen als die des Bischofs von Bamberg und daß er anderswo auch wohl für sein bares Geld gute Arbeit zu bekommen hoffe. Meister Martin, überwallt von Zorn, hielt mühsam an sich, er durfte den alten, vom Rat, von allen Bürgern hochverehrten Herrn Holzschuer wohl nicht beleidigen. Aber in dem Augenblick schlug Konrad immer gewaltiger mit dem Schlägel zu, daß alles dröhnte und krachte, da sprudelte Meister Martin den innern Zorn aus und schrie mit heftiger Stimme: „Konrad – du Tölpel, was schlägst du so blind und toll zu, willst du mir das Faß zerschlagen?" – „Hoho", rief Konrad, indem er mit trotzigem Blick sich umschaute nach dem Meister; „hoho, du komisches Meisterlein, warum denn nicht?" Und damit schlug er so entsetzlich auf das Faß los, daß klirrend der stärkste Band des Fasses sprang und den Reinhold hinabwarf vom schmalen Brette des Gerüstes, während man am hohlen Nachklange wohl vernahm, daß auch eine Daube gesprungen sein müßte. Übermannt von Zorn und Wut, sprang Meister Martin hinzu, riß dem Valentin den Stab, an dem er schabte, aus der Hand und versetzte, laut schreiend:

„Verfluchter Hund!", dem Konrad einen tüchtigen Schlag über den Rücken. Sowie Konrad den Schlag fühlte, drehte er sich rasch um und stand da einen Augenblick wie sinnlos, dann aber flammten die Augen vor wilder Wut, er knirschte mit den Zähnen, er heulte: „Geschlagen?" Dann war er mit einem Sprunge herab vom Gerüst, hatte schnell das auf dem Boden liegende Lenkbeil ergriffen und führte einen gewaltigen Schlag gegen den Meister, der ihm den Kopf gespalten haben würde, hätte Friedrich nicht den Meister beiseite gerissen, so daß das Beil nur den Arm streifte, aus dem aber das Blut sogleich hinausströmte. Martin, dick und unbeholfen, wie er war, verlor das Gleichgewicht und stürzte über die Fügbank, wo eben der Lehrbursche arbeitete, nieder zur Erde. Alles warf sich nun dem wütenden Konrad entgegen, der das blutige Lenkbeil in den Lüften schwang und mit entsetzlicher Stimme heulte und kreischte: „Zur Hölle muß er fahren – zur Hölle!" Mit Riesenkraft schleuderte er alle von sich, er holte aus zum zweiten Schlage, der ohne Zweifel dem armen Meister, der auf dem Boden keuchte und stöhnte, das Garaus gemacht haben würde, da erschien aber, vor Schrecken bleich wie der Tod, Rosa in der Türe der Werkstatt. Sowie Konrad Rosa gewahrte, blieb er mit dem hochgeschwungenen Beil stehen, wie zur toten Bildsäule erstarrt. Dann warf er das Beil weit von sich, schlug die beiden Hände zusammen vor der Brust, rief mit einer Stimme, die jedem durch das Innerste drang: „O du gerechter Gott im Himmel, was habe ich denn getan!", und stürzte aus der Werkstatt heraus ins Freie. Niemand gedachte ihn zu verfolgen.

Nun wurde der arme Meister Martin mit vieler Mühe aufgerichtet, es fand sich indessen gleich, daß das Beil nur ins dicke Fleisch des Arms gedrungen und die Wunde durchaus nicht bedeutend zu nennen war. Den alten Herrn Holzschuer, den Martin im Fall niedergerissen, zog man nun auch unter den Holzspänen hervor und beruhigte, soviel möglich, der Frau Marthe Kinder, die unaufhörlich um den guten Vater Martin schrien und heulten. *Der* war ganz verblüfft und meinte, hätte der Teufel von bösem Gesellen nur nicht das schöne Faß verdorben, aus der Wunde mache er sich nicht soviel.

Man brachte Tragsessel herbei für die alten Herren, denn auch Holzschuer hatte sich im Fall ziemlich zerschlagen. Er schmälte auf ein Handwerk, dem solche Mordinstrumente zu Gebote ständen, und beschwor Friedrich, je eher, desto lieber sich wieder zu der schönen Bildgießerei, zu den edlen Metallen zu wenden.

Friedrich und mit ihm Reinhold, den der Reif hart getroffen und der sich an allen Gliedern wie gelähmt fühlte, schlichen, als schon tiefe Dämmerung den Himmel umzog, unmutig nach der Stadt zurück. Da hörten sie hinter einer Hecke ein leises Ächzen und Seufzen. Sie blieben stehen, und es erhob sich alsbald eine lange Gestalt vom Boden, die sie augenblicklich für Konrad erkannten und scheu zurückprallten. „Ach, ihr lieben Gesellen", rief Konrad mit weinerlicher Stimme, „entsetzet euch doch nur nicht so sehr vor mir! – ihr haltet mich für einen teuflischen Mordhund! – ach, ich bin es ja nicht, ich bin es ja nicht – ich konnte nicht anders! ich *mußte* den dicken Meister totschlagen, eigentlich müßt ich mit euch gehen und es *noch* tun, wie es nur möglich wäre! – Aber nein – nein, es ist alles aus, ihr seht mich nicht wieder! – grüßt die holde Rosa, die ich so über die Maßen liebe! – sagt ihr, daß ich ihre Blumen zeitlebens auf dem Herzen tragen, mich damit schmücken werde, wenn ich – doch sie wird vielleicht künftig von mir hören! – lebt wohl, lebt wohl, ihr meine lieben wackern Gesellen!" – Damit rannte Konrad unaufhaltsam fort über das Feld.

Reinhold sprach: „Es ist was Besonderes mit diesem Jüngling, wir können seine Tat gar nicht abwägen oder abmessen nach gewöhnlichem Maßstab. Vielleicht erschließt sich künftig das Geheimnis, das auf seiner Brust lastete."

Reinhold verläßt Meister Martins Haus

So lustig es sonst in Meister Martins Werkstatt herging, so traurig war es jetzt geworden. Reinhold, zur Arbeit unfähig, blieb in seiner Kammer eingeschlossen; Martin, den wunden Arm in der Binde, schimpfte und schmälte unaufhörlich auf den Ungeschick des bösen fremden Gesellen. Rosa, selbst Frau Marthe mit ihren Knaben scheuten den Tummelplatz des tollen Beginnens, und so tönte dumpf und hohl, wie im einsamen Walde zur Winterszeit der Holzschlag, Friedrichs Arbeit, der nun das große Faß allein mühsam genug fördern mußte.

Tiefe Traurigkeit erfüllte bald Friedrichs ganzes Gemüt, denn nun glaubte er deutlich zu gewahren, was er längst gefürchtet. Er trug keinen Zweifel, daß Rosa Reinhold liebe. Nicht allein, daß alle Freundlichkeit, manches süße Wort schon sonst Reinhold allein zugewendet wurde, so war es jetzt ja schon Beweises genug, daß Rosa, da Reinhold nicht hinauskonnte zur Werkstatt, ebenfalls nicht mehr daran dachte herauszugehen und lieber im Hause blieb, wohl gar, um den Geliebten recht sorglich zu hegen und pflegen. Sonntags, als alles lustig hinauszog, als Meister Martin, von seiner Wunde ziemlich genesen, ihn einlud, mit ihm und Rosa nach der Allerwiese zu wandeln, da lief er, die Einladung ablehnend, ganz vernichtet von Schmerz und banger Liebesnot, einsam heraus nach dem Dorfe, nach dem Hügel, wo er zuerst mit Reinhold zusammengetroffen. Er warf sich nieder in das hohe blumichte Gras, und als er gedachte, wie der schöne Hoffnungsstern, der ihm vorgeleuchtet auf seinem ganzen Wege nach der Heimat, nun am Ziel plötzlich in tiefer Nacht verschwunden; wie nun sein ganzes Beginnen dem trostlosen Mühen des Träumers gleiche, der die sehnsüchtigen Arme ausstrecke nach leeren Luftgebilden, da stürzten ihm die Tränen aus den Augen und herab auf die Blumen, die ihre kleinen Häupter neigten, wie klagend um des jungen Gesellen herbes Leid. Selbst wußte Friedrich nicht, wie es geschah, daß die tiefen Seufzer, die der gedrückten Brust entquollen, zu Worten, zu Tönen wurden. Er sang folgendes Lied:

„Wo bist du hin,
Mein Hoffnungsstern?
Ach, mir so fern,
Bist mit süßem Prangen
Andern aufgegangen!
Erhebt euch, rauschende Abendwinde,
Schlagt an die Brust,
Weckt alle tötende Lust,
Allen Todesschmerz,
Daß das Herz,
Getränkt von blut'gen Tränen,
Brech in trostlosem Sehnen.
Was lispelt ihr so linde,
So traulich, ihr dunklen Bäume?
Was blickt ihr, goldne Himmelssäume,
So freundlich hinab?
Zeigt mir mein Grab!
Das ist mein Hoffnungshafen,
Werd unten ruhig schlafen."

Wie es sich denn wohl begibt, daß die tiefste Traurigkeit, findet sie nur Tränen und Worte, sich auflöst in mildes schmerzliches Weh, ja, daß dann wohl ein linder Hoffnungsschimmer durch die Seele leuchtet, so fühlte sich auch Friedrich, als er das Lied gesungen, wunderbar gestärkt und aufgerichtet. Die Abendwinde, die dunklen Bäume, die er im Liede angerufen, rauschten und lispelten wie mit tröstenden Stimmen, und wie süße Träume von ferner Herrlichkeit, von fernem Glück, zogen goldne Streifen herauf am düstern Himmel. Friedrich erhob sich und stieg den Hügel herab nach dem Dorfe zu. Da war es, als schritte Reinhold wie damals, als er ihn zuerst gefunden, neben ihm her. Alle Worte, die Reinhold gesprochen, kamen ihm wieder in den Sinn. Als er nun aber der Erzählung Reinholds von dem Wettkampf der beiden befreundeten Maler gedachte, da fiel es ihm wie Schuppen von den Augen. Es war ja ganz gewiß, daß Reinhold Rosa schon früher gesehen und geliebt haben mußte. Nur diese Liebe trieb ihn nach Nürnberg in Meister Martins Haus, und mit dem Wettstreit der beiden Maler meinte er nichts anderes als beider, Reinholds und Friedrichs, Bewerbung um die schöne Rosa. – Friedrich hörte aufs neue die Worte, die Reinhold damals sprach: „Wacker ohne allen tückischen Hinterhalt um gleichen Preis ringen, muß wahre Freunde recht aus der Tiefe des Herzens einigen, statt sie zu entzweien, in edlen Gemütern kann niemals kleinlicher Neid, hämischer Haß stattfinden." – „Ja", rief Friedrich laut, „ja, du Herzensfreund, an dich selbst will ich mich wenden ohne allen Rückhalt, du selbst sollst mir es sagen, ob jede Hoffnung für mich verschwunden ist." – Es war schon hoher Morgen, als Friedrich an Reinholds Kammer klopfte. Da alles still drinnen blieb, drückte er die Tür, die nicht wie sonst verschlossen war, auf und trat hinein. Aber in demselben Augenblick erstarrte er auch zur Bildsäule. Rosa, in vollem Glanz aller Anmut, alles Liebreizes, ein herrliches lebensgroßes Bild, stand vor ihm aufgerichtet auf der Staffelei, wunderbar beleuchtet von den Strahlen der Morgensonne. Der auf den Tisch geworfene Malerstock, die nassen Farben auf der Palette zeigten, daß eben an dem Bilde gemalt worden. „O Rosa – Rosa – o du Herr des Himmels", seufzte Friedrich, da klopfte ihm Reinhold, der hinter ihm hineingetreten, auf die Schulter und fragte lächelnd: „Nun, Friedrich, was sagst du zu meinem Bilde?" Da drückte ihn Friedrich an seine Brust und rief: „O du herrlicher Mensch – du hoher Künstler! ja, nun ist mir alles klar! *du, du* hast den Preis gewonnen, um den zu ringen ich Ärmster keck genug war! – was bin ich denn gegen dich, was ist meine Kunst gegen die deinige? – Ach, ich trug auch wohl manches im Sinn! – lache mich nur nicht aus, lieber Reinhold! – sieh, ich dachte, wie herrlich müßt es sein, Rosas liebliche Gestalt zu formen und zu gießen im feinsten Silber, aber das ist ja ein kindisches Beginnen, doch du! – du! – wie sie so hold, so in süßem Prangen aller Schönheit dich anlächelt! – ach Reinhold – Reinhold, du überglücklicher Mensch! – ja, wie du damals es aussprachst, so begibt es sich nun wirklich! wir haben beide gerungen, du hast gesiegt, du mußtest siegen, aber ich bleibe dein mit ganzer Seele. Doch verlassen muß ich das Haus, die Heimat, ich kann es ja nicht ertragen, ich müßte ja vergehen, wenn ich nun Rosa wiedersehen sollte. Verzeih das mir, mein lieber, lieber hochherrlicher Freund. Noch heute – in diesem Augenblick fliehe ich fort – fort in die weite Welt, wohin mein Liebesgram, mein trostloses Elend mich treibt!" – Damit wollte Friedrich zur Stube hinaus, aber Reinhold hielt ihn fest, indem er sanft sprach: „Du sollst nicht von hinnen, denn ganz anders wie du meinst, kann sich alles noch fügen. Es ist nun an der Zeit, daß ich dir alles sage, was ich bis jetzt verschwieg. Daß ich kein Küper, sondern ein Maler bin, wirst du nun wohl wissen und, wie ich hoffe, an dem Bilde gewahren, daß ich mich nicht zu den geringen Künstlern rechnen darf. In früher Jugend bin ich nach Italien gezogen, dem Lande der Kunst, dort gelang es mir, daß hohe Meister sich meiner annahmen und den Funken, der in mir glühte, nährten mit lebendigem Feuer. So kam es, daß ich mich bald aufschwang, daß meine Bilder berühmt wurden in ganz Italien und der mächtige Herzog von Florenz mich an seinen Hof zog. Damals wollte ich nichts wissen von deutscher Kunst und schwatzte, ohne eure Bilder gesehen zu haben, viel von der Trockenheit, von der schlechten Zeichnung, von der Härte eurer Dürer, eurer Cranache. Da brachte aber einst ein Bilderhändler ein Madonnenbildchen von dem alten Albrecht in die Galerie des Herzogs, welches auf wunderbare Weise mein Innerstes durchdrang, so daß ich meinen Sinn ganz abwandte von der Üppigkeit der italischen Bilder und zur Stunde beschloß, in dem heimatlichen Deutschland selbst die Meisterwerke zu schauen, auf die nun mein ganzes Trachten ging. Ich kam hieher nach Nürnberg, und als ich Rosa erblickte, war es mir, als wandle jene Maria, die so wunderbar in mein Inneres geleuchtet, leibhaftig auf Erden. Mir ging es so wie dir, lieber Friedrich, mein ganzes Wesen loderte auf in hellen Liebesflammen. Nur Rosa schauen, dachte ich, alles übrige war aus meinem Sinn verschwunden und selbst die Kunst mir nur deshalb was wert, weil ich hundertmal immer wieder und wieder Rosa zeichnen, malen konnte. Ich gedachte mich der Jungfrau zu nahen nach kecker italischer Weise, all mein Mühen deshalb blieb aber vergebens. Es gab kein Mittel, sich in Meister Martins Hause bekannt zu machen auf unverfängliche Weise. Ich gedachte endlich geradezu mich um Rosa als Freier zu bewerben, da vernahm ich, daß Meister Martin beschlossen, seine Tochter nur einem tüchtigen Küpermeister zu geben. Da faßte ich den abenteuerlichen Entschluß, in Straßburg das Küperhandwerk zu erlernen und mich dann in Meister Martins Werkstatt zu begeben. Das übrige überließ ich der Fügung des Himmels. Wie ich meinen Entschluß ausgeführt, weißt du, aber erfahren mußt du noch, daß Meister Martin mir vor einigen Tagen gesagt hat, ich würd ein tüchtiger Küper werden und solle ihm als Eidam recht lieb und wert sein, denn er merke wohl, daß ich mich um Rosas Gunst bemühe und sie mich gern habe." – „Kann es denn wohl anders sein", rief Friedrich in heftigem Schmerz, „ja, ja, *dein* wird Rosa werden, wie konnte auch ich Ärmster auf solch ein Glück nur hoffen." – „Du vergissest", sprach Reinhold weiter, „du vergissest, mein Bruder, daß Rosa selbst noch gar nicht das bestätigt hat, was der schlaue Meister Martin bemerkt haben will. Es ist wahr, daß Rosa sich bis jetzt gar anmutig und freundlich betrug, aber anders verrät sich ein liebend Herz! – Versprich mir, mein Bruder, dich noch drei Tage ruhig zu verhalten und in der Werkstatt zu arbeiten wie sonst. Ich könnte nun schon auch wieder arbeiten, aber seit ich emsiger an diesem Bilde gemalt, ekelt mich das schnöde Handwerk da draußen unbeschreiblich an. Ich kann fürder keinen Schlägel mehr in die Faust nehmen, mag es auch nun kommen, wie es will. Am dritten Tage will ich dir offen sagen, wie es mit mir und Rosa steht. Sollte ich wirklich der Glückliche sein, dem Rosa in Liebe sich zugewandt, so magst du fortziehen und erfahren, daß die Zeit auch die tiefsten Wunden heilt!" – Friedrich versprach, sein Schicksal abzuwarten.

Am dritten Tage (sorglich hatte Friedrich Rosas Anblick vermieden) bebte ihm das Herz vor Furcht und banger Erwartung. Er schlich wie träumend in der Werkstatt umher, und wohl mochte sein Ungeschick dem Meister Martin gerechten Anlaß geben, mürrisch zu schelten, wie es sonst gar nicht seine Art war. Überhaupt schien dem Meister etwas begegnet zu sein, das ihm alle Lust benommen. Er sprach viel von schnöder List und Undankbarkeit, ohne sich deutlicher zu erklären, was er damit meine. Als es endlich Abend geworden und Friedrich zurückging nach der Stadt, kam ihm unfern des Tors ein Reiter entgegen, den er für Reinhold erkannte. Sowie Reinhold Friedrich ansichtig wurde, rief er: „Ha, da treffe ich dich ja, wie ich wollte." Darauf sprang er vom Pferde herab, schlang die Zügel um den Arm und faßte den Freund bei der Hand. „Laß uns", sprach er, „laß uns eine Strecke miteinander fortwandeln. Nun kann ich dir sagen, wie es mit meiner Liebe sich gewandt hat." Friedrich bemerkte, daß Reinhold dieselben Kleider, die er beim ersten Zusammentreffen trug, angelegt und das Pferd mit einem Mantelsack bepackt hatte. Er sah blaß und verstört aus. „Glück auf", rief Reinhold etwas wild, „Glück auf, Bruderherz, du kannst nun tüchtig loshämmern auf deine Fässer, ich räume dir den Platz, eben hab ich Abschied genommen von der schönen Rosa und dem würdigen Meister Martin." – „Wie ", sprach Friedrich, dem es durch alle Glieder fuhr wie ein elektrischer Strahl, „wie, du willst fort, da Martin dich zum Eidam haben will und Rosa dich liebt?" – „Das, lieber Bruder", erwiderte Reinhold, „hat dir deine Eifersucht nur vorgeblendet. Es liegt nun am Tage, daß Rosa mich genommen hätte zum Mann aus lauter Frömmigkeit und Gehorsam, aber kein Funke von Liebe glüht in ihrem eiskalten Herzen. Haha! – ich hätte ein tüchtiger Küper werden können. Wochentags mit den Jungen Bände geschabt und Dauben behobelt, sonntags mit der ehrbaren Hausfrau nach St. Katharina oder St. Sebald und abends auf die Allerwiese gewandelt, jahraus, jahrein." – „Spotte nicht", unterbrach Friedrich den laut auflachenden Reinhold, „spotte nicht über das einfache, harmlose Leben des tüchtigen Bürgers. Liebt dich Rosa wirklich nicht, so ist es ja nicht ihre Schuld, du bist aber so zornig, so wild." – „Du hast recht", sprach Reinhold, „es ist auch nur meine dumme Art, daß ich, fühle ich mich verletzt, lärme wie ein verzogenes Kind. Du kannst denken, daß ich mit Rosa von meiner Liebe und von dem guten Willen des Vaters sprach. Da stürzten ihr die Tränen aus den Augen, ihre Hand zitterte in der meinigen. Mit abgewandtem Gesicht lispelte sie: ‚Ich muß mich ja in des Vaters Willen fügen!', ich hatte genug. – Mein seltsamer Ärger muß dich, lieber Friedrich, recht in mein Inneres blicken lassen, du mußt gewahren, daß das Ringen nach Rosas Besitz eine Täuschung war, die mein irrer Sinn sich bereitet. Als ich Rosas Bild vollendet, ward es in meinem Innern ruhig, und oft war freilich auf ganz verwunderliche Art mir so zumute, als sei Rosa nun das Bild, das Bild aber die wirkliche Rosa geworden. Das schnöde Handwerk wurde mir abscheulich, und wie mir das gemeine Leben so recht auf den Hals trat mit Meisterwerden und Heirat, da kam es mir vor, als solle ich ins Gefängnis gesperrt und an den Block festgekettet werden. Wie kann auch nur das Himmelskind, wie ich es im Herzen trage, mein Weib werden? Nein! in ewiger Jugend, Anmut und Schönheit soll sie in Meisterwerken prangen, die mein reger Geist schaffen wird. Ha, wie sehne ich mich darnach! wie konnt ich auch nur der göttlichen Kunst abtrünnig werden! – bald werd ich mich wieder baden in deinen glühenden Düften, herrliches Land, du Heimat aller Kunst!" – Die Freunde waren an den Ort gekommen, wo der Weg, den Reinhold zu nehmen gedachte, links sich abschied. „Hier wollen wir uns trennen", rief Reinhold, drückte Friedrich heftig und lange an seine Brust, schwang sich aufs Pferd und jagte davon. Sprachlos starrte ihm Friedrich nach und schlich dann, von den seltsamsten Gefühlen bestürmt, nach Hause.

Wie Friedrich vom Meister Martin aus der Werkstatt fortgejagt wurde

Andern Tages arbeitete Meister Martin in mürrischem Stillschweigen an dem großen Fasse für den Bischof von Bamberg, und auch Friedrich, der nun erst Reinholds Scheiden recht bitter fühlte, vermochte kein Wort, viel weniger ein Lied herauszubringen. Endlich warf Martin den Schlägel beiseite, schlug die Ärme übereinander und sprach mit gesenkter Stimme: „Der Reinhold ist nun auch fort – es war ein vornehmer Maler und hat mich zum Narren gehalten mit seiner Küperei. – Hätt ich das nur ahnen können, als er mit dir in mein Haus kam und so anstellig tat, wie hätte ich ihm die Tür weisen wollen. Solch ein offnes ehrliches Gesicht und voll Lug und Trug im Innern! – Nun, er ist fort, und nun wirst du mit Treue und Redlichkeit an mir und am Handwerk halten. Wer weiß, auf welche Weise du mir noch nähertrittst. Wenn du ein tüchtiger Meister geworden und Rosa dich mag – nun, du verstehst mich und darfst dich mühen um Rosas Gunst." – Damit nahm er den Schlägel wieder zur Hand und arbeitete emsig weiter. Selbst wußte Friedrich nicht, wie es kam, daß Martins Worte seine Brust zerschnitten, daß eine seltsame Angst in ihm aufstieg und jeden Hoffnungsschimmer verdüsterte. Rosa erschien nach langer Zeit zum erstenmal wieder in der Werkstatt, aber tief in sich gekehrt und, wie Friedrich zu seinem Gram bemerkte, mit rotverweinten Augen. „Sie hat um ihn geweint, sie liebt ihn doch wohl", so sprach es in seinem Innern, und er vermochte nicht den Blick aufzuheben zu der, die er so unaussprechlich liebte.

Das große Faß war fertig geworden, und nun erst wurde Meister Martin, als er das wohlgelungene Stück Arbeit betrachtete, wieder lustig und guter Dinge. „Ja, mein Sohn", sprach er, indem er Friedrich auf die Schulter klopfte, „ja, mein Sohn, es bleibt dabei, gelingt es dir, Rosas Gunst zu erwerben, und fertigst du ein tüchtiges Meisterstück, so wirst du mein Eidam. Und zur edlen Zunft der Meistersinger kannst du dann auch treten und dir große Ehre gewinnen."

Meister Martins Arbeit häufte sich nun über alle Maßen, so daß er zwei Gesellen annehmen mußte, tüchtige Arbeiter, aber rohe Bursche, ganz entartet auf langer Wanderschaft. Statt manches anmutig lustigen Gesprächs hörte man jetzt in Meister Martins Werkstatt gemeine Späße, statt der lieblichen Gesänge Reinholds und Friedrichs häßliche Zotenlieder. Rosa vermied die Werkstatt, so daß Friedrich sie nur selten und flüchtig sah.

Wenn er dann in trüber Sehnsucht sie anschaute, wenn er seufzte: „Ach, liebe Rosa, wenn ich doch nur wieder mit Euch reden könnte, wenn Ihr wieder so freundlich wäret als zu der Zeit, da Reinhold noch bei uns war", da schlug sie verschämt die Augen nieder und lispelte: „Habt Ihr mir denn was zu sagen, lieber Friedrich?" – Starr, keines Wortes mächtig, stand Friedrich dann da, und der schöne Augenblick war schnell entflohn wie ein Blitz, der aufleuchtet im Abendrot und verschwindet, als man ihn kaum gewahrt.

Meister Martin bestand nun darauf, daß Friedrich sein Meisterstück beginnen sollte. Er hatte selbst das schönste, reinste Eichenholz, ohne die mindesten Adern und Streifen, das schon über fünf Jahre im Holzvorrat gelegen, ausgesucht, und niemand sollte Friedrichen bei der Arbeit zur Hand gehen als der alte Valentin. War indessen dem armen Friedrich durch die Schuld der rohen Gesellen das Handwerk immer mehr und mehr verleidet worden, so schnürte es ihm jetzt die Kehle zu, wenn er daran dachte, daß nun das Meisterstück auf immer über sein Leben entscheiden solle. Jene seltsame Angst, die in ihm aufstieg, als Meister Martin seine treue Anhänglichkeit an das Handwerk rühmte, gestaltete sich nun auf furchtbare Weise immer deutlicher und deutlicher. Er wußte es nun, daß er untergehen werde in Schmach bei einem Handwerk, das seinem von der Kunst ganz erfüllten Gemüt von Grund aus widerstrebte. Reinhold, Rosas Gemälde kam ihm nicht aus dem Sinn. Aber seine Kunst erschien ihm auch wieder in voller Glorie. Oft, wenn das zerreißende Gefühl seines erbärmlichen Treibens ihn während der Arbeit übermannen wollte, rannte er, Krankheit vorschützend, fort und hin nach St. Sebald. Da betrachtete er stundenlang Peter Vischers wundervolles Monument und rief dann wie verzückt: „O Gott im Himmel, solch ein Werk zu denken – auszuführen, gibt es denn auf Erden Herrlicheres noch?" Und wenn er nun zurückkehren mußte zu seinen Dauben und Bänden und daran dachte, daß nur so Rosa zu erwerben, dann war es, als griffen glühende Krallen hinein in sein blutendes Herz und er müsse trostlos vergehen in der ungeheuern Qual. In Träumen kam oft Reinhold und brachte ihm seltsame Zeichnungen zu künstlicher Bilderei-arbeit, in der Rosas Gestalt auf wunderbare Weise, bald als Blume, bald als Engel mit Flügelein verflochten war. Aber es fehlte was daran, und er erschaute, daß Reinhold in Rosas Gestaltung das Herz vergessen, welches *er* nun hinzuzeichnete. Dann war es, als rührten sich alle Blumen und Blätter des Werks, singend und süße Düfte aushauchend, und die edlen Metalle zeigten ihm in funkelndem Spiegel Rosas Bildnis; als strecke er die Ärme sehnsüchtig aus nach der Geliebten, als verschwände das Bildnis, wie in düsterm Nebel, und sie selbst, die holde Rosa, drücke ihn voll seligen Verlangens an die liebende Brust. – Tötender und tötender wurde sein Zustand bei der heillosen Böttcherarbeit, da suchte er Trost und Hilfe bei seinem alten Meister Johannes Holzschuer. Der erlaubte, daß Friedrich in seiner Werkstatt ein Werklein beginnen durfte, das er erdacht und wozu er seit langer Zeit den Lohn des Meisters Martin erspart hatte, um das dazu nötige Silber und Gold anschaffen zu können. So geschah es, daß Friedrich, dessen totenbleiches Gesicht das Vorgeben, wie er von einer zehrenden Krankheit befallen, glaublich machte, beinahe gar nicht in der Werkstatt arbeitete und Monate vergingen, ohne daß er sein Meisterstück, das große zweifudrige Faß, nur im mindesten förderte. Meister Martin setzte ihm hart zu, daß er doch wenigstens so viel, als es seine Kräfte erlauben wollten, arbeiten möge, und Friedrich war freilich gezwungen, wieder einmal an den verhaßten Haublock zu gehen und das Lenkbeil zur Hand zu nehmen. Indem er arbeitete, trat Meister Martin hinzu und betrachtete die bearbeiteten Stäbe, da wurde er aber ganz rot im Gesicht und rief: „Was ist das? – Friedrich, welche Arbeit! hat die Stäbe ein Geselle gelenkt, der Meister werden will, oder ein einfältiger Lehrbursche, der vor drei Tagen in die Werkstatt hineingerochen? – Friedrich, besinne dich, welch ein Teufel ist in dich gefahren und hudelt dich? – mein schönes Eichenholz, das Meisterstück! ei du ungeschickter, unbesonnener Bursche.“ Überwältigt von allen Qualen der Hölle, die in ihm brannten, konnte Friedrich nicht länger an sich halten, er warf das Lenkbeil weit von sich und rief: „Meister! – es ist nun alles aus – nein, und wenn es mir das Leben kostet, wenn ich vergehen soll in namenlosem Elend – ich kann nicht mehr – nicht mehr arbeiten im schnöden Handwerk, da es mich hinzieht zu meiner herrlichen Kunst mit unwiderstehlicher Gewalt. Ach, ich liebe Eure Rosa unaussprechlich, wie sonst keiner auf Erden es vermag – nur um ihretwillen habe ich ja hier die gehässige Arbeit getrieben – *ich* habe sie nun verloren, ich weiß es, ich werde auch bald dem Gram um sie erliegen, aber es ist nicht anders, ich kehre zurück zu meiner herrlichen Kunst, zu meinem würdigen alten Meister Johannes Holzschuer, den ich schändlich verlassen." Meister Martins Augen funkelten wie flammende Kerzen. Kaum der Worte mächtig vor Wut, stotterte er: „Was? – auch du? – Lug und Trug? *mich* hintergangen – schnödes Handwerk? – Küperei? – fort aus meinen Augen, schändlicher Bursche – fort mit dir!" – Und damit packte Meister Martin den armen Friedrich bei den Schultern und warf ihn zur Werkstatt hinaus. Das Hohngelächter der rohen Gesellen und der Lehrburschen folgte ihm nach. Nur der alte Valentin faltete die Hände, sah gedankenvoll vor sich hin und sprach: „Gemerkt hab ich wohl, daß der gute Gesell Höheres im Sinn trug als unsre Fässer." Frau Marthe weinte sehr, und ihre Buben schrien und jammerten um Friedrich, der mit ihnen freundlich gespielt und manches gute Stück Backwerk ihnen zugetragen hatte.

Beschluß

So zornig nun auch Meister Martin auf Reinhold und Friedrich sein mochte, gestehen mußte er doch sich selbst, daß mit ihnen alle Freude, alle Lust aus der Werkstatt gewichen. Von den neuen Gesellen erfuhr er täglich nichts als Ärgernis und Verdruß. Um jede Kleinigkeit mußte er sich kümmern und hatte Mühe und Not, daß nur die geringste Arbeit gefördert wurde nach seinem Sinn. Ganz erdrückt von den Sorgen des Tages, seufzte er dann oft: „Ach Reinhold, ach Friedrich, hättet ihr doch mich nicht so schändlich hintergangen, wäret ihr doch nur tüchtige Küper geblieben!" Es kam so weit, daß er oft mit dem Gedanken kämpfte, alle Arbeit gänzlich aufzugeben.

In solch düsterer Stimmung saß er einst am Abend in seinem Hause, als Herr Jakobus Paumgartner und mit ihm Meister Johannes Holzschuer ganz unvermutet eintraten. Er merkte wohl, daß nun von Friedrich die Rede sein würde, und in der Tat lenkte Herr Paumgartner sehr bald das Gespräch auf ihn, und Meister Holzschuer fing denn nun gleich an, den Jüngling auf alle nur mögliche Art zu preisen. Er meinte, gewiß sei es, daß bei solchem Fleiß, bei solchen Gaben Friedrich nicht allein ein trefflicher Goldschmied werden, sondern auch als herrlicher Bildgießer geradezu in Peter Vischers Fußtapfen treten müßte. Nun begann Herr Paumgartner heftig über das unwürdige Betragen zu schelten, das der arme Gesell von Meister Martin erlitten, und beide drangen darauf, daß, wenn Friedrich ein tüchtiger Goldschmied und Bildgießer geworden, er ihm Rosa, falls nämlich diese dem von Liebe ganz durchdrungenen Friedrich hold sei, zur Hausfrau geben solle. Meister Martin ließ beide ausreden, dann zog er sein Käpplein ab und sprach lächelnd: „Ihr lieben Herren, nehmt euch des Gesellen wacker an, der mich auf schändliche Weise hintergangen hat. Doch will ich ihm das verzeihen, verlangt indessen nicht, daß ich um seinetwillen meinen festen Entschluß ändere, mit Rosa ist es nun einmal ganz und gar nichts." In diesem Augenblick trat Rosa hinein, leichenblaß, mit verweinten Augen, und setzte schweigend Trinkgläser und Wein auf den Tisch. „Nun", begann Herr Holzschuer, „nun, so muß ich denn wohl dem armen Friedrich nachgeben, der seine Heimat verlassen will auf immer. Er hat ein schönes Stück Arbeit gemacht bei mir, das will er, wenn Ihr es, lieber Meister, erlaubt, Eurer Rosa verehren zum Gedächtnis, schaut es nur an." Damit holte Meister Holzschuer einen kleinen, überaus künstlich gearbeiteten silbernen Pokal hervor und reichte ihn dem Meister Martin hin, der, großer Freund von köstlicher Gerätschaft, ihn nahm und wohlgefällig von allen Seiten beäugelte. In der Tat konnte man auch kaum herrlichere

Silberarbeit sehen als eben dies kleine Gefäß. Zierliche Ranken von Weinblättern und Rosen schlangen sich ringsherum, und aus den Rosen, aus den brechenden Knospen schauten liebliche Engel, so wie inwendig auf dem vergoldeten Boden sich anmutig liebkosende Engel graviert waren. Goß man nun hellen Wein in den Pokal, so war es, als tauchten die Engelein auf und nieder in lieblichem Spiel. „Das Gerät", sprach Meister Martin, „ist in der Tat gar zierlich gearbeitet, und ich will es behalten, wenn Friedrich in guten Goldstücken den zwiefachen Wert von mir annimmt." Dies sprechend, füllte Meister Martin den Pokal und setzte ihn an den Mund. In demselben Augenblick öffnete sich leise die Tür, und Friedrich, den tötenden Schmerz ewiger Trennung von dem Liebsten auf Erden im leichenblassen Antlitz, trat in dieselbe. Sowie Rosa ihn gewahrte, schrie sie laut auf mit schneidendem Ton: „O mein liebster Friedrich!" und stürzte ihm halb entseelt an die Brust. Meister Martin setzte den Pokal ab, und als er Rosa in Friedrichs Armen erblickte, riß er die Augen weit auf, als säh er Gespenster. Dann nahm er sprachlos den Pokal wieder und schaute hinein. Dann raffte er sich vom Stuhl in die Höhe und rief mit starker Stimme: „Rosa – Rosa, liebst du den Friedrich?" – „Ach", lispelte Rosa, „ach, ich kann es ja nicht länger verhehlen, ich liebe ihn wie mein Leben, das Herz wollte mir ja brechen, als Ihr ihn verstießet." – „So umarme deine Braut, Friedrich – ja, ja, deine Braut", rief Meister Martin. Paumgartner und Holzschuer schauten sich, ganz verwirrt vor Erstaunen, an, aber Meister Martin sprach weiter, den Pokal in den Händen: „O du Herr des Himmels, ist denn nicht alles so gekommen, wie die Alte es geweissagt? ‚Ein glänzend Häuslein wird er bringen, würz'ge Fluten treiben drin, blanke Englein gar lustig singen – das Häuslein mit güldnem Prangen, der hat's ins Haus getrag'n, den wirst du süß umfangen, darfst nicht den Vater frag'n, ist dein Bräut'gam minniglich!' – O ich blöder Tor. – Da ist das glänzende Häuslein, die Engel – der Bräut'gam – hei, hei, ihr Herren, nun ist alles gut, alles gut, der Eidam ist gefunden!" –

Wessen Sinn jemals ein böser Traum verwirrte, daß er glaubte, in tiefer schwarzer Grabesnacht zu liegen, und nun erwacht er plötzlich im hellen Frühling voll Duft, Sonnenglanz und Gesang, und die, die ihm die Liebste auf Erden, ist gekommen und hat ihn umschlungen, und er schaut in den Himmel ihres holden Antlitzes, wem das jemals geschah, der begreift es, wie Friedrich zumute war, der faßt seine überschwengliche Seligkeit. Keines Wortes mächtig, hielt er Rosa fest in seinen Armen, als wolle er sie nimmer lassen, bis sie sich sanft von ihm loswand und ihn hinführte zum Vater. Da rief er: „O mein lieber Meister, ist es denn auch wirklich so? Rosa gebt Ihr mir zur Hausfrau, und ich darf zurückkehren zu meiner Kunst?" – „Ja, ja", sprach Meister Martin, „glaube es doch nur, kann ich denn anders tun, da *du* die Weissagung der alten Großmutter erfüllt hast? – dein Meisterstück bleibt nun liegen." Da lächelte Friedrich, ganz verklärt von Wonne, und sprach: „Nein, lieber Meister, ist es Euch recht, so vollende ich nun mit Lust und Mut mein tüchtiges Faß als meine letzte Küperarbeit und kehre dann zurück zum Schmelzofen." – „O du mein guter braver Sohn", rief Meister Martin, dem die Augen funkelten vor Freude, „ja, dein Meisterstück fertige, und dann gibt's Hochzeit."

Friedrich hielt redlich sein Wort, er vollendete das zweifudrige Faß, und alle Meister erklärten, ein schöneres Stück Arbeit sei nicht leicht gefertigt worden, worüber dann Meister Martin gar innig sich freute und überhaupt meinte, einen trefflicheren Eidam hätte ihm die Fügung des Himmels gar nicht zuführen können.

Der Hochzeitstag war endlich herangekommen, Friedrichs Meisterfaß, mit edlem Wein gefüllt und mit Blumen bekränzt, stand auf dem Flur des Hauses aufgerichtet, die Meister des Gewerks, den Ratsherrn Jakobus Paumgartner an der Spitze, fanden sich ein mit ihren Hausfrauen, denen die Meister Goldschmiede folgten. Eben wollte sich der Zug nach der St.-Sebaldus-Kirche begeben, wo das Paar getraut werden sollte, als Trompetenschall auf der Straße erklang und vor Martins Hause Pferde wieherten und stampften. Meister Martin eilte an das Erkerfenster. Da hielt vor dem Hause Herr Heinrich von Spangenberg in glänzenden Festkleidern, und einige Schritte hinter ihm auf einem mutigen Rosse ein junger hochherrlicher Ritter, das funkelnde Schwert an der Seite, hohe bunte Federn auf dem mit strahlenden Steinen besetzten Barett. Neben dem Ritter erblickte Herr Martin eine wunderschöne Dame, ebenfalls herrlich gekleidet auf einem Zelter, dessen Farbe frisch gefallner Schnee war. Pagen und Diener in bunten glänzenden Röcken bildeten einen Kreis ringsumher. Die Trompeten schwiegen, und der alte Herr von Spangenberg rief herauf: „Hei, hei, Meister Martin, nicht Eures Weinkellers, nicht Eurer Goldbatzen halber komme ich her, nur weil Rosas Hochzeit ist; wollt Ihr mich einlassen, lieber Meister?" – Meister Martin erinnerte sich wohl seiner Worte, schämte sich ein wenig und eilte herab, den Junker zu empfangen. Der alte Herr stieg vom Pferde und trat grüßend ins Haus. Pagen sprangen herbei, auf deren Armen die Dame herabglitt vom Pferde, der Ritter bot ihr die Hand und folgte dem alten Herrn. Aber sowie Meister Martin den jungen Ritter anblickte, prallte er drei Schritte zurück, schlug die Hände zusammen und rief: „O Herr des Himmels! – Konrad!" – Der Ritter sprach lächelnd: „Jawohl, lieber Meister, bin ich Euer Geselle Konrad. Verzeiht mir nur die Wunde, die ich Euch beigebracht. Eigentlich, lieber Meister, mußt ich Euch totschlagen; das werdet Ihr wohl einsehen, aber nun hat sich ja alles ganz anders gefügt." Meister Martin erwiderte ganz verwirrt, es sei doch besser, daß er nicht totgeschlagen worden, aus dem bißchen Ritzen mit dem Lenkbeil habe er sich gar nichts gemacht. Als Martin nun mit den neuen Gästen eintrat in das Zimmer, wo die Brautleute mit den übrigen versammelt waren, geriet alles in ein frohes Erstaunen über die schöne Dame, die der holden Braut so auf ein Haar glich, als sei es ihre Zwillingsschwester. Der Ritter nahte sich mit edlem Anstande der Braut und sprach: „Erlaubt, holde Rosa, daß Konrad Euerm Ehrentag beiwohne. Nicht wahr, Ihr zürnt nicht mehr auf den wilden unbesonnenen Gesellen, der Euch beinahe großes Leid bereitet?" Als nun aber Braut und Bräutigam und der Meister Martin sich ganz verwundert und verwirrt anschauten, rief der alte Herr von Spangenberg: „Nun, nun, ich muß euch wohl aus dem Traum helfen. Das ist mein Sohn Konrad, und hier möget ihr seine liebe Hausfrau, so wie die holde Braut Rosa geheißen, schauen. Erinnert Euch, Meister Martin, unsers Gesprächs. Als ich Euch frug, ob Ihr auch meinem Sohne Eure Rosa verweigern würdet, das hatte wohl einen besonderen Grund. Ganz toll war der Junge in Eure Rosa verliebt, er brachte mich zu dem Entschluß, alle Rücksicht aufzugeben, ich wollte den Freiwerber machen. Als ich ihm aber sagte, wie schnöde Ihr mich abgefertigt, schlich er sich auf ganz unsinnige Weise bei Euch ein als Küper, um Rosas Gunst zu erwerben und sie Euch dann wohl gar zu entführen. Nun! – Ihr habt ihn geheilt mit dem tüchtigen Hiebe übern Rücken! – Habt Dank dafür, zumal er ein edles Fräulein fand, die wohl am Ende *die* Rosa sein mochte, die eigentlich in seinem Herzen war von Anfang an."

Die Dame hatte unterdessen mit anmutiger Milde die Braut begrüßt und ihr ein reiches Perlenhalsband als Hochzeitsgabe eingehängt. „Sieh, liebe Rosa", sprach sie dann, indem sie einen ganz verdorrten Strauß aus den blühenden Blumen, die an ihrer Brust prangten, hervorholte, „sieh, liebe Rosa, das sind die Blumen, die du einst meinem Konrad gabst als Kampfpreis, getreu hat er sie bewahrt, bis er mich sah, da wurd er dir untreu und hat sie mir verehrt, sei deshalb nicht böse!" Rosa, hohes Rot auf den Wangen, verschämt die Augen niederschlagend, sprach: „Ach, edle Frau, wie möget Ihr doch so sprechen, konnte denn wohl der Junker jemals mich armes Mägdlein lieben? *Ihr* allein wart seine Liebe, und weil ich nun eben auch Rosa heiße und Euch, wie sie hier sagen, etwas ähnlich sehen soll, warb er um mich, doch nur Euch meinend."

Zum zweitenmal wollte sich der Zug in Bewegung setzen, als ein Jüngling eintrat, auf italische Weise ganz in schwarzen, gerissenen Samt gekleidet, mit zierlichem Spitzenkragen, und reiche goldene Ehrenketten um den Hals gehängt. „O Reinhold, mein Reinhold", schrie Friedrich und stürzte dem Jüngling an die Brust. Auch die Braut und Meister Martin riefen und jauchzten: „Reinhold, unser wackrer Reinhold ist gekommen." – „Hab ich's dir nicht gesagt", sprach Reinhold, die Umarmung feurig erwidernd, „hab ich's dir nicht gesagt, mein herzlieber Freund, daß sich noch alles gar herrlich für dich fügen könnte? – Laß mich deinen Hochzeitstag mit dir feiern, weit komm ich deshalb her, und zum ewigen Gedächtnis häng das Gemälde in deinem Hause auf, das ich für dich gemalt und dir mitgebracht." Damit rief er heraus, und zwei Diener brachten ein großes Bild in einem prächtigen goldnen Rahmen hinein, das den Meister Martin in seiner Werkstatt mit seinen Gesellen Reinhold, Friedrich und Konrad darstellte, wie sie an dem großen Faß arbeiten und die holde Rosa eben hineinschreitet. Alles geriet in Erstaunen über die Wahrheit, über die Farbenpracht des Kunstwerks. „Ei", sprach Friedrich lächelnd, „das ist wohl dein Meisterstück als Küper, das meinige liegt dort unten im Flur, aber bald schaff ich ein anderes." – „Ich weiß alles", erwiderte Reinhold, „und preise dich glücklich. Halt nur fest an deiner Kunst, die auch wohl mehr Hauswesen und dergleichen leiden mag als die meinige." –

Bei dem Hochzeitsmahl saß Friedrich zwischen den beiden Rosen, ihm gegenüber aber Meister Martin zwischen Konrad und Reinhold. Da füllte Herr Paumgartner Friedrichs Pokal bis an den Rand mit edlem Wein und trank auf das Wohl Meister Martins und seiner wackern Gesellen. Dann ging der Pokal herum, und zuerst der edle Junker Heinrich von Spangenberg, nach ihm aber alle ehrsamen Meister, wie sie zu Tische saßen, leerten ihn auf das Wohl Meister Martins und seiner wackern Gesellen.

DAS FRÄULEIN VON SCUDERI

Erzählung aus dem Zeitalter Ludwig des Vierzehnten

In der Straße St. Honoré war das kleine Haus gelegen, welches Magdaleine von Scuderi, bekannt durch ihre anmutigen Verse, durch die Gunst Ludwig des XIV. und der Maintenon bewohnte.

Spät um Mitternacht – es mochte im Herbste des Jahres 1680 sein – wurde an dieses Haus hart und heftig angeschlagen, daß es im ganzen Flur laut widerhallte. – Baptiste, der in des Fräuleins kleinem Haushalt Koch, Bedienten und Türsteher zugleich vorstellte, war mit Erlaubnis seiner Herrschaft über Land gegangen zur Hochzeit seiner Schwester, und so kam es, daß die Martiniere, des Fräuleins Kammerfrau, allein im Hause noch wachte. Sie hörte die wiederholten Schläge, es fiel ihr ein, daß Baptiste fortgegangen und sie mit dem Fräulein ohne weitern Schutz im Hause geblieben sei; aller Frevel von Einbruch, Diebstahl und Mord, wie er jemals in Paris verübt worden, kam ihr in den Sinn, es wurde ihr gewiß, daß irgendein Haufen Meuter, von der Einsamkeit des Hauses unterrichtet, da draußen tobe und, eingelassen, ein böses Vorhaben gegen die Herrschaft ausführen wolle, und so blieb sie in ihrem Zimmer, zitternd und zagend und den Baptiste verwünschend samt seiner Schwester Hochzeit. Unterdessen donnerten die Schläge immerfort, und es war ihr, als rufe eine Stimme dazwischen: „So macht doch nur auf um Christus willen, so macht doch nur auf!“ Endlich in steigender Angst ergriff die Martiniere schnell den Leuchter mit der brennenden Kerze und rannte hinaus auf den Flur; da vernahm sie ganz deutlich die Stimme des Anpochenden: „Um Christus willen, so macht doch nur auf!“ – „In der Tat“, dachte die Martiniere, „so spricht doch wohl kein Räuber; wer weiß, ob nicht gar ein Verfolgter Zuflucht sucht bei meiner Herrschaft, die ja geneigt ist zu jeder Wohltat. Aber laßt uns vorsichtig sein!“ – Sie öffnete ein Fenster und rief hinab, wer denn da unten in später Nacht so an der Haustür tobe und alles aus dem Schlafe wecke, indem sie ihrer tiefen Stimme soviel Männliches zu geben sich bemühte als nur möglich. In dem Schimmer der Mondesstrahlen, die eben durch die finstern Wolken brachen, gewahrte sie eine lange, in einen hellgrauen Mantel gewickelte Gestalt, die den breiten Hut tief in die Augen gedrückt hatte. Sie rief nun mit lauter Stimme, so daß es der unten vernehmen konnte: „Baptiste, Claude, Pierre, steht auf und seht einmal zu, welcher Taugenichts uns das Haus einschlagen will!“ Da sprach es aber mit sanfter, beinahe klagender Stimme von unten herauf: „Ach! la Martiniere, ich weiß ja, daß Ihr es seid, liebe Frau, sosehr Ihr Eure Stimme zu verstellen trachtet, ich weiß ja, daß Baptiste über Land gegangen ist und Ihr mit Eurer Herrschaft allein im Hause seid. Macht mir nur getrost auf, befürchtet nichts. Ich muß durchaus mit Eurem Fräulein sprechen, noch in dieser Minute.“ – „Wo denkt Ihr hin“, erwiderte die Martiniere, „mein Fräulein wollt Ihr sprechen mitten in der Nacht? Wißt Ihr denn nicht, daß sie längst schläft und daß ich sie um keinen Preis wecken werde aus dem ersten süßesten Schlummer, dessen sie in ihren Jahren wohl bedarf.“ – „Ich weiß“, sprach der Untenstehende, „ich weiß, daß Euer Fräulein soeben das Manuskript ihres Romans, ‚Clelia‘ geheißen, an dem sie rastlos arbeitet, beiseite gelegt hat und jetzt noch einige Verse aufschreibt, die sie morgen bei der Marquise de Maintenon vorzulesen gedenkt. Ich beschwöre Euch, Frau Martiniere, habt die Barmherzigkeit und öffnet mir die Türe. Wißt, daß es darauf ankommt, einen Unglücklichen vom Verderben zu retten, wißt, daß Ehre, Freiheit, ja das Leben eines Menschen abhängt von diesem Augenblick, in dem ich Euer Fräulein sprechen muß. Bedenkt, daß Eurer Gebieterin Zorn ewig auf Euch lasten würde, wenn sie erführe, daß Ihr es waret, die den Unglücklichen, welcher kam, ihre Hilfe zu erflehen, hartherzig von der Türe wies.“ – „Aber warum sprecht Ihr denn meines Fräuleins Mitleid an in dieser ungewöhnlichen Stunde, kommt morgen zu guter Zeit wieder", so sprach die Martiniere herab; da erwiderte der unten: „Kehrt sich denn das Schicksal, wenn es verderbend wie der tötende Blitz einschlägt, an Zeit und Stunde? Darf, wenn nur ein Augenblick Rettung noch möglich ist, die Hilfe aufgeschoben werden? Öffnet mir die Türe, fürchtet doch nur nichts von einem Elenden, der schutzlos, verlassen von aller Welt, verfolgt, bedrängt von einem ungeheuern Geschick, Euer Fräulein um Rettung anflehen will aus drohender Gefahr!" Die Martiniere vernahm, wie der Untenstehende bei diesen Worten vor tiefem Schmerz stöhnte und schluchzte; dabei war der Ton von seiner Stimme der eines Jünglings, sanft und eindringend tief in die Brust. Sie fühlte sich im Innersten bewegt, ohne sich weiter lange zu besinnen, holte sie die Schlüssel herbei.

Sowie sie die Türe kaum geöffnet, drängte sich ungestüm die im Mantel gehüllte Gestalt hinein und rief, der Martiniere vorbeischreitend in den Flur, mit wilder Stimme: „Führt mich zu Euerm Fräulein!" Erschrocken hob die Martiniere den Leuchter in die Höhe, und der Kerzenschimmer fiel in ein todbleiches, furchtbar entstelltes Jünglingsantlitz. Vor Schrecken hätte die Martiniere zu Boden sinken mögen, als nun der Mensch den Mantel auseinanderschlug und der blanke Griff eines Stiletts aus dem Brustlatz hervorragte. Es blitzte der Mensch sie an mit funkelnden Augen und rief noch wilder als zuvor: „Führt mich zu Euerm Fräulein, sage ich Euch!" Nun sah die Martiniere ihr Fräulein in der dringendsten Gefahr, alle Liebe zu der teuren Herrschaft, in der sie zugleich die fromme, treue Mutter ehrte, flammte stärker auf im Innern und erzeugte einen Mut, dessen sie wohl selbst sich nicht fähig geglaubt hätte. Sie warf die Türe ihres Gemachs, die sie offengelassen, schnell zu, trat vor dieselbe und sprach stark und fest: „In der Tat, Euer tolles Betragen hier im Hause paßt schlecht zu Euern kläglichen Worten da draußen, die, wie ich nun wohl merke, mein Mitleiden sehr zu unrechter Zeit erweckt haben. Mein Fräulein sollt und werdet Ihr jetzt nicht sprechen. Habt Ihr nichts Böses im Sinn, dürft Ihr den

Tag nicht scheuen, so kommt morgen wieder und bringt Eure Sache an! – jetzt schert Euch aus dem Hause!" Der Mensch stieß einen dumpfen Seufzer aus, blickte die Martiniere starr an mit entsetzlichem Blick und griff nach dem Stilett. Die Martiniere befahl im stillen ihre Seele dem Herrn, doch blieb sie standhaft und sah dem Menschen keck ins Auge, indem sie sich fester an die Türe des Gemachs drückte, durch welches der Mensch gehen mußte, um zu dem Fräulein zu gelangen. „Laßt mich zu Euerm Fräulein, sage ich Euch", rief der Mensch nochmals. „Tut, was Ihr wollt", erwiderte die Martiniere, „ich weiche nicht von diesem Platz, vollendet nur die böse Tat, die Ihr begonnen, auch Ihr werdet den schmachvollen Tod finden auf dem Greveplatz, wie Eure verruchten Spießgesellen." – „Ha", schrie der Mensch auf, „Ihr habt recht, la Martiniere! ich sehe aus, ich bin bewaffnet wie ein verruchter Räuber und Mörder, aber meine Spießgesellen sind nicht gerichtet, sind nicht gerichtet!" – Und damit zog er, giftige Blicke schießend auf die zum Tode geängstete Frau, das Stilett heraus. „Jesus!" rief sie, den Todesstoß erwartend, aber in dem Augenblick ließ sich auf der Straße das Geklirr von Waffen, der Huftritt von Pferden hören. „Die Marechaussee – die Marechaussee. Hilfe, Hilfe!" schrie die Martiniere. „Entsetzliches Weib, du willst mein Verderben – nun ist alles aus, alles aus! – nimm! – nimm; gib das dem Fräulein heute noch – morgen, wenn du willst", dies leise murmelnd, hatte der Mensch der Martiniere den Leuchter weggerissen, die Kerzen verlöscht und ihr ein Kästchen in die Hände gedrückt. „Um deiner Seligkeit willen, gib das Kästchen dem Fräulein", rief der Mensch und sprang zum Hause hinaus. Die Martiniere war zu Boden gesunken, mit Mühe stand sie auf und tappte sich in der Finsternis zurück in ihr Gemach, wo sie ganz erschöpft, keines Lautes mächtig, in den Lehnstuhl sank. Nun hörte sie die Schlüssel klirren, die sie im Schloß der Haustüre hatte steckenlassen. Das Haus wurde zugeschlossen, und leise unsichere Tritte nahten sich dem Gemach. Festgebannt, ohne Kraft sich zu regen, erwartete sie das Gräßliche; doch wie geschah ihr, als die Türe aufging und sie bei dem Scheine der

Nachtlampe auf den ersten Blick den ehrlichen Baptiste erkannte; der sah leichenblaß aus und ganz verstört. „Um aller Heiligen willen“, fing er an, „um aller Heiligen willen sagt mir, Frau Martiniere, was ist geschehen? Ach die Angst! die Angst! – Ich weiß nicht, was es war, aber fortgetrieben hat es mich von der Hochzeit gestern abend mit Gewalt! – Und nun komme ich in die Straße. Frau Martiniere, denk ich, hat einen leisen Schlaf, die wird's wohl hören, wenn ich leise und säuberlich anpoche an die Haustüre, und mich hineinlassen. Da kommt mir eine starke Patrouille entgegen, Reuter, Fußvolk, bis an die Zähne bewaffnet, und hält mich an und will mich nicht fortlassen. Aber zum Glück ist Desgrais dabei, der Marechaussee-Lieutnant, der mich recht gut kennt; der spricht, als sie mir die Laterne unter die Nase halten: ‚Ei, Baptiste, wo kommst du her des Wegs in der Nacht? Du mußt fein im Hause bleiben und es hüten. Hier ist es nicht geheuer, wir denken noch in dieser Nacht einen guten Fang zu machen.‘ Ihr glaubt gar nicht, Frau Martiniere, wie mir diese Worte aufs Herz fielen. Und nun trete ich auf die Schwelle, und da stürzt ein verhüllter Mensch aus dem Hause, das blanke Stilett in der Faust, und rennt mich um und um – das Haus ist offen, die Schlüssel stecken im Schlosse – sagt, was hat das alles zu bedeuten?“ Die Martiniere, von ihrer Todesangst befreit, erzählte, wie sich alles begeben. Beide, sie und Baptiste, gingen in den Hausflur, sie fanden den Leuchter auf dem Boden, wo der fremde Mensch ihn im Entfliehen hingeworfen. „Es ist nur zu gewiß“, sprach Baptiste, „daß unser Fräulein beraubt und wohl gar ermordet werden sollte. Der Mensch wußte, wie Ihr erzählt, daß Ihr allein wart mit dem Fräulein, ja sogar, daß sie noch wachte bei ihren Schriften; gewiß war es einer von den verfluchten Gaunern und Spitzbuben, die bis ins Innere der Häuser dringen, alles listig auskundschaftend, was ihnen zur Ausführung ihrer teuflischen Anschläge dienlich. Und das kleine Kästchen, Frau Martiniere, das, denk ich, werfen wir in die Seine, wo sie am tiefsten ist. Wer steht uns dafür, daß nicht irgendein verruchter Unhold unserm guten Fräulein nach dem Leben trachtet, daß sie, das Kästchen öffnend, nicht tot niedersinkt, wie der alte Marquis von Tournay, als er den Brief aufmachte, den er von unbekannter Hand erhalten! –" Lange ratschlagend, beschlossen die Getreuen endlich, dem Fräulein am andern Morgen alles zu erzählen und ihr auch das geheimnisvolle Kästchen einzuhändigen, das ja mit gehöriger Vorsicht geöffnet werden könne. Beide, erwägten sie genau jeden Umstand der Erscheinung des verdächtigen Fremden, meinten, daß wohl ein besonderes Geheimnis im Spiele sein könne, über das sie eigenmächtig nicht schalten dürften, sondern die Enthüllung ihrer Herrschaft überlassen müßten. –

Baptistes Besorgnisse hatten ihren guten Grund. Gerade zu der Zeit war Paris der Schauplatz der verruchtesten Greueltaten, gerade zu der Zeit bot die teuflischste Erfindung der Hölle die leichtesten Mittel dazu dar.

Glaser, ein teutscher Apotheker, der beste Chemiker seiner Zeit, beschäftigte sich, wie es bei Leuten von seiner Wissenschaft wohl zu geschehen pflegt, mit alchimistischen Versuchen. Er hatte es darauf abgesehen, den Stein der Weisen zu finden. Ihm gesellte sich ein Italiener zu, namens Exili. Diesem diente aber die Goldmacherkunst nur zum Vorwande. Nur das Mischen, Kochen, Sublimieren der Giftstoffe, in denen Glaser sein Heil zu finden hoffte, wollt er erlernen, und es gelang ihm endlich, jenes feine Gift zu bereiten, das ohne Geruch, ohne Geschmack, entweder auf der Stelle oder langsam tötend, durchaus keine Spur im menschlichen Körper zurückläßt und alle Kunst, alle Wissenschaft der Ärzte täuscht, die, den Giftmord nicht ahnend, den Tod einer natürlichen Ursache zuschreiben müssen. So vorsichtig Exili auch zu Werke ging, so kam er doch in den Verdacht des Giftverkaufs und wurde nach der Bastille gebracht. In dasselbe Zimmer sperrte man bald darauf den Hauptmann Godin de Sainte Croix ein. Dieser hatte mit der Marquise de Brinvillier lange Zeit in einem Verhältnisse gelebt, welches Schande über die ganze Familie brachte, und endlich, da der Marquis unempfindlich blieb für die Verbrechen seiner Gemahlin, ihren Vater, Dreux d'Aubray, Zivillieutnant zu Paris, nötigte, das verbrecherische Paar durch einen Verhaftsbefehl zu trennen, den er wider den Hauptmann auswirkte. Leidenschaftlich, ohne Charakter, Frömmigkeit heuchelnd und zu Lastern aller Art geneigt von Jugend auf, eifersüchtig, rachsüchtig bis zur Wut, konnte dem Hauptmann nichts willkommner sein als Exilis teuflisches Geheimnis, das ihm die Macht gab, alle seine Feinde zu vernichten. Er wurde Exilis eifriger Schüler und tat es bald seinem Meister gleich, so daß er, aus der Bastille entlassen, allein fortzuarbeiten imstande war.

Die Brinvillier war ein entartetes Weib, durch Sainte Croix wurde sie zum Ungeheuer. Er vermochte sie nach und nach, erst ihren eignen Vater, bei dem sie sich befand, ihn mit verruchter Heuchelei im Alter pflegend, dann ihre beiden Brüder und endlich ihre Schwester zu vergiften; den Vater aus Rache, die andern der reichen Erbschaft wegen. Die Geschichte mehrerer Giftmörder gibt das entsetzliche Beispiel, daß Verbrechen der Art zur unwiderstehlichen Leidenschaft werden. Ohne weitern Zweck, aus reiner Lust daran, wie der Chemiker Experimente macht zu seinem Vergnügen, haben oft Giftmörder Personen gemordet, deren Leben oder Tod ihnen völlig gleich sein konnte. Das plötzliche Hinsterben mehrerer Armen im Hotel Dieu erregte später den Verdacht, daß die Brote, welche die Brinvillier dort wöchentlich auszuteilen pflegte, um als Muster der Frömmigkeit und des Wohltuns zu gelten, vergiftet waren. Gewiß ist es aber, daß sie Taubenpasteten vergiftete und sie den Gästen, die sie geladen, vorsetzte. Der Chevalier du Guet und mehrere andere Personen fielen als Opfer dieser höllischen Mahlzeiten. Sainte Croix, sein Gehilfe la Chaussee, die Brinvillier wußten lange Zeit hindurch ihre gräßliche Untaten in undurchdringliche Schleier zu hüllen; doch welche verruchte List verworfener Menschen vermag zu bestehen, hat die ewige Macht des Himmels beschlossen, schon hier auf Erden die Frevler zu richten! – Die Gifte, welche Sainte Croix bereitete, waren so fein, daß, lag das Pulver (poudre de succession nannten es die Pariser) bei der Bereitung offen, ein einziger Atemzug hinreichte, sich augenblicklich den Tod zu geben. Sainte Croix trug deshalb bei seinen Operationen eine Maske von feinem Glase. Diese fiel eines Tags, als er eben ein fertiges Giftpulver in eine Phiole schütten wollte, herab, und er sank, den feinen Staub des Giftes einatmend, augenblicklich tot nieder. Da er ohne Erben verstorben, eilten die Gerichte herbei, um den Nachlaß unter Siegel zu nehmen. Da fand sich in einer Kiste verschlossen das ganze höllische Arsenal des Giftmords, das dem verruchten Sainte Croix zu Gebote gestanden, aber auch die Briefe der Brinvillier wurden aufgefunden, die über ihre Untaten keinen Zweifel ließen. Sie floh nach Lüttich in ein Kloster. Desgrais, ein Beamter der Marechaussee, wurde ihr nachgesendet. Als Geistlicher verkleidet, erschien er in dem Kloster, wo sie sich verborgen. Es gelang ihm, mit dem entsetzlichen Weibe einen Liebeshandel anzuknüpfen und sie zu einer heimlichen Zusammenkunft in einem einsamen Garten vor der Stadt zu verlocken. Kaum dort angekommen, wurde sie aber von Desgrais' Häschern umringt, der geistliche Liebhaber verwandelte sich plötzlich in den Beamten der Marechaussee und nötigte sie, in den Wagen zu steigen, der vor dem Garten bereitstand und, von den Häschern umringt, geradeswegs nach Paris abfuhr. La Chaussee war schon früher enthauptet worden, die Brinvillier litt denselben Tod, ihr Körper wurde nach der Hinrichtung verbrannt und die Asche in die Lüfte zerstreut.

Die Pariser atmeten auf, als das Ungeheuer von der Welt war, das die heimliche mörderische Waffe ungestraft richten konnte gegen Feind und Freund. Doch bald tat es sich kund, daß des verruchten La Croix entsetzliche Kunst sich fortvererbt hatte. Wie ein unsichtbares tückisches Gespenst schlich der Mord sich ein in die engsten Kreise, wie sie Verwandtschaft – Liebe – Freundschaft nur bilden können, und erfaßte sicher und schnell die unglücklichen Opfer. Der, den man heute in blühender Gesundheit gesehen, wankte morgen krank und siech umher, und keine Kunst der Ärzte konnte ihn vor dem Tode retten. Reichtum – ein einträgliches Amt – ein schönes, vielleicht zu jugendliches Weib – das genügte zur Verfolgung auf den Tod. Das grausamste Mißtrauen trennte die heiligsten Bande. Der Gatte zitterte vor der Gattin – der Vater vor dem Sohn – die

Schwester vor dem Bruder. – Unberührt blieben die Speisen, blieb der Wein bei dem Mahl, das der Freund den Freunden gab, und wo sonst Lust und Scherz gewaltet, spähten verwilderte Blicke nach dem verkappten Mörder. Man sah Familienväter ängstlich in entfernten Gegenden Lebensmittel einkaufen und in dieser, jener schmutzigen Garküche selbst bereiten, in ihrem eigenen Hause teuflischen Verrat fürchtend. Und doch war manchmal die größte, bedachteste Vorsicht vergebens.

Der König, dem Unwesen, das immer mehr überhandnahm, zu steuern, ernannte einen eigenen Gerichtshof, dem er ausschließlich die Untersuchung und Bestrafung dieser heimlichen Verbrechen übertrug. Das war die sogenannte Chambre ardente, die ihre Sitzungen unfern der Bastille hielt und welcher la Regnie als Präsident vorstand. Mehrere Zeit hindurch blieben Regnies Bemühungen, so eifrig sie auch sein mochten, fruchtlos, dem verschlagenen Desgrais war es vorbehalten, den geheimsten Schlupfwinkel des Verbrechens zu entdecken. – In der Vorstadt Saint-Germain wohnte ein altes Weib, la Voisin geheißen, die sich mit Wahrsagen und Geisterbeschwören abgab und mit Hilfe ihrer Spießgesellen, le Sage und le Vigoureux, auch selbst Personen, die eben nicht schwach und leichtgläubig zu nennen, in Furcht und Erstaunen zu setzen wußte. Aber sie tat mehr als dieses. Exilis Schülerin wie la Croix, bereitete sie wie dieser das feine, spurlose Gift und half auf diese Weise ruchlosen Söhnen zur frühen Erbschaft, entarteten Weibern zum andern, jüngern Gemahl. Desgrais drang in ihr Geheimnis ein, sie gestand alles, die Chambre ardente verurteilte sie zum Feuertode, den sie auf dem Greveplatze erlitt. Man fand bei ihr eine Liste aller Personen, die sich ihrer Hilfe bedient hatten; und so kam es, daß nicht allein Hinrichtung auf Hinrichtung folgte, sondern auch schwerer Verdacht selbst auf Personen von hohem Ansehen lastete. So glaubte man, daß der Kardinal Bonzy bei der la Voisin das Mittel gefunden, alle Personen, denen er als Erzbischof von Narbonne Pensionen bezahlen mußte, in kurzer Zeit hinsterben zu lassen. So wurden die Herzogin von Bouillon, die Gräfin von Soissons, deren Namen man auf der Liste gefunden, der Verbindung mit dem teuflischen Weibe angeklagt, und selbst François Henri de Montmorenci, Boudebelle, Herzog von Luxemburg, Pair und Marschall des Reichs, blieb nicht verschont. Auch ihn verfolgte die furchtbare Chambre ardente. Er stellte sich selbst zum Gefängnis in der Bastille, wo ihn Louvois' und la Regnies Haß in ein sechs Fuß langes Loch einsperren ließ. Monate vergingen, ehe es sich vollkommen ausmittelte, daß des Herzogs Verbrechen keine Rüge verdienen konnte. Er hatte sich einmal von le Sage das Horoskop stellen lassen.

Gewiß ist es, daß blinder Eifer den Präsidenten la Regnie zu Gewaltstreichen und Grausamkeiten verleitete. Das Tribunal nahm ganz den Charakter der Inquisition an, der geringfügigste Verdacht reichte hin zu strenger Einkerkerung, und oft war es dem Zufall überlassen, die Unschuld des auf den Tod Angeklagten darzutun. Dabei war Regnie von garstigem Ansehen und heimtückischem Wesen, so daß er bald den Haß derer auf sich lud, deren Rächer oder Schützer zu sein er berufen wurde. Die Herzogin von Bouillon, von ihm im Verhöre gefragt, ob sie den Teufel gesehen, erwiderte: „Mich dünkt, ich sehe ihn in diesem Augenblick!"

Während nun auf dem Greveplatz das Blut Schuldiger und Verdächtiger in Strömen floß und endlich der heimliche Giftmord seltner und seltner wurde, zeigte sich ein Unheil anderer Art, welches neue Bestürzung verbreitete. Eine Gaunerbande schien es darauf angelegt zu haben, alle Juwelen in ihren Besitz zu bringen. Der reiche Schmuck, kaum gekauft, verschwand auf unbegreifliche Weise, mochte er verwahrt sein, wie er wollte. Noch viel ärger war es aber, daß jeder, der es wagte, zur Abendzeit Juwelen bei sich zu tragen, auf offener Straße oder in finstern Gängen der Häuser beraubt, ja wohl gar ermordet wurde. Die mit dem Leben davongekommen, sagten aus, ein Faustschlag auf den Kopf habe sie wie ein Wetterstrahl niedergestürzt, und aus der Betäubung erwacht, hätten sie sich beraubt und am ganz andern Orte als da, wo sie der Schlag getroffen, wiedergefunden. Die Ermordeten, wie sie beinahe jeden Morgen auf der Straße oder in den Häusern lagen, hatten alle dieselbe tödliche Wunde.

Einen Dolchstich ins Herz, nach dem Urteil der Ärzte so schnell und sicher tötend, daß der Verwundete, keines Lautes mächtig, zu Boden sinken mußte. Wer war an dem üppigen Hofe Ludwig des XIV., der nicht in einen geheimen Liebeshandel verstrickt, spät zur Geliebten schlich und manchmal ein reiches Geschenk bei sich trug? – Als stünden die Gauner mit Geistern im Bunde, wußten sie genau, wenn sich so etwas zutragen sollte. Oft erreichte der Unglückliche nicht das Haus, wo er Liebesglück zu genießen dachte, oft fiel er auf der Schwelle, ja vor dem Zimmer der Geliebten, die mit Entsetzen den blutigen Leichnam fand.

Vergebens ließ Argenson, der Polizeiminister, alles aufgreifen in Paris, was von dem Volk nur irgend verdächtig schien, vergebens wütete la Regnie und suchte Geständnisse zu erpressen, vergebens wurden Wachen, Patrouillen verstärkt, die Spur der Täter war nicht zu finden. Nur die Vorsicht, sich bis an die Zähne zu bewaffnen und sich eine Leuchte vortragen zu lassen, half einigermaßen, und doch fanden sich Beispiele, daß der Diener mit Steinwürfen geängstet und der Herr in demselben Augenblick ermordet und beraubt wurde.

Merkwürdig war es, daß, aller Nachforschungen auf allen Plätzen, wo Juwelenhandel nur möglich war, unerachtet, nicht das mindeste von den geraubten Kleinodien zum Vorschein kam, und also auch hier keine Spur sich zeigte, die hätte verfolgt werden können.

Desgrais schäumte vor Wut, daß selbst seiner List die Spitzbuben zu entgehen wußten. Das Viertel der Stadt, in dem er sich gerade befand, blieb verschont, während in dem andern, wo keiner Böses geahnt, der Raubmord seine reichen Opfer erspähte.

Desgrais besann sich auf das Kunststück, mehrere Desgrais zu schaffen, sich untereinander so ähnlich an Gang, Stellung, Sprache, Figur, Gesicht, daß selbst die Häscher nicht wußten, wo der rechte Desgrais stecke. Unterdessen lauschte er, sein Leben wagend, allein in den geheimsten Schlupfwinkeln und folgte von weitem diesem oder jenem, der auf seinen Anlaß einen reichen Schmuck bei sich trug. *Der* blieb unangefochten; also auch von *dieser* Maßregel waren die Gauner unterrichtet. Desgrais geriet in Verzweiflung.

Eines Morgens kommt Desgrais zu dem Präsidenten la Regnie, blaß, entstellt, außer sich. – „Was habt Ihr, was für Nachrichten? – Fandet Ihr die Spur?“ ruft ihm der Präsident entgegen. „Ha – gnädiger Herr“, fängt Desgrais an, vor Wut stammelnd, „ha, gnädiger Herr – gestern in der Nacht – unfern des Louvre ist der Marquis de la Fare angefallen worden in meiner Gegenwart.“ – „Himmel und Erde“, jauchzt la Regnie auf vor Freude – „wir haben sie!“ – „O hört nur“, fällt Desgrais mit bitterm Lächeln ein, „o hört nur erst, wie sich alles begeben. – Am Louvre steh ich also und passe, die ganze Hölle in der Brust, auf die Teufel, die meiner spotten. Da kommt mit unsicherm Schritt, immer hinter sich schauend, eine Gestalt dicht bei mir vorüber, ohne mich zu sehen. Im Mondesschimmer erkenne ich den Marquis de la Fare. Ich konnt ihn da erwarten, ich wußte, wo er hinschlich. Kaum ist er zehn – zwölf Schritte bei mir vorüber, da springt wie aus der Erde herauf eine Figur, schmettert ihn nieder und fällt über ihn her. Unbesonnen, überrascht von dem Augenblick, der den Mörder in meine Hand liefern konnte, schrie ich laut auf und will mit einem gewaltigen Sprunge aus meinem Schlupfwinkel heraus auf ihn zusetzen; da verwickle ich mich in den Mantel und falle hin. Ich sehe den Menschen wie auf den Flügeln des Windes forteilen, ich rapple mich auf, ich renne ihm nach – laufend stoße ich in mein Horn – aus der Ferne antworten die Pfeifen der Häscher – es wird lebendig – Waffengeklirr, Pferdegetrappel von allen Seiten. – ‚Hierher – hierher – Desgrais – Desgrais!‘ schreie ich, daß es durch die Straßen hallt. – Immer sehe ich den Menschen vor mir im hellen Mondschein, wie er, mich zu täuschen, da – dort – einbiegt; wir kommen in die Straße Nicaise, da scheinen seine Kräfte zu sinken, ich strenge die meinigen doppelt an – noch funfzehn Schritte höchstens hat er Vorsprung“ – „Ihr holt ihn ein – Ihr packt ihn, die Häscher kommen“, ruft la Regnie mit blitzenden Augen, indem er Desgrais beim Arm ergreift, als sei *der* der fliehende Mörder selbst. – „Funfzehn Schritte“, fährt Desgrais mit dumpfer Stimme und mühsam atmend fort, „funfzehn Schritte vor mir springt der Mensch auf die Seite in den Schatten und verschwindet durch die Mauer.“ – „Verschwindet? – durch die Mauer! – Seid Ihr rasend?“ ruft la Regnie, indem er zwei Schritte zurücktritt und die Hände zusammenschlägt. „Nennt mich“, fährt Desgrais fort, sich die Stirne reibend wie einer, den böse Gedanken plagen, „nennt mich, gnädiger Herr, immerhin einen Rasenden, einen törichten Geisterseher, aber es ist nicht anders, als wie ich es Euch erzähle. Erstarrt stehe ich vor der Mauer, als mehrere Häscher atemlos herbeikommen; mit ihnen der Marquis de la Fare, der sich aufgerafft, den bloßen Degen in der Hand. Wir zünden die Fackeln an, wir tappen an der Mauer hin und her; keine Spur einer Türe, eines Fensters, einer Öffnung. Es ist eine starke steinerne Hofmauer, die sich an ein Haus lehnt, in dem Leute wohnen, gegen die auch nicht der leiseste Verdacht aufkommt. Noch heute habe ich alles in genauen Augenschein genommen. – Der Teufel selbst ist es, der uns foppt.“ Desgrais’ Geschichte wurde in Paris bekannt. Die Köpfe waren erfüllt von den Zaubereien, Geisterbeschwörungen, Teufelsbündnissen der Voisin, des Vigoureux, des berüchtigten Priesters le Sage; und wie es denn nun in unserer ewigen Natur liegt, daß der Hang zum Übernatürlichen, zum Wunderbaren alle Vernunft überbietet, so glaubte man bald nichts Geringeres, als daß, wie Desgrais nur im Unmut gesagt, wirklich der Teufel selbst die Verruchten schütze, die ihm ihre Seelen verkauft. Man kann es sich denken, daß Desgrais’ Geschichte mancherlei tollen Schmuck erhielt. Die Erzählung davon mit einem Holzschnitt darüber, eine gräßliche Teufelsgestalt vorstellend, die vor dem erschrockenen Desgrais in die Erde versinkt, wurde gedruckt und an allen Ecken verkauft. Genug, das Volk einzuschüchtern und selbst den Häschern allen Mut zu nehmen, die nun zur Nachtzeit mit Zittern und Zagen die Straßen durchirrten, mit Amuletten behängt und eingeweicht in Weihwasser.

Argenson sah die Bemühungen der Chambre ardente scheitern und ging den König an, für das neue Verbrechen einen Gerichtshof zu ernennen, der mit noch ausgedehnterer Macht den

Tätern nachspüre und sie strafe. Der König, überzeugt, schon der Chambre ardente zuviel Gewalt gegeben zu haben, erschüttert von dem Greuel unzähliger Hinrichtungen, die der blutgierige la Regnie veranlaßt, wies den Vorschlag gänzlich von der Hand.

Man wählte ein anderes Mittel, den König für die Sache zu beleben.

In den Zimmern der Maintenon, wo sich der König nachmittags aufzuhalten und wohl auch mit seinen Ministern bis in die späte Nacht hinein zu arbeiten pflegte, wurde ihm ein Gedicht überreicht im Namen der gefährdeten Liebhaber, welche klagten, daß, gebiete ihnen die Galanterie, der Geliebten ein reiches Geschenk zu bringen, sie allemal ihr Leben daransetzen müßten. Ehre und Lust sei es, im ritterlichen Kampf sein Blut für die Geliebte zu verspritzen; anders verhalte es sich aber mit dem heimtückischen Anfall des Mörders, wider den man sich nicht wappnen könne. Ludwig, der leuchtende Polarstern aller Liebe und Galanterie, der möge hellaufstrahlend die finstre Nacht zerstreuen und so das schwarze Geheimnis, das darin verborgen, enthüllen. Der göttliche Held, der seine Feinde niedergeschmettert, werde nun auch sein siegreich funkelndes Schwert zücken und, wie Herkules die Lernäische Schlange, wie Theseus den Minotaur, das bedrohliche Ungeheuer bekämpfen, das alle Liebeslust wegzehre und alle Freude verdüstre in tiefes Leid, in trostlose Trauer.

So ernst die Sache auch war, so fehlte es diesem Gedicht doch nicht, vorzüglich in der Schilderung, wie die Liebhaber auf dem heimlichen Schleichwege zur Geliebten sich ängstigen müßten, wie die Angst schon alle Liebeslust, jedes schöne Abenteuer der Galanterie im Aufkeimen töte, an geistreich-witzigen Wendungen. Kam nun noch hinzu, daß beim Schluß alles in einen hochtrabenden Panegyrikus auf Ludwig den XIV. ausging, so konnte es nicht fehlen, daß der König das Gedicht mit sichtlichem Wohlgefallen durchlas. Damit zustande gekommen, drehte er sich, die Augen nicht wegwendend von dem Papier, rasch um zur Maintenon, las das Gedicht noch einmal mit lauter Stimme ab und fragte dann, anmutig lächelnd, was sie von den

Wünschen der gefährdeten Liebhaber halte. Die Maintenon, ihrem ernsten Sinne treu und immer in der Farbe einer gewissen Frömmigkeit, erwiderte, daß geheime verbotene Wege eben keines besondern Schutzes würdig, die entsetzlichen Verbrecher aber wohl besonderer Maßregeln zu ihrer Vertilgung wert wären. Der König, mit dieser schwankenden Antwort unzufrieden, schlug das Papier zusammen und wollte zurück zu dem Staatssekretär, der in dem andern Zimmer arbeitete, als ihm bei einem Blick, den er seitwärts warf, die Scuderi ins Auge fiel, die zugegen war und eben unfern der Maintenon auf einem kleinen Lehnsessel Platz genommen hatte. Auf diese schritt er nun los; das anmutige Lächeln, das erst um Mund und Wangen spielte und das verschwunden, gewann wieder Oberhand, und dicht vor dem Fräulein stehend und das Gedicht wieder auseinanderfaltend, sprach er sanft: „Die Marquise mag nun einmal von den Galanterien unserer verliebten Herren nichts wissen und weicht mir aus auf Wegen, die nichts weniger als verboten sind. Aber Ihr, mein Fräulein, was haltet Ihr von dieser dichterischen Supplik?“ – Die Scuderi stand ehrerbietig auf von ihrem Lehnsessel, ein flüchtiges Rot überflog wie Abendpurpur die blassen Wangen der alten würdigen Dame, sie sprach, sich leise verneigend, mit niedergeschlagenen Augen:

„Un amant, qui craint les voleurs,
n'est point digne d'amour.“

Der König, ganz erstaunt über den ritterlichen Geist dieser wenigen Worte, die das ganze Gedicht mit seinen ellenlangen Tiraden zu Boden schlugen, rief mit blitzenden Augen: „Beim heiligen Dionys, Ihr habt recht, Fräulein! Keine blinde Maßregel, die den Unschuldigen trifft mit dem Schuldigen, soll die Feigheit schützen; mögen Argenson und la Regnie das Ihrige tun!“ –

Alle die Greuel der Zeit schilderte nun die Martiniere mit den lebhaftesten Farben, als sie am andern Morgen ihrem Fräulein erzählte, was sich in voriger Nacht zugetragen, und übergab ihr zitternd und zagend das geheimnisvolle Kästchen. Sowohl sie als Baptiste, der ganz verblaßt in der Ecke stand und, vor Angst und

Beklommenheit die Nachtmütze in den Händen knetend, kaum sprechen konnte, baten das Fräulein auf das wehmütigste um aller Heiligen willen, doch nur mit möglichster Behutsamkeit das Kästchen zu öffnen. Die Scuderi, das verschlossene Geheimnis in der Hand wiegend und prüfend, sprach lächelnd: „Ihr seht beide Gespenster! – Daß ich nicht reich bin, daß bei mir keine Schätze, eines Mordes wert, zu holen sind, das wissen die verruchten Meuchelmörder da draußen, die, wie ihr selbst sagt, das Innerste der Häuser erspähen, wohl ebensogut als ich und ihr. Auf mein Leben soll es abgesehen sein? Wem kann was an dem Tode liegen einer Person von dreiundsiebzig Jahren, die niemals andere verfolgte als die Bösewichter und Friedensstörer in den Romanen, die sie selbst schuf, die mittelmäßige Verse macht, welche niemandes Neid erregen können, die nichts hinterlassen wird als den Staat des alten Fräuleins, das bisweilen an den Hof ging, und ein paar Dutzend gut eingebundener Bücher mit vergoldetem Schnitt! Und du, Martiniere, du magst nun die Erscheinung des fremden Menschen so schreckhaft beschreiben, wie du willst, doch kann ich nicht glauben, daß er Böses im Sinne getragen."

„Also!" –

Die Martiniere prallte drei Schritte zurück, Baptiste sank mit einem dumpfen Ach! halb in die Knie, als das Fräulein nun an einen hervorragenden stählernen Knopf drückte und der Deckel des Kästchens mit Geräusch aufsprang.

Wie erstaunte das Fräulein, als ihr aus dem Kästchen ein Paar goldne, reich mit Juwelen besetzte Armbänder und eben ein solcher Halsschmuck entgegenfunkelten. Sie nahm das Geschmeide heraus, und indem sie die wundervolle Arbeit des Halsschmucks lobte, beäugelte die Martiniere die reichen Armbänder und rief ein Mal über das andere, daß ja selbst die eitle Montespan nicht solchen Schmuck besitze. „Aber was soll das, was hat das zu bedeuten?" sprach die Scuderi. In dem Augenblick gewahrte sie auf dem Boden des Kästchens einen kleinen zusammengefalteten Zettel. Mit Recht hoffte sie den Aufschluß des Geheimnisses darin zu finden. Der Zettel, kaum hatte sie, was er enthielt, gelesen, entfiel ihren zitternden Händen. Sie warf einen sprechenden Blick zum Himmel und sank dann, wie halb ohnmächtig, in den Lehnsessel zurück. Erschrocken sprang die Martiniere, sprang Baptiste ihr bei. „Oh", rief sie nun mit von Tränen halb erstickter Stimme, „o der Kränkung, o der tiefen Beschämung! Muß mir das noch geschehen im hohen Alter! Hab ich denn im törichten Leichtsinn gefrevelt, wie ein junges, unbesonnenes Ding? – O Gott, sind Worte, halb im Scherz hingeworfen, solcher gräßlichen Deutung fähig! – Darf dann mich, die ich, der Tugend getreu und der Frömmigkeit, tadellos blieb von Kindheit an, darf dann mich das Verbrechen des teuflischen Bündnisses zeihen?"

Das Fräulein hielt das Schnupftuch vor die Augen und weinte und schluchzte heftig, so daß die Martiniere und Baptiste, ganz verwirrt und beklommen, nicht wußten, wie ihrer guten Herrschaft beistehen in ihrem großen Schmerz.

Die Martiniere hatte den verhängnisvollen Zettel von der Erde aufgehoben. Auf demselben stand:

„Un amant, qui craint les voleurs,
n'est point digne d'amour.

Euer scharfsinniger Geist, hochgeehrte Dame, hat uns, die wir an der Schwäche und Feigheit das Recht des Stärkern üben und uns Schätze zueignen, die auf unwürdige Weise vergeudet werden sollten, von großer Verfolgung errettet. Als einen Beweis unserer Dankbarkeit nehmet gütig diesen Schmuck an. Es ist das Kostbarste, was wir seit langer Zeit haben auftreiben können, wiewohl Euch, würdige Dame, viel schöneres Geschmeide zieren sollte, als dieses nun eben ist. Wir bitten, daß Ihr uns Eure Freundschaft und Euer huldvolles Andenken nicht entziehen möget.

Die Unsichtbaren."

„Ist es möglich", rief die Scuderi, als sie sich einigermaßen erholt hatte, „ist es möglich, daß man die schamlose Frechheit, den verruchten Hohn so weit treiben kann?" – Die Sonne schien hell durch die Fenstergardinen von hochroter Seide, und so kam es, daß die Brillanten, welche auf dem Tische neben dem offenen Kästchen lagen, in rötlichem Schimmer aufblitzten. Hinblikkend verhüllte die Scuderi voll Entsetzen das Gesicht und befahl der Martiniere, das fürchterliche Geschmeide, an dem das Blut der Ermordeten klebe, augenblicklich fortzuschaffen. Die Martiniere, nachdem sie Halsschmuck und Armbänder sogleich in das Kästchen verschlossen, meinte, daß es wohl am geratensten sein würde, die Juwelen dem Polizeiminister zu übergeben und ihm zu vertrauen, wie sich alles mit der beängstigenden Erscheinung des jungen Menschen und der Einhändigung des Kästchens zugetragen.

Die Scuderi stand auf und schritt schweigend langsam im Zimmer auf und nieder, als sinne sie erst nach, was nun zu tun sei. Dann befahl sie dem Baptiste, einen Tragsessel zu holen, der Martiniere aber, sie anzukleiden, weil sie auf der Stelle hin wolle zur Marquise de Maintenon.

Sie ließ sich hintragen zur Marquise gerade zu der Stunde, wenn diese, wie die Scuderi wußte, sich allein in ihren Gemächern befand. Das Kästchen mit den Juwelen nahm sie mit sich.

Wohl mußte die Marquise sich hoch verwundern, als sie das Fräulein, sonst die Würde, ja trotz ihrer hohen Jahre die Liebenswürdigkeit, die Anmut selbst, eintreten sah, blaß, entstellt, mit wankenden Schritten. „Was um aller Heiligen willen ist Euch widerfahren?" rief sie der armen, beängsteten Dame entgegen, die, ganz außer sich selbst, kaum imstande, sich aufrecht zu halten, nur schnell den Lehnsessel zu erreichen suchte, den ihr die Marquise hinschob. Endlich des Wortes wieder mächtig, erzählte das Fräulein, welche tiefe, nicht zu verschmerzende Kränkung ihr jener unbedachtsame Scherz, mit dem sie die Supplik der gefährdeten Liebhaber beantwortet, zugezogen habe. Die Marquise, nachdem sie alles von Moment zu Moment erfahren, urteilte, daß die Scuderi sich das sonderbare Ereignis viel zu sehr zu Herzen nehme, daß der Hohn verruchten Gesindels nie ein frommes, edles Gemüt treffen könne, und verlangte zuletzt den Schmuck zu sehen.

Die Scuderi gab ihr das geöffnete Kästchen, und die Marquise konnte sich, als sie das köstliche Geschmeide erblickte, des lauten Ausrufs der Verwunderung nicht erwehren. Sie nahm den Halsschmuck, die Armbänder heraus und trat damit an das Fenster, wo sie bald die Juwelen an der Sonne spielen ließ, bald die zierliche Goldarbeit ganz nahe vor die Augen hielt, um nur recht zu erschauen, mit welcher wundervollen Kunst jedes kleine Häkchen der verschlungenen Ketten gearbeitet war.

Auf einmal wandte sich die Marquise rasch um nach dem Fräulein und rief: „Wißt Ihr wohl, Fräulein, daß diese Armbänder, diesen Halsschmuck niemand anders gearbeitet haben kann als René Cardillac?“ – René Cardillac war damals der geschickteste Goldarbeiter in Paris, einer der kunstreichsten und zugleich sonderbarsten Menschen seiner Zeit. Eher klein als groß, aber breitschultrig und von starkem, muskulösem Körperbau, hatte Cardillac, hoch in die Funfzigerjahre vorgerückt, noch die Kraft, die Beweglichkeit des Jünglings. Von dieser Kraft, die ungewöhnlich zu nennen, zeugte auch das dicke, krause, rötliche Haupthaar und das gedrungene, gleißende Antlitz. Wäre Cardillac nicht in ganz Paris als der rechtlichste Ehrenmann, uneigennützig, offen, ohne Hinterhalt, stets zu helfen bereit, bekannt gewesen, sein ganz besonderer Blick aus kleinen, tiefliegenden, grün funkelnden Augen hätte ihn in den Verdacht heimlicher Tücke und Bosheit bringen können. Wie gesagt, Cardillac war in seiner Kunst der Geschickteste nicht sowohl in Paris als vielleicht überhaupt seiner Zeit. Innig vertraut mit der Natur der Edelsteine, wußte er sie auf eine Art zu behandeln und zu fassen, daß der Schmuck, der erst für unscheinbar gegolten, aus Cardillacs Werkstatt hervorging in glänzender Pracht. Jeden Auftrag übernahm er mit brennender Begierde und machte einen Preis, der, so geringe war er, mit der Arbeit in keinem Verhältnis zu stehen schien. Dann ließ ihm das Werk keine Ruhe, Tag und Nacht hörte man ihn in seiner Werkstatt hämmern und oft, war die Arbeit beinahe vollendet, mißfiel ihm plötzlich die Form, er zweifelte an der Zierlichkeit irgendeiner Fassung der Juwelen, irgendeines kleinen Häkchens – Anlaß genug, die ganze Arbeit wieder in den Schmelztiegel zu werfen und von neuem anzufangen. So wurde jede Arbeit ein reines, unübertreffliches Meisterwerk, das den Besteller in Erstaunen setzte. Aber nun war es kaum möglich, die fertige Arbeit von ihm zu erhalten. Unter tausend Vorwänden hielt er den Besteller hin von Woche zu Woche, von Monat zu Monat. Vergebens bot man ihm das Doppelte für die Arbeit, nicht einen Louis mehr als den bedungenen Preis wollte er nehmen. Mußte er dann endlich dem Andringen des Bestellers weichen und den Schmuck herausgeben, so konnte er sich aller Zeichen des tiefsten Verdrusses, ja einer innern Wut, die in ihm kochte, nicht erwehren. Hatte er ein bedeutenderes, vorzüglich reiches Werk, vielleicht viele Tausende an Wert, bei der Kostbarkeit der Juwelen, bei der überzierlichen Goldarbeit, abliefern müssen, so war er imstande, wie unsinnig umherzulaufen, sich, seine Arbeit, alles um sich her verwünschend. Aber sowie einer hinter ihm herrannte und laut schrie: „René Cardillac, möchtet Ihr nicht einen schönen Halsschmuck machen für meine Braut – Armbänder für mein Mädchen usw.“, dann stand er plötzlich still, blitzte den an mit seinen kleinen Augen und fragte, die Hände reibend: „Was habt Ihr denn?“ Der zieht nun ein Schächtelchen hervor und spricht: „Hier sind Juwelen, viel Sonderliches ist es nicht, gemeines Zeug, doch unter Euern Händen“ – Cardillac läßt ihn nicht ausreden, reißt ihm das Schächtelchen aus den Händen, nimmt die Juwelen heraus, die wirklich nicht viel wert sind, hält sie gegen das Licht und ruft voll Entzücken: „Hoho – gemeines Zeug? – mitnichten! – hübsche Steine – herrliche Steine, laßt mich nur machen! – und wenn es Euch auf eine Handvoll Louis nicht ankommt, so will ich noch ein paar Steinchen hineinbringen, die Euch in die Augen funkeln sollen wie die liebe Sonne selbst –“ Der spricht: „Ich überlasse Euch alles, Meister René, und zahle, was Ihr wollt!“ Ohne Unterschied, mag er nun ein reicher Bürgersmann oder ein vornehmer Herr vom Hofe sein, wirft sich Cardillac ungestüm an seinen Hals und drückt und küßt ihn und spricht, nun sei er wieder ganz glücklich, und in acht Tagen werde die Arbeit fertig sein. Er rennt über Hals und

Kopf nach Hause, hinein in die Werkstatt und hämmert darauflos, und in acht Tagen ist ein Meisterwerk zustande gebracht. Aber sowie der, der es bestellte, kommt, mit Freuden die geforderte geringe Summe bezahlen und den fertigen Schmuck mitnehmen will, wird Cardillac verdrießlich, grob, trotzig. – „Aber Meister Cardillac, bedenkt, morgen ist meine Hochzeit." – „Was schert mich Eure Hochzeit, fragt in vierzehn Tagen wieder nach." – „Der Schmuck ist fertig, hier liegt das Geld, ich muß ihn haben." – „Und ich sage Euch, daß ich noch manches an dem Schmuck ändern muß und ihn heute nicht herausgeben werde." – „Und ich sage Euch, daß, wenn Ihr mir den Schmuck, den ich Euch allenfalls doppelt bezahlen will, nicht herausgebt im guten, Ihr mich gleich mit Argensons dienstbaren Trabanten anrücken sehen sollt." – „Nun so quäle Euch der Satan mit hundert glühenden Kneipzangen und hänge drei Zentner an den Halsschmuck, damit er Eure Braut erdroßle!" – Und damit steckt Cardillac dem Bräutigam den Schmuck in die Busentasche, ergreift ihn beim Arm, wirft ihn zur Stubentür hinaus, daß er die ganze Treppe hinabpoltert, und lacht wie der Teufel zum Fenster hinaus, wenn er sieht, wie der arme junge Mensch, das Schnupftuch vor der blutigen Nase, aus dem Hause hinaushinkt. – Gar nicht zu erklären war es auch, daß Cardillac oft, wenn er mit Enthusiasmus eine Arbeit übernahm, plötzlich den Besteller mit allen Zeichen des im Innersten aufgeregten Gemüts, mit den erschütterndsten Beteurungen, ja unter Schluchzen und Tränen bei der Jungfrau und allen Heiligen beschwor, ihm das unternommene Werk zu erlassen. Manche der von dem Könige, von dem Volke hochgeachtetsten Personen hatten vergebens große Summen geboten, um nur das kleinste Werk von Cardillac zu erhalten. Er warf sich dem Könige zu Füßen und flehte um die Huld, nichts für ihn arbeiten zu dürfen. Ebenso verweigerte er der Maintenon jede Bestellung, ja, mit dem Ausdruck des Abscheues und Entsetzens verwarf er den Antrag derselben, einen kleinen, mit den Emblemen der Kunst verzierten Ring zu fertigen, den Racine von ihr erhalten sollte.

„Ich wette", sprach daher die Maintenon, „ich wette, daß

Cardillac, schicke ich auch hin zu ihm, um wenigstens zu erfahren, für wen er diesen Schmuck fertigte, sich weigert herzukommen, weil er vielleicht eine Bestellung fürchtet und doch durchaus nichts für mich arbeiten will. Wiewohl er seit einiger Zeit abzulassen scheint von seinem starren Eigensinn, denn wie ich höre, arbeitet er jetzt fleißiger als je und liefert seine Arbeit ab auf der Stelle, jedoch noch immer mit tiefem Verdruß und weggewandtem Gesicht." Die Scuderi, der auch viel daran gelegen, daß, sei es noch möglich, der Schmuck bald in die Hände des rechtmäßigen Eigentümers komme, meinte, daß man dem Meister Sonderling ja gleich sagen lassen könne, wie man keine Arbeit, sondern nur sein Urteil über Juwelen verlange. Das billigte die Marquise. Es wurde nach Cardillac geschickt, und als sei er schon auf dem Wege gewesen, trat er nach Verlauf weniger Zeit in das Zimmer.

Er schien, als er die Scuderi erblickte, betreten und wie einer, der, von dem Unerwarteten plötzlich getroffen, die Ansprüche des Schicklichen, wie sie der Augenblick darbietet, vergißt, neigte er sich zuerst tief und ehrfurchtsvoll vor dieser ehrwürdigen Dame und wandte sich dann erst zur Marquise. *Die* frug ihn hastig, indem sie auf das Geschmeide wies, das auf dem dunkelgrün behängten Tisch funkelte, ob das seine Arbeit sei. Cardillac warf kaum einen Blick darauf und packte, der Marquise ins Gesicht starrend, Armbänder und Halsschmuck schnell ein in das Kästchen, das daneben stand und das er mit Heftigkeit von sich wegschob. Nun sprach er, indem ein häßliches Lächeln auf seinem roten Antlitz gleißte: „In der Tat, Frau Marquise, man muß René Cardillacs Arbeit schlecht kennen, um nur einen Augenblick zu glauben, daß irgendein anderer Goldschmied in der Welt solchen Schmuck fassen könne. Freilich ist das meine Arbeit." – „So sagt denn", fuhr die Marquise fort, „für wen Ihr diesen Schmuck gefertigt habt!" – „Für mich ganz allein", erwiderte Cardillac, „ja, Ihr möget", fuhr er fort, als beide, die Maintenon und die Scuderi, ihn ganz verwundert anblickten, jene voll Mißtrauen, diese voll banger Erwartung, wie sich nun die Sache wenden würde, „ja, Ihr möget das nun seltsam finden, Frau Marquise, aber es ist dem so. Bloß der schönen Arbeit willen suchte ich meine besten Steine zusammen und arbeitete aus Freude daran fleißiger und sorgfältiger als jemals. Vor weniger Zeit verschwand der Schmuck aus meiner Werkstatt auf unbegreifliche Weise." – „Dem Himmel sei es gedankt", rief die Scuderi, indem ihr die Augen vor Freude funkelten und sie rasch und behende wie ein junges Mädchen von ihrem Lehnsessel aufsprang, auf den Cardillac losschritt und beide Hände auf seine Schultern legte, „empfangt", sprach sie dann, „empfangt, Meister René, das Eigentum, das Euch verruchte Spitzbuben raubten, wieder zurück." Nun erzählte sie ausführlich, wie sie zu dem Schmuck gekommen. Cardillac hörte alles schweigend mit niedergeschlagenen Augen an. Nur mitunter stieß er ein unvernehmliches „Hm! – So! – Ei! – Hoho!" – aus und warf bald die Hände auf den Rücken, bald streichelte er leise Kinn und Wange. Als nun die Scuderi geendet, war es, als kämpfe Cardillac mit ganz besondern Gedanken, die währenddessen ihm gekommen, und als wolle irgendein Entschluß sich nicht fügen und fördern. Er rieb sich die Stirne, er seufzte, er fuhr mit der Hand über die Augen, wohl gar um hervorbrechenden Tränen zu steuern. Endlich ergriff er das Kästchen, das ihm die Scuderi darbot, ließ sich auf ein Knie langsam nieder und sprach: „Euch, edles, würdiges Fräulein, hat das Verhängnis diesen Schmuck bestimmt. Ja, nun weiß ich es erst, daß ich während der Arbeit an Euch dachte, ja für Euch arbeitete. Verschmäht es nicht, diesen Schmuck als das Beste, was ich wohl seit langer Zeit gemacht, von mir anzunehmen und zu tragen." – „Ei, ei", erwiderte die Scuderi, anmutig scherzend, „wo denkt Ihr hin, Meister René, steht es mir denn an, in meinen Jahren mich noch so herauszuputzen mit blanken Steinen? – Und wie kömmt Ihr denn dazu, mich so überreich zu beschenken? Geht, geht, Meister René, wär ich so schön wie die Marquise de Fontange und reich, in der Tat, ich ließe den Schmuck nicht aus den Händen, aber was soll diesen welken Armen die eitle Pracht, was soll diesem verhüllten Hals der glänzende Putz?" Cardillac hatte sich indessen erhoben und sprach, wie außer sich, mit verwildertem Blick, indem er fortwährend das Kästchen der Scuderi hinhielt: „Tut mir die Barmherzigkeit, Fräulein, und nehmt den Schmuck. Ihr glaubt es nicht, welche tiefe Verehrung ich für Eure Tugend, für Eure hohen Verdienste im Herzen trage! Nehmt doch mein geringes Geschenk nur für das Bestreben an, Euch recht meine innerste Gesinnung zu beweisen." – Als nun die Scuderi immer noch zögerte, nahm die Maintenon das Kästchen aus Cardillacs Händen, sprechend: „Nun beim Himmel, Fräulein, immer redet Ihr von Euern hohen Jahren, was haben wir, ich und Ihr, mit den Jahren zu schaffen und ihrer Last! – Und tut Ihr denn nicht eben wie ein junges verschämtes Ding, das gern zulangen möchte nach der dargebotnen süßen Frucht, könnte das nur geschehen ohne Hand und ohne Finger. – Schlagt dem wackern Meister René nicht ab, das freiwillig als Geschenk zu empfangen, was tausend andere nicht erhalten können, alles Goldes, alles Bittens und Flehens unerachtet."

Die Maintenon hatte der Scuderi das Kästchen währenddessen aufgedrungen, und nun stürzte Cardillac nieder auf die Knie – küßte der Scuderi den Rock – die Hände – stöhnte – seufzte – weinte – schluchzte – sprang auf – rannte wie unsinnig, Sessel – Tische umstürzend, daß Porzellan, Gläser zusammenklirrten, in toller Hast von dannen. –

Ganz erschrocken rief die Scuderi: „Um aller Heiligen willen, was widerfährt dem Menschen!" Doch die Marquise, in besonderer heiterer Laune bis zu sonst ihr ganz fremdem Mutwillen, schlug eine helle Lache auf und sprach: „Da haben wir's, Fräulein, Meister René ist in Euch sterblich verliebt und beginnt nach richtigem Brauch und bewährter Sitte echter Galanterie Euer Herz zu bestürmen mit reichen Geschenken." Die Maintenon führte diesen Scherz weiter aus, indem sie die Scuderi ermahnte, nicht zu grausam zu sein gegen den verzweifelten Liebhaber, und diese wurde, Raum gebend angeborner Laune, hingerissen in den sprudelnden Strom tausend lustiger Einfälle. Sie meinte, daß sie, stünden die Sachen nun einmal so, endlich besiegt, wohl nicht werde umhinkönnen, der Welt das unerhörte Beispiel einer dreiundsiebzigjährigen Goldschmiedsbraut von untadeligem

Adel aufzustellen. Die Maintenon erbot sich, die Brautkrone zu flechten und sie über die Pflichten einer guten Hausfrau zu belehren, wovon freilich so ein kleiner Kiekindiewelt von Mädchen nicht viel wissen könne.

Da nun endlich die Scuderi aufstand, um die Marquise zu verlassen, wurde sie, alles lachenden Scherzes ungeachtet, doch wieder sehr ernst, als ihr das Schmuckkästchen zur Hand kam. Sie sprach: „Doch, Frau Marquise, werde ich mich dieses Schmuckes niemals bedienen können. Er ist, mag es sich nun zugetragen haben, wie es will, einmal in den Händen jener höllischen Gesellen gewesen, die mit der Frechheit des Teufels, ja wohl gar in verdammtem Bündnis mit ihm, rauben und morden. Mir graust vor dem Blute, das an dem funkelnden Geschmeide zu kleben scheint. – Und nun hat selbst Cardillacs Betragen, ich muß es gestehen, für mich etwas sonderbar Ängstliches und Unheimliches. Nicht erwehren kann ich mir einer dunklen Ahnung, daß hinter diesem allem irgendein grauenvolles, entsetzliches Geheimnis verborgen, und bringe ich mir die ganze Sache recht deutlich vor Augen mit jedem Umstande, so kann ich doch wieder gar nicht auch nur ahnen, worin das Geheimnis bestehe und wie überhaupt der ehrliche, wackere Meister René, das Vorbild eines guten, frommen Bürgers, mit irgend etwas Bösem, Verdammlichem zu tun haben soll. So viel ist aber gewiß, daß ich niemals mich unterstehen werde, den Schmuck anzulegen."

Die Marquise meinte, das hieße die Skrupel zu weit treiben; als nun aber die Scuderi sie auf ihr Gewissen fragte, was sie in ihrer, der Scuderi, Lage wohl tun würde, antwortete sie ernst und fest: „Weit eher den Schmuck in die Seine werfen, als ihn jemals tragen."

Den Auftritt mit dem Meister René brachte die Scuderi in gar anmutige Verse, die sie den folgenden Abend in den Gemächern der Maintenon dem Könige vorlas. Wohl mag es sein, daß sie auf Kosten Meister Renés, alle Schauer unheimlicher Ahnung besiegend, das ergötzliche Bild der dreiundsiebzigjährigen Goldschmiedsbraut von uraltem Adel mit lebendigen Farben darzustellen gewußt. Genug, der König lachte bis ins Innerste hinein und schwur, daß Boileau Despréaux seinen Meister gefunden, weshalb der Scuderi Gedicht für das Witzigste galt, das jemals geschrieben.

Mehrere Monate waren vergangen, als der Zufall es wollte, daß die Scuderi in der Glaskutsche der Herzogin von Montansier über den Pontneuf fuhr. Noch war die Erfindung der zierlichen Glaskutschen so neu, daß das neugierige Volk sich zudrängte, wenn ein Fuhrwerk der Art auf den Straßen erschien. So kam es denn auch, daß der gaffende Pöbel auf dem Pontneuf die Kutsche der Montansier umringte, beinahe den Schritt der Pferde hemmend. Da vernahm die Scuderi plötzlich ein Geschimpfe und Gefluche und gewahrte, wie ein Mensch mit Faustschlägen und Rippenstößen sich Platz machte durch die dickste Masse. Und wie er näher kam, trafen sie die durchbohrenden Blicke eines todbleichen, gramverstörten Jünglingsantlitzes. Unverwandt schaute der junge Mensch sie an, während er mit Ellbogen und Fäusten rüstig vor sich wegarbeitete, bis er an den Schlag des Wagens kam, den er mit stürmender Hastigkeit aufriß, der Scuderi einen Zettel in den Schoß warf und, Stöße, Faustschläge austeilend und empfangend, verschwand, wie er gekommen. Mit einem Schrei des Entsetzens war, sowie der Mensch am Kutschenschlage erschien, die Martiniere, die sich bei der Scuderi befand, entseelt in die Wagenkissen zurückgesunken. Vergebens riß die Scuderi an der Schnur, rief dem Kutscher zu, *der,* wie vom bösen Geiste getrieben, peitschte auf die Pferde los, die, den Schaum von den Mäulern wegspritzend, um sich schlugen, sich bäumten, endlich in scharfem Trab fortdonnerten über die Brücke. Die Scuderi goß ihr Riechfläschchen über die ohnmächtige Frau aus, die endlich die Augen aufschlug und, zitternd und bebend, sich krampfhaft festklammernd an die Herrschaft, Angst und Entsetzen im bleichen Antlitz, mühsam stöhnte: „Um der Heiligen Jungfrau willen! was wollte der fürchterliche Mensch? – Ach! er war es ja, er war es, derselbe, der Euch in jener schauervollen Nacht das Kästchen brachte!“ – Die Scuderi beruhigte die Arme, indem sie ihr vorstellte, daß ja durchaus nichts Böses geschehen und daß es nur darauf ankomme, zu wissen, was der Zettel enthalte. Sie schlug das Blättchen auseinander und fand die Worte:

„Ein böses Verhängnis, das Ihr abwenden konntet, stößt mich in den Abgrund! – Ich beschwöre Euch, wie der Sohn die Mutter, von der er nicht lassen kann, in der vollsten Glut kindlicher Liebe, den Halsschmuck und die Armbänder, die Ihr durch mich erhieltet, unter irgendeinem Vorwand – um irgend etwas daran bessern – ändern zu lassen, zum Meister René Cardillac zu schaffen; Euer Wohl, Euer Leben hängt davon ab. Tut Ihr es nicht bis übermorgen, so dringe ich in Eure Wohnung und ermorde mich vor Euern Augen!"

„Nun ist es gewiß", sprach die Scuderi, als sie dies gelesen, „daß, mag der geheimnisvolle Mensch auch wirklich zu der Bande verruchter Diebe und Mörder gehören, er doch gegen mich nichts Böses im Schilde führt. Wäre es ihm gelungen, mich in jener Nacht zu sprechen, wer weiß, welches sonderbare Ereignis, welch dunkles Verhältnis der Dinge mir klar worden, von dem ich jetzt auch nur die leiseste Ahnung vergebens in meiner Seele suche. Mag aber auch die Sache sich nun verhalten, wie sie will, das, was mir in diesem Blatt geboten wird, werde ich tun, und geschähe es auch nur, um den unseligen Schmuck loszuwerden, der mir ein höllischer Talisman des Bösen selbst dünkt. Cardillac wird ihn doch wohl nun, seiner alten Sitte getreu, nicht so leicht wieder aus den Händen geben wollen."

Schon andern Tages gedachte die Scuderi, sich mit dem Schmuck zu dem Goldschmied zu begeben. Doch war es, als hätten alle schönen Geister von ganz Paris sich verabredet, gerade an dem Morgen das Fräulein mit Versen, Schauspielen, Anekdoten zu bestürmen. Kaum hatte la Chapelle die Szene eines Trauerspiels geendet und schlau versichert, daß er nun wohl Racine zu schlagen gedenke, als dieser selbst eintrat und ihn mit irgendeines Königs pathetischer Rede zu Boden schlug, bis Boileau seine Leuchtkugeln in den schwarzen tragischen Himmel steigen ließ, um nur nicht ewig von der Kolonnade des

Louvre schwatzen zu hören, in die ihn der architektische Doktor Perrault hineingeengt.

Hoher Mittag war geworden, die Scuderi mußte zur Herzogin Montansier, und so blieb der Besuch bei Meister René Cardillac bis zum andern Morgen verschoben.

Die Scuderi fühlte sich von einer besondern Unruhe gepeinigt. Beständig vor Augen stand ihr der Jüngling, und aus dem tiefsten Innern wollte sich eine dunkle Erinnerung aufregen, als habe sie dies Antlitz, diese Züge schon gesehen. Den leisesten Schlummer störten ängstliche Träume, es war ihr, als habe sie leichtsinnig, ja strafwürdig versäumt, die Hand hilfreich zu erfassen, die der Unglückliche, in den Abgrund versinkend, nach ihr emporgestreckt, ja, als sei es an ihr gewesen, irgendeinem verderblichen Ereignis, einem heillosen Verbrechen zu steuern! – Sowie es nur hoher Morgen, ließ sie sich ankleiden und fuhr, mit dem Schmuckkästchen versehen, zu dem Goldschmied hin.

Nach der Straße Nicaise, dorthin, wo Cardillac wohnte, strömte das Volk, sammelte sich vor der Haustüre – schrie, lärmte, tobte – wollte stürmend hinein, mit Mühe abgehalten von der Marechaussee, die das Haus umstellt. Im wilden, verwirrten Getöse riefen zornige Stimmen: „Zerreißt, zermalmt den verfluchten Mörder!“ – Endlich erscheint Desgrais mit zahlreicher Mannschaft, *die* bildet durch den dicksten Haufen eine Gasse. Die Haustüre springt auf, ein Mensch, mit Ketten belastet, wird hinausgebracht und unter den greulichsten Verwünschungen des wütenden Pöbels fortgeschleppt. – In dem Augenblick, als die Scuderi, halb entseelt vor Schreck und furchtbarer Ahnung, dies gewahrt, dringt ein gellendes Jammergeschrei ihr in die Ohren. „Vor! – weiter vor!“ ruft sie ganz außer sich dem Kutscher zu, der mit einer geschickten, raschen Wendung den dicken Haufen auseinanderstäubt und dicht vor Cardillacs Haustüre hält. Da sieht die Scuderi Desgrais und zu seinen Füßen ein junges Mädchen, schön wie der Tag, mit aufgelösten Haaren, halb entkleidet, wilde Angst, trostlose Verzweiflung im Antlitz, die hält seine Knie umschlungen und ruft mit dem Ton des entsetzlichsten, schneidendsten Todesschmerzes: „Er ist ja unschuldig! – er ist unschuldig!" Vergebens sind Desgrais', vergebens seiner Leute Bemühungen, sie loszureißen, sie vom Boden aufzurichten. Ein starker, ungeschlachter Kerl ergreift endlich mit plumpen Fäusten die Arme, zerrt sie mit Gewalt weg von Desgrais, strauchelt ungeschickt, läßt das Mädchen fahren, die hinabschlägt die steinernen Stufen und lautlos – tot auf der Straße liegenbleibt. Länger kann die Scuderi sich nicht halten. „In Christus' Namen, was ist geschehen, was geht hier vor?" ruft sie, öffnet rasch den Schlag, steigt aus. – Ehrerbietig weicht das Volk der würdigen Dame, die, als sie sieht, wie ein paar mitleidige Weiber das Mädchen aufgehoben, auf die Stufen gesetzt haben, ihr die Stirne mit starkem Wasser reiben, sich dem Desgrais nähert und mit Heftigkeit ihre Frage wiederholt. „Es ist das Entsetzliche geschehen", spricht Desgrais, „René Cardillac wurde heute morgen durch einen Dolchstich ermordet gefunden. Sein Geselle Olivier Brusson ist der Mörder. Eben wurde er fortgeführt ins Gefängnis." – „Und das Mädchen?" ruft die Scuderi, – „ist", fällt Desgrais ein, „ist Madelon, Cardillacs Tochter. Der verruchte Mensch war ihr Geliebter. Nun weint und heult sie und schreit ein Mal übers andere, daß Olivier unschuldig sei, ganz unschuldig. Am Ende weiß sie von der Tat, und ich muß sie auch nach der Conciergerie bringen lassen." Desgrais warf, als er dies sprach, einen tückischen, schadenfrohen Blick auf das Mädchen, vor dem die Scuderi erbebte. Eben begann das Mädchen leise zu atmen, doch keines Lauts, keiner Bewegung mächtig, mit geschlossenen Augen lag sie da, und man wußte nicht, was zu tun, sie ins Haus bringen oder ihr noch länger beistehen bis zum Erwachen. Tief bewegt, Tränen in den Augen, blickte die Scuderi den unschuldsvollen Engel an, ihr graute vor Desgrais und seinen Gesellen. Da polterte es dumpf die Treppe herab, man brachte Cardillacs Leichnam. Schnell entschlossen rief die Scuderi laut: „Ich nehme das Mädchen mit mir, Ihr möget für das übrige sorgen, Desgrais!" Ein dumpfes Murmeln des Beifalls lief durch das Volk. Die Weiber hoben das Mädchen in die Höhe, alles drängte sich hinzu, hundert Hände mühten sich, ihnen beizustehen, und wie in den Lüften schwebend, wurde das Mädchen in die Kutsche getragen, indem Segnungen der würdigen Dame, die die Unschuld dem Blutgericht entrissen, von allen Lippen strömten.

Serons, des berühmtesten Arztes in Paris, Bemühungen gelang es endlich, Madelon, die stundenlang in starrer Bewußtlosigkeit gelegen, wieder zu sich selbst zu bringen. Die Scuderi vollendete, was der Arzt begonnen, indem sie manchen milden Hoffnungsstrahl leuchten ließ in des Mädchens Seele, bis ein heftiger Tränenstrom, der ihr aus den Augen stürzte, ihr Luft machte. Sie vermochte, indem nur dann und wann die Übermacht des durchbohrendsten Schmerzes die Worte in tiefem Schluchzen erstickte, zu erzählen, wie sich alles begeben.

Um Mitternacht war sie durch leises Klopfen an ihrer Stubentüre geweckt worden und hatte Oliviers Stimme vernommen, der sie beschworen, doch nur gleich aufzustehen, weil der Vater im Sterben liege. Entsetzt sei sie aufgesprungen und habe die Tür geöffnet. Olivier, bleich und entstellt, von Schweiß triefend, sei, das Licht in der Hand, mit wankenden Schritten nach der Werkstatt gegangen, sie ihm gefolgt. Da habe der Vater gelegen mit starren Augen und geröchelt im Todeskampfe. Jammernd habe sie sich auf ihn gestürzt und nun erst sein blutiges Hemde bemerkt. Olivier habe sie sanft weggezogen und sich dann bemüht, eine Wunde auf der linken Brust des Vaters mit Wundbalsam zu waschen und zu verbinden. Währenddessen sei des Vaters Besinnung zurückgekehrt, er habe zu röcheln aufgehört und sie, dann aber Olivier mit seelenvollem Blick angeschaut, ihre Hand ergriffen, sie in Oliviers Hand gelegt und beide heftig gedrückt. Beide, Olivier und sie, wären bei dem Lager des Vaters auf die Knie gefallen, er habe sich mit einem schneidenden Laut in die Höhe gerichtet, sei aber gleich wieder zurückgesunken und mit einem tiefen Seufzer verschieden. Nun hätten sie beide laut gejammert und geklagt. Olivier habe erzählt, wie der Meister auf einem Gange, den er mit ihm auf sein Geheiß in der Nacht habe machen müssen, in seiner Gegenwart ermordet worden und wie er mit der größten Anstrengung den schweren Mann, den er nicht auf den Tod verwundet gehalten, nach Hause getragen. Sowie der Morgen angebrochen, wären die Hausleute, denen das Gepolter, das laute Weinen und Jammern in der Nacht aufgefallen, heraufgekommen und hätten sie noch ganz trostlos bei der Leiche des Vaters kniend gefunden. Nun sei Lärm entstanden, die Marechaussee eingedrungen und Olivier als Mörder seines Meisters ins Gefängnis geschleppt worden. Madelon fügte nun die rührendste Schilderung von der Tugend, der Frömmigkeit, der Treue ihres geliebten Oliviers hinzu. Wie er den Meister, als sei er sein eigener Vater, hoch in Ehren gehalten, wie dieser seine Liebe in vollem Maß erwidert, wie er ihn trotz seiner Armut zum Eidam erkoren, weil seine Geschicklichkeit seiner Treue, seinem edlen Gemüt gleichgekommen. Das alles erzählte Madelon aus dem innersten Herzen heraus und schloß damit, daß, wenn Olivier in ihrem Beisein dem Vater den Dolch in die Brust gestoßen hätte, sie dies eher für ein Blendwerk des Satans halten, als daran glauben würde, daß Olivier eines solchen entsetzlichen, grauenvollen Verbrechens fähig sein könne.

Die Scuderi, von Madelons namenlosen Leiden auf das tiefste gerührt und ganz geneigt, den armen Olivier für unschuldig zu halten, zog Erkundigungen ein und fand alles bestätigt, was Madelon über das häusliche Verhältnis des Meisters mit seinem Gesellen erzählt hatte. Die Hausleute, die Nachbaren rühmten einstimmig den Olivier als das Muster eines sittigen, frommen, treuen, fleißigen Betragens, niemand wußte Böses von ihm, und doch, war von der gräßlichen Tat die Rede, zuckte jeder die Achseln und meinte, darin liege etwas Unbegreifliches.

Olivier, vor die Chambre ardente gestellt, leugnete, wie die Scuderi vernahm, mit der größten Standhaftigkeit, mit dem hellsten Freimut die ihm angeschuldigte Tat und behauptete, daß sein Meister in seiner Gegenwart auf der Straße angefallen und niedergestoßen worden, daß er ihn aber noch lebendig nach Hause geschleppt, wo er sehr bald verschieden sei. Auch dies stimmte also mit Madelons Erzählung überein.

Immer und immer wieder ließ sich die Scuderi die kleinsten Umstände des schrecklichen Ereignisses wiederholen. Sie forschte genau, ob jemals ein Streit zwischen Meister und Gesellen vorgefallen, ob vielleicht Olivier nicht ganz frei von jenem Jähzorn sei, der oft wie ein blinder Wahnsinn die gutmütigsten Menschen überfällt und zu Taten verleitet, die alle Willkür des Handelns auszuschließen scheinen. Doch je begeisterter Madelon von dem ruhigen häuslichen Glück sprach, in dem die drei Menschen in innigster Liebe verbunden lebten, desto mehr verschwand jeder Schatten des Verdachts wider den auf den Tod angeklagten Olivier. Genau alles prüfend, davon ausgehend, daß Olivier unerachtet alles dessen, was laut für seine Unschuld spräche, dennoch Cardillacs Mörder gewesen, fand die Scuderi im Reich der Möglichkeit keinen Beweggrund zu der entsetzlichen Tat, die in jedem Fall Oliviers Glück zerstören mußte. – „Er ist arm, aber geschickt. – Es gelingt ihm, die Zuneigung des berühmtesten Meisters zu gewinnen, er liebt die Tochter, der Meister begünstigt seine Liebe; Glück, Wohlstand für sein ganzes Leben wird ihm erschlossen! – Sei es aber nun, daß, Gott weiß, auf welche Weise gereizt, Olivier, vom Zorn übermannt, seinen Wohltäter, seinen Vater mörderisch anfiel, welche teuflische Heuchelei gehört dazu, nach der Tat sich so zu betragen, als es wirklich geschah!" – Mit der festen Überzeugung von Oliviers Unschuld faßte die Scuderi den Entschluß, den unschuldigen Jüngling zu retten, koste es, was es wolle.

Es schien ihr, ehe sie die Huld des Königs selbst vielleicht anrufe, am geratensten, sich an den Präsidenten la Regnie zu wenden, ihn auf alle Umstände, die für Oliviers Unschuld sprechen mußten, aufmerksam zu machen und so vielleicht in des Präsidenten Seele eine innere, dem Angeklagten günstige Überzeugung zu erwecken, die sich wohltätig den Richtern mitteilen sollte.

La Regnie empfing die Scuderi mit der hohen Achtung, auf die die würdige Dame, von dem Könige selbst hoch geehrt, gerechten Anspruch machen konnte. Er hörte ruhig alles an, was sie über die entsetzliche Tat, über Oliviers Verhältnisse, über seinen Charakter vorbrachte. Ein feines, beinahe hämisches Lächeln war indessen alles, womit er bewies, daß die Beteurungen, die von häufigen Tränen begleiteten Ermahnungen, wie jeder Richter nicht der Feind des Angeklagten sein, sondern auch auf alles achten müsse, was zu seinen Gunsten spräche, nicht an gänzlich tauben Ohren vorüberglitten. Als das Fräulein nun endlich ganz erschöpft, die Tränen von den Augen wegtrocknend, schwieg, fing la Regnie an: „Es ist ganz Eures vortrefflichen Herzens würdig, mein Fräulein, daß Ihr, gerührt von den Tränen eines jungen, verliebten Mädchens, alles glaubt, was sie vorbringt, ja, daß Ihr nicht fähig seid, den Gedanken einer entsetzlichen Untat zu fassen, aber anders ist es mit dem Richter, der gewohnt ist, frecher Heuchelei die Larve abzureißen. Wohl mag es nicht meines Amts sein, jedem, der mich frägt, den Gang eines Kriminalprozesses zu entwickeln. Fräulein! ich tue meine Pflicht, wenig kümmert mich das Urteil der Welt. Zittern sollen die Bösewichter vor der Chambre ardente, die keine Strafe kennt als Blut und Feuer. Aber vor Euch, mein würdiges Fräulein, möcht ich nicht für ein Ungeheuer gehalten werden an Härte und Grausamkeit, darum vergönnt mir, daß ich Euch mit wenigen Worten die Blutschuld des jungen Bösewichts, der, dem Himmel sei es gedankt! der Rache verfallen ist, klar vor Augen lege. Euer scharfsinniger Geist wird dann selbst die Gutmütigkeit verschmähen, die Euch Ehre macht, mir aber gar nicht anstehen würde. – Also! – Am Morgen wird René Cardillac durch einen Dolchstoß ermordet gefunden. Niemand ist bei ihm als sein Geselle Olivier Brusson und die Tochter. In Oliviers Kammer, unter andern, findet man einen Dolch, von frischem Blute gefärbt, der genau in die Wunde paßt. ‚Cardillac ist‘, spricht Olivier, ‚in der Nacht vor meinen Augen niedergestoßen worden.‘ – ‚Man wollte ihn berauben?‘ – ‚Das weiß ich nicht!‘ – ‚Du gingst mit ihm, und es war dir nicht möglich, dem Mörder zu wehren? – ihn festzuhalten? um Hilfe zu rufen?‘ – ‚Funfzehn, wohl zwanzig Schritte vor mir ging der Meister, ich folgte ihm.‘ – ‚Warum in aller Welt so entfernt?‘ – ‚Der Meister wollt es so.‘ – ‚Was hatte überhaupt Meister Cardillac so spät auf der Straße zu tun?‘ – ‚Das kann ich nicht sagen.‘ – ‚Sonst ist er aber doch niemals nach neun Uhr abends aus dem Hause gekommen?‘ – Hier stockt Olivier, er ist bestürzt, er seufzt, er vergießt Tränen, er beteuert bei allem, was heilig, daß Cardillac wirklich in jener Nacht ausgegangen sei und seinen Tod gefunden habe. Nun merkt aber wohl auf, mein Fräulein. Erwiesen ist es bis zur vollkommensten Gewißheit, daß Cardillac in jener Nacht das Haus nicht verließ, mithin ist Oliviers Behauptung, er sei mit ihm wirklich ausgegangen, eine freche Lüge. Die Haustüre ist mit einem schweren Schloß versehen, welches bei dem Auf- und Zuschließen ein durchdringendes Geräusch macht, dann aber bewegt sich der Türflügel, widrig knarrend und heulend, in den Angeln, so daß, wie es angestellte Versuche bewährt haben, selbst im obersten Stock des Hauses das Getöse widerhallt. Nun wohnt in dem untersten Stock, also dicht neben der Haustüre, der alte Meister Claude Patru mit seiner Aufwärterin, einer Person von beinahe achtzig Jahren, aber noch munter und rührig. Diese beiden Personen hörten, wie Cardillac nach seiner gewöhnlichen Weise an jenem Abend Punkt neun Uhr die Treppe hinabkam, die Türe mit vielem Geräusch verschloß und verrammelte, dann wieder hinaufstieg, den Abendsegen laut las und dann, wie man es an dem Zuschlagen der Türe vernehmen konnte, in sein Schlafzimmer ging. Meister Claude leidet an Schlaflosigkeit, wie es alten Leuten wohl zu gehen pflegt. Auch in jener Nacht konnte er kein Auge zutun. Die Aufwärterin schlug daher, es mochte halb zehn Uhr sein, in der Küche, in die sie, über den Hausflur gehend, gelangt, Licht an und setzte sich zum Meister Claude an den Tisch mit einer alten Chronik, in der sie las, während der Alte, seinen Gedanken nachhängend, bald sich in den Lehnstuhl setzte, bald wieder aufstand und, um Müdigkeit und Schlaf zu gewinnen, im Zimmer leise und langsam auf und ab schritt. Es blieb alles still und ruhig bis nach Mitternacht. Da hörte sie über sich scharfe Tritte, einen harten Fall, als stürze eine schwere Last zu Boden, und gleich darauf ein dumpfes Stöhnen. In beide kam eine seltsame Angst und Beklommenheit. Die Schauer der entsetzlichen Tat, die eben begangen, gingen bei ihnen vorüber. – Mit dem hellen Morgen trat dann ans Licht, was in der Finsternis begonnen.“ – „Aber“, fiel die Scuderi ein, „aber um aller Heiligen willen, könnt Ihr bei allen Umständen, die ich erst weitläufig erzählte, Euch denn irgendeinen Anlaß zu dieser Tat der Hölle denken?“ – „Hm“, erwiderte la Regnie, „Cardillac war nicht arm – im Besitz vortrefflicher Steine.“ – „Bekam“, fuhr die Scuderi fort, „bekam denn nicht alles die Tochter? – Ihr vergeßt, daß Olivier Cardillacs Schwiegersohn werden sollte.“ – „Er mußte vielleicht teilen oder gar nur für andere morden“, sprach la Regnie. „Teilen, für andere morden?“ fragte die Scuderi in vollem Erstaunen. „Wißt“, fuhr der Präsident fort, „wißt, mein Fräulein, daß Olivier schon längst geblutet hätte auf dem Greveplatz, stünde seine Tat nicht in Beziehung mit dem dicht verschleierten Geheimnis, das bisher so bedrohlich über ganz Paris waltete. Olivier gehört offenbar zu jener verruchten Bande, die, alle Aufmerksamkeit, alle Mühe, alles Forschen der Gerichtshöfe verspottend, ihre Streiche sicher und ungestraft zu führen wußte. Durch ihn wird – muß alles klarwerden. Die Wunde Cardillacs ist denen ganz ähnlich, die alle auf der Straße, in den Häusern Ermordete und Beraubte trugen. Dann aber das Entscheidendste, seit der Zeit, daß Olivier Brusson verhaftet ist, haben alle Mordtaten, alle Beraubungen aufgehört. Sicher sind die Straßen zur Nachtzeit wie am Tage. Beweis genug, daß Olivier vielleicht an der Spitze jener Mordbande stand. Noch will er nicht bekennen, aber es gibt Mittel, ihn sprechen zu machen wider seinen Willen.“ – „Und Madelon“, rief die Scuderi, „und Madelon, die treue, unschuldige Taube.“ – „Ei“, sprach la Regnie mit einem giftigen Lächeln, „ei, wer steht mir dafür, daß sie nicht mit im Komplott ist. Was ist ihr an dem Vater gelegen, nur dem Mordbuben gelten ihre Tränen.“ – „Was sagt Ihr“, schrie die Scuderi, „es ist nicht möglich; den Vater! dieses Mädchen!“ – „Oh!“ fuhr la Regnie fort, „oh! denkt doch nur an die Brinvillier! Ihr möget es mir verzeihen, wenn ich mich vielleicht bald genötigt sehe, Euch Euern Schützling zu entreißen und in die Conciergerie werfen zu lassen.“ – Der Scuderi ging ein Grausen an bei diesem entsetzlichen Verdacht. Es war ihr, als könne vor diesem schrecklichen Manne keine Treue, keine Tugend bestehen, als spähe er in den tiefsten, geheimsten Gedanken Mord und Blutschuld. Sie stand auf. „Seid menschlich", das war alles, was sie beklommen, mühsam atmend hervorbringen konnte. Schon im Begriff, die Treppe hinabzusteigen, bis zu der der Präsident sie mit zeremoniöser Artigkeit begleitet hatte, kam ihr, selbst wußte sie nicht wie, ein seltsamer Gedanke. „Würd es mir wohl erlaubt sein, den unglücklichen Olivier Brusson zu sehen?" So fragte sie den Präsidenten, sich rasch umwendend. Dieser schaute sie mit bedenklicher Miene an, dann verzog sich sein Gesicht in jenes widrige Lächeln, das ihm eigen. „Gewiß", sprach er, „gewiß wollt Ihr nun, mein würdiges Fräulein, Euerm Gefühl, der innern Stimme mehr vertrauend als dem, was vor unsern Augen geschehen, selbst Oliviers Schuld oder Unschuld prüfen. Scheut Ihr nicht den düstern Aufenthalt des Verbrechers, ist es Euch nicht gehässig, die Bilder der Verworfenheit in allen Abstufungen zu sehen, so sollen für Euch in zwei Stunden die Tore der Conciergerie offen sein. Man wird Euch diesen Olivier, dessen Schicksal Eure Teilnahme erregt, vorstellen."

In der Tat konnte sich die Scuderi von der Schuld des jungen Menschen nicht überzeugen. Alles sprach wider ihn, ja, kein Richter in der Welt hätte anders gehandelt wie la Regnie, bei solch entscheidenden Tatsachen. Aber das Bild häuslichen Glücks, wie es Madelon mit den lebendigsten Zügen der Scuderi vor Augen gestellt, überstrahlte jeden bösen Verdacht, und so mochte sie lieber ein unerklärliches Geheimnis annehmen, als daran glauben, wogegen ihr ganzes Inneres sich empörte.

Sie gedachte, sich von Olivier noch einmal alles, wie es sich in jener verhängnisvollen Nacht begeben, erzählen zu lassen und, soviel möglich, in ein Geheimnis zu dringen, das vielleicht den Richtern verschlossen geblieben, weil es wertlos schien, sich weiter darum zu bekümmern.

In der Conciergerie angekommen, führte man die Scuderi in ein großes, helles Gemach. Nicht lange darauf vernahm sie Kettengerassel. Olivier Brusson wurde gebracht. Doch sowie er in die Türe trat, sank auch die Scuderi ohnmächtig nieder. Als sie sich erholt hatte, war Olivier verschwunden. Sie verlangte mit Heftigkeit, daß man sie nach dem Wagen bringe, fort, augenblicklich fort wollte sie aus den Gemächern der frevelnden Verruchtheit. Ach! – auf den ersten Blick hatte sie in Olivier Brusson den jungen Menschen erkannt, der auf dem Pontneuf jenes Blatt ihr in den Wagen geworfen, der ihr das Kästchen mit den Juwelen gebracht hatte. – Nun war ja jeder Zweifel gehoben, la Regnies schreckliche Vermutung ganz bestätigt. Olivier Brusson gehört zu der fürchterlichen Mordbande, gewiß ermordete er auch den Meister! – Und Madelon? – So bitter noch nie vom innern Gefühl getäuscht, auf den Tod angepackt von der höllischen Macht auf Erden, an deren Dasein sie nicht geglaubt, verzweifelte die Scuderi an aller Wahrheit. Sie gab Raum dem entsetzlichen Verdacht, daß Madelon mitverschworen sein und teilhaben könne an der gräßlichen Blutschuld. Wie es denn geschieht, daß der menschliche Geist, ist ihm ein Bild aufgegangen, emsig Farben sucht und findet, es greller und greller auszumalen, so fand auch die Scuderi, jeden Umstand der Tat, Madelons Betragen in den kleinsten Zügen erwägend, gar vieles, jenen Verdacht zu nähren. So wurde manches, was ihr bisher als Beweis der Unschuld und Reinheit gegolten, sicheres Merkmal freveliger Bosheit, studierter Heuchelei. Jener herzzerreißende Jammer, die blutigen Tränen konnten wohl erpreßt sein von der Todesangst, nicht den Geliebten bluten zu sehen, nein – selbst zu fallen unter der Hand des Henkers. Gleich sich die Schlange, die sie im Busen nähre, vom Halse zu schaffen; mit diesem Entschluß stieg die Scuderi aus dem Wagen. In ihr Gemach eingetreten, warf Madelon sich ihr zu Füßen. Die Himmelsaugen, ein Engel Gottes hat sie nicht treuer, zu ihr emporgerichtet, die Hände vor der wallenden Brust zusammengefaltet, jammerte und flehte sie laut um Hilfe und Trost. Die Scuderi, sich mühsam zusammenfassend, sprach, indem sie dem Ton ihrer Stimme so viel Ernst und Ruhe zu geben suchte, als ihr möglich: „Geh – geh – tröste dich nur über den Mörder, den die gerechte Strafe seiner Schandtaten erwartet. Die Heilige Jungfrau möge verhüten, daß nicht auf dir selbst eine Blutschuld schwer laste." – „Ach, nun ist alles verloren!" – Mit diesem gellenden Ausruf stürzte Madelon ohnmächtig zu Boden. Die Scuderi überließ die Sorge um das Mädchen der Martiniere und entfernte sich in ein anderes Gemach. –

Ganz zerrissen im Innern, entzweit mit allem Irdischen, wünschte die Scuderi, nicht mehr in einer Welt voll höllischen Truges zu leben. Sie klagte das Verhängnis an, das in bitterm Hohn ihr so viele Jahre vergönnt, ihren Glauben an Tugend und Treue zu stärken, und nun in ihrem Alter das schöne Bild vernichte, welches ihr im Leben geleuchtet.

Sie vernahm, wie die Martiniere Madelon fortbrachte, die leise seufzte und jammerte: „Ach! – auch *sie* – auch *sie* haben die Grausamen betört. – Ich Elende – armer, unglücklicher Olivier!" – Die Töne drangen der Scuderi ins Herz, und aufs neue regte sich aus dem tiefsten Innern heraus die Ahnung eines Geheimnisses, der Glaube an Oliviers Unschuld. Bedrängt von den widersprechendsten Gefühlen, ganz außer sich rief die Scuderi: „Welcher Geist der Hölle hat mich in die entsetzliche Geschichte verwickelt, die mir das Leben kosten wird!" – In dem Augenblick trat Baptiste hinein, bleich und erschrocken, mit der Nachricht, daß Desgrais draußen sei. Seit dem abscheulichen Prozeß der la Voisin war Desgrais' Erscheinung in einem Hause der gewisse Vorbote irgendeiner peinlichen Anklage, daher kam Baptistes Schreck, deshalb fragte ihn das Fräulein mit mildem Lächeln: „Was ist dir, Baptiste? – Nicht wahr! – der Name Scuderi befand sich auf der Liste der la Voisin?" – „Ach, um Christus willen", erwiderte Baptiste, am ganzen Leibe zitternd, „wie möget Ihr nur so etwas aussprechen, aber Desgrais – der entsetzliche Desgrais, tut so geheimnisvoll, so dringend, er scheint es gar nicht erwarten zu können, Euch zu sehen!" – „Nun", sprach die Scuderi, „nun, Baptiste, so führt ihn nur gleich herein, den Menschen, der Euch so fürchterlich ist und der *mir* wenigstens keine Besorgnis erregen kann." – „Der Präsident", sprach Desgrais, als er ins Gemach getreten, „der Präsident la Regnie schickt mich zu Euch, mein Fräulein, mit einer Bitte, auf deren Erfüllung er gar nicht hoffen würde, kennte er nicht Euere Tugend, Euern Mut, läge nicht das letzte Mittel, eine böse Blutschuld an den Tag zu bringen, in Euern Händen, hättet Ihr nicht selbst schon teilgenommen an dem bösen Prozeß, der die Chambre ardente, uns alle in Atem hält. Olivier Brusson, seitdem er Euch gesehen hat, ist halb rasend. Sosehr er schon zum Bekenntnis sich zu neigen schien, so schwört er doch jetzt aufs neue bei Christus und allen Heiligen, daß er an dem Morde Cardillacs ganz unschuldig sei, wiewohl er den Tod gern leiden wolle, den er verdient habe. Bemerkt, mein Fräulein, daß der letzte Zusatz offenbar auf andere Verbrechen deutet, die auf ihm lasten. Doch vergebens ist alle Mühe, nur ein Wort weiter herauszubringen, selbst die Drohung mit der Tortur hat nichts gefruchtet. Er fleht, er beschwört uns, ihm eine Unterredung mit Euch zu verschaffen, *Euch* nur, *Euch* allein will er alles gestehen. Laßt Euch herab, mein Fräulein, Brussons Bekenntnis zu hören." – „Wie!" rief die Scuderi ganz entrüstet, „soll ich dem Blutgericht zum Organ dienen, soll ich das Vertrauen des unglücklichen Menschen mißbrauchen, ihn aufs Blutgerüst zu bringen? – Nein, Desgrais! mag Brusson auch ein verruchter Mörder sein, nie wär es mir doch möglich, ihn so spitzbübisch zu hintergehen. Nichts mag ich von seinen Geheimnissen erfahren, die wie eine heilige Beichte in meiner Brust verschlossen bleiben würden." – „Vielleicht", versetzte Desgrais mit einem feinen Lächeln, „vielleicht, mein Fräulein, ändert sich Eure Gesinnung, wenn Ihr Brusson gehört habt. Batet Ihr den Präsident nicht selbst, er sollte menschlich sein? Er tut es, indem er dem törichten Verlangen Brussons nachgibt und so das letzte Mittel versucht, ehe er die Tortur verhängt, zu der Brusson längst reif ist." Die Scuderi schrak unwillkürlich zusammen. „Seht", fuhr Desgrais fort, „seht, würdige Dame, man wird Euch keineswegs zumuten, noch einmal in jene finstere Gemächer zu treten, die Euch mit Grausen und Abscheu erfüllen. In der Stille der Nacht, ohne alles Aufsehen bringt man Olivier Brusson wie einen freien Menschen zu Euch in Euer Haus. Nicht einmal belauscht, doch wohl bewacht, mag er Euch dann zwanglos alles bekennen. Daß Ihr für Euch selbst nichts von dem Elenden zu fürchten habt, dafür stehe ich Euch mit meinem Leben ein. Er spricht von Euch mit inbrünstiger Verehrung. Er schwört, daß nur das düstre Verhängnis, welches ihm verwehrt habe, Euch früher zu sehen, ihn in den Tod gestürzt. Und dann steht es ja bei Euch, von dem, was Euch Brusson entdeckt, so viel zu sagen, als Euch beliebt. Kann man Euch zu mehrerem zwingen?"

Die Scuderi sah tief sinnend vor sich nieder. Es war ihr, als müsse sie der höheren Macht gehorchen, die den Aufschluß irgendeines entsetzlichen Geheimnisses von ihr verlange, als könne sie sich nicht mehr den wunderbaren Verschlingungen entziehen, in die sie willenlos geraten. Plötzlich entschlossen, sprach sie mit Würde: „Gott wird mir Fassung und Standhaftigkeit geben; führt den Brusson her, ich will ihn sprechen."

So wie damals, als Brusson das Kästchen brachte, wurde um Mitternacht an die Haustüre der Scuderi gepocht. Baptiste, von dem nächtlichen Besuch unterrichtet, öffnete. Eiskalter Schauer überlief die Scuderi, als sie an den leisen Tritten, an dem dumpfen Gemurmel wahrnahm, daß die Wächter, die den Brusson gebracht, sich in den Gängen des Hauses verteilten.

Endlich ging leise die Türe des Gemachs auf. Desgrais trat herein, hinter ihm Olivier Brusson, fesselfrei, in anständigen Kleidern. „Hier ist", sprach Desgrais, sich ehrerbietig verneigend, „hier ist Brusson, mein würdiges Fräulein!" und verließ das Zimmer.

Brusson sank vor der Scuderi nieder auf beide Knie, flehend erhob er die gefalteten Hände, indem häufige Tränen ihm aus den Augen rannen.

Die Scuderi schaute erblaßt, keines Wortes mächtig, auf ihn herab. Selbst bei den entstellten, ja durch Gram, durch grimmen Schmerz verzerrten Zügen strahlte der reine Ausdruck des treusten Gemüts aus dem Jünglingsantlitz. Je länger die Scuderi ihre Augen auf Brussons Gesicht ruhen ließ, desto lebhafter trat die Erinnerung an irgendeine geliebte Person hervor, auf die sie sich nur nicht deutlich zu besinnen vermochte. Alle Schauer wichen von ihr, sie vergaß, daß Cardillacs Mörder vor ihr knie, sie sprach mit dem anmutigen Tone des ruhigen Wohlwollens, der ihr eigen: „Nun, Brusson, was habt Ihr mir zu sagen?" Dieser, noch immer kniend, seufzte auf vor tiefer, inbrünstiger Wehmut und sprach dann: „O mein würdiges, mein hochverehrtes Fräulein, ist denn jede Spur der Erinnerung an mich verflogen?" Die Scuderi, ihn noch aufmerksamer betrachtend, erwiderte, daß sie allerdings in seinen Zügen die Ähnlichkeit mit einer von ihr geliebten Person gefunden und daß er nur dieser Ähnlichkeit es verdanke, wenn sie den tiefen Abscheu vor dem Mörder überwinde und ihn ruhig anhöre. Brusson, schwer verletzt durch diese Worte, erhob sich schnell und trat, den finstern Blick zu Boden gesenkt, einen Schritt zurück. Dann sprach er mit dumpfer Stimme: „Habt Ihr denn Anne Guiot ganz vergessen? – ihr Sohn Olivier – der Knabe, den Ihr oft auf Euern Knien schaukeltet, ist es, der vor Euch steht." – „O um aller Heiligen willen!" rief die Scuderi, indem sie, mit beiden Händen das Gesicht bedeckend, in die Polster zurücksank. Das Fräulein hatte wohl Ursache genug, sich auf diese Weise zu entsetzen. Anne Guiot, die Tochter eines verarmten Bürgers, war von klein auf bei der Scuderi, die sie, wie die Mutter das liebe Kind, erzog mit aller Treue und Sorgfalt. Als sie nun herangewachsen, fand sich ein hübscher sittiger Jüngling, Claude Brusson geheißen, ein, der um das Mädchen warb. Da er nun ein grundgeschickter Uhrmacher war, der sein reichliches Brot in Paris finden mußte, Anne ihn auch herzlich liebgewonnen hatte, so trug die Scuderi gar kein Bedenken, in die Heirat ihrer Pflegetochter zu willigen. Die jungen Leute richteten sich ein, lebten in stiller, glücklicher Häuslichkeit, und was den Liebesbund noch fester knüpfte, war die Geburt eines wunderschönen Knaben, der holden Mutter treues Ebenbild.

Einen Abgott machte die Scuderi aus dem kleinen Olivier, den sie stunden-, tagelang der Mutter entriß, um ihn zu liebkosen, zu hätscheln. Daher kam es, daß der Junge sich ganz an sie gewöhnte und ebensogern bei ihr war als bei der Mutter. Drei Jahre waren vorüber, als der Brotneid der Kunstgenossen Brussons es dahin brachte, daß seine Arbeit mit jedem Tage abnahm, so daß er zuletzt kaum sich kümmerlich ernähren konnte. Dazu kam die Sehnsucht nach seinem schönen heimatlichen Genf, und so geschah es, daß die kleine Familie dorthin zog, des Widerstrebens der Scuderi, die alle nur mögliche Unterstützung versprach, unerachtet. Noch ein paarmal schrieb Anne an ihre Pflegemutter, dann schwieg sie, und diese mußte glauben, daß das glückliche Leben in Brussons Heimat das Andenken an die früher verlebten Tage nicht mehr aufkommen lasse.

Es waren jetzt gerade dreiundzwanzig Jahre her, als Brusson mit seinem Weibe und Kinde Paris verlassen und nach Genf gezogen.

„O entsetzlich“, rief die Scuderi, als sie sich einigermaßen wieder erholt hatte, „o entsetzlich! – Olivier bist du? – der Sohn meiner Anne! – Und jetzt!“ – „Wohl“, versetzte Olivier ruhig und gefaßt, „wohl, mein würdiges Fräulein, hättet Ihr nimmermehr ahnen können, daß der Knabe, den Ihr wie die zärtlichste Mutter hätscheltet, dem Ihr, auf Euerm Schoß ihn schaukelnd, Näscherei auf Näscherei in den Mund stecktet, dem Ihr die süßesten Namen gabt, zum Jünglinge gereift, dereinst vor Euch stehen würde, gräßlicher Blutschuld angeklagt! – Ich bin nicht vorwurfsfrei, die Chambre ardente kann mich mit Recht eines Verbrechens zeihen; aber, so wahr ich selig zu sterben hoffe, sei es auch durch des Henkers Hand, rein bin ich von jeder Blutschuld, nicht durch mich, nicht durch mein Verschulden fiel der unglückliche Cardillac!“ – Olivier geriet bei diesen Worten in ein Zittern und Schwanken. Stillschweigend wies die Scuderi auf einen kleinen Sessel, der Olivier zur Seite stand. Er ließ sich langsam nieder.

„Ich hatte Zeit genug“, fing er an, „mich auf die Unterredung mit Euch, die ich als die letzte Gunst des versöhnten Himmels betrachte, vorzubereiten und so viel Ruhe und Fassung zu gewinnen als nötig, Euch die Geschichte meines entsetzlichen, unerhörten Mißgeschicks zu erzählen. Erzeigt mir die Barmherzigkeit, mich ruhig anzuhören, sosehr Euch auch die Entdeckung eines Geheimnisses, das Ihr gewiß nicht geahnet, überraschen, ja mit Grausen erfüllen mag. – Hätte mein armer Vater Paris doch niemals verlassen! – Soweit meine Erinnerung an Genf reicht, finde ich mich wieder, von den trostlosen Eltern mit

Tränen benetzt, von ihren Klagen, die ich nicht verstand, selbst zu Tränen gebracht. Später kam mir das deutliche Gefühl, das volle Bewußtsein des drückendsten Mangels, des tiefen Elends, in dem meine Eltern lebten. Mein Vater fand sich in allen seinen Hoffnungen getäuscht. Von tiefem Gram niedergebeugt, erdrückt, starb er in dem Augenblick, als es ihm gelungen war, mich bei einem Goldschmied als Lehrjunge unterzubringen. Meine Mutter sprach viel von Euch, sie wollte Euch alles klagen, aber dann überfiel sie die Mutlosigkeit, welche vom Elend erzeugt wird. *Das* und auch wohl falsche Scham, die oft an dem todwunden Gemüte nagt, hielt sie von ihrem Entschluß zurück. Wenige Monden nach dem Tode meines Vaters folgte ihm meine Mutter ins Grab." – „Arme Anne! arme Anne!" rief die Scuderi, von Schmerz überwältigt. „Dank und Preis der ewigen Macht des Himmels, daß sie hinüber ist und nicht fallen sieht den geliebten Sohn unter der Hand des Henkers, mit Schande gebrandmarkt." So schrie Olivier laut auf, indem er einen wilden entsetzlichen Blick in die Höhe warf. Es wurde draußen unruhig, man ging hin und her. „Hoho", sprach Olivier mit einem bittern Lächeln, „Desgrais weckt seine Spießgesellen, als ob ich *hier* entfliehen könnte. – Doch weiter! – Ich wurde von meinem Meister hart gehalten, unerachtet ich bald am besten arbeitete, ja wohl endlich den Meister weit übertraf. Es begab sich, daß einst ein Fremder in unsere Werkstatt kam, um einiges Geschmeide zu kaufen. Als der nun einen schönen Halsschmuck sah, den ich gearbeitet, klopfte er mir mit freundlicher Miene auf die Schultern, indem er, den Schmuck beäugelnd, sprach: ‚Ei, ei! mein junger Freund, das ist ja ganz vortreffliche Arbeit. Ich wüßte in der Tat nicht, wer Euch noch anders übertreffen sollte als René Cardillac, der freilich der erste Goldschmied ist, den es auf der Welt gibt. Zu dem solltet Ihr hingehen; mit Freuden nimmt er Euch in seine Werkstatt, denn nur *Ihr* könnt ihm beistehen in seiner kunstvollen Arbeit, und nur von ihm allein könnt Ihr dagegen noch lernen.' Die Worte des Fremden waren tief in meine Seele gefallen. Ich hatte keine Ruhe mehr in Genf, mich zog es fort mit Gewalt. Endlich gelang es mir, mich von meinem

Meister loszumachen. Ich kam nach Paris. René Cardillac empfing mich kalt und barsch. Ich ließ nicht nach, er mußte mir Arbeit geben, so geringfügig sie auch sein mochte. Ich sollte einen kleinen Ring fertigen. Als ich ihm die Arbeit brachte, sah er mich starr an mit seinen funkelnden Augen, als wollt er hineinschauen in mein Innerstes. Dann sprach er: ‚Du bist ein tüchtiger, wackerer Geselle, du kannst zu mir ziehen und mir helfen in der Werkstatt. Ich zahle dir gut, du wirst mit mir zufrieden sein.' Cardillac hielt Wort. Schon mehrere Wochen war ich bei ihm, ohne Madelon gesehen zu haben, die, irr ich nicht, auf dem Lande bei irgendeiner Muhme Cardillacs damals sich aufhielt. Endlich kam sie. O du ewige Macht des Himmels, wie geschah mir, als ich das Engelsbild sah! – Hat je ein Mensch so geliebt als ich! Und nun! – O Madelon!"

Olivier konnte vor Wehmut nicht weitersprechen. Er hielt beide Hände vors Gesicht und schluchzte heftig. Endlich mit Gewalt den wilden Schmerz, der ihn erfaßt, niederkämpfend, sprach er weiter:

„Madelon blickte mich an mit freundlichen Augen. Sie kam öfter und öfter in die Werkstatt. Mit Entzücken gewahrte ich ihre Liebe. So streng der Vater uns bewachte, mancher verstohlne Händedruck galt als Zeichen des geschlossenen Bundes. Cardillac schien nichts zu merken. Ich gedachte, hätte ich erst seine Gunst gewonnen und konnte ich die Meisterschaft erlangen, um Madelon zu werben. Eines Morgens, als ich meine Arbeit beginnen wollte, trat Cardillac vor mich hin, Zorn und Verachtung im finstern Blick. ‚Ich bedarf deiner Arbeit nicht mehr', fing er an, ‚fort aus dem Hause noch in dieser Stunde, und laß dich nie mehr vor meinen Augen sehen. Warum ich dich hier nicht mehr dulden kann, brauche ich dir nicht zu sagen. Für dich armen Schlucker hängt die süße Frucht zu hoch, nach der du trachtest!' Ich wollte reden, er packte mich aber mit starker Faust und warf mich zur Türe hinaus, daß ich niederstürzte und mich hart verwundete an Kopf und Arm. – Empört, zerrissen vom grimmen Schmerz, verließ ich das Haus und fand endlich am äußersten Ende der Vorstadt St. Martin einen gutmütigen Bekannten, der mich aufnahm in seine Bodenkammer. Ich hatte keine Ruhe, keine Rast. Zur Nachtzeit umschlich ich Cardillacs Haus, wähnend, daß Madelon meine Seufzer, meine Klage vernehmen, daß es ihr vielleicht gelingen werde, mich vom Fenster herab unbelauscht zu sprechen. Allerlei verwogene Pläne kreuzten in meinem Gehirn, zu deren Ausführung ich sie zu bereden hoffte. An Cardillacs Haus in der Straße Nicaise schließt sich eine hohe Mauer mit Blenden und alten, halb zerstückelten Steinbildern darin. Dicht bei einem solchen Steinbilde stehe ich in einer Nacht und sehe hinauf nach den Fenstern des Hauses, die in den Hof gehen, den die Mauer einschließt. Da gewahre ich plötzlich Licht in Cardillacs Werkstatt. Es ist Mitternacht, nie war sonst Cardillac zu dieser Stunde wach, er pflegte sich auf den Schlag neun Uhr zur Ruhe zu begeben. Mir pocht das Herz vor banger Ahnung, ich denke an irgendein Ereignis, das mir vielleicht den Eingang bahnt. Doch gleich verschwindet das Licht wieder. Ich drücke mich an das Steinbild, in die Blende hinein, doch entsetzt pralle ich zurück, als ich einen Gegendruck fühle, als sei das Bild lebendig worden. In dem dämmernden Schimmer der Nacht gewahre ich nun, daß der Stein sich langsam dreht und hinter demselben eine finstere Gestalt hervorschlüpft, die leisen Trittes die Straße hinabgeht. Ich springe an das Steinbild hinan, es steht wie zuvor dicht an der Mauer. Unwillkürlich, wie von einer innern Macht getrieben, schleiche ich hinter der Gestalt her. Gerade bei einem Marienbilde schaut die Gestalt sich um, der volle Schein der hellen Lampe, die vor dem Bilde brennt, fällt ihr ins Antlitz. Es ist Cardillac! Eine unbegreifliche Angst, ein unheimliches Grauen überfällt mich. Wie durch Zauber festgebannt, muß ich fort – nach – dem gespenstischen Nachtwanderer. Dafür halte ich den Meister, unerachtet nicht die Zeit des Vollmonds ist, in der solcher Spuk die Schlafenden betört. Endlich verschwindet Cardillac seitwärts in den tiefen Schatten. An einem kleinen, wiewohl bekannten Räuspern gewahre ich indessen, daß er in die Einfahrt eines Hauses getreten ist. ‚Was bedeutet das, was wird er beginnen?' – So frage ich mich selbst voll Erstaunen und drücke mich dicht an die Häuser. Nicht lange dauert's, so kommt singend und trillerierend ein Mann daher mit leuchtendem Federbusch und klirrenden Sporen. Wie ein Tiger auf seinen Raub, stürzt sich Cardillac aus seinem Schlupfwinkel auf den Mann, der in demselben Augenblick röchelnd zu Boden sinkt. Mit einem Schrei des Entsetzens springe ich heran, Cardillac ist über den Mann, der zu Boden liegt, her. ‚Meister Cardillac, was tut Ihr?' rufe ich laut. ‚Vermaledeiter!' brüllt Cardillac, rennt mit Blitzesschnelle bei mir vorbei und verschwindet. Ganz außer mir, kaum der Schritte mächtig, nähere ich mich dem Niedergeworfenen. Ich knie bei ihm nieder, vielleicht, denk ich, ist er noch zu retten, aber keine Spur des Lebens ist mehr in ihm. In meiner Todesangst gewahre ich kaum, daß mich die Marechaussee umringt hat. ‚Schon wieder einer von den Teufeln niedergestreckt – hehe – junger Mensch, was machst du da – bist einer von der Bande? – fort mit dir!' So schrien sie durcheinander und packen mich an. Kaum vermag ich zu stammeln, daß ich solche gräßliche Untat ja gar nicht hätte begehen können und daß sie mich im Frieden ziehen lassen möchten. Da leuchtet mir einer ins Gesicht und ruft lachend: ‚Das ist Olivier Brusson, der Goldschmiedsgeselle, der bei unserm ehrlichen, braven Meister René Cardillac arbeitet! – ja – *der* wird die Leute auf der Straße morden! – sieht mir recht darnach aus – ist recht nach der Art der Mordbuben, daß sie beim Leichnam lamentieren und sich fangen lassen werden. – Wie war's, Junge? – erzähle dreist.' – ‚Dicht vor mir', sprach ich, ‚sprang ein Mensch auf den dort los, stieß ihn nieder und rannte blitzschnell davon, als ich laut aufschrie. Ich wollt doch sehen, ob der Niedergeworfene noch zu retten wäre.' – ‚Nein, mein Sohn', ruft einer von denen, die den Leichnam aufgehoben, ‚der ist hin, durchs Herz, wie gewöhnlich, geht der Dolchstich.' – ‚Teufel', spricht ein anderer, ‚kamen wir doch wieder zu spät wie vorgestern.' Damit entfernen sie sich mit dem Leichnam.

Wie mir zumute war, kann ich gar nicht sagen; ich fühlte mich an, ob nicht ein böser Traum mich necke, es war mir, als müßt ich nun gleich erwachen und mich wundern über das tolle

Trugbild. – Cardillac – der Vater meiner Madelon, ein verruchter Mörder! – Ich war kraftlos auf die steinernen Stufen eines Hauses gesunken. Immer mehr und mehr dämmerte der Morgen herauf, ein Offizierhut, reich mit Federn geschmückt, lag vor mir auf dem Pflaster. Cardillacs blutige Tat, auf der Stelle begangen, wo ich saß, ging vor mir hell auf. Entsetzt rannte ich von dannen.

Ganz verwirrt, beinahe besinnungslos sitze ich in meiner Dachkammer, da geht die Tür auf, und René Cardillac tritt herein. ‚Um Christus willen! was wollt Ihr!' schrie ich ihm entgegen. Er, das gar nicht achtend, kommt auf mich zu und lächelt mich an mit einer Ruhe und Leutseligkeit, die meinen innern Abscheu vermehrt. Er rückt einen alten, gebrechlichen Schemel heran und setzt sich zu mir, der ich nicht vermag, mich von dem Strohlager zu erheben, auf das ich mich geworfen. ‚Nun, Olivier', fängt er an, ‚wie geht es dir, armer Junge? Ich habe mich in der Tat garstig übereilt, als ich dich aus dem Hause stieß, du fehlst mir an allen Ecken und Enden. Eben jetzt habe ich ein Werk vor, das ich ohne deine Hilfe gar nicht vollenden kann. Wie wär's, wenn du wieder in meiner Werkstatt arbeitetest? – Du schweigst? – Ja, ich weiß, ich habe dich beleidigt. Nicht verhehlen wollt ich's dir, daß ich auf dich zornig war wegen der Liebelei mit meiner Madelon. Doch recht überlegt habe ich mir das Ding nachher und gefunden, daß bei deiner Geschicklichkeit, deinem Fleiß, deiner Treue ich mir keinen bessern Eidam wünschen kann als eben dich. Komm also mit mir und siehe zu, wie du Madelon zur Frau gewinnen magst.'

Cardillacs Worte durchschnitten mir das Herz, ich erbebte vor seiner Bosheit, ich konnte kein Wort hervorbringen. ‚Du zauderst', fuhr er nun fort mit scharfem Ton, indem seine funkelnden Augen mich durchbohren, ‚du zauderst? – du kannst vielleicht heute noch nicht mit mir kommen, du hast andere Dinge vor! – du willst vielleicht Desgrais besuchen oder dich gar einführen lassen bei d'Argenson oder la Regnie. Nimm dich in acht, Bursche, daß die Krallen, die du hervorlocken willst zu anderer Leute Verderben, dich nicht selbst fassen und zerreißen.' Da macht sich mein tief empörtes Gemüt plötzlich Luft. ‚Mögen die', rufe ich, ‚mögen die, die sich gräßlicher Untat bewußt sind, jene Namen fühlen, die Ihr eben nanntet, ich darf das nicht – ich habe nichts mit ihnen zu schaffen.' – ‚Eigentlich', spricht Cardillac weiter, ‚eigentlich, Olivier, macht es dir Ehre, wenn du bei mir arbeitest, bei mir, dem berühmtesten Meister seiner Zeit, überall hochgeachtet wegen seiner Treue und Rechtschaffenheit, so daß jede böse Verleumdung schwer zurückfallen würde auf das Haupt des Verleumders. – Was nun Madelon betrifft, so muß ich dir nur gestehen, daß du meine Nachgiebigkeit ihr allein verdankest. Sie liebt dich mit einer Heftigkeit, die ich dem zarten Kinde gar nicht zutrauen konnte. Gleich als du fort warst, fiel sie mir zu Füßen, umschlang meine Knie und gestand unter tausend Tränen, daß sie ohne dich nicht leben könne. Ich dachte, sie bilde sich das nur ein, wie es denn bei jungen verliebten Dingern zu geschehen pflegt, daß sie gleich sterben wollen, wenn das erste Milchgesicht sie freundlich angeblickt. Aber in der Tat, meine Madelon wurde siech und krank, und wie ich ihr denn das tolle Zeug ausreden wollte, rief sie hundertmal deinen Namen. Was konnt ich endlich tun, wollt ich sie nicht verzweifeln lassen? Gestern abend sagt ich ihr, ich willige in alles und werde dich heute holen. Da ist sie über Nacht aufgeblüht wie eine Rose und harrt nun auf dich, ganz außer sich vor Liebessehnsucht.' – Mag es mir die ewige Macht des Himmels verzeihen, aber selbst weiß ich nicht, wie es geschah, daß ich plötzlich in Cardillacs Hause stand, daß Madelon, laut aufjauchzend: ‚Olivier – mein Olivier – mein Geliebter – mein Gatte!', auf mich gestürzt, mich mit beiden Armen umschlang, mich fest an ihre Brust drückte, daß ich im Übermaß des höchsten Entzückens bei der Jungfrau und allen Heiligen schwor, sie nimmer, nimmer zu verlassen!"

Erschüttert von dem Andenken an diesen entscheidenden Augenblick, mußte Olivier innehalten. Die Scuderi, von Grausen erfüllt über die Untat eines Mannes, den sie für die Tugend, die Rechtschaffenheit selbst gehalten, rief: „Entsetzlich! – René Cardillac gehört zu der Mordbande, die unsere gute Stadt so lange zur Räuberhöhle machte?“ – „Was sagt Ihr, mein Fräulein“, sprach Olivier, „zur *Bande*? Nie hat es eine solche Bande gegeben. Cardillac *allein* war es, der mit verruchter Tätigkeit in der ganzen Stadt seine Schlachtopfer suchte und fand. Daß er es *allein* war, darin liegt die Sicherheit, womit er seine Streiche führte, die unüberwundene Schwierigkeit, dem Mörder auf die Spur zu kommen. – Doch laßt mich fortfahren, der Verfolg wird Euch die Geheimnisse des verruchtesten und zugleich unglücklichsten aller Menschen aufklären. – Die Lage, in der ich mich nun bei dem Meister befand, jeder mag *die* sich leicht denken. Der Schritt war geschehen, ich konnte nicht mehr zurück. Zuweilen war es mir, als sei ich selbst Cardillacs Mordgehilfe geworden, nur in Madelons Liebe vergaß ich die innere Pein, die mich quälte, nur bei ihr konnt es mir gelingen, jede äußere Spur namenlosen Grams wegzutilgen. Arbeitete ich mit dem Alten in der Werkstatt, nicht ins Antlitz vermochte ich ihm zu schauen, kaum ein Wort zu reden vor dem Grausen, das mich durchbebte in der Nähe des entsetzlichen Menschen, der alle Tugenden des treuen, zärtlichen Vaters, des guten Bürgers erfüllte, während die Nacht seine Untaten verschleierte. Madelon, das fromme, engelsreine Kind, hing an ihm mit abgöttischer Liebe. Das Herz durchbohrt' es mir, wenn ich daran dachte, daß, träfe einmal die Rache den verlarvten Bösewicht, sie ja, mit aller höllischen List des Satans getäuscht, der gräßlichsten Verzweiflung unterliegen müsse. Schon das verschloß mir den Mund, und hätt ich den Tod des Verbrechers darum dulden müssen. Unerachtet ich aus den Reden der Marechaussee genug entnehmen konnte, waren mir Cardillacs Untaten, ihr Motiv, die Art, sie auszuführen, ein Rätsel; die Aufklärung blieb nicht lange aus. Eines Tages war Cardillac, der sonst, meinen Abscheu erregend, bei der Arbeit in der heitersten Laune, scherzte und lachte, sehr ernst und in sich gekehrt. Plötzlich warf er das Geschmeide, woran er eben arbeitete, beiseite, daß Stein und Perlen auseinander rollten, stand heftig auf und sprach: ‚Olivier! – es kann zwischen uns beiden nicht so bleiben, dies Verhältnis ist mir unerträglich. – Was der feinsten Schlauigkeit Desgrais' und seiner Spießgesellen nicht gelang zu entdecken, das spielte dir der Zufall in die Hände. Du hast mich geschaut in der nächtlichen Arbeit, zu der mich mein böser Stern treibt, kein Widerstand ist möglich. – Auch dein böser Stern war es, der dich mir folgen ließ, der dich in undurchdringliche Schleier hüllte, der deinem Fußtritt die Leichtigkeit gab, daß du unhörbar wandeltest wie das kleinste Tier, so daß ich, der ich in der tiefsten Nacht klar schaue wie der Tiger, der ich straßenweit das kleinste Geräusch, das Sumsen der Mücke vernehme, dich nicht bemerkte. Dein böser Stern hat dich, meinen Gefährten, mir zugeführt. An Verrat ist, so wie du jetzt stehst, nicht mehr zu denken. Darum magst du alles wissen.' – ‚Nimmermehr werd ich dein Gefährte sein, heuchlerischer Bösewicht.' So wollt ich aufschreien, aber das innere Entsetzen, das mich bei Cardillacs Worten erfaßt, schnürte mir die Kehle zu. Statt der Worte vermochte ich nur einen unverständigen Laut auszustoßen. Cardillac setzte sich wieder in seinen Arbeitsstuhl. Er trocknete sich den Schweiß von der Stirne. Er schien, von der Erinnerung des Vergangenen hart berührt, sich mühsam zu fassen. Endlich fing er an: ‚Weise Männer sprechen viel von den seltsamen Eindrücken, deren Frauen in guter Hoffnung fähig sind, von dem wunderbaren Einfluß solch lebhaften, willenlosen Eindrucks von außen her auf das Kind. Von meiner Mutter erzählte man mir eine wunderliche Geschichte. Als *die* mit mir im ersten Monat schwanger ging, schaute sie mit andern Weibern einem glänzenden Hoffest zu, das in Trianon gegeben wurde. Da fiel ihr Blick auf einen Kavalier in spanischer Kleidung mit einer blitzenden Juwelenkette um den Hals, von der sie die Augen gar nicht mehr abwenden konnte. Ihr ganzes Wesen war Begierde nach den funkelnden Steinen, die ihr ein überirdisches Gut dünkten. Derselbe Kavalier hatte vor mehreren Jahren, als meine Mutter noch nicht verheiratet, ihrer Tugend nachgestellt, war aber mit Abscheu zurückgewiesen worden. Meine Mutter erkannte ihn wieder, aber jetzt war es ihr, als sei er im Glanz der strahlenden Diamanten ein Wesen höherer Art, der Inbegriff aller Schönheit. Der Kavalier bemerkte die sehnsuchtsvollen, feurigen Blicke meiner Mutter. Er glaubte jetzt glücklicher zu sein als vormals. Er wußte sich ihr zu nähern, noch mehr, sie von ihren Bekannten fort an einen einsamen Ort zu locken. Dort schloß er sie brünstig in seine Arme, meine Mutter faßte nach der schönen Kette, aber in demselben Augenblick sank er nieder und riß meine Mutter mit sich zu Boden. Sei es, daß ihn der Schlag plötzlich getroffen, oder aus einer andern Ursache; genug, er war tot. Vergebens war das Mühen meiner Mutter, sich den im Todeskampf erstarrten Armen des Leichnams zu entwinden. Die hohlen Augen, deren Sehkraft erloschen, auf sie gerichtet, wälzte der Tote sich mit ihr auf dem Boden. Ihr gellendes Hilfsgeschrei drang endlich bis zu in der Ferne Vorübergehenden, die herbeieilten und sie retteten aus den Armen des grausigen Liebhabers. Das Entsetzen warf meine Mutter auf ein schweres Krankenlager. Man gab sie, mich verloren, doch sie gesundete, und die Entbindung war glücklicher, als man je hatte hoffen können. Aber die Schrecken jenes fürchterlichen Augenblicks hatten *mich* getroffen. Mein böser Stern war aufgegangen und hatte den Funken hinabgeschossen, der in mir eine der seltsamsten und verderblichsten Leidenschaften entzündet. Schon in der frühesten Kindheit gingen mir glänzende Diamanten, goldenes Geschmeide über alles. Man hielt das für gewöhnliche kindische Neigung. Aber es zeigte sich anders, denn als Knabe stahl ich Gold und Juwelen, wo ich sie habhaft werden konnte. Wie der geübteste Kenner unterschied ich aus Instinkt unechtes Geschmeide von echtem. Nur dieses lockte mich, unechtes sowie geprägtes Gold ließ ich unbeachtet liegen. Den grausamsten Züchtigungen des Vaters mußte die angeborne Begierde weichen. Um nur mit Gold und edlen Steinen hantieren zu können, wandte ich mich zur Goldschmiedsprofession. Ich arbeitete mit Leidenschaft und wurde bald der erste Meister dieser Art. Nun begann eine Periode, in der der angeborne Trieb, so lange niedergedrückt, mit Gewalt empordrang und mit Macht wuchs, alles um sich her wegzehrend. Sowie ich ein Geschmeide gefertigt und abgeliefert, fiel ich in eine Unruhe, in eine Trostlosigkeit, die mir Schlaf, Gesundheit – Lebensmut raubte. – Wie ein Gespenst stand Tag und

Nacht die Person, für die ich gearbeitet, mir vor Augen, geschmückt mit meinem Geschmeide, und eine Stimme raunte mir in die Ohren: »Es ist ja dein – es ist ja dein – nimm es doch – was sollen die Diamanten dem Toten!« – Da legt ich mich endlich auf Diebeskünste. Ich hatte Zutritt in den Häusern der Großen, ich nützte schnell jede Gelegenheit, kein Schloß widerstand meinem Geschick, und bald war der Schmuck, den ich gearbeitet, wieder in meinen Händen. – Aber nun vertrieb selbst das nicht meine Unruhe. Jene unheimliche Stimme ließ sich dennoch vernehmen und höhnte mich und rief: »Hoho, dein Geschmeide trägt ein Toter!« – Selbst wußte ich nicht, wie es kam, daß ich einen unaussprechlichen Haß auf die warf, denen ich Schmuck gefertigt. Ja! im tiefsten Innern regte sich eine Mordlust gegen sie, vor der ich selbst erbebte. – In dieser Zeit kaufte ich dieses Haus. Ich war mit dem Besitzer handelseinig geworden, hier in diesem Gemach saßen wir, erfreut über das geschlossene Geschäft, beisammen und tranken eine Flasche Wein. Es war Nacht worden, ich wollte aufbrechen, da sprach mein Verkäufer: »Hört, Meister René, ehe Ihr fortgeht, muß ich Euch mit einem Geheimnis dieses Hauses bekannt machen.« Darauf schloß er jenen in die Mauer eingeführten Schrank auf, schob die Hinterwand fort, trat in ein kleines Gemach, bückte sich nieder, hob eine Falltür auf. Eine steile, schmale Treppe stiegen wir hinab, kamen an ein schmales Pförtchen, das er aufschloß, traten hinaus in den freien Hof. Nun schritt der alte Herr, mein Verkäufer, hinan an die Mauer, schob an einem nur wenig hervorragenden Eisen, und alsbald drehte sich ein Stück Mauer los, so daß ein Mensch bequem durch die Öffnung schlüpfen und auf die Straße gelangen konnte. Du magst einmal das Kunststück sehen, Olivier, das wahrscheinlich schlaue Mönche des Klosters, welches ehemals hier lag, fertigen ließen, um heimlich aus- und einschlüpfen zu können. Es ist ein Stück Holz, nur von außen gemörtelt und getüncht, in das von außenher eine Bildsäule, auch nur von Holz, doch ganz wie Stein, eingefügt ist, welches sich mitsamt der Bildsäule auf verborgenen Angeln dreht. – Dunkle Gedanken stiegen in mir auf, als ich diese Einrichtung sah, es war mir, als sei vorgearbeitet solchen Taten, die mir selbst noch Geheimnis blieben. Eben hatt ich einem Herrn vom Hofe einen reichen Schmuck abgeliefert, der, ich weiß es, einer Operntänzerin bestimmt war. Die Todesfolter blieb nicht aus – das Gespenst hing sich an meine Schritte – der lispelnde Satan an mein Ohr! – Ich zog ein in das Haus. In blutigem Angstschweiß gebadet, wälzte ich mich schlaflos auf dem Lager! Ich seh im Geiste den Menschen zu der Tänzerin schleichen mit meinem Schmuck. Voller Wut springe ich auf – werfe den Mantel um – steige herab die geheime Treppe – fort durch die Mauer nach der Straße Nicaise. – Er kommt, ich falle über ihn her, er schreit auf, doch, von hinten festgepackt, stoße ich ihm den Dolch ins Herz – der Schmuck ist mein! – Dies getan, fühlte ich eine Ruhe, eine Zufriedenheit in meiner Seele, wie sonst niemals. Das Gespenst war verschwunden, die Stimme des Satans schwieg. Nun wußte ich, was mein böser Stern wollte, ich mußt ihm nachgeben oder untergehen! – Du begreifst jetzt mein ganzes Tun und Treiben, Olivier! – Glaube nicht, daß ich darum, weil ich tun muß, was ich nicht lassen kann, jenem Gefühl des Mitleids, des Erbarmens, was in der Natur des Menschen bedingt sein soll, rein entsagt habe. Du weißt, wie schwer es mir wird, einen Schmuck abzuliefern; wie ich für manche, deren Tod ich nicht will, gar nicht arbeite, ja wie ich sogar, weiß ich, daß am morgenden Tage Blut mein Gespenst verbannen wird, heute es bei einem tüchtigen Faustschlage bewenden lasse, der den Besitzer meines Kleinods zu Boden streckt und mir dieses in die Hand liefert.' – Dies alles gesprochen, führte mich Cardillac in das geheime Gewölbe und gönnte mir den Anblick seines Juwelenkabinetts. Der König besitzt es nicht reicher. Bei jedem Schmuck war auf einem kleinen daran gehängten Zettel genau bemerkt, für wen es gearbeitet, wann es durch Diebstahl, Raub oder Mord genommen worden. ‚An deinem Hochzeitstage', sprach Cardillac dumpf und feierlich, ‚an deinem Hochzeitstage, Olivier, wirst du mir, die Hand gelegt auf des gekreuzigten Christus Bild, einen heiligen Eid schwören, sowie ich gestorben, alle diese Reichtümer in Staub zu vernichten durch Mittel, die ich dir dann bekannt machen werde. Ich will nicht, daß irgendein menschlich Wesen, und am wenigsten Madelon und du, in den Besitz des mit Blut erkauften Horts komme.' Gefangen in diesem Labyrinth des Verbrechens, zerrissen von Liebe und Abscheu, von Wonne und Entsetzen, war ich dem Verdammten zu vergleichen, dem ein holder Engel mild lächelnd hinaufwinkt, aber mit glühenden Krallen festgepackt hält ihn der Satan, und des frommen Engels Liebeslächeln, in dem sich alle Seligkeit des hohen Himmels abspiegelt, wird ihm zur grimmigsten seiner Qualen. – Ich dachte an Flucht – ja, an Selbstmord – aber Madelon! – Tadelt mich, tadelt mich, mein würdiges Fräulein, daß ich zu schwach war, mit Gewalt eine Leidenschaft niederzukämpfen, die mich an das Verbrechen fesselte; aber büße ich nicht dafür mit schmachvollem Tode? – Eines Tages kam Cardillac nach Hause, ungewöhnlich heiter. Er liebkoste Madelon, warf mir die freundlichsten Blicke zu, trank bei Tische eine Flasche edlen Weins, wie er es nur an hohen Fest- und Feiertagen zu tun pflegte, sang und jubilierte. Madelon hatte uns verlassen, ich wollte in die Werkstatt: ‚Bleib sitzen, Junge', rief Cardillac, ‚heut keine Arbeit mehr, laß uns noch eins trinken auf das Wohl der allerwürdigsten, vortrefflichsten Dame in Paris.' Nachdem ich mit ihm angestoßen und er ein volles Glas geleert hatte, sprach er: ‚Sag an, Olivier, wie gefallen dir die Verse:

Un amant, qui craint les voleurs,
n'est point digne d'amour.'

Er erzählte nun, was sich in den Gemächern der Maintenon mit Euch und dem Könige begeben, und fügte hinzu, daß er Euch von jeher verehrt habe wie sonst kein menschliches Wesen und daß Ihr, mit solch hoher Tugend begabt, vor der der böse Stern kraftlos erbleiche, selbst den schönsten von ihm gefertigten Schmuck tragend, niemals ein böses Gespenst, Mordgedanken in ihm erregen würdet. ‚Höre, Olivier', sprach er, ‚wozu ich entschlossen. Vor langer Zeit sollt ich Halsschmuck und Armbänder fertigen für Henriette von England und selbst die Steine dazu liefern. Die Arbeit gelang mir wie keine andere, aber es zerriß mir die Brust, wenn ich daran dachte, mich von dem Schmuck, der mein Herzenskleinod geworden, trennen zu müssen. Du weißt der Prinzessin unglücklichen Tod durch Meuchelmord. Ich behielt den Schmuck und will ihn nun als Zeichen meiner Ehrfurcht, meiner Dankbarkeit dem Fräulein von Scuderi senden im Namen der verfolgten Bande. – Außerdem, daß die Scuderi das sprechende Zeichen ihres Triumphs erhält, verhöhne ich auch Desgrais und seine Gesellen, wie sie es verdienen. – Du sollst ihr den Schmuck hintragen.' Sowie Cardillac Euern Namen nannte, Fräulein, war es, als würden schwarze Schleier weggezogen, und das schöne, lichte Bild meiner glücklichen frühen Kinderzeit ginge wieder auf in bunten, glänzenden Farben. Es kam ein wunderbarer Trost in meine Seele, ein Hoffnungsstrahl, vor dem die finstern Geister schwanden. Cardillac mochte den Eindruck, den seine Worte auf mich gemacht, wahrnehmen und nach seiner Art deuten. ‚Dir scheint', sprach er, ‚mein Vorhaben zu behagen. Gestehen kann ich wohl, daß eine tiefinnere Stimme, sehr verschieden von der, welche Blutopfer verlangt wie ein gefräßiges Raubtier, mir befohlen hat, daß ich solches tue. – Manchmal wird mir wunderlich im Gemüte – eine innere Angst, die Furcht vor irgend etwas Entsetzlichem, dessen Schauer aus einem fernen Jenseits herüberwehen in die Zeit, ergreift mich gewaltsam. Es ist mir dann sogar, als ob das, was der böse Stern begonnen durch mich, meiner unsterblichen Seele, die daran keinen Teil hat, zugerechnet werden könne. In solcher Stimmung beschloß ich, für die Heilige Jungfrau in der Kirche St. Eustache eine schöne Diamantenkrone zu fertigen. Aber jene unbegreifliche Angst überfiel mich stärker, sooft ich die Arbeit beginnen wollte, da unterließ ich's ganz. Jetzt ist es mir, als wenn ich der Tugend und Frömmigkeit selbst demutsvoll ein Opfer bringe und wirksame Fürsprache erflehe, indem ich der Scuderi den schönsten Schmuck sende, den ich jemals gearbeitet.' – Cardillac, mit Eurer ganzen Lebensweise, mein Fräulein, auf das genaueste bekannt, gab mir nun Art und Weise sowie die Stunde an, wie und wann ich den Schmuck, den er in ein sauberes Kästchen schloß, abliefern solle.

Mein ganzes Wesen war Entzücken, denn der Himmel selbst zeigte mir durch den freveligen Cardillac den Weg, mich zu retten aus der Hölle, in der ich, ein verstoßener Sünder, schmachte. So dacht ich. Ganz gegen Cardillacs Willen wollt ich bis zu Euch dringen. Als Anne Brussons Sohn, als Euer Pflegling gedacht ich, mich Euch zu Füßen zu werfen und Euch alles – alles zu entdecken. Ihr hättet, gerührt von dem namenlosen Elend, das der armen, unschuldigen Madelon drohte bei der Entdeckung, das Geheimnis beachtet, aber Euer hoher, scharfsinniger Geist fand gewiß sichre Mittel, ohne jene Entdeckung der verruchten Bosheit Cardillacs zu steuern. Fragt mich nicht, worin diese Mittel hätten bestehen sollen, ich weiß es nicht – aber daß Ihr Madelon und mich retten würdet, davon lag die Überzeugung fest in meiner Seele, wie der Glaube an die trostreiche Hilfe der Heiligen Jungfrau. – Ihr wißt, Fräulein, daß meine Absicht in jener Nacht fehlschlug. Ich verlor nicht die Hoffnung, ein andermal glücklicher zu sein. Da geschah es, daß Cardillac plötzlich alle Munterkeit verlor. Er schlich trübe umher, starrte vor sich hin, murmelte unverständliche Worte, focht mit den Händen, Feindliches von sich abwehrend, sein Geist schien gequält von bösen Gedanken. So hatte er es einen ganzen Morgen getrieben. Endlich setzte er sich an den Werktisch, sprang unmutig wieder auf, schaute durchs Fenster, sprach ernst und düster: ‚Ich wollte doch, Henriette von England hätte meinen Schmuck getragen!' – Die Worte erfüllten mich mit Entsetzen. Nun wußt ich, daß sein irrer Geist wieder erfaßt war von dem abscheulichen Mordgespenst, daß des Satans Stimme wieder laut worden vor seinen Ohren. Ich sah Euer Leben bedroht von dem verruchten Mordteufel. Hatte Cardillac nur seinen Schmuck wieder in Händen, so wart Ihr gerettet. Mit jedem Augenblick wuchs die Gefahr. Da begegnete ich Euch auf dem Pontneuf, drängte mich an Eure Kutsche, warf Euch jenen Zettel zu, der Euch beschwor, doch nur gleich den erhaltenen Schmuck in Cardillacs Hände zu bringen. Ihr kamt nicht. Meine Angst stieg bis zur Verzweiflung, als andern Tages Cardillac von nichts anderm sprach als von dem köstlichen Schmuck, der ihm in der

Nacht vor Augen gekommen. Ich konnte das nur auf Euern Schmuck deuten, und es wurde mir gewiß, daß er über irgendeinen Mordanschlag brüte, den er gewiß schon in der Nacht auszuführen sich vorgenommen. Euch retten mußt ich, und sollt es Cardillacs Leben kosten. Sowie Cardillac nach dem Abendgebet sich, wie gewöhnlich, eingeschlossen, stieg ich durch ein Fenster in den Hof, schlüpfte durch die Öffnung in der Mauer und stellte mich unfern in den tiefen Schatten. Nicht lange dauerte es, so kam Cardillac heraus und schlich leise durch die Straße fort. Ich hinter ihm her. Er ging nach der Straße St. Honoré, mir bebte das Herz. Cardillac war mit einemmal mir entschwunden. Ich beschloß, mich an Eure Haustüre zu stellen. Da kommt singend und trillernd, wie damals, als der Zufall mich zum Zuschauer von Cardillacs Mordtat machte, ein Offizier bei mir vorüber, ohne mich zu gewahren. Aber in demselben Augenblick springt eine schwarze Gestalt hervor und fällt über ihn her. Es ist Cardillac. Diesen Mord will ich hindern, mit einem lauten Schrei bin ich in zwei – drei Sätzen zur Stelle. – Nicht der Offizier – Cardillac sinkt, zum Tode getroffen, röchelnd zu Boden. Der Offizier läßt den Dolch fallen, reißt den Degen aus der Scheide, stellt sich, wähnend, ich sei des Mörders Geselle, kampffertig mir entgegen, eilt aber schnell davon, als er gewahrt, daß ich, ohne mich um ihn zu kümmern, nur den Leichnam untersuche. Cardillac lebte noch. Ich lud ihn, nachdem ich den Dolch, den der Offizier hatte fallen lassen, zu mir gesteckt, auf die Schultern und schleppte ihn mühsam fort nach Hause und durch den geheimen Gang hinauf in die Werkstatt. – Das übrige ist Euch bekannt. Ihr seht, mein würdiges Fräulein, daß mein einziges Verbrechen nur darin besteht, daß ich Madelons Vater nicht den Gerichten verriet und so seinen Untaten ein Ende machte. Rein bin ich von jeder Blutschuld. – Keine Marter wird mir das Geheimnis von Cardillacs Untaten abzwingen. Ich will nicht, daß der ewigen Macht, die der tugendhaften Tochter des Vaters gräßliche Blutschuld verschleierte, zum Trotz das ganze Elend der Vergangenheit, ihres ganzen Seins noch jetzt tötend auf sie einbreche, daß noch jetzt die weltliche Rache den Leichnam aufwühle aus der Erde, die ihn deckt, daß noch jetzt der Henker die vermoderten Gebeine mit Schande brandmarke. – Nein! – mich wird die Geliebte meiner Seele beweinen als den unschuldig Gefallenen, die Zeit wird ihren Schmerz lindern, aber unüberwindlich würde der Jammer sein über des geliebten Vaters entsetzliche Taten der Hölle!" –

Olivier schwieg, aber nun stürzte plötzlich ein Tränenstrom aus seinen Augen, er warf sich der Scuderi zu Füßen und flehte: „Ihr seid von meiner Unschuld überzeugt – gewiß, Ihr seid es! – Habt Erbarmen mit mir, sagt, wie steht es um Madelon?" – Die Scuderi rief der Martiniere, und nach wenigen Augenblicken flog Madelon an Oliviers Hals. „Nun ist alles gut, da du hier bist – ich wußt es ja, daß die edelmütigste Dame dich retten würde!" So rief Madelon ein Mal über das andere, und Olivier vergaß sein Schicksal, alles, was ihm drohte, er war frei und selig. Auf das rührendste klagten beide sich, was sie um einander gelitten, und umarmten sich dann aufs neue und weinten vor Entzücken, daß sie sich wiedergefunden.

Wäre die Scuderi nicht von Oliviers Unschuld schon überzeugt gewesen, der Glaube daran müßte ihr jetzt gekommen sein, da sie die beiden betrachtete, die in der Seligkeit des innigsten Liebesbündnisses die Welt vergaßen und ihr Elend und ihr namenloses Leiden. „Nein", rief sie, „solch seliger Vergessenheit ist nur ein reines Herz fähig."

Die hellen Strahlen des Morgens brachen durch die Fenster. Desgrais klopfte leise an die Türe des Gemachs und erinnerte, daß es Zeit sei, Olivier Brusson fortzuschaffen, da, ohne Aufsehen zu erregen, das später nicht geschehen könne. Die Liebenden mußten sich trennen. –

Die dunklen Ahnungen, von denen der Scuderi Gemüt befangen seit Brussons erstem Eintritt in ihr Haus, hatten sich nun zum Leben gestaltet auf furchtbare Weise. Den Sohn ihrer geliebten Anne sah sie schuldlos verstrickt auf eine Art, daß ihn vom schmachvollen Tod zu retten kaum denkbar schien. Sie ehrte des Jünglings Heldensinn, der lieber schuldbeladen sterben als ein Geheimnis verraten wollte, das seiner Madelon den Tod bringen mußte. Im ganzen Reiche der Möglichkeit fand sie kein Mittel, den Ärmsten dem grausamen Gerichtshofe zu entreißen. Und doch stand es fest in ihrer Seele, daß sie kein Opfer scheuen müsse, das himmelschreiende Unrecht abzuwenden, das man zu begehen im Begriffe war. – Sie quälte sich ab mit allerlei Entwürfen und Plänen, die bis an das Abenteuerliche streiften und die sie ebenso schnell verwarf als auffaßte. Immer mehr verschwand jeder Hoffnungsschimmer, so daß sie verzweifeln wollte. Aber Madelons unbedingtes, frommes kindliches Vertrauen, die Verklärung, mit der sie von dem Geliebten sprach, der nun bald, freigesprochen von jeder Schuld, sie als Gattin umarmen werde, richtete die Scuderi in eben dem Grad wieder auf, als sie davon bis tief ins Herz gerührt wurde.

Um nun endlich etwas zu tun, schrieb die Scuderi an la Regnie einen langen Brief, worin sie ihm sagte, daß Olivier Brusson ihr auf die glaubwürdigste Weise seine völlige Unschuld an Cardillacs Tode dargetan habe und daß nur der heldenmütige Entschluß, ein Geheimnis in das Grab zu nehmen, dessen Enthüllung die Unschuld und Tugend selbst verderben würde, ihn zurückhalte, dem Gericht ein Geständnis abzulegen, das ihn von dem entsetzlichen Verdacht, nicht allein, daß er Cardillac ermordet, sondern daß er auch zur Bande verruchter Mörder gehöre, befreien müsse. Alles, was glühender Eifer, was geistvolle Beredsamkeit vermag, hatte die Scuderi aufgeboten, la Regnies hartes Herz zu erweichen. Nach wenigen Stunden antwortete la Regnie, wie es ihn herzlich freue, wenn Olivier Brusson sich bei seiner hohen, würdigen Gönnerin gänzlich gerechtfertigt habe. Was Oliviers heldenmütigen Entschluß betreffe, ein Geheimnis, das sich auf die Tat beziehe, mit ins Grab nehmen zu wollen, so tue es ihm leid, daß die Chambre ardente dergleichen Heldenmut nicht ehren könne, denselben vielmehr durch die kräftigsten Mittel zu brechen suchen müsse. Nach drei Tagen hoffe er in dem Besitz des seltsamen Geheimnisses zu sein, das wahrscheinlich geschehene Wunder an den Tag bringen werde.

Nur zu gut wußte die Scuderi, was der fürchterliche la Regnie mit jenen Mitteln, die Brussons Heldenmut brechen sollen, meinte. Nun war es gewiß, daß die Tortur über den Unglücklichen verhängt war. In der Todesangst fiel der Scuderi endlich ein, daß, um nur Aufschub zu erlangen, der Rat eines Rechtsverständigen dienlich sein könne. Pierre Arnaud d'Andilly war damals der berühmteste Advokat in Paris. Seiner tiefen Wissenschaft, seinem umfassenden Verstande war seine Rechtschaffenheit, seine Tugend gleich. Zu dem begab sich die Scuderi und sagte ihm alles, soweit es möglich war, ohne Brussons Geheimnis zu verletzen. Sie glaubte, daß d'Andilly mit Eifer sich des Unschuldigen annehmen werde, ihre Hoffnung wurde aber auf das bitterste getäuscht. D'Andilly hatte ruhig alles angehört und erwiderte dann lächelnd mit Boileaus Worten: „Le vrai peut quelque fois n'être pas vraisemblable." – Er bewies der Scuderi, daß die auffallendsten Verdachtsgründe wider Brusson sprächen, daß la Regnies Verfahren keineswegs grausam und übereilt zu nennen, vielmehr ganz gesetzlich sei, ja, daß er nicht anders handeln könne, ohne die Pflichten des Richters zu verletzen. Er, d'Andilly, selbst getraue sich nicht durch die geschickteste Verteidigung Brusson von der Tortur zu retten. Nur Brusson selbst könne das entweder durch aufrichtiges Geständnis oder wenigstens durch die genaueste Erzählung der Umstände bei dem Morde Cardillacs, die dann vielleicht erst zu neuen Ausmittelungen Anlaß geben würden. „So werfe ich mich dem Könige zu Füßen und flehe um Gnade", sprach die Scuderi, ganz außer sich mit von Tränen halb erstickter Stimme. „Tut das", rief d'Andilly, „tut das um des Himmels willen nicht, mein Fräulein! – Spart Euch dieses letzte Hilfsmittel auf, das, schlug es einmal fehl, Euch für immer verloren ist. Der König wird nimmer einen Verbrecher *der* Art begnadigen, der bitterste Vorwurf des gefährdeten Volks würde ihn treffen. Möglich ist es, daß Brusson durch Entdeckung seines Geheimnisses oder sonst Mittel findet, den wider ihn streitenden Verdacht aufzuheben. Dann ist es Zeit, des Königs Gnade zu erflehen, der nicht darnach fragen, was vor Gericht bewiesen ist oder nicht, sondern seine innere Überzeugung zu Rate ziehen wird." – Die Scuderi mußte dem tieferfahrnen d'Andilly notgedrungen beipflichten. – In tiefen Kummer versenkt, sinnend und sinnend, was um der Jungfrau und aller Heiligen willen sie nun anfangen solle, um den unglücklichen Brusson zu retten, saß sie am späten Abend in ihrem Gemach, als die Martiniere eintrat und den Grafen von Miossens, Obristen von der Garde des Königs, meldete, der dringend wünsche, das Fräulein zu sprechen.

„Verzeiht“, sprach Miossens, indem er sich mit soldatischem Anstande verbeugte, „verzeiht, mein Fräulein, wenn ich Euch so spät, so zu ungelegener Zeit überlaufe. Wir Soldaten machen es nicht anders, und zudem bin ich mit zwei Worten entschuldigt. – Olivier Brusson führt mich zu Euch.“ Die Scuderi, hochgespannt, was sie jetzt wieder erfahren werde, rief laut: „Olivier Brusson? der unglücklichste aller Menschen? – was habt Ihr mit dem?“ – „Dacht ich's doch“, sprach Miossens lächelnd weiter, „daß Eures Schützlings Namen hinreichen würde, mir bei Euch ein geneigtes Ohr zu verschaffen. Die ganze Welt ist von Brussons Schuld überzeugt. Ich weiß, daß Ihr eine andere Meinung hegt, die sich freilich nur auf die Beteurungen des Angeklagten stützen soll, wie man gesagt hat. Mit mir ist es anders. Niemand als ich kann besser überzeugt sein von Brussons Unschuld an dem Tode Cardillacs.“ – „Redet, o redet“, rief die Scuderi, indem ihr die Augen glänzten vor Entzükken. „Ich“, sprach Miossens mit Nachdruck, „ich war es selbst, der den alten Goldschmied niederstieß in der Straße St. Honoré unfern Eurem Hause.“ – „Um aller Heiligen willen, Ihr – Ihr!“ rief die Scuderi. „Und“, fuhr Miossens fort, „und ich schwöre es Euch, mein Fräulein, daß ich stolz bin auf meine Tat. Wisset, daß Cardillac der verruchteste, heuchlerischste Bösewicht, daß er es war, der in der Nacht heimtückisch mordete und raubte und so lange allen Schlingen entging. Ich weiß selbst nicht, wie es kam, daß ein innerer Verdacht sich in mir gegen den alten Bösewicht regte, als er voll sichtlicher Unruhe den Schmuck brachte, den ich bestellt, als er sich genau erkundigte, für wen ich den Schmuck bestimmt, und als er auf recht listige Art meinen Kammerdiener ausgefragt hatte, wenn ich eine gewisse Dame zu besuchen pflege. – Längst war es mir aufgefallen, daß die unglücklichen Schlachtopfer der abscheulichsten Raubgier alle dieselbe Todeswunde trugen. Es war mir gewiß, daß der Mörder auf den Stoß, der augenblicklich töten mußte, eingeübt war und darauf rechnete. Schlug der fehl, so galt es den gleichen Kampf. Dies ließ mich eine Vorsichtsmaßregel brauchen, die so einfach ist, daß ich nicht begreife, wie andere nicht längst darauf fielen und sich retteten von dem bedrohlichen Mordwesen. Ich trug einen leichten Brustharnisch unter der Weste. Cardillac fiel mich von hinten an. Er umfaßte mich mit Riesenkraft, aber der sicher geführte Stoß glitt ab an dem Eisen. In demselben Augenblick entwand ich mich ihm und stieß ihm den Dolch, den ich in Bereitschaft hatte, in die Brust." – „Und Ihr schwiegt", fragte die Scuderi, „Ihr zeigtet den Gerichten nicht an, was geschehen?" – „Erlaubt", sprach Miossens weiter, „erlaubt, mein Fräulein, zu bemerken, daß eine solche Anzeige mich, wo nicht geradezu ins Verderben, doch in den abscheulichsten Prozeß verwickeln konnte. Hätte la Regnie, überall Verbrechen witternd, mir's denn geradehin geglaubt, wenn *ich* den rechtschaffenen Cardillac, das Muster aller Frömmigkeit und Tugend, des versuchten Mordes angeklagt? Wie, wenn das Schwert der Gerechtigkeit seine Spitze wider mich selbst gewandt?" – „Das war nicht möglich", rief die Scuderi, „Eure Geburt – Euer Stand" – „Oh", fuhr Miossens fort, „denkt doch an den Marschall von Luxemburg, den der Einfall, sich von le Sage das Horoskop stellen zu lassen, in den Verdacht des Giftmordes und in die Bastille brachte. Nein, beim St. Dionys, nicht eine Stunde Freiheit, nicht meinen Ohrzipfel geb ich preis dem rasenden la Regnie, der sein Messer gern an unserer aller Kehlen setzte." – „Aber so bringt Ihr ja den unschuldigen Brusson aufs Schafott?" fiel ihm die Scuderi ins Wort. „Unschuldig", erwiderte Miossens, „unschuldig, mein Fräulein, nennt Ihr des verruchten Cardillacs Spießgesellen? – der ihm beistand in seinen Taten? der den Tod hundertmal verdient hat? – Nein, in der Tat, *der* blutet mit Recht, und daß ich Euch, mein hochverehrtes Fräulein, den wahren Zusammenhang der Sache entdeckte, geschah in der Voraussetzung, daß Ihr, ohne mich in die Hände der Chambre ardente zu liefern, doch mein Geheimnis auf irgendeine Weise für Euren Schützling zu nützen verstehen würdet."

Die Scuderi, im Innersten entzückt, ihre Überzeugung von Brussons Unschuld auf solch entscheidende Weise bestätigt zu sehen, nahm gar keinen Anstand, dem Grafen, der Cardillacs Verbrechen ja schon kannte, alles zu entdecken und ihn aufzufordern, sich mit ihr zu d'Andilly zu begeben. *Dem* sollte unter dem Siegel der Verschwiegenheit alles entdeckt werden, *der* solle dann Rat erteilen, was nun zu beginnen.

D'Andilly, nachdem die Scuderi ihm alles auf das genaueste erzählt hatte, erkundigte sich nochmals nach den geringfügigsten Umständen. Insbesondere fragte er den Grafen Miossens, ob er auch die feste Überzeugung habe, daß er von Cardillac angefallen, und ob er Olivier Brusson als denjenigen würde wiedererkennen können, der den Leichnam fortgetragen. „Außerdem", erwiderte Miossens, „daß ich in der mondhellen Nacht den Goldschmied recht gut erkannte, habe ich auch bei la Regnie selbst den Dolch gesehen, mit dem Cardillac niedergestoßen wurde. Es ist der meinige, ausgezeichnet durch die zierliche Arbeit des Griffs. Nur einen Schritt von ihm stehend, gewahrte ich alle Züge des Jünglings, dem der Hut vom Kopf gefallen, und würde ihn allerdings wiedererkennen können."

D'Andilly sah schweigend einige Augenblicke vor sich nieder, dann sprach er: „Auf gewöhnlichem Wege ist Brusson aus den Händen der Justiz ganz und gar nicht zu retten. Er will Madelons halber Cardillac nicht als Mordräuber nennen. Das mag er tun, denn selbst, wenn es ihm gelingen müßte, durch Entdeckung des heimlichen Ausgangs, des zusammengeraubten Schatzes dies nachzuweisen, würde ihn doch als Mitverbundenen der Tod treffen. Dasselbe Verhältnis bleibt stehen, wenn der Graf Miossens die Begebenheit mit dem Goldschmied, wie sie wirklich sich zutrug, den Richtern entdecken sollte. *Aufschub* ist das einzige, wornach getrachtet werden muß. Graf Miossens begibt sich nach der Conciergerie, läßt sich Olivier Brusson vorstellen und erkennt ihn für den, der den Leichnam Cardillacs fortschaffte.

Er eilt zu la Regnie und sagt: ‚In der Straße St. Honoré sah ich einen Menschen niederstoßen, ich stand dicht neben dem Leichnam, als ein anderer hinzusprang, sich zum Leichnam niederbückte, ihn, da er noch Leben spürte, auf die Schultern lud und forttrug. In Olivier Brusson habe ich diesen Menschen erkannt.‘ Diese Aussage veranlaßt Brussons nochmalige Vernehmung, Zusammenstellung mit dem Grafen Miossens. Genug, die Tortur unterbleibt, und man forscht weiter nach. Dann ist es Zeit, sich an den König selbst zu wenden. Euerm Scharfsinn, mein Fräulein, bleibt es überlassen, dies auf die geschickteste Weise zu tun. Nach meinem Dafürhalten würd es gut sein, dem Könige das ganze Geheimnis zu entdecken. Durch diese Aussage des Grafen Miossens werden Brussons Geständnisse unterstützt. Dasselbe geschieht vielleicht durch geheime Nachforschungen in Cardillacs Hause. Keinen Rechtsspruch, aber des Königs Entscheidung, auf inneres Gefühl, das da, wo der Richter strafen muß, Gnade ausspricht, gestützt, kann das alles begründen. –“ Graf Miossens befolgte genau, was d'Andilly geraten, und es geschah wirklich, was dieser vorhergesehen.

Nun kam es darauf an, den König anzugehen, und dies war der schwierigste Punkt, da er gegen Brusson, den er allein für den entsetzlichen Raubmörder hielt, welcher so lange Zeit hindurch ganz Paris in Angst und Schrecken gesetzt hatte, solchen Abscheu hegte, daß er, nur leise erinnert an den berüchtigten Prozeß, in den heftigsten Zorn geriet. Die Maintenon, ihrem Grundsatz, dem Könige nie von unangenehmen Dingen zu reden, getreu, verwarf jede Vermittlung, und so war Brussons Schicksal ganz in die Hand der Scuderi gelegt. Nach langem Sinnen faßte sie einen Entschluß ebenso schnell, als sie ihn ausführte. Sie kleidete sich in eine schwarze Robe von schwerem Seidenzeug, schmückte sich mit Cardillacs köstlichem Geschmeide, hing einen langen, schwarzen Schleier über und erschien so in den Gemächern der Maintenon zur Stunde, da eben der König zugegen. Die edle Gestalt des ehrwürdigen Fräuleins in diesem feierlichen Anzuge hatte eine Majestät, die tiefe Ehrfurcht erwecken mußte selbst bei dem losen Volk, das gewohnt ist, in den Vorzimmern sein leichtsinnig nichts beachtendes Wesen zu treiben. Alles wich scheu zur Seite, und als sie nun eintrat, stand selbst der König ganz verwundert auf und kam ihr entgegen. Da blitzten ihm die köstlichen Diamanten des Halsbands, der Armbänder ins Auge, und er rief: „Beim Himmel, das ist Cardillacs Geschmeide!“ Und dann sich zur Maintenon wendend, fügte er mit anmutigem Lächeln hinzu: „Seht, Frau Marquise, wie unsere schöne Braut um ihren Bräutigam trauert.“ – „Ei, gnädiger Herr“, fiel die Scuderi, wie den Scherz fortsetzend, ein, „wie würd es ziemen einer schmerzerfüllten Braut, sich so glanzvoll zu schmücken? Nein, ich habe mich ganz losgesagt von diesem Goldschmied und dächte nicht mehr an ihn, träte mir nicht manchmal das abscheuliche Bild, wie er ermordet dicht bei mir vorübergetragen wurde, vor Augen.“ – „Wie“, fragte der König, „wie! Ihr habt ihn gesehen, den armen Teufel?“ Die Scuderi erzählte nun mit kurzen Worten, wie sie der Zufall (noch erwähnte sie nicht der Einmischung Brussons) vor Cardillacs Haus gebracht, als eben der Mord entdeckt worden. Sie schilderte Madelons wilden Schmerz, den tiefen Eindruck, den das Himmelskind auf sie gemacht, die Art, wie sie die Arme unter Zujauchzen des Volks aus Desgrais' Händen gerettet. Mit immer steigendem und steigendem Interesse begannen nun die Szenen mit la Regnie – mit Desgrais – mit Olivier Brusson selbst. Der König, hingerissen von der Gewalt des lebendigsten Lebens, das in der Scuderi Rede glühte, gewahrte nicht, daß von dem gehässigen Prozeß des ihm abscheulichen Brussons die Rede war, vermochte nicht ein Wort hervorzubringen, konnte nur dann und wann mit einem Ausruf Luft machen der innern Bewegung. Ehe er sich's versah, ganz außer sich über das Unerhörte, was er erfahren, und noch nicht vermögend, alles zu ordnen, lag die Scuderi schon zu seinen Füßen und flehte um Gnade für Olivier Brusson. „Was tut Ihr“, brach der König los, indem er sie bei beiden Händen faßte und in den Sessel nötigte, „was tut Ihr, mein Fräulein! – Ihr überrascht mich auf seltsame Weise! – Das ist ja eine entsetzliche Geschichte! – Wer bürgt für die Wahrheit der abenteuerlichen Erzählung Brussons?“

Darauf die Scuderi: „Miossens' Aussage – die Untersuchung in Cardillacs Hause – innere Überzeugung – ach! Madelons tugendhaftes Herz, das gleiche Tugend in dem unglücklichen Brusson erkannte!" – Der König, im Begriff, etwas zu erwidern, wandte sich auf ein Geräusch um, das an der Türe entstand. Louvois, der eben im andern Gemach arbeitete, sah hinein mit besorglicher Miene. Der König stand auf und verließ, Louvois folgend, das Zimmer. Beide, die Scuderi, die Maintenon, hielten diese Unterbrechung für gefährlich, denn einmal überrascht, mochte der König sich hüten, in die gestellte Falle zum zweitenmal zu gehen. Doch nach einigen Minuten trat der König wieder hinein, schritt rasch ein paarmal im Zimmer auf und ab, stellte sich dann, die Hände über den Rücken geschlagen, dicht vor der Scuderi hin und sprach, ohne sie anzublicken, halb leise: „Wohl möcht ich Eure Madelon sehen!" – Darauf die Scuderi: „O mein gnädiger Herr, welches hohen – hohen Glücks würdigt Ihr das arme, unglückliche Kind – ach, nur Eures Winks bedurft es ja, die Kleine zu Euren Füßen zu sehen." Und trippelte dann, so schnell sie es in den schweren Kleidern vermochte, nach der Tür und rief hinaus, der König wolle Madelon Cardillac vor sich lassen, und kam zurück und weinte und schluchzte vor Entzücken und Rührung. Die Scuderi hatte solche Gunst geahnet und daher Madelon mitgenommen, die bei der Marquise Kammerfrau wartete mit einer kurzen Bittschrift in den Händen, die ihr d'Andilly aufgesetzt. In wenig Augenblicken lag sie sprachlos dem Könige zu Füßen. Angst – Bestürzung – scheue Ehrfurcht – Liebe und Schmerz – trieben der Armen rascher und rascher das siedende Blut durch die Adern. Ihre Wangen glühten in hohem Purpur – die Augen glänzten von hellen Tränenperlen, die dann und wann hinabfielen durch die seidenen Wimpern auf den schönen Lilienbusen. Der König schien betroffen über die wunderbare Schönheit des Engelskinds. Er hob das Mädchen sanft auf, dann machte er eine Bewegung, als wolle er ihre Hand, die er gefaßt, küssen. Er ließ sie wieder und schaute das holde Kind an mit tränenfeuchtem Blick, der von der tiefsten innern Rührung zeugte. Leise lispelte die Maintenon der Scuderi zu:

„Sieht sie nicht der la Valliere ähnlich auf ein Haar, das kleine Ding? – Der König schwelgt in den süßesten Erinnerungen. Euer Spiel ist gewonnen.“ – So leise dies auch die Maintenon sprach, doch schien es der König vernommen zu haben. Eine Röte überflog sein Gesicht, sein Blick streifte bei der Maintenon vorüber, er las die Supplik, die Madelon ihm überreicht, und sprach dann mild und gütig: „Ich will's wohl glauben, daß du, mein liebes Kind, von deines Geliebten Unschuld überzeugt bist, aber hören wir, was die Chambre ardente dazu sagt!“ – Eine sanfte Bewegung mit der Hand verabschiedete die Kleine, die in Tränen verschwimmen wollte. – Die Scuderi gewahrte zu ihrem Schreck, daß die Erinnerung an die Valliere, so ersprießlich sie anfangs geschienen, des Königs Sinn geändert hatte, sowie die Maintenon den Namen genannt. Mocht es sein, daß der König sich auf unzarte Weise daran erinnert fühlte, daß er im Begriff stehe, das strenge Recht der Schönheit aufzuopfern, oder vielleicht ging es dem Könige wie dem Träumer, dem, hart angerufen, die schönen Zauberbilder, die er zu umfassen gedachte, schnell verschwinden. Vielleicht sah er nun nicht mehr seine Valliere vor sich, sondern dachte nur an die Sœur Louise de la miséricorde (der Valliere Klostername bei den Karmeliternonnen), die ihn peinigte mit ihrer Frömmigkeit und Buße. – Was war jetzt anders zu tun, als des Königs Beschlüsse ruhig abzuwarten.

Des Grafen Miossens Aussage vor der Chambre ardente war indessen bekannt geworden, und wie es zu geschehen pflegt, daß das Volk leicht getrieben wird von einem Extrem zum andern, so wurde derselbe, den man erst als den verruchtesten Mörder verfluchte und den man zu zerreißen drohte, noch ehe er die Blutbühne bestiegen, als unschuldiges Opfer einer barbarischen Justiz beklagt. Nun erst erinnerten sich die Nachbarsleute seines tugendhaften Wandels, der großen Liebe zu Madelon, der Treue, der Ergebenheit mit Leib und Seele, die er zu dem alten Goldschmied gehegt. – Ganze Züge des Volks erschienen oft auf bedrohliche Weise vor la Regnies Palast und schrien: „Gib uns Olivier Brusson heraus, er ist unschuldig“, und warfen wohl gar

Steine nach den Fenstern, so daß la Regnie genötigt war, bei der Marechaussee Schutz zu suchen vor dem erzürnten Pöbel.

Mehrere Tage vergingen, ohne daß der Scuderi von Olivier Brussons Prozeß nur das mindeste bekannt wurde. Ganz trostlos begab sie sich zur Maintenon, die aber versicherte, daß der König über die Sache schweige und es gar nicht geraten scheine, ihn daran zu erinnern. Fragte sie nun noch mit sonderbarem Lächeln, was denn die kleine Valliere mache, so überzeugte sich die Scuderi, daß tief im Innern der stolzen Frau sich ein Verdruß über eine Angelegenheit regte, die den reizbaren König in ein Gebiet locken konnte, auf dessen Zauber sie sich nicht verstand. Von der Maintenon konnte sie daher gar nichts hoffen.

Endlich mit d'Andillys Hilfe gelang es der Scuderi auszukundschaften, daß der König eine lange geheime Unterredung mit dem Grafen Miossens gehabt. Ferner, daß Bontems, des Königs vertrautester Kammerdiener und Geschäftsträger, in der Conciergerie gewesen und mit Brusson gesprochen, daß endlich in einer Nacht ebenderselbe Bontems mit mehreren Leuten in Cardillacs Hause gewesen und sich lange darin aufgehalten. Claude Patru, der Bewohner des untern Stocks, versicherte, die ganze Nacht habe es über seinem Kopfe gepoltert, und gewiß sei Olivier dabeigewesen, denn er habe seine Stimme genau erkannt. So viel war also gewiß, daß der König selbst dem wahren Zusammenhange der Sache nachforschen ließ, unbegreiflich blieb aber die lange Verzögerung des Beschlusses. La Regnie mochte alles aufbieten, das Opfer, das ihm entrissen werden sollte, zwischen den Zähnen festzuhalten. Das verdarb jede Hoffnung im Aufkeimen.

Beinahe ein Monat war vergangen, da ließ die Maintenon der Scuderi sagen, der König wünsche sie heute abend in ihren, der Maintenon, Gemächern zu sehen.

Das Herz schlug der Scuderi hoch auf, sie wußte, daß Brussons Sache sich nun entscheiden würde. Sie sagte es der armen Madelon, die zur Jungfrau, zu allen Heiligen inbrünstig betete, daß sie doch nur in dem König die Überzeugung von Brussons Unschuld erwecken möchten.

Und doch schien es, als habe der König die ganze Sache vergessen, denn wie sonst weilend in anmutigen Gesprächen mit der Maintenon und der Scuderi, gedachte er nicht mit einer Silbe des armen Brussons. Endlich erschien Bontems, näherte sich dem Könige und sprach einige Worte so leise, daß beide Damen nichts davon verstanden. – Die Scuderi erbebte im Innern. Da stand der König auf, schritt auf die Scuderi zu und sprach mit leuchtenden Blicken: „Ich wünsche Euch Glück, mein Fräulein! – Euer Schützling, Olivier Brusson, ist frei!“ – Die Scuderi, der die Tränen aus den Augen stürzten, keines Wortes mächtig, wollte sich dem Könige zu Füßen werfen. *Der* hinderte sie daran, sprechend: „Geht, geht! Fräulein, Ihr solltet Parlamentsadvokat sein und meine Rechtshändel ausfechten, denn, beim heiligen Dionys, Eurer Beredsamkeit widersteht niemand auf Erden. – Doch“, fügte er ernster hinzu, „doch, wen die Tugend selbst in Schutz nimmt, mag der nicht sicher sein vor jeder bösen Anklage, vor der Chambre ardente und allen Gerichtshöfen in der Welt!“ – Die Scuderi fand nun Worte, die sich in den glühendsten Dank ergossen. Der König unterbrach sie, ihr ankündigend, daß in ihrem Hause sie selbst viel feurigerer Dank erwarte, als er von ihr fordern könne, denn wahrscheinlich umarme in diesem Augenblick der glückliche Olivier schon seine Madelon. „Bontems“, so schloß der König, „Bontems soll Euch tausend Louis auszahlen, die gebt in meinem Namen der Kleinen als Brautschatz. Mag sie ihren Brusson, der solch ein Glück gar nicht verdient, heiraten, aber dann sollen beide fort aus Paris. Das ist mein Wille.“

Die Martiniere kam der Scuderi entgegen mit raschen Schritten, hinter ihr her Baptiste, beide mit vor Freude glänzenden Gesichtern, beide jauchzend, schreiend: „Er ist hier – er ist frei! – o die lieben jungen Leute!“ Das selige Paar stürzte der Scuderi zu Füßen. „Oh, ich habe es ja gewußt, daß Ihr, Ihr allein mir den Gatten retten würdet“, rief Madelon. „Ach, der Glaube an Euch, meine Mutter, stand ja fest in meiner Seele“, rief Olivier, und beide küßten der würdigen Dame die Hände und vergossen tausend heiße Tränen. Und dann umarmten sie sich wieder und beteuerten, daß die überirdische Seligkeit dieses Augenblicks alle namenlose Leiden der vergangenen Tage aufwiege, und schworen, nicht voneinander zu lassen bis in den Tod.

Nach wenigen Tagen wurden sie verbunden durch den Segen des Priesters. Wäre es auch nicht des Königs Wille gewesen, Brusson hätte doch nicht in Paris bleiben können, wo ihn alles an jene entsetzliche Zeit der Untaten Cardillacs erinnerte, wo irgendein Zufall das böse Geheimnis, nun noch mehreren Personen bekannt worden, feindselig enthüllen und sein friedliches Leben auf immer verstören konnte. Gleich nach der Hochzeit zog er, von den Segnungen der Scuderi begleitet, mit seinem jungen Weibe nach Genf. Reich ausgestattet durch Madelons Brautschatz, begabt mit seltner Geschicklichkeit in seinem Handwerk, mit jeder bürgerlichen Tugend, ward ihm dort ein glückliches, sorgenfreies Leben. Ihm wurden die Hoffnungen erfüllt, die den Vater getäuscht hatten bis in das Grab hinein.

Ein Jahr war vergangen seit der Abreise Brussons, als eine öffentliche Bekanntmachung erschien, gezeichnet von Harloy de Chauvalon, Erzbischof von Paris, und von dem Parlamentsadvokaten Pierre Arnaud d'Andilly, des Inhalts, daß ein reuiger Sünder unter dem Siegel der Beichte der Kirche einen reichen geraubten Schatz an Juwelen und Geschmeide übergeben. Jeder, dem etwa bis zum Ende des Jahres 1680, vorzüglich durch mörderischen Anfall auf öffentlicher Straße, ein Schmuck geraubt worden, solle sich bei d'Andilly melden und werde, treffe die Beschreibung des ihm geraubten Schmucks mit irgendeinem vorgefundenen Kleinod genau überein und finde sonst kein Zweifel gegen die Rechtmäßigkeit des Anspruchs statt, den Schmuck wiedererhalten. – Viele, die in Cardillacs Liste als nicht ermordet, sondern bloß durch einen Faustschlag betäubt aufgeführt waren, fanden sich nach und nach bei dem Parlamentsadvokaten ein und erhielten zu ihrem nicht geringen Erstaunen das geraubte Geschmeide zurück. Das übrige fiel dem Schatz der Kirche zu St. Eustache anheim.

MEISTER FLOH

Ein Märchen in sieben Abenteuern zweier Freunde

Erstes Abenteuer

Einleitung

Worin der geneigte Leser so viel aus dem Leben des Herrn Peregrinus Tyß erfährt, als ihm zu wissen nötig. – Die Weihnachtsbescherung bei dem Buchbinder Lämmerhirt in der Kalbächer Gasse und Beginn des ersten Abenteuers. – Die beiden Alinen.

Es war einmal – welcher Autor darf es jetzt wohl noch wagen, sein Geschichtlein also zu beginnen. – „Veraltet! – Langweilig!" – so ruft der geneigte oder vielmehr ungeneigte Leser, der nach des alten römischen Dichters weisem Rat gleich medias in res versetzt sein will. Es wird ihm dabei zumute, als nehme irgendein weitschweifiger Schwätzer von Gast, der eben eingetreten, breiten Platz und räuspre sich aus, um seinen endlosen Sermon zu beginnen, und er klappt unwillig das Buch zu, das er kaum aufgeschlagen. Gegenwärtiger Herausgeber des wunderbaren Märchens von Meister Floh meint nun zwar, daß jener Anfang sehr gut und eigentlich der beste jeder Geschichte sei, weshalb auch die vortrefflichsten Märchenerzähler, als da sind Ammen, alte Weiber u. a., sich desselben jederzeit bedient haben; da aber jeder Autor vorzugsweise schreibt, um gelesen zu werden, so will er (besagter Herausgeber nämlich) dem günstigen Leser durchaus nicht die Lust benehmen, wirklich sein Leser zu sein. Er sagt demselben daher gleich ohne alle weitere Umschweife, daß demselben Peregrinus Tyß, von dessen seltsamen Schicksalen diese Geschichte handeln wird, an keinem Weihnachtsabende das Herz so geklopft hatte vor banger freudiger Erwartung als gerade an demjenigen, mit welchem die Erzählung seiner Abenteuer beginnt.

Peregrinus befand sich in einer dunklen Kammer, die neben dem Prunkzimmer belegen, wo ihm der heilige Christ einbeschert zu werden pflegte. Dort schlich er bald leise auf und ab, lauschte auch wohl ein wenig an der Türe, bald setzte er sich still hin in den Winkel und zog mit geschlossenen Augen die mystischen Düfte des Marzipans, der Pfefferkuchen ein, die aus dem Zimmer strömten. Dann durchbebten ihn süße heimliche Schauer, wenn, indem er schnell wieder die Augen öffnete, ihn die hellen Lichtstrahlen blendeten, die, durch die Ritzen der Türe hereinfallend, an der Wand hin und her hüpften.

Endlich erklang das silberne Glöcklein, die Türe des Zimmers wurde geöffnet, und hinein stürzte Peregrinus in ein ganzes Feuermeer von bunt flackernden Weihnachtslichtern. – Ganz erstarrt blieb Peregrinus vor dem Tische stehen, auf dem die schönsten Gaben in gar hübscher zierlicher Ordnung aufgestellt waren, nur ein lautes – Ach! drängte sich aus seiner Brust hervor. Noch nie hatte der Weihnachtsbaum solche reiche Früchte getragen; denn alles Zuckerwerk, wie es nur Namen haben mag, und dazwischen manche goldne Nuß, mancher goldne Apfel aus den Gärten der Hesperiden hing an den Ästen, die sich beugten unter der süßen Last. Der Vorrat von dem auserlesensten Spielzeug, schönem bleiernen Militär, ebensolcher Jägerei, aufgeschlagenen Bilderbüchern usw. ist gar nicht zu beschreiben. Noch wagte er es nicht, irgend etwas von dem ihm bescherten Reichtum zu berühren, er konnte sich nur mühen, sein Staunen zu besiegen, den Gedanken des Glücks zu erfassen, daß das alles nun wirklich sein sei.

„O meine lieben Eltern! – o meine gute Aline!“ So rief Peregrinus im Gefühl des höchsten Entzückens. „Nun“, erwiderte Aline, „hab ich's so recht gemacht, Peregrinchen? – Freuest du dich auch recht von Herzen, mein Kind? – Willst du nicht all die schöne Ware näher betrachten, willst du nicht das neue Reitpferd, den hübschen Fuchs hier, versuchen?“

„Ein herrliches Pferd“, sprach Peregrinus, das aufgezäumte

Steckenpferd mit Freudentränen in den Augen betrachtend, „ein herrliches Pferd, echt arabische Rasse.“ Er bestieg denn auch sogleich das edle stolze Roß; mochte Peregrinus aber sonst auch ein vortrefflicher Reuter sein, er mußte es diesmal in irgend etwas verfehlt haben; denn der wilde Pontifex (so war das Pferd geheißen) bäumte sich schnaubend und warf ihn ab, daß er kläglich die Beine in die Höhe streckte. Noch ehe indessen die zum Tode erschrockene Aline ihm zu Hilfe springen konnte, hatte Peregrinus sich schon emporgerafft und den Zügel des Pferdes ergriffen, das eben, hinten ausschlagend, durchgehen wollte. Aufs neue schwang sich Peregrinus nun auf und brachte, alle Reiterkünste aufbietend und mit Kraft und Geschick anwendend, den wilden Hengst so zur Vernunft, daß er zitterte, keuchte, stöhnte, in Peregrinus seinen mächtigen Zwangherrn erkannte. – Aline führte, als Peregrinus abgesessen, den Gebeugten in den Stall.

Die etwas stürmische Reiterei, die im Zimmer, vielleicht im ganzen Hause einen unbilligen Lärm verursacht, war nun vorüber, und Peregrinus setzte sich an den Tisch, um ruhig die andern glänzenden Gaben in näheren Augenschein zu nehmen. Mit Wohlbehagen verzehrte Peregrinus einigen Marzipan, indem er diese, jene Gliederpuppe ihre Künste machen ließ, in dieses, jenes Bilderbuch guckte, dann Heerschau hielt über seine Armee, die er sehr zweckmäßig uniformiert und mit Recht deshalb unüberwindlich fand, weil kein einziger Soldat einen Magen im Leibe, zuletzt aber fortschritt zum Jagdwesen. Mit Verdruß gewahrte er jetzt, daß nur eine Hasen- und Fuchsjagd vorhanden, die Hirschjagd sowie die wilde Schweinsjagd aber durchaus fehlte. Auch diese Jagd mußte ja da sein, keiner konnte das besser wissen als Peregrinus, der alles selbst mit unsäglicher Mühe und Sorgfalt eingekauft. –

Doch! – höchst nötig scheint es, den günstigen Leser vor den ärgsten Mißverständnissen zu bewahren, in die er geraten könnte, wenn der Autor ins Gelag hinein weiter erzählte, ohne daran zu denken, daß er wohl weiß, was es mit der ganzen Weihnachtsausstellung, von der gesprochen wird, für eine Bewandtnis hat, nicht aber der gütige Leser, der eben erfahren will, was er nicht weiß.

Sehr irren würde jeder, welcher glauben sollte, daß Peregrinus Tyß ein Kind sei, dem die gütige Mutter oder sonst ein ihm zugewandtes weibliches Wesen, romantischerweise Aline geheißen, den Heiligen Christ beschert. – Nichts weniger als das! –

Herr Peregrinus Tyß hatte sechsunddreißig Jahre erreicht und daher beinahe die besten. Sechs Jahre früher hieß es von ihm, er sei ein recht hübscher Mensch, jetzt nannte man ihn mit Recht einen Mann von feinem Ansehen; immer, damals und jetzt wurde aber von allen getadelt, daß Peregrinus zu sehr sich zurückziehe, daß er das Leben nicht kenne und daß er offenbar an einem krankhaften Trübsinn leide. Väter, deren Töchter eben mannbar, meinten, daß der gute Tyß, um sich von seinem Trübsinn zu heilen, nichts Besseres tun könne als heiraten; er habe ja freie Wahl und einen Korb nicht so leicht zu fürchten. Der Väter Meinung war wenigstens hinsichts des letztern Punkts insofern richtig, als Herr Peregrinus Tyß außerdem, daß er, wie gesagt, ein Mann von feinem Ansehen war, ein sehr beträchtliches Vermögen besaß, das ihm sein Vater, Herr Balthasar Tyß, ein sehr angesehener Kaufherr, hinterlassen. Solchen hochbegabten Männern pflegt ein Mädchen, das, was Liebe betrifft, über die Überschwenglichkeit hinaus, das heißt wenigstens drei- bis vierundzwanzig Jahre alt geworden ist, auf die unschuldige Frage: „Wollen Sie mich mit Ihrer Hand beglücken, o Teure?" selten anders als mit roten Wangen und niedergeschlagenen Augen zu antworten: „Sprechen Sie mit meinen lieben Eltern, ihrem Befehl gehorche ich allein, ich habe keinen Willen!" Die Eltern falten aber die Hände und sprechen: „Wenn es Gottes Wille ist, wir haben nichts dagegen, Herr Sohn!" –

Zu nichts weniger schien aber Herr Peregrinus Tyß aufgelegt als zum Heiraten. Denn außerdem, daß er überhaupt im allgemeinen menschenscheu war, so bewies er insbesondere eine seltsame Idiosynkrasie gegen das weibliche Geschlecht. Die Nähe eines Frauenzimmers trieb ihm Schweißtropfen auf die Stirne, und wurde er vollends von einem jungen genugsam hübschen Mädchen angeredet, so geriet er in eine Angst, die ihm die Zunge band und ein krampfhaftes Zittern durch alle Glieder verursachte. Ebendaher mocht es auch kommen, daß seine alte Aufwärterin von solch seltner Häßlichkeit war, daß sie in dem Revier, wo Herr Peregrinus Tyß wohnte, vielen für eine naturhistorische Merkwürdigkeit galt. Sehr gut stand das schwarze struppige, halb ergraute Haar zu den roten triefenden Augen, sehr gut die dicke Kupfernase zu den bleich-blauen Lippen, um das Bild einer Blocksberg-Aspirantin zu vollenden, so daß sie ein paar Jahrhunderte früher schwerlich dem Scheiterhaufen entgangen sein würde, statt daß sie jetzt von Herrn Peregrinus Tyß und wohl auch noch von andern für eine sehr gutmütige Person gehalten wurde. Dies war sie auch in der Tat und ihr daher wohl nachzusehen, daß sie zu ihres Leibes Nahrung und Notdurft in die Stundenreihe des Tages so manches Schnäpschen einflocht und vielleicht auch zu oft eine ungeheure schwarzlackierte Dose aus dem Brusttuch hervorzog und die ansehnliche Nase reichlich mit echtem Offenbacher fütterte. Der geneigte Leser hat bereits bemerkt, daß diese merkwürdige Person ebendieselbe Aline ist, die die Weihnachtsbescherung veranstaltet. Der Himmel weiß, wie sie zu dem berühmten Namen der Königin von Golkonda gekommen. –

Verlangten aber nun Väter, daß der reiche, angenehme Herr Peregrinus Tyß seiner Weiberscheu entsage und sich ohne weiteres vereheliche, so sprachen dagegen wieder alte Hagestolze, daß Herr Peregrinus ganz recht tue, nicht zu heiraten, da seine Gemütsart nicht dazu tauge.

Schlimm war es aber, daß viele bei dem Worte „Gemütsart“ ein sehr geheimnisvolles Gesicht machten und auf näheres Befragen nicht undeutlich zu verstehen gaben, daß Herr Peregrinus Tyß leider zuweilen was weniges überschnappe, ein Fehler, der ihm schon von früher Jugend her anklebe. – Die vielen Leute, die den armen Peregrinus für übergeschnappt hielten, gehörten vorzüglich zu denjenigen, welche fest überzeugt sind, daß auf der großen Landstraße des Lebens, die man der Vernunft, der Klugheit gemäß einhalten müsse, die Nase der beste

Führer und Wegweiser sei, und die lieber Scheuklappen anlegen als sich verlocken lassen von manchem duftenden Gebüsch, von manchem blumichten Wiesenplätzlein, das nebenher liegt.

Wahr ist es freilich, daß Herr Peregrinus manches Seltsame in und an sich trug, in das sich die Leute nicht finden konnten.

Es ist schon gesagt worden, daß der Vater des Herrn Peregrinus Tyß ein sehr reicher angesehener Kaufmann war, und wenn noch hinzugefügt wird, daß derselbe ein sehr schönes Haus auf dem freundlichen Roßmarkt besaß und daß in diesem Hause und zwar in demselben Zimmer, wo dem kleinen Peregrinus stets der Heilige Christ einbeschert wurde, auch diesmal der erwachsene Peregrinus die Weihnachtsgaben in Empfang nahm, so ist gar nicht daran zu zweifeln, daß der Ort, wo sich die wundersamen Abenteuer zutrugen, die in dieser Geschichte erzählt werden sollen, kein anderer ist als die berühmte schöne Stadt Frankfurt am Main.

Von den Eltern des Herrn Peregrinus ist eben nichts Besonderes zu sagen, als daß es rechtliche stille Leute waren, denen niemand etwas anders als Gutes nachsagen konnte. Die unbegrenzte Hochachtung, welche Herr Tyß auf der Börse genoß, verdankte er dem Umstande, daß er stets richtig und sicher spekulierte, daß er eine große Summe nach der andern gewann, dabei aber nie vorlaut wurde, sondern bescheiden blieb, wie er gewesen, und niemals mit seinem Reichtum prahlte, sondern ihn nur dadurch bewies, daß er weder um geringes noch um vieles knickerte und die Nachsicht selbst war gegen insolvente Schuldner, die ins Unglück geraten, sei es auch verdienterweise. –

Sehr lange Zeit war die Ehe des Herrn Tyß unfruchtbar geblieben, bis endlich nach beinahe zwanzig Jahren die Frau Tyß ihren Eheherrn mit einem tüchtigen hübschen Knaben erfreute, welches eben unser Herr Peregrinus Tyß war.

Man kann denken, wie grenzenlos die Freude der Eltern war, und noch jetzt sprechen alle Leute in Frankfurt von dem herrlichen Tauffeste, das der alte Tyß gegeben und an welchem der edelste urälteste Rheinwein kredenzt worden, als gelt es ein

Krönungsmahl. Was aber dem alten Herrn Tyß noch mehr nachgerühmt wird, ist, daß er zu jenem Tauffeste ein paar Leute geladen, die in feindseliger Gesinnung ihm gar öfters weh getan hatten, dann aber andere, denen *er* weh getan zu haben glaubte, so daß der Schmaus ein wirkliches Friedens- und Versöhnungsfest wurde.

Ach! – der gute Herr Tyß wußte, ahnte nicht, daß dasselbe Knäblein, dessen Geburt ihn so erfreute, ihm so bald Kummer und Not verursachen würde.

Schon in der frühsten Zeit zeigte der Knabe Peregrinus eine ganz besondere Gemütsart. Denn nachdem er einige Wochen hindurch Tag und Nacht ununterbrochen geschrien, ohne daß irgendein körperliches Übel zu entdecken, wurde er plötzlich still und erstarrte zur regungslosen Unempfindlichkeit. Nicht des mindesten Eindrucks schien er fähig, nicht zum Lächeln, nicht zum Weinen verzog sich das kleine Antlitz, das einer leblosen Puppe anzugehören schien. Die Mutter behauptete, daß sie sich versehen an dem alten Buchhalter, der schon seit zwanzig Jahren stumm und starr mit demselben leblosen Gesicht im Comptoir vor dem Hauptbuch säße, und vergoß viele heiße Tränen über das kleine Automat.

Endlich geriet eine Frau Pate auf den glücklichen Gedanken, dem kleinen Peregrinus einen sehr bunten und, im Grunde genommen, häßlichen Harlekin mitzubringen. Des Kindes Augen belebten sich auf wunderbare Art, der Mund verzog sich zum sanften Lächeln, es griff nach der Puppe und drückte sie zärtlich an sich, als man sie ihm gab. Dann schaute der Knabe wieder das bunte Männlein an mit solchen klugen beredten Blicken, daß es schien, als sei plötzlich Empfindung und Verstand in ihm erwacht, und zwar zu höherer Lebendigkeit, als es wohl bei Kindern des Alters gewöhnlich. „Der ist zu klug", sprach die Frau Pate, „den werdet ihr nicht erhalten! – Betrachtet doch nur einmal seine Augen, der denkt schon viel mehr, als er soll!"

Dieser Ausspruch tröstete gar sehr den alten Herrn Tyß, der sich schon einigermaßen darin gefunden, daß er nach vielen

Jahren vergeblicher Hoffnung einen Einfaltspinsel erzielt; doch bald kam er in neue Sorge.

Längst war nämlich die Zeit vorüber, in der die Kinder gewöhnlich zu sprechen beginnen, und noch hatte Peregrinus keinen Laut von sich gegeben. Man würde ihn für taubstumm gehalten haben, hätte er nicht manchmal den, der zu ihm sprach, mit solchem aufmerksamen Blick angeschaut, ja durch freudige, durch traurige Mienen seinen Anteil zu erkennen gegeben, daß gar nicht daran zu zweifeln, wie er nicht allein hörte, sondern auch alles verstand. – In nicht geringes Erstaunen geriet indessen die Mutter, als sie bestätigt fand, was ihr die Wärterin gesagt. – Zur Nachtzeit, wenn der Knabe im Bette lag und sich unbehorcht glaubte, sprach er für sich einzelne Wörter, ja ganze Redensarten, und zwar so wenig kauderwelsch, daß man schon eine lange Übung voraussetzen konnte. Der Himmel hat den Frauen einen ganz besondern sichern Takt verliehen, die menschliche Natur, wie sie sich im Aufkeimen bald auf diese, bald auf jene Weise entwickelt, richtig aufzufassen, weshalb sie auch, wenigstens für die ersten Jahre des Kindes, in der Regel bei weitem die besten Erzieherinnen sind. Diesem Takt gemäß war auch Frau Tyß weit entfernt, dem Knaben ihre Beobachtung merken zu lassen und ihn zum Sprechen zwingen zu wollen, vielmehr wußte sie es auf andere geschickte Weise dahin zu bringen, daß er von selbst das schöne Talent des Sprechens nicht mehr verborgen hielt, sondern leuchten ließ vor der Welt und zu aller Verwunderung zwar langsam, aber deutlich sich vernehmen ließ. Doch zeigte er gegen das Sprechen stets einigen Widerwillen und hatte es am liebsten, wenn man ihn still für sich allein ließ. –

Auch dieser Sorge wegen des Mangels der Sprache war daher Herr Tyß überhoben, doch nur, um später in noch viel größere zu geraten. Als nämlich das Kind Peregrinus, zum Knaben herangewachsen, tüchtig lernen sollte, schien es, als ob ihm nur mit der größten Mühe etwas beizubringen. Wunderbar ging es mit dem Lesen und Schreiben wie mit dem Sprechen; erst wollte es durchaus nicht gelingen, und dann konnt er es mit einem Mal ganz vortrefflich und über alle Erwartung. Später verließ indessen ein Hofmeister nach dem andern das Haus, nicht, weil der Knabe ihnen mißbehagte, sondern weil sie sich in seine Natur nicht finden konnten. Peregrinus war still, sittig, fleißig, und doch war an ein eigentliches systematisches Lernen, wie es die Hofmeister haben wollten, gar nicht zu denken, da er nur dafür Sinn hatte, nur dem sich mit ganzer Seele hingab, was gerade sein inneres Gemüt in Anspruch nahm, und alles übrige spurlos bei sich vorübergehen ließ. Das, was sein Gemüt ansprach, war nun aber alles Wunderbare, alles, was seine Phantasie erregte, in dem er dann lebte und webte. – So hatte er z. B. einst einen Aufriß der Stadt Peking mit allen Straßen, Häusern usw., der die ganze Wand seines Zimmers einnahm, zum Geschenk erhalten. Bei dem Anblick der märchenhaften Stadt, des wunderlichen Volks, das sich durch die Straßen zu drängen schien, fühlte Peregrinus sich wie durch einen Zauberschlag in eine andre Welt versetzt, in der er heimisch werden mußte. Mit heißer Begierde fiel er über alles her, was er über China, über die Chinesen, über Peking habhaft werden konnte, mühte sich, die chinesischen Laute, die er irgendwo aufgezeichnet fand, mit feiner singender Stimme der Beschreibung gemäß nachzusprechen, ja, er suchte mittelst der Papierschere seinem Schlafröcklein von dem schönsten Kalmank möglichst einen chinesischen Zuschnitt zu geben, um der Sitte gemäß mit Entzücken in den Straßen von Peking umherwandeln zu können. Alles übrige konnte durchaus nicht seine Aufmerksamkeit reizen, zum großen Verdruß des Hofmeisters, der eben ihm die Geschichte des Bundes der Hansa beibringen wollte, wie es der alte Herr Tyß ausdrücklich gewünscht, der nun zu seinem Leidwesen erfahren mußte, daß Peregrinus nicht aus Peking fortzubringen, weshalb er denn Peking selbst fortbringen ließ aus dem Zimmer des Knaben. –

Für ein schlimmes Omen hatte es der alte Tyß schon gehalten, daß als kleines Kind Peregrinus Rechenpfennige lieber hatte als Dukaten, dann aber gegen große Geldsäcke und Hauptbücher und Strazzen einen entschiedenen Abscheu bewies. Was aber am seltsamsten schien, war, daß er das Wort „Wechsel“ nicht aussprechen hören konnte, ohne krampfhaft zu erbeben, indem er versicherte, es sei ihm dabei so, als kratze man mit der Spitze des Messers auf einer Glasscheibe hin und her. Zum Kaufmanne, das mußte Herr Tyß einsehen, war daher Peregrinus von Haus aus verdorben, und so gern er es gesehen, daß der Sohn in seine Fußtapfen getreten, so stand er doch gern ab von diesem Wunsch, in der Voraussetzung, daß Peregrinus sich einem bestimmten Fach widmen werde. Herr Tyß hatte den Grundsatz, daß der reichste Mann ein Geschäft und durch dasselbe einen bestimmten Standpunkt im Leben haben müsse; geschäftslose Leute waren ihm ein Greuel, und eben zu dieser Geschäftslosigkeit neigte sich Peregrinus, bei allen Kenntnissen, die er nach seiner eigenen Weise erwarb und die chaotisch durcheinanderlagen, gänzlich hin. Das war nun des alten Tyß größte und drückendste Sorge. – Peregrinus wollte von der wirklichen Welt nichts wissen, der Alte lebte nur in ihr, und nicht anders konnt es geschehen, als daß sich daraus, je älter Peregrinus wurde, ein desto ärgerer Zwiespalt entspann zwischen Vater und Sohn, zu nicht geringem Leidwesen der Mutter, die dem Peregrinus, der sonst gutmütig, fromm, der beste Sohn, sein ihr freilich unverständliches Treiben in lauter Einbildungen und Träumen herzlich gönnte und nicht begreifen konnte, warum ihm der Vater durchaus ein bestimmtes Geschäft aufbürden wollte.

Auf den Rat bewährter Freunde schickte der alte Tyß den Sohn nach der Universität Jena; aber als er nach drei Jahren wiederkehrte, da rief der alte Herr voller Ärger und Grimm: „Hab ich's nicht gedacht! Hans der Träumer ging hin, Hans der Träumer kehrt zurück!" – Herr Tyß hatte insofern ganz recht, als Peregrinus in seinem ganzen Wesen sich ganz und gar nicht verändert hatte, sondern völlig derselbe geblieben. – Doch gab Herr Tyß die Hoffnung noch nicht auf, den ausgearteten Peregrinus zur Vernunft zu bringen, indem er meinte, daß, würde er erst mit Gewalt hineingestoßen in das Geschäft, er vielleicht doch am Ende Gefallen daran finden und anderes Sinnes werden könne. – Er schickte ihn mit Aufträgen nach Hamburg, die eben nicht sonderliche Handelskenntnisse erforderten, und empfahl ihn überdies einem dortigen Freunde, der ihm in allem treulich beistehen sollte.

Peregrinus kam nach Hamburg, gab nicht allein den Empfehlungsbrief, sondern auch alle Papiere, die seine Aufträge betrafen, dem Handelsfreunde seines Vaters in die Hände und verschwand darauf, niemand wußte wohin.

Der Handelsfreund schrieb darauf an Herrn Tyß:

„Ich habe Dero Geehrtes vom – durch Ihren Herrn Sohn richtig erhalten. Derselbe hat sich aber nicht weiter blicken lassen, sondern ist schnell von Hamburg abgereiset, ohne Auftrag zu hinterlassen. – In Pfeffern geht hier wenig um, Baumwolle ist flau, in Kaffee nur nach Mittelsorte Frage, dagegen erhält sich der Melis angenehm, und auch im Indigo zeigt sich fortwährend divers gute Meinung. Ich habe die Ehre etc."

Dieser Brief hätte Herrn Tyß und seine Ehegattin nicht wenig in Bestürzung gesetzt, wäre nicht mit derselben Post ein Brief von dem verlornen Sohne selbst angelangt, in dem er sich mit den wehmütigsten Ausdrücken entschuldigte, daß es ihm ganz unmöglich gewesen, die erhaltenen Aufträge nach dem Wunsche des Vaters auszurichten, und daß er sich unwiderstehlich hingezogen gefühlt habe nach fernen Gegenden, aus denen er nach Jahresfrist glücklicher und froher in die Heimat zurückzukehren hoffe.

„Es ist gut", sprach der alte Herr, „daß der Junge sich umsieht in der Welt, da werden sie ihn wohl herausrütteln aus seinen Träumereien." Auf die von der Mutter geäußerte Besorgnis, daß es dem Sohn doch an Geld fehlen könne zur großen Reise und daß daher sein Leichtsinn, nicht geschrieben zu haben, wohin er sich begebe, sehr zu tadeln, erwiderte aber der Alte lachend: „Fehlt es dem Jungen an Gelde, so wird er sich desto eher mit der wirklichen Welt befreunden, und hat er uns nicht geschrieben, wohin er reisen will, so weiß er doch, wo *uns* seine Briefe treffen." –

Es ist unbekannt geblieben, wohin Peregrinus eigentlich seine Reise gerichtet; manche wollen behaupten, er sei in dem fernen Indien gewesen, andere meinen dagegen, er habe sich das nur eingebildet; so viel ist gewiß, daß er weit weg gewesen sein muß, denn nicht so, wie er den Eltern versprochen, nach Jahresfrist, sondern erst nach Verlauf voller dreier Jahre kehrte Peregrinus zurück nach Frankfurt, und zwar zu Fuß, in ziemlich ärmlicher Gestalt.

Er fand das elterliche Haus fest verschlossen, und niemand rührte sich darin, er mochte klingeln und klopfen, so viel er wollte.

Da kam endlich der Nachbar von der Börse, den Peregrinus augenblicklich fragte, ob Herr Tyß vielleicht verreiset.

Der Nachbar prallte aber ganz erschrocken zurück und rief: „Herr Peregrinus Tyß! – sind Sie es? kommen Sie endlich? – wissen Sie denn nicht?" –

Genug, Peregrinus erfuhr, daß während seiner Abwesenheit beide Eltern hintereinander gestorben, daß die Gerichte den Nachlaß in Beschlag genommen und ihn, dessen Aufenthalt gänzlich unbekannt gewesen, öffentlich aufgefordert, nach Frankfurt zurückzukehren und die Erbschaft des Vaters in Empfang zu nehmen.

Sprachlos blieb Peregrinus vor dem Nachbar stehen; zum erstenmal durchschnitt der Schmerz des Lebens seine Brust, zertrümmert sah er die schöne glänzende Welt, in der er sonst lustig gehauset.

Der Nachbar gewahrte wohl, wie Peregrinus gänzlich unfähig, auch nur das Kleinste, was jetzt nötig, zu beginnen. Er nahm ihn daher in sein Haus und besorgte selbst in möglicher Schnelle alles, so daß noch denselben Abend Peregrinus sich in dem elterlichen Hause befand.

Ganz erschöpft, ganz vernichtet von einer Trostlosigkeit, die er noch nicht gekannt, sank er in den großen Lehnstuhl des Vaters, der noch an derselben Stelle stand, wo er sonst gestanden; da sprach eine Stimme: „Es ist nur gut, daß Sie wieder da sind, lieber Herr Peregrinus. – Ach, wären Sie nur früher gekommen!"

Peregrinus schaute auf und gewahrte dicht vor sich die Alte, die sein Vater vorzüglich deshalb, weil sie wegen ihrer furchtbaren Häßlichkeit schwer einen Dienst finden konnte, in seiner frühen Kindheit als Wärterin angenommen und die das Haus nicht wieder verlassen hatte.

Lange starrte Peregrinus das Weib an, endlich begann er, seltsam lächelnd: „Bist du es, Aline? – Nicht wahr, die Eltern leben noch?" Damit stand er auf, ging durch alle Zimmer, betrachtete jeden Stuhl, jeden Tisch, jedes Bild usw. Dann sprach er ruhig: „Ja, es ist noch alles so, wie ich es verlassen, und so soll es auch bleiben!"

Von diesem Augenblick begann Peregrinus das seltsame Leben, wie es gleich anfangs angedeutet. Zurückgezogen von aller Gesellschaft, lebte er mit seiner alten Aufwärterin in dem großen geräumigen Hause, in tiefster Einsamkeit, erst ganz allein, bis er später ein paar Zimmer einem alten Mann, der des Vaters Freund gewesen, mietweise abtrat. Dieser Mann schien ebenso menschenscheu wie Peregrinus. Grund genug, warum sich beide, Peregrinus und der Alte, sehr gut vertrugen, da sie sich niemals sahen.

Es gab nur vier Familienfeste, die Peregrinus sehr feierlich beging, und das waren die beiden Geburtstage des Vaters und der Mutter, der erste Osterfeiertag und sein eignes Tauffest. An diesen Tagen mußte Aline einen Tisch für so viele Personen, als der Vater sonst eingeladen, und dieselben Schüsseln, die gewöhnlich aufgetragen worden, bereiten sowie denselben Wein aufsetzen lassen, wie ihn der Vater gegeben. Es versteht sich, daß dasselbe Silber, dieselben Teller, dieselben Gläser, wie alles damals gebraucht worden und wie es sich noch unversehrt im Nachlasse befand, auch jetzt nach der so viele Jahre hindurch üblichen Weise gebraucht werden mußte. Peregrinus hielt strenge darauf. War die Tafel fertig, so setzte sich Peregrinus ganz allein hinan, aß und trank nur wenig, horchte auf die Gespräche der Eltern, der einbildeten Gäste und antwortete nur bescheiden auf diese, jene Frage, die jemand aus der Gesellschaft an ihn richtete. Hatte die Mutter den Stuhl gerückt, so stand er mit den übrigen auf und empfahl sich jedem auf die höflichste Weise. – Er ging dann in ein abgelegenes Zimmer und überließ seiner Aline die Verteilung der vielen nicht angerührten Schüsseln und des Weins an Hausarme, welches Gebot des Herrn die treue Seele gar gewissenhaft auszuführen pflegte. Die Feier der Geburtstage des Vaters und der Mutter begann Peregrinus schon am frühen Morgen damit, daß er, wie es sonst zu seiner Knabenzeit geschehen, einen schönen Blumenkranz in das Zimmer trug, wo die Eltern zu frühstücken pflegten, und auswendig gelernte Verse hersagte. – An seinem eignen Tauffeste konnte er sich natürlicherweise nicht an die Tafel setzen, da er nicht längst geboren, Aline mußte daher alles allein besorgen, d. h. die Gäste zum Trinken nötigen, überhaupt, wie man zu sagen pflegt, die Honneurs der Tafel machen; sonst geschah alles wie bei den übrigen Festen. – Außer denselben gab es aber noch für Peregrinus einen besondern Freudentag oder vielmehr Freudenabend im Jahre, und das war die Weihnachtsbescherung, die mehr als jede andere Lust sein junges Gemüt in süßem frommen Entzükken aufgeregt hatte.

Selbst kaufte er sorgsam bunte Weihnachtslichter, Spielsachen, Naschwerk ganz in dem Sinn ein, wie es die Eltern ihm in seinen Knabenjahren beschert hatten, und dann ging die Bescherung vor sich, wie es der geneigte Leser bereits erfahren. ––

„Sehr unlieb“, sprach Peregrinus, nachdem er noch einige Zeit gespielt, „sehr unlieb ist es mir doch, daß die Hirsch- und wilde Schweinsjagd abhanden gekommen. Wo sie nur geblieben sein mag! – Ach! – sieh da!“ Er gewahrte in dem Augenblick eine noch ungeöffnete Schachtel, nach welcher er schnell griff, die vermißte Jagd darin vermutend; als er sie indessen öffnete, fand er sie leer und fuhr zurück, als durchbebe ihn ein jäher Schreck. – „Seltsam“, sprach er dann leise vor sich hin, „seltsam! was ist es mit dieser Schachtel? war es mir doch, als spränge mir daraus etwas Bedrohliches entgegen, das mit dem Blick zu erfassen, mein Auge zu stumpf war!“

Aline versicherte auf Befragen, daß sie die Schachtel unter den Spielsachen gefunden, indessen alle Mühe vergeblich angewandt hätte, sie zu öffnen; geglaubt habe sie daher, daß darin etwas

Besonderes enthalten und der Deckel nur der kunstverständigen Hand des Herrn weichen werde. „Seltsam", wiederholte Peregrinus, „sehr seltsam! – Und auf diese Jagd hatte ich mich ganz besonders gefreut; ich hoffe nicht, daß das etwas Böses bedeuten dürfte! – Doch wer wird am Weihnachtsabende solchen Grillen nachhängen, die doch eigentlich gar keinen Grund haben! – Aline, bringe Sie den Korb!" – Aline brachte alsbald einen großen weißen Henkelkorb herbei, in den Peregrinus mit vieler Sorglichkeit die Spielsachen, das Zuckerwerk, die Lichter einpackte, dann den Korb unter den Arm, den großen Weihnachtsbaum aber auf die Schulter nahm und so seinen Weg antrat. –

Herr Peregrinus Tyß hatte die löbliche, gemütliche Gewohnheit, mit seiner ganzen Bescherung, wie er sie sich selbst bereitet hatte, um sich ein paar Stunden hinüberzuträumen in die schöne vergnügliche Knabenzeit, hineinzufallen in irgendeine bedürftige Familie, von der ihm bekannt war, daß muntre Kinder vorhanden, wie der Heilige Christ selbst mit blanken, bunten Gaben. Wenn dann die Kinder in der hellsten, lebendigsten Freude, schlich er leise davon und lief oft die halbe Nacht über durch die Straßen, weil er sich vor tiefer, die Brust beengender Rührung gar nicht zu lassen wußte und sein eignes Haus ihm vorkam wie ein düstres Grabmal, in dem er selbst mit allen seinen Freuden begraben. Diesmal war die Bescherung den Kindern eines armen Buchbinders bestimmt, namens Lämmerhirt, der, ein geschickter fleißiger Mann, für Herrn Peregrinus seit einiger Zeit arbeitete und dessen drei muntre Knaben von fünf bis neun Jahren Herr Peregrinus kannte.

Der Buchbinder Lämmerhirt wohnte in dem höchsten Stock eines engen Hauses in der Kalbächer Gasse, und pfiff und tobte nun der Wintersturm, regnete und schneite es wild durcheinander, so kann man denken, daß Herr Peregrinus nicht ohne große Beschwerde zu seinem Ziel gelangte. Aus Lämmerhirts Fenstern blinkten ein paar ärmliche Lichterchen herab, mühsam erkletterte Peregrinus die steile Treppe. „Aufgemacht", rief er, indem er an die Stubentür pochte, „aufgemacht, aufgemacht, der Heilige Christ schickt frommen Kindern seine Gaben!" –

Der Buchbinder öffnete ganz erschrocken und erkannte den ganz eingeschneiten Peregrinus erst, nachdem er ihn lange genug betrachtet.

„Hochgeehrtester Herr Tyß“, rief Lämmerhirt voll Erstaunen, „hochgeehrtester Herr Tyß, wie komm ich um des Herrn willen am heiligen Christabend zu der besondern Ehre?“ – Herr Peregrinus ließ ihn aber gar nicht ausreden, sondern bemächtigte sich, laut rufend: „Kinder – Kinder! aufgepaßt, der Heilige Christ schickt seine Gaben!“ des großen Klapptisches, der in der Mitte des Stübchens befindlich, und begann sofort die wohlverdeckten Weihnachtsgaben aus dem Korbe zu holen. Den ganz nassen tropfenden Weihnachtsbaum hatte er freilich vor der Türe stehen lassen müssen. Der Buchbinder konnte noch immer nicht begreifen, was das werden sollte; die Frau sah es besser ein, denn sie lachte den Peregrinus an mit Tränen in den Augen, aber die Knaben standen von ferne und verschlangen schweigend mit den Augen jede Gabe, wie sie aus der Hülle hervorkam, und konnten sich oft eines lauten Ausrufs der Freude und der Verwunderung nicht erwehren! – Als Peregrinus nun endlich die Gaben nach dem Alter jedes Kindes geschickt getrennt und geordnet, alle Lichter angezündet hatte, als er rief: „Heran – heran, ihr Kinder! – das sind die Gaben, die der Heilige Christ euch geschickt!“, da jauchzten sie, die den Gedanken, daß das alles ihnen gehören solle, noch gar nicht fest gefaßt hatten, laut auf und sprangen und jubelten, während die Eltern Anstalten machten, sich bei dem Wohltäter zu bedanken.

Der Dank der Eltern und auch der Kinder, das war es nun eben, was Herr Peregrinus jedesmal zu vermeiden suchte; er wollte sich daher wie gewöhnlich ganz still davonmachen. Schon war er an der Türe, als diese plötzlich aufging und in dem hellen Schimmer der Weihnachtslichter ein junges, glänzend gekleidetes Frauenzimmer vor ihm stand.

Es tut selten gut, wenn der Autor sich unterfängt, dem geneigten Leser genau zu beschreiben, wie diese oder jene sehr schöne Person, die in seiner Geschichte vorkommt, ausgesehen, was Wuchs, Größe, Stellung, Farbe der Augen, der Haare betrifft, und scheint es dagegen viel besser, demselben ohne diesen Detailhandel die ganze Person in den Kauf zu geben. Genügen würde es auch hier vollkommen, zu versichern, daß das Frauenzimmer, welches dem zum Tode erschrockenen Peregrinus entgegentrat, über die Maßen hübsch und anmutig war, käme es nicht durchaus darauf an, gewisser Eigentümlichkeiten zu erwähnen, die die kleine Person an sich trug.

Klein, und zwar etwas kleiner als gerade recht, war nämlich das Frauenzimmer in der Tat, dabei aber sehr fein und zierlich gebaut. Ihr Antlitz, sonst schön geformt und voller Ausdruck, erhielt aber dadurch etwas Fremdes und Seltsames, daß die Augäpfel stärker waren und die schwarzen, feingezeichneten Augenbraunen höher standen als gewöhnlich. Gekleidet oder vielmehr geputzt war das Dämchen, als käme es soeben vom Ball. Ein prächtiges Diadem blitzte in den schwarzen Haaren, reiche Kanten bedeckten nur halb den vollen Busen, das lila und gelb gegatterte Kleid von schwerer Seide schmiegte sich um den schlanken Leib und fiel nur in Falten so weit herab, daß man die niedlichsten weißbeschuhten Füßchen erblicken konnte, sowie die Spitzenärmel kurz genug waren und die weißen Glacéhandschuhe nur so weit hinaufgingen, um den schönsten Teil des blendenden Arms sehen zu lassen. Ein reiches Halsband, brillantne Ohrgehenke vollendeten den Anzug.

Es konnte nicht fehlen, daß der Buchbinder ebenso bestürzt war als Herr Peregrinus, daß die Kinder von ihren Spielsachen abließen und die fremde Dame angafften mit offnem Munde; wie aber die Weiber am wenigsten über irgend etwas Seltsames, Ungewöhnliches zu erstaunen pflegen und sich überhaupt am geschwindesten fassen, so kam denn auch des Buchbinders Frau zuerst zu Worten und fragte, was der schönen fremden Dame zu Diensten stehe.

Die Dame trat nun vollends in das Zimmer, und diesen Augenblick wollte der beängstete Peregrinus benutzen, um sich schnell davonzumachen; die Dame faßte ihn aber bei beiden Händen, indem sie mit einem süßen Stimmchen lispelte: „So ist das Glück mir doch günstig, so habe ich Sie doch ereilt! – O Peregrin, mein teurer Peregrin, was für ein schönes, heilbringendes Wiedersehen!" –

Damit erhob sie die rechte Hand so, daß sie Peregrins Lippen berührte und er genötigt war, sie zu küssen, unerachtet ihm dabei die kalten Schweißtropfen auf der Stirne standen. – Die Dame ließ nun zwar seine Hände los, und er hätte entfliehen können, aber gebannt fühlte er sich, nicht von der Stelle konnte er weichen, wie ein armes Tierlein, das der Blick der Klapperschlange festgezaubert. – „Lassen Sie", sprach jetzt die Dame, „lassen Sie mich, bester Peregrin, an dem schönen Fest teilnehmen, das Sie mit edlem Sinn, mit zartem innigem Gemüt frommen Kindern bereitet, lassen Sie mich auch etwas dazu beitragen."

Aus einem zierlichen Körbchen, das ihr am Arme hing und das man jetzt erst bemerkte, zog sie nun allerlei artige Spielsachen hervor, ordnete sie mit anmutiger Geschäftigkeit auf dem Tische, führte die Knaben heran, wies jedem, was sie ihm zugedacht, und wußte dabei mit den Kindern so schön zu tun, daß man nichts Lieblicheres sehen konnte. Der Buchbinder glaubte, er läge im Traum, die Frau lächelte aber schalkisch, weil sie überzeugt war, daß es mit dem Herrn Peregrin und der fremden Dame wohl eine besondere Bewandtnis haben müsse.

Während nun die Eltern sich wunderten und die Kinder sich freuten, nahm die fremde Dame Platz auf einem alten gebrechlichen Kanapee und zog den Herrn Peregrinus Tyß, der in der Tat beinahe selbst nicht mehr wußte, ob er diese Person wirklich sei, neben sich nieder. „Mein teurer", begann sie dann leise ihm ins Ohr lispelnd, „mein teurer lieber Freund, wie froh, wie selig fühle ich mich an deiner Seite." – „Aber", stotterte Peregrinus, „aber mein verehrtestes Fräulein" – doch plötzlich kamen, der Himmel weiß wie, die Lippen der fremden Dame den seinigen so nahe, daß, ehe er daran denken konnte, sie zu küssen, sie schon geküßt hatte; und daß er darüber die Sprache aufs neue und gänzlich verlor, ist zu denken.

„Mein süßer Freund", sprach nun die fremde Dame weiter, indem sie dem Peregrinus so nahe auf den Leib rückte, daß nicht viel daran gefehlt, sie hätte sich auf seinen Schoß gesetzt, „mein süßer Freund! ich weiß, was dich bekümmert, ich weiß, was heute abend dein frommes kindliches Gemüt schmerzlich berührt hat. Doch! – sei getrost! – Was du verloren, was du jemals wieder zu erlangen kaum hoffen durftest, das bring ich dir."

Damit holte die fremde Dame aus demselben Körbchen, in dem sich die Spielsachen befunden hatten, eine hölzerne Schachtel hervor und gab sie dem Peregrin in die Hände. Es war die Hirsch- und wilde Schweinsjagd, die er auf dem Weihnachtstische vermißt. Schwer möcht es fallen, die seltsamen Gefühle zu beschreiben, die in Peregrins Innerm sich durchkreuzten.

Hatte die ganze Erscheinung der fremden Dame, aller Anmut und Lieblichkeit unerachtet, dennoch etwas Spukhaftes, das auch andere, die die Nähe eines Frauenzimmers nicht so gescheut als Peregrin, recht durch alle Glieder fröstelnd empfunden haben würden, so mußte ja dem armen, schon genug geängsteten Peregrin ein tiefes Grauen anwandeln, als er gewahrte, daß die Dame von all dem, was er in der tiefsten Einsamkeit begonnen, auf das genaueste unterrichtet war. Und mitten in diesem Grauen wollte sich, wenn er die Augen aufschlug und der siegende Blick der schönsten schwarzen Augen unter den langen seidenen Wimpern hervorleuchtete, wenn er des holden Wesens süßen Atem, die elektrische Wärme ihres Körpers fühlte – doch wollte sich dann in wunderbaren Schauern das namenlose Weh eines unaussprechlichen Verlangens regen, das er noch nicht gekannt! Dann kam ihm zum erstenmal seine ganze Lebensweise, das Spiel mit der Weihnachtsbescherung kindisch und abgeschmackt vor, und er fühlte sich beschämt, daß die Dame darum wußte; und nun war es ihm wieder, als sei das Geschenk der Dame der lebendige Beweis, daß sie ihn verstanden wie niemand sonst auf Erden und daß das innigste tiefste Zartgefühl sie gelenkt, als sie ihn auf diese Weise erfreuen wollen. Er beschloß, die teure Gabe ewig aufzubewahren, nie aus den Händen zu lassen, und drückte, fortgerissen von einem Gefühl, das ihn ganz übermannt, die Schachtel, worin die Hirsch- und wilde Schweinsjagd befindlich, mit Heftigkeit an die Brust. – „Oh", lispelte das Dämchen, „o des Entzückens! – Dich erfreut meine Gabe! o mein herziger Peregrin, so haben mich meine Träume, meine Ahnungen nicht getäuscht!" –

Herr Peregrinus Tyß kam etwas zu sich selbst, so daß er imstande war, sehr deutlich und vernehmlich zu sprechen: „Aber mein bestes, hochverehrtes Fräulein, wenn ich nur in aller Welt wüßte, mit wem ich ich die Ehre hätte –"

„Schalkischer Mann", unterbrach ihn die Dame, indem sie ihm leise die Wange klopfte, „schalkischer Mann, du stellst dich gar, als ob du deine treue Aline nicht kenntest! – Doch es ist Zeit, daß wir hier den guten Leuten freien Spielraum lassen. Begleiten Sie mich, Herr Tyß!" –

Als Peregrinus den Namen Aline hörte, mußte er natürlicherweise an seine alte Aufwärterin denken, und es war ihm nun vollends, als drehe sich in seinem Kopfe eine Windmühle.

Der Buchbinder vermochte, als nun die fremde Dame von ihm, seiner Frau und den Kindern auf das freudigste, anmutigste Abschied nahm, vor lauter Verwunderung und Ehrfurcht nur unverständliches Zeug zu stammeln, die Kinder taten, als seien sie mit der Fremden lange bekannt gewesen; die Frau sprach aber: „Ein solcher schmucker gütiger Herr wie Sie, Herr Tyß, verdient wohl eine so schöne, herzensgute Braut zu haben, die ihm noch in der Nacht Werke der Wohltätigkeit vollbringen hilft. Nun, ich gratuliere von ganzem Herzen!" – Die fremde Dame dankte gerührt, versicherte, daß ihr Hochzeitstag auch ihnen ein Festtag sein solle, verbot dann ernsthaft jede Begleitung und nahm selbst eine kleine Kerze vom Weihnachtstisch, um sich die Treppe hinabzuleuchten.

Man kann denken, wie dem Herrn Tyß, in dessen Arm sich nun die fremde Dame hängte, bei allem dem zumute war! – „Begleiten Sie mich, Herr Tyß", dachte er bei sich, „das heißt die Treppe hinab bis an den Wagen, der vor der Türe hält, und wo der Diener oder vielleicht eine ganze Dienerschaft wartet; denn am Ende ist es irgendeine wahnsinnige Prinzessin, die hier – der Himmel erlöse mich nur bald aus dieser seltsamen Qual und erhalte mir mein bißchen Verstand!" –

Herr Tyß ahnte nicht, daß alles, was bis jetzt geschehen, nur das Vorspiel des wunderlichsten Abenteuers gewesen, und tat ebendeshalb unbewußt sehr wohl daran, den Himmel im voraus um die Erhaltung seines Verstandes zu bitten.

Als das Paar die Treppe herabgekommen, wurde die Haustüre von unsichtbaren Händen auf- und, als Peregrinus mit der Dame hinausgetreten, ebenso wieder zugeschlossen. Peregrinus merkte gar nicht darauf; denn viel zu sehr erstaunte er, als sich vor dem Hause auch nicht die mindeste Spur eines Wagens oder eines wartenden Dieners fand.

„Um des Himmels willen“, rief Peregrinus, „wo ist Ihr Wagen, Gnädigste?“ – „Wagen“, erwiderte die Dame, „Wagen? – was für ein Wagen? Glauben Sie, lieber Peregrinus, daß meine Ungeduld, meine Angst, Sie zu finden, es mir erlaubt haben sollte, mich ganz ruhig hierherfahren zu lassen? Durch Sturm und Wetter bin ich, getrieben von Sehnsucht und Hoffnung, umhergelaufen, bis ich Sie fand. Dem Himmel Dank, daß mir dies gelungen. Führen Sie mich nur jetzt nach Hause, lieber Peregrinus, meine Wohnung ist nicht sehr weit entlegen.“

Herr Peregrinus entschlug sich mit aller Gewalt des Gedankens, wie es ja ganz unmöglich, daß die Dame, geputzt wie sie war, in weißseidnen Schuhen, auch nur wenige Schritte hatte gehen können, ohne den ganzen Anzug im Sturm, Regen und Schnee zu verderben, statt daß man jetzt auch keine Spur irgendeiner Zerrüttung der sorgsamsten Toilette wahrnahm; fand sich darin, die Dame noch weiter zu begleiten, und war nur froh, daß die Witterung sich geändert. Vorüber war das tolle Unwetter, kein Wölkchen am Himmel, der Vollmond schien freundlich herab, und nur die schneidend scharfe Luft ließ die Winternacht fühlen.

Kaum war Peregrinus aber einige Schritte gegangen, als die Dame leise zu wimmern begann, dann aber in laute Klagen ausbrach, daß sie vor Kälte erstarren müsse. Peregrinus, dem das Blut glühendheiß durch die Adern strömte, der deshalb nichts von der Kälte empfunden und nicht daran gedacht, daß die Dame so leicht gekleidet und nicht einmal einen Shawl oder ein Tuch umgeworfen hatte, sah plötzlich seine Tölpelei ein und wollte die Dame in seinen Mantel hüllen. Die Dame wehrte dies indessen ab, indem sie jammerte: „Nein, mein lieber Peregrin! das hilft mir nichts! – Meine Füße – ach meine Füße, umkommen muß ich vor fürchterlichem Schmerz.“ –

Halb ohnmächtig wollte die Dame zusammensinken, indem sie mit ersterbender Stimme rief: „Trage mich, trage mich, mein holder Freund!“ –

Da nahm ohne weiteres Peregrinus das federleichte Dämchen auf den Arm wie ein Kind und wickelte sie sorglich ein in den weiten Mantel. Kaum war er aber eine kleine Strecke mit der süßen Last fortgeschritten, als ihn stärker und stärker der wilde Taumel brünstiger Lust erfaßte. Er bedeckte Nacken, Busen des holden Wesens, das sich fest an seine Brust geschmiegt hatte, mit glühenden Küssen, indem er halb sinnlos fortrannte durch die Straßen. Endlich war es ihm, als erwache er mit einem Ruck aus dem Traum; er befand sich dicht vor einer Haustüre, und aufschauend erkannte er sein Haus auf dem Roßmarkt. Nun erst fiel ihm ein, daß er die Dame ja gar nicht nach ihrer Wohnung gefragt, mit Gewalt nahm er sich zusammen und fragte: „Fräulein! – himmlisches göttliches Wesen, wo wohnen Sie?“ – „Ei“, erwiderte die Dame, indem sie das Köpfchen emporstreckte, „ei, lieber Peregrin, hier, hier in diesem Hause, ich bin ja deine Aline, ich wohne ja bei dir! Laß nur schnell das Haus öffnen.“

„Nein! nimmermehr“, schrie Peregrinus entsetzt, indem er die Dame hinabsinken ließ. „Wie“, rief diese, „wie, Peregrin, du willst mich verstoßen und kennst doch mein fürchterliches Verhängnis und weißt doch, daß ich Kind des Unglücks kein Obdach habe, daß ich elendiglich hier umkommen muß, wenn du mich nicht aufnimmst bei dir wie sonst? – Doch du willst vielleicht, daß ich sterbe – so geschehe es denn! – Trage mich wenigstens an den Springbrunnen, damit man meine Leiche nicht vor deinem Hause finde – ha – jene steinernen Delphine haben vielleicht mehr Erbarmen als du. – Weh mir – weh mir – die Kälte.“ – Die Dame sank ohnmächtig nieder; da faßte Herzensangst und Verzweiflung wie eine Eiszange Peregrins Brust und quetschte sie zusammen. Wild schrie er: „Mag es nun werden, wie es will, ich kann nicht anders!" hob die Leblose auf, nahm sie in seine Arme und zog stark an der Glocke. Schnell rannte Peregrin bei dem Hausknecht vorüber, der die Türe geöffnet, und rief schon auf der Treppe, statt daß er sonst erst oben ganz leise anzupochen pflegte: „Aline – Aline – Licht, Licht!", und zwar so laut, daß der ganze weite Flur widerhallte.

„Wie? – was? – was ist das? – was soll das heißen?" So sprach die alte Aline, indem sie die Augen weit aufriß, als Peregrinus die ohnmächtige Dame aus dem Mantel loswickelte und mit zärtlicher Sorgfalt auf den Sofa legte.

„Geschwind", rief er dann, „geschwind, Aline, Feuer in den Kamin – die Wunderessenz her – Tee – Punsch! – Betten herbei!"

Aline rührte sich aber nicht von der Stelle, sondern blieb, die Dame anstarrend, bei ihrem: „Wie? was? was ist das? was soll das heißen?"

Da sprach Peregrinus von einer Gräfin, vielleicht gar Prinzessin, die er bei dem Buchbinder Lämmerhirt angetroffen, die auf der Straße ohnmächtig geworden, die er nach Hause tragen müssen, und schrie dann, als Aline noch immer unbeweglich blieb, indem er mit dem Fuße stampfte: „Ins Teufels Namen, Feuer sag ich, Tee – Wunderessenz!"

Da flimmerte es aber wie lauter Katzengold in den Augen des alten Weibes, und es war, als leuchte die Nase höher auf in phosphorischem Glanz. Sie holte die große schwarze Dose hervor, schlug auf den Deckel, daß es schallte, und nahm eine mächtige Prise. Dann stemmte sie beide Arme in die Seite und sprach mit höhnischem Ton: „Ei, seht doch, eine Gräfin, eine Prinzessin! die findet man beim armen Buchbinder in der Kalbächer Gasse, die wird ohnmächtig auf der Straße! Ho ho, ich weiß wohl, wo man solche geputzte Dämchen zur Nachtzeit herholt! – Das sind mir schöne Streiche, das ist mir eine saubere Aufführung! – Eine lockere Dirne ins ehrliche Haus bringen und, damit das Maß der Sünden noch voll werde, den Teufel anrufen in der heiligen Christnacht. – Und da soll ich auf meine alten Tage noch die Hand dazu bieten? Nein, mein Herr Tyß, da suchen Sie sich eine andere; mit mir ist es nichts, morgen verlaß ich den Dienst."

Und damit ging die Alte hinaus und schlug die Türe so heftig hinter sich zu, daß alles klapperte und klirrte.

Peregrinus rang die Hände vor Angst und Verzweiflung, keine Spur des Lebens zeigte sich bei der Dame. Doch in dem Augenblick, als Peregrinus in der entsetzlichen Not eine Flasche kölnisches Wasser gefunden und die Schläfe der Dame geschickt damit einreiben wollte, sprang sie ganz frisch und munter von dem Sofa auf und rief: „Endlich – endlich sind wir allein! Endlich, o mein Peregrinus, darf ich es Ihnen sagen, warum ich Sie verfolgte bis in die Wohnung des Buchbinders Lämmerhirt, warum ich Sie nicht lassen konnte in der heutigen Nacht. – Peregrinus! geben Sie mir den Gafangenen heraus, den Sie verschlossen haben bei sich im Zimmer. Ich weiß, daß Sie dazu keinesweges verpflichtet sind, daß das nur von Ihrer Gutmütigkeit abhängt, aber ebenso kenne ich auch Ihr gutes, treues Herz, darum, o mein guter, liebster Peregrin, geben Sie ihn heraus, den Gefangenen!" –

„Was", fragte Peregrinus im tiefsten Staunen, „was für einen Gefangenen? – wer sollte bei mir gefangen sein?"

„Ja", sprach die Dame weiter, indem sie Peregrins Hand ergriff und zärtlich an ihre Brust drückte, „ja, ich muß es bekennen, nur ein großes edles Gemüt gibt Vorteile auf, die ein günstiges Geschick ihm zuführte, und wahr ist es, daß Sie auf manches verzichten, was zu erlangen Ihnen leicht geworden sein würde, wenn Sie den Gefangenen nicht herausgegeben hätten – aber! – bedenken Sie, Peregrin, daß Alinens ganzes Schicksal, ganzes Leben abhängt von dem Besitz dieses Gefangenen, daß –"

„Wollen Sie", unterbrach Peregrinus die Dame, „wollen Sie nicht, englisches Fräulein, daß ich alles für einen Fiebertraum halten, daß ich vielleicht selbst auf der Stelle überschnappen soll, so sagen Sie mir nur, von wem Sie reden, von was für einem Gefangenen." – „Wie", erwiderte die Dame, „Peregrin, ich verstehe Sie nicht, wollen Sie vielleicht gar leugnen, daß er wirklich in Ihre Gefangenschaft geriet? – War ich denn nicht dabei, als er, da Sie die Jagd kauften" – „Wer", schrie Peregrin ganz außer sich, „wer ist der *Er*? – Zum erstenmal in meinem Leben sehe ich Sie, mein Fräulein, wer sind Sie, wer ist der *Er*?"

Da fiel aber die Dame, ganz aufgelöst in Schmerz, dem Peregrin zu Füßen und rief, indem ihr die Tränen reichlich aus den Augen strömten: „Peregrin, sei menschlich, sei barmherzig, gib ihn mir wieder! – gib ihn mir wieder!" Und dazwischen schrie Herr Peregrinus: „Ich werde wahnsinnig – ich werde toll!" –

Plötzlich raffte sich die Dame auf. Sie erschien viel größer als vorher, ihre Augen sprühten Feuer, ihre Lippen bebten, sie rief mit wilder Gebärde: „Ha Barbar! – in dir wohnt kein menschliches Herz – du bist unerbittlich – du willst meinen Tod, mein Verderben – du gibst ihn mir nicht wieder! – Nein – nimmer – nimmer – ha, ich Unglückselige – verloren – verloren." – Und damit stürzte die Dame zum Zimmer hinaus, und Peregrin vernahm, wie sie die Treppe hinablief und ihr kreischender Jammer das ganze Haus erfüllte, bis unten eine Türe heftig zugeschlagen wurde.

Dann war alles totenstill wie im Grabe. –

Zweites Abenteuer

Der Flohbändiger. Trauriges Schicksal der Prinzessin Gamaheh in Famagusta. Ungeschicklichkeit des Genius Thetel und merkwürdige mikroskopische Versuche und Belustigungen. Die schöne Holländerin und seltsames Abenteuer des jungen Herrn George Pepusch, eines gewesenen Jenensers.

Es befand sich zu der Zeit ein Mann in Frankfurt, der die seltsamste Kunst trieb. Man nannte ihn den Flohbändiger und das darum, weil es ihm, gewiß nicht ohne die größeste Mühe und Anstrengung, gelungen, Kultur in diese kleinen Tierchen zu bringen und sie zu allerlei artigen Kunststücken abzurichten.

Zum größten Erstaunen sah man auf einer Tischplatte von dem schönsten weißen, glänzend polierten Marmor Flöhe, welche kleine Kanonen, Pulverkarren, Rüstwagen zogen, andre sprangen daneben her mit Flinten im Arm, Patrontaschen auf dem Rücken, Säbeln an der Seite. Auf das Kommandowort des Künstlers führten sie die schwierigsten Evolutionen aus, und alles schien lustiger und lebendiger wie bei wirklichen großen Soldaten, weil das Marschieren in den zierlichsten Entrechats und Luftsprüngen, das Linksum und Rechtsum aber in anmutigen Pirouetten bestand. Die ganze Mannschaft hatte ein erstaunliches Aplomb, und der Feldherr schien zugleich ein tüchtiger Ballettmeister. Noch beinahe hübscher und wunderbarer waren aber die kleinen goldnen Kutschen, die von vier, sechs, acht Flöhen gezogen wurden. Kutscher und Diener waren Goldkäferlein der kleinsten, kaum sichtbaren Art, was aber drin saß, war nicht recht zu erkennen.

Unwillkürlich wurde man an die Equipage der Fee Mab erinnert, die der wackre Merkutio in Shakespeares „Romeo und Julie" so schön beschreibt, daß man wohl merkt, wie oft sie ihm selbst über die Nase gefahren.

Erst wenn man den ganzen Tisch mit einem guten Vergrößerungsglase überschaute, entwickelte sich aber die Kunst des Flohbändigers in vollem Maße. Denn nun erst zeigte sich die Pracht, die Zierlichkeit der Geschirre, die feine Arbeit der Waffen, der Glanz, die Nettigkeit der Uniformen, und erregte die tiefste Bewunderung. Gar nicht zu begreifen schien es, welcher Instrumente sich der Flohbändiger bedient haben mußte, um gewisse kleine Nebensachen, z. B. Sporn, Rockknöpfe usw., sauber und proportionierlich anzufertigen, und jene Arbeit, die sonst für das Meisterstück des Schneiders galt und die in nichts Geringerem bestand, als einem Floh ein Paar völlig anschließende Reithosen zu liefern, wobei freilich das Anmessen das schwierigste, schien dagegen als etwas ganz Leichtes und Geringes.

Der Flohbändiger hatte unendlichen Zuspruch. Den ganzen Tag wurde der Saal nicht leer von Neugierigen, die den hohen Eintrittspreis nicht scheuten. Auch zur Abendzeit war der Besuch zahlreich, ja beinahe noch zahlreicher, da alsdann auch solche Personen kamen, denen an derlei possierlichen Künsteleien eben nicht viel gelegen, um ein Werk zu bewundern, das dem Flohbändiger ein ganz anderes Ansehen und die wahre Achtung des Naturforschers erwarb. Dies Werk war ein Nachtmikroskop, das wie das Sonnenmikroskop am Tage, einer magischen Laterne ähnlich, den Gegenstand hell erleuchtet mit einer Schärfe und Deutlichkeit auf die weiße Wand warf, die nichts zu wünschen übrigließ. Dabei trieb der Flohbändiger auch noch Handel mit den schönsten Mikroskopen, die man nur finden konnte und die man gern sehr teuer bezahlte. –

Es begab sich, daß ein junger Mensch, George Pepusch geheißen – der geneigte Leser wird ihn bald näher kennenlernen –, Verlangen trug, noch am späten Abend den Flohbändiger zu besuchen. Schon auf der Treppe vernahm er Gezänk, das immer heftiger und heftiger wurde und endlich überging in tolles Schreien und Toben. Sowie nun Pepusch eintreten wollte, sprang die Türe des Saals auf mit Ungestüm, und in wildem Gedränge stürzten die Menschen ihm entgegen, totenbleiches Entsetzen in den Gesichtern.

„Der verfluchte Hexenmeister, der Satanskerl! beim hohen Rat will ich ihn angeben! aus der Stadt soll er, der betrügerische Taschenspieler!“ – So schrien die Leute durcheinander und suchten, von Furcht und Angst gehetzt, so schnell als möglich aus dem Hause zu kommen.

Ein Blick in den Saal verriet dem jungen Pepusch sogleich die Ursache des fürchterlichen Entsetzens, das die Leute fortgetrieben. Alles lebte darin, ein ekelhaftes Gewirr der scheußlichsten Kreaturen erfüllte den ganzen Raum. Das Geschlecht der Pucerons, der Käfer, der Spinnen, der Schlammtiere, bis zum Übermaß vergrößert, streckte seine Rüssel aus, schritt daher auf hohen, haarichten Beinen, und die greulichen Ameisenräuber faßten, zerquetschten mit ihren zackichten Zangen die Schnakken, die sich wehrten und um sich schlugen mit den langen Flügeln, und dazwischen wanden sich Essigschlangen, Kleisteraale, hundertarmige Polypen durcheinander, und aus allen Zwischenräumen guckten Infusionstiere mit verzerrten menschlichen Gesichtern. Abscheulicheres hatte Pepusch nie geschaut.

Er wollte eben ein tiefes Grauen verspüren, als ihm etwas Rauhes ins Gesicht flog und er sich eingehüllt sah in eine Wolke dicken Mehlstaubs. Darüber verging ihm aber das Grauen, denn er wußte sogleich, daß das rauhe Ding nichts anders sein konnte als die runde gepuderte Perücke des Flohbändigers, und das war es auch in der Tat.

Als Pepusch sich den Puder aus den Augen gewischt, war das tolle widrige Insektenvolk verschwunden. Der Flohbändiger saß ganz erschöpft im Lehnstuhl. „Leuwenhoek“, so rief ihm Pepusch entgegen, „Leuwenhoek, seht Ihr nun wohl, was bei Euerm Treiben herauskommt? – Da habt Ihr wieder zu Euern Vasallen Zuflucht nehmen müssen, um Euch die Leute vom Leibe zu halten! – Ist's nicht so?“

„Seid Ihr's“, sprach der Flohbändiger mit matter Stimme, „seid Ihr's, guter Pepusch? – Ach! mit mir ist es aus, rein aus, ich bin ein verlorner Mann! Pepusch, ich fange an zu glauben, daß Ihr es wirklich gut mit mir gemeint habt und daß ich nicht gut getan, auf Eure Warnungen nichts zu geben.“ Als nun Pepusch ruhig fragte, was sich denn begeben, drehte sich der Flohbändiger mit seinem Lehnstuhl nach der Wand, hielt beide Hände vors Gesicht und rief weinerlich dem Pepusch zu, er möge nur eine Lupe zur Hand nehmen und die Marmortafel des Tisches anschauen. Schon mit unbewaffnetem Auge gewahrte Pepusch, daß die kleinen Kutschen, die Soldaten usw. tot da standen und lagen, daß sich nichts mehr regte und bewegte. Die kunstfertigen Flöhe schienen auch eine ganz andre Gestalt angenommen zu haben. Mittelst der Lupe entdeckte nun aber Pepusch sehr bald, daß kein einziger Floh mehr vorhanden, sondern daß das, was er dafür gehalten, schwarze Pfefferkörner und Obstkerne waren, die in den Geschirren, in den Uniformen steckten.

„Ich weiß“, begann nun der Flohbändiger ganz wehmütig und zerknirscht, „ich weiß gar nicht, welcher böse Geist mich mit Blindheit schlug, daß ich die Desertion meiner Mannschaft nicht eher bemerkte, als bis alle Leute an den Tisch getreten waren und sich gerüstet hatten zum Schauen. – Ihr könnet denken, Pepusch, wie die Leute, als sie sich getäuscht sahen, erst murrten und dann ausbrachen in lichterlohen Zorn. Sie beschuldigten mich des schnödesten Betruges und wollten mir, da sie sich immer mehr erhitzten und keine Entschuldigung mehr hörten, zu Leibe, um selbst Rache zu nehmen. Was konnt ich, um einer Tracht Schläge zu entgehen, Besseres tun, als sogleich das große Mikroskop in Bewegung setzen und die Leute ganz einhüllen in Kreaturen, vor denen sie sich entsetzten, wie das dem Pöbel eigen." –

„Aber", fragte Pepusch, „aber sagt mir nur, Leuwenhoek, wie es geschehen konnte, daß Euch Eure wohlexerzierte Mannschaft, die so viel Treue bewiesen, plötzlich auf und davon gehen konnte, ohne daß Ihr es sogleich gewahr wurdet?"

„Oh", jammerte der Flohbändiger, „o Pepusch! *er* hat mich verlassen, *er*, durch den allein ich Herrscher war, und *er* ist es, dessen bösem Verrat ich meine Blindheit, all mein Unglück zuschreibe."

„Hab ich", erwiderte Pepusch, „hab ich Euch nicht schon längst gewarnt, Eure Sache nicht auf Künsteleien zu stellen, die Ihr, ich weiß es, ohne den Besitz des Meisters nicht vollbringen könnet? Und wie dieser Besitz aller Mühe unerachtet doch auf dem Spiele steht, habt Ihr eben jetzt erfahren." – Pepusch gab nun ferner dem Flohbändiger zu erkennen, wie er ganz und gar nicht begreife, daß, müsse er jene Künsteleien aufgeben, dies sein Leben so verstören könne, da die Erfindung des Nachtmikroskops sowie überhaupt seine Geschicklichkeit im Verfertigen mikroskopischer Gläser ihn längstens festgestellt. Der Flohbändiger versicherte aber dagegen, daß ganz andere Dinge in jenen Künsteleien lägen und daß er sie nicht aufgeben könne, ohne sich selbst, seine ganze Existenz aufzugeben.

„Wo ist aber Dörtje Elverdink?" – So fragte Pepusch, den Flohbändiger unterbrechend. „Wo sie ist", kreischte der Flohbändiger, indem er die Hände rang, „wo Dörtje Elverdink ist? – Fort ist sie, fort in alle Welt – verschwunden. – Schlagt mich nur gleich tot, Pepusch, denn ich sehe schon, wie Euch immer mehr der Zorn kommt und die Wut. – Macht es kurz mit mir!" –

„Da seht", sprach Pepusch mit finsterm Blick, „da seht Ihr

nun, was aus Eurer Torheit, aus Euerm albernen Treiben herauskommt. – Wer gab Euch das Recht, die arme Dörtje einzusperren wie eine Sklavin und dann wieder, um nur Leute anzulocken, sie im Prunk auszustellen wie ein naturhistorisches Wunder? – Warum tatet Ihr Gewalt an ihrer Neigung und ließet es nicht zu, daß sie mir die Hand gab, da Ihr doch bemerken mußtet, wie innig wir uns liebten? – Entflohen ist sie? – Nun gut, so ist sie wenigstens nicht mehr in Eurer Gewalt, und weiß ich auch in diesem Augenblick nicht, wo ich sie suchen soll, so bin ich doch überzeugt, daß ich sie finden werde. Da, Leuwenhoek, setzt die Perücke auf und ergebt Euch in Euer Geschick; das ist das Beste und Geratenste, was Ihr jetzt tun könnet."

Der Flohbändiger stutzte mit der linken Hand die Perücke auf das kahle Haupt, während er mit der rechten Pepusch beim Arm ergriff. „Pepusch", sprach er, „Pepusch, Ihr seid mein wahrer Freund; denn Ihr seid der einzige Mensch in der ganzen Stadt Frankfurt, welcher weiß, daß ich begraben liege in der alten Kirche zu Delft seit dem Jahre Eintausendsiebenhundertundfünfundzwanzig, und habt es doch noch niemandem verraten, selbst wenn Ihr auf mich zürntet wegen der Dörtje Elverdink. – Will es mir auch zuweilen nicht recht in den Kopf, daß ich wirklich jener Anton van Leuwenhoek bin, den man in Delft begraben, so muß ich es denn doch, betrachte ich meine Arbeiten und bedenke ich mein Leben, wiederum glauben, und es ist mir deshalb sehr angenehm, daß man davon überhaupt gar nicht spricht. – Ich sehe jetzt ein, liebster Pepusch, daß ich, was die Dörtje Elverdink betrifft, nicht recht gehandelt habe, wiewohl auf ganz andere Weise, als Ihr wohl meinen möget. Recht tat ich nämlich daran, daß ich Eure Bewerbungen für ein törichtes zweckloses Streben erklärte, unrecht aber, daß ich nicht ganz offenherzig gegen Euch war, daß ich Euch nicht sagte, was es mit der Dörtje Elverdink eigentlich für eine Bewandtnis hat. Eingesehen hättet Ihr dann, wie löblich es war, Euch Wünsche aus dem Sinn zu reden, deren Erfüllung nicht anders als verderblich sein konnte. – Pepusch! setzt Euch zu mir und vernehmt eine wunderbare Historie!"

„Das kann ich wohl tun“, erwiderte Pepusch mit giftigem Blick, indem er Platz nahm auf einem gepolsterten Lehnstuhl, dem Flohbändiger gegenüber. „Da“, begann der Flohbändiger, „da Ihr, mein lieber Freund Pepusch, in der Geschichte wohl bewandert seid, so wißt Ihr ohne Zweifel, daß der König Sekakis viele Jahre hindurch mit der Blumenkönigin im vertraulichen Verhältnis lebte und daß die schöne, anmutige Prinzessin Gamaheh die Frucht dieser Liebe war. Weniger bekannt dürft es sein, und auch ich kann es Euch nicht sagen, auf welche Weise Prinzessin Gamaheh nach Famagusta kam. Manche behaupten, und nicht ohne Grund, daß die Prinzessin in Famagusta sich verbergen sollte vor dem widerlichen Egelprinzen, dem geschwornen Feinde der Blumenkönigin.

Genug! – in Famagusta begab es sich, daß die Prinzessin einst in der erfrischenden Kühle des Abends lustwandelte und in ein dunkles anmutiges Zypressenwäldchen geriet. Verlockt von dem lieblichen Säuseln des Abendwindes, dem Murmeln des Bachs, dem melodischen Gezwitscher der Vögel, streckte die Prinzessin sich hin in das weiche duftige Moos und fiel bald in tiefen Schlaf. Gerade *der* Feind, dem sie hatte entgehen wollen, der häßliche Egelprinz streckte aber sein Haupt empor aus dem Schlammwasser, erblickte die Prinzessin und verliebte sich in die schöne Schläferin dermaßen, daß er dem Verlangen, sie zu küssen, nicht widerstehen konnte. Leise kroch er heran und küßte sie hinter das linke Ohr. Nun wißt Ihr aber wohl, Freund Pepusch, daß die Dame, die der Egelprinz zu küssen sich unterfängt, verloren, denn er ist der ärgste Blutsauger von der Welt. So geschah es denn auch, daß der Egelprinz die arme Prinzessin so lange küßte, bis alles Leben aus ihr geflohen war. Da fiel er ganz übersättigt und trunken ins Moos und mußte von seinen Dienern, die sich schnell aus dem Schlamm hinanwälzten, nach Hause gebracht werden. – Vergebens arbeitete sich die Wurzel Mandragora aus der Erde hervor, legte sich auf die Wunde, die der heimtückische Egelprinz der Prinzessin geküßt, vergebens erhoben sich auf das Wehgeschrei der Wurzel alle Blumen und stimmten ein in die trostlose Klage! Da geschah es, daß der Genius Thetel gerade des Weges kam; auch er wurde tief gerührt von Gamahehs Schönheit und ihrem unglücklichen Tode. Er nahm die Prinzessin in die Arme, drückte sie an seine Brust, mühte sich, ihr Leben einzuhauchen mit seinem Atem, aber sie erwachte nicht aus dem Todesschlaf. Da erblickte der Genius Thetel den abscheulichen Egelprinzen, den (so schwerfällig und trunken war er) die Diener nicht hatten hinunterschaffen können in den Palast, entbrannte in Zorn und warf eine ganze Faust voll Kristallsalz dem häßlichen Feinde auf den Leib, so daß er sogleich allen purpurnen Ichor, den er der Prinzessin Gamaheh ausgesogen, ausströmte und dann seinen Geist aufgab unter vielen Zuckungen und Grimassen, auf elendigliche Weise. Alle Blumen, die ringsum standen, tauchten aber ihre Kleider in diesen Ichor und färbten sie zum ewigen Andenken der ermordeten Prinzessin in ein solches herrliches Rot, wie es kein Maler auf Erden herauszubringen vermag.– Ihr wißt, Pepusch, daß die schönsten dunkelroten Nelken, Amaryllen und Cheiranthen eben aus jenem Zypressenwäldchen, wo der Egelprinz die schöne Gamaheh totküßte, herstammen. Der Genius Thetel wollte forteilen, da er noch vor Einbruch der Nacht in Samarkand viel zu tun hatte; noch einen Blick warf er aber auf die Prinzessin, blieb festgezaubert stehen und betrachtete sie mit der innigsten Wehmut. Da kam ihm plötzlich ein Gedanke. Statt weiter zu gehen, nahm er die Prinzessin in die Arme und schwang sich mit ihr hoch auf in die Lüfte. – Zu derselben Zeit beobachteten zwei weise Männer, von denen einer, nicht verschwiegen sei es, ich selbst war, auf der Galerie eines hohen Turmes den Lauf der Gestirne. Diese gewahrten hoch über sich den Genius Thetel mit der Prinzessin Gamaheh, und in demselben Augenblick fiel auch dem einen – doch! das gehört für jetzt nicht zur Sache! – Beide Magier hatten zwar den Genius Thetel erkannt, nicht aber die Prinzessin und erschöpften sich in allerlei Vermutungen, was die Erscheinung wohl zu bedeuten, ohne irgend etwas Gewisses oder auch nur Wahrscheinliches ergrübeln zu können. Bald darauf wurde aber das unglückliche Schicksal der Prinzessin Gamaheh in Famagusta allgemein bekannt, und nun wußten auch die Magier sich die Erscheinung des Genius Thetel mit dem Mädchen im Arm zu erklären.

Beide vermuteten, daß der Genius Thetel gewiß noch ein Mittel gefunden haben müsse, die Prinzessin ins Leben zurückzurufen, und beschlossen in Samarkand Nachfrage zu halten, wohin er, ihrer Beobachtung nach, offenbar seinen Flug gerichtet hatte. In Samarkand war aber von der Prinzessin alles stille, niemand wußte ein Wort.

Viele Jahre waren vergangen, die beiden Magier hatten sich entzweit, wie es wohl unter gelehrten Männern desto öfter zu geschehen pflegt, je gelehrter sie sind, und nur noch die wichtigsten Entdeckungen teilten sie sich aus alter eiserner Gewohnheit einander mit. – Ihr habt nicht vergessen, Pepusch, daß ich selbst einer dieser Magier bin. – Also, nicht wenig erstaunte ich über eine Mitteilung meines Kollegen, die über die Prinzessin Gamaheh das Wunderbarste und zugleich Glückseligste enthielt, was man nur hätte ahnen können. Die Sache verhielt sich folgendergestalt: Mein Kollege hatte durch einen wissenschaftlichen Freund aus Samarkand die schönsten und seltensten Tulpen und so vollkommen frisch erhalten, als seien sie eben vom Stengel geschnitten. Es war ihm vorzüglich um die mikroskopische Untersuchung der innern Teile und zwar des Blumenstaubes zu tun. Er zergliederte deshalb eine schöne lila und gelb gefärbte Tulpe und entdeckte mitten in dem Kelch ein kleines fremdartiges Körnlein, welches ihm auffiel in ganz besonderer Weise. Wie groß war aber seine Verwunderung, als er mittelst Anwendung des Suchglases deutlich gewahrte, daß das kleine Körnlein nichts anders als die Prinzessin Gamaheh, die, in den Blumenstaub des Tulpenkelchs gebettet, ruhig und süß zu schlummern schien.

Solch eine weite Strecke mich auch von meinem Kollegen trennen mochte, dennoch setzte ich mich augenblicklich auf und eilte zu ihm hin. Er hatte indessen alle Operationen beiseite gestellt, um mir das Vergnügen des ersten Anblicks zu gönnen, wohl auch aus Furcht, ganz nach eignem Kopf handelnd, etwas zu verderben. Ich überzeugte mich bald von der vollkommenen Richtigkeit der Beobachtung meines Kollegen und war auch ebenso wie er des festen Glaubens, daß es möglich sein müsse, die Prinzessin dem Schlummer zu entreißen und ihr die vorige Gestalt wiederzugeben. Der uns inwohnende sublime Geist ließ uns bald die richtigen Mittel finden. – Da Ihr, Freund Pepusch, sehr wenig, eigentlich gar nichts von unserer Kunst verstehet, so würde es höchst überflüssig sein, Euch die verschiedenen Operationen zu beschreiben, die wir nun vornahmen, um zu unserm Zweck zu gelangen. Es genügt, wenn ich Euch sage, daß es uns mittelst des geschickten Gebrauchs verschiedener Gläser, die ich meistenteils selbst präparierte, glückte, nicht allein die Prinzessin unversehrt aus dem Blumenstaub hervorzuziehen, sondern auch ihr Wachstum in der Art zu befördern, daß sie bald zu ihrer natürlichen Größe gelangt war. – Nun fehlte freilich noch das Leben, und ob ihr dieses zu verschaffen möglich, das hing von der letzten und schwierigsten Operation ab. – Wir reflektierten ihr Bild mittelst eines herrlichen Kuffischen Sonnenmikroskops und lösten dieses Bild geschickt los von der weißen Wand, welches ohne allen Schaden vonstatten ging. Sowie das Bild frei schwebte, fuhr es wie ein Blitz in das Glas hinein, welches in tausend Stücken zersplitterte. Die Prinzessin stand frisch und lebendig vor uns. Wir jauchzten auf vor Freude, aber auch um so größer war unser Entsetzen, als wir bemerkten, daß der Umlauf des Bluts gerade da stockte, wo der Egelprinz sich angeküßt hatte. Schon wollte sie ohnmächtig hinsinken, als wir eben an der Stelle hinter dem linken Ohr einen kleinen schwarzen Punkt erscheinen und ebenso schnell wieder verschwinden sahen. Die Stockung des Bluts hörte sogleich auf, die Prinzessin erholte sich wieder, und unser Werk war gelungen.

Jeder von uns, ich und mein Herr Kollege, wußte recht gut, welch unschätzbaren Wert der Besitz der Prinzessin für ihn haben mußte, und jeder strebte darnach, indem er größeres Recht zu haben glaubte als der andere. Mein Kollege führte an, daß die Tulpe, in deren Kelch er die Prinzessin gefunden, sein Eigentum gewesen und daß er die erste Entdeckung gemacht, die er mir mitgeteilt, so daß ich nur als Hilfeleistender zu betrachten, der das Werk selbst, bei dem er geholfen, nicht als Lohn der Arbeit verlangen könne. Ich dagegen berief mich darauf, daß ich die letzte, schwierigste Operation, wodurch die Prinzessin zum Leben gelangt, erfunden und bei der Ausführung mein Kollege nur geholfen, weshalb, habe er auch Eigentumsansprüche auf den Embryo im Blumenstaub gehabt, mir doch die lebendige Person gehöre. Wir zankten uns mehrere Stunden, bis endlich, als wir uns die Kehlen heiser geschrien hatten, ein Vergleich zustande kam. Der Kollege überließ mir die Prinzessin, wogegen ich ihm ein sehr wichtiges, geheimnisvolles Glas einhändigte. Eben dieses Glas ist aber die Ursache unserer jetzigen gänzlichen Verfeindung. Mein Kollege behauptet nämlich, ich habe das Glas betrügerischerweise unterschlagen; dies ist aber eine grobe, unverschämte Lüge, und wenn ich auch wirklich weiß, daß ihm das Glas bei der Aushändigung abhanden gekommen ist, so kann ich doch auf Ehre und Gewissen beteuern, daß ich nicht schuld daran bin, auch durchaus nicht begreife, wie das hat geschehen können. Das Glas ist nämlich gar nicht so klein, da ein Pulverkorn nur höchstens achtmal größer sein mag. – Seht, Freund Pepusch, nun habe ich Euch mein ganzes Vertrauen geschenkt, nun wißt Ihr, daß Dörtje Elverdink keine andere ist als eben die ins Leben zurückgerufene Prinzessin Gamaheh, nun seht Ihr ein, daß ein schlichter junger Mann wie Ihr wohl auf solch eine hohe mystische Verbindung keinen –"

„Halt", unterbrach George Pepusch den Flohbändiger, indem er ihn etwas satanisch anlächelte, „halt, ein Vertrauen ist des andern wert, und so will ich Euch meinerseits denn vertrauen, daß ich das alles, was Ihr mir da erzählt habt, schon viel früher und besser wußte als Ihr. Nicht genug kann ich mich über Eure Beschränktheit, über Eure alberne Anmaßung verwundern. – Vernehmt, was Ihr längst erkennen müßtet, wäre es außer dem, was die Glasschleiferei betrifft, mit Eurer Wissenschaft nicht so schlecht bestellt, vernehmt, daß ich selbst die Distel Zeherit bin, welche dort stand, wo die Prinzessin Gamaheh ihr Haupt niedergelegt hatte, und von der Ihr gänzlich zu schweigen für gut befunden habt."

„Pepusch", rief der Flohbändiger, „seid Ihr bei Sinnen? Die

Distel Zeherit blüht im fernen Indien, und zwar in dem schönen, von hohen Bergen umschlossenen Tale, wo sich zuweilen die weisesten Magier der Erde zu versammeln pflegen. Der Archivarius Lindhorst kann Euch darüber am besten belehren. Und Ihr, den ich hier im Polröckchen zum Schulmeister laufen gesehen, den ich als vor lauter Studieren und Hungern vermagerten, vergelbten Jenenser gekannt, Ihr wollt die Distel Zeherit sein? – Das macht einem andern weis, aber mich laßt damit in Ruhe."

„Was Ihr", sprach Pepusch lachend, „was Ihr doch für ein weiser Mann seid, Leuwenhoek. Nun! haltet von meiner Person, was Ihr wollt, aber seid nicht albern genug, zu leugnen, daß die Distel Zeherit in dem Augenblick, da sie Gamahehs süßer Atem traf, in glühender Liebe und Sehnsucht erblühte und daß, als sie die Schläfe der holden Prinzessin berührte, diese auch süß träumend in Liebe kam. Zu spät gewahrte die Distel den Egelprinzen, den sie sonst mit ihren Stacheln augenblicklich getötet hätte. Doch wär es ihr mit Hilfe der Wurzel Mandragora gelungen, die Prinzessin wieder in das Leben zurückzubringen, kam nicht der tölpische Genius Thetel dazwischen mit seinen ungeschickten Rettungsversuchen. – Wahr ist es, daß Thetel im Zorn in die Salzmeste griff, die er auf Reisen gewöhnlich am Gürtel zu tragen pflegt, wie Pantagruel seine Gewürzbarke, und eine tüchtige Hand voll Salz nach dem Egelprinzen warf, ganz falsch aber, daß er ihn dadurch getötet haben sollte. Alles Salz fiel in den Schlamm, nicht ein einziges Körnlein traf den Egelprinzen, den die Distel Zeherit mit ihren Stacheln tötete, so den Tod der Prinzessin rächte und sich dann selbst dem Tode weihte. Bloß der Genius Thetel, der sich in Dinge mischte, die ihn nichts angingen, ist daran schuld, daß die Prinzessin so lange im Blumenschlaf liegen mußte; die Distel Zeherit erwachte viel früher. Denn beider Tod war nur die Betäubung des Blumenschlafs, aus der sie ins Leben zurückkehren durften, wiewohl in anderer Gestalt. Das Maß Eures gröblichen Irrtums würdet Ihr nämlich vollmachen, wenn Ihr glauben solltet, daß die Prinzessin Gamaheh völlig so gestaltet war, als es jetzt Dörtje Elverdink ist, und daß Ihr es waret, der ihr das Leben wiedergab. Es ging Euch so, mein guter Leuwenhoek, wie dem ungeschickten Diener in der wahrhaft merkwürdigen Geschichte von den drei Pomeranzen, der zwei Jungfrauen aus den Pomeranzen befreite, ohne sich vorher des Mittels versichert zu haben, sie am Leben zu erhalten, und die dann vor seinen Augen elendiglich umkamen. – Nicht Ihr, nein jener, der Euch entlaufen, dessen Verlust Ihr so hart fühlt und bejammert, der war es, der das Werk vollendete, welches Ihr ungeschickt genug begonnen."

„Ha", schrie der Flohbändiger ganz außer sich, „ha, meine Ahnung! – Aber Ihr, Pepusch, Ihr, dem ich so viel Gutes erzeigt, Ihr seid mein ärgster, schlimmster Feind, das sehe ich nun wohl ein. Statt mir zu raten, statt mir beizustehen in meinem Unglück, tischt Ihr mir allerlei unziemliche Narrenspossen auf." – „Die Narrenspossen auf Euern Kopf", schrie Pepusch ganz erbost, „zu spät werdet Ihr Eure Torheit bereuen, einbildischer Charlatan! – Ich gehe, Dörtje Elverdink aufzusuchen. – Doch damit Ihr nicht mehr ehrliche Leute vexiert –"

Pepusch faßte nach der Schraube, die das ganze mikroskopische Maschinenwerk in Bewegung setzte. „Bringt mich nur gleich ums Leben!" kreischte der Flohbändiger; doch in dem Augenblick krachte auch alles zusammen, und ohnmächtig stürzte der Flohbändiger zu Boden. –

„Wie mag es", sprach George Pepusch zu sich selbst, als er auf der Straße war, „wie mag es geschehen, daß einer, der über ein hübsches warmes Zimmer, über ein wohlaufgeklopftes Bett gebietet, sich zur Nachtzeit in dem ärgsten Sturm und Regen auf den Straßen herumtreibt?" – „Wenn er den Hausschlüssel vergessen, und wenn überdem Liebe, törichtes Verlangen ihn jagt." So mußte er sich selbst antworten. – Töricht kam ihm nämlich jetzt sein ganzes Beginnen vor. – Er erinnerte sich des Augenblicks, als er Dörtje Elverdink zum erstenmal gesehen. – Vor mehreren Jahren zeigte nämlich der Flohbändiger seine Kunststückchen in Berlin und hatte nicht geringen Zuspruch, so lange die Sache neu blieb. Bald hatte man sich aber an den kultivierten und exerzierten Flöhen satt gesehen, man hielt nun nicht einmal die Schneider-, Riemer-, Sattler-, Waffenarbeit zum

Gebrauch der kleinen Personen für so gar bewundrungswürdig, unerachtet man erst von Unbegreiflichkeit, zauberischem Wesen gesprochen, und der Flohbändiger schien ganz in Vergessenheit zu geraten. Bald hieß es aber, daß eine Nichte des Flohbändigers, die sonst noch gar nicht zum Vorschein gekommen, jetzt den Vorstellungen beiwohne. Diese Nichte sei aber solch ein schönes, anmutiges Mädchen und dabei so allerliebst geputzt, daß es gar nicht zu sagen. Die bewegliche Welt der jungen modernen Herren, welche als tüchtige Konzertmeister in der Sozietät Ton und Takt anzugeben pflegen, strömte hin, und weil in dieser Welt nur die Extreme gelten, so weckte des Flohbändigers Nichte ein nie gesehenes Wunder. – Bald war es Ton, den Flohbändiger zu besuchen; wer seine Nichte nicht gesehen, durfte nicht mitsprechen, und so war dem Manne geholfen. Kein Mensch konnte sich übrigens in den Vornamen „Dörtje" finden, und da gerade zu der Zeit die herrliche Bethmann in der Rolle der Königin von Golkonda alle hohe Liebenswürdigkeit, alle hinreißende Anmut, alle weibliche Zartheit entwickelte, die dem Geschlecht nur eigen, und ein Ideal des unnennbaren Zaubers schien, mit dem ein weibliches Wesen alles zu entzücken vermag, so nannte man die Holländerin „Aline".

Zu der Zeit kam George Pepusch nach Berlin, Leuwenhoeks schöne Nichte war das Gespräch des Tages, und so wurde auch an der Wirtstafel des Hotels, in dem Pepusch sich einlogiert, beinahe von nichts anderm gesprochen als von dem kleinen reizenden Wunder, das alle Männer, jung und alt, ja selbst die Weiber entzückte. Man drang in Pepusch, sich nur gleich auf die höchste Spitze alles jetzigen Treibens in Berlin zu stellen und die schöne Holländerin zu sehen. – Pepusch hatte ein reizbares melancholisches Temperament; in jedem Genuß spürte er zu sehr den bittern Beigeschmack, der freilich aus dem schwarzen stygischen Bächlein kommt, das durch unser ganzes Leben rinnt, und das machte ihn finster, in sich gekehrt, ja oft ungerecht gegen alles, was ihn umgab. Man kann denken, daß auf diese Weise Pepusch wenig aufgelegt war, hübschen Mädchen nachzulaufen; er ging aber dennoch zu dem Flohbändiger, mehr um seine vorgefaßte Meinung, daß auch hier, wie so oft im Leben, nur ein seltsamer Wahn spuke, bewährt zu sehen, als des gefährlichen Wunders halber. Er fand die Holländerin gar hübsch, anmutig, angenehm, indem er sie aber betrachtete, mußte er selbstgefällig seine Sagazität belächeln, vermöge der er schon erraten, daß die Köpfe, welche die Kleine vollends verdreht hatte, schon von Haus aus ziemlich wackelicht gewesen sein mußten.

Die Schöne hatte den leichten, ungezwungenen Ton, der von der feinsten sozialen Bildung zeugt, ganz in ihrer Gewalt; mit jener liebenswürdigen Koketterie, die dem, dem sie vertraulich die Fingerspitze hinreicht, zugleich den Mut benimmt, sie zu erfassen, wußte das kleine holde Ding die sie von allen Seiten Bestürmenden ebenso anzuziehen als in den Grenzen des zartesten Anstandes zu erhalten.

Niemand kümmerte sich um den fremden Pepusch, der Muße genug fand, die Schöne in ihrem ganzen Tun und Wesen zu beobachten. Indem er aber länger und länger ihr in das holde Gesichtchen guckte, regte sich in dem tiefsten Hintergrunde des inneren Sinnes eine dumpfe Erinnerung, als habe er die Holländerin irgendwo einmal gesehen, wiewohl in ganz andern Umgebungen und anders gekleidet, sowie es ihm war, als sei auch er damals ganz anders gestaltet gewesen. Vergebens quälte er sich ab, diese Erinnerungen zu irgendeiner Deutlichkeit zu bringen; wiewohl der Gedanke, daß er die Kleine wirklich schon gesehen, immer mehr an Festigkeit gewann. Das Blut stieg ihm ins Gesicht, als ihn endlich jemand leise anstieß und ihm ins Ohr lispelte: „Nicht wahr, Herr Philosoph, auch Sie hat der Blitzstrahl getroffen?“ Es war sein Nachbar von der Wirtstafel her, dem er geäußert hatte, daß er die Ekstase, in die alles versetzt sei, für einen seltsamen Wahnsinn halte, der ebenso schnell dahinschwinde, als er entstehe. – Pepusch bemerkte, daß, während er die Kleine unverwandten Auges angestarrt, der Saal leer geworden, so daß eben die letzten Personen davonschritten. Erst jetzt schien die Holländerin ihn zu gewahren; sie grüßte ihn mit anmutiger Freundlichkeit.

Pepusch wurde die Holländerin nicht los; er marterte sich ab in der schlaflosen Nacht, um nur auf die Spur jener Erinnerung zu kommen, indessen vergebens. Der Anblick der Schönen könnte allein ihn auf jene Spur bringen, so dachte er ganz richtig und unterließ nicht, gleich andern Tages und dann alle folgenden Tage zum Flohbändiger zu wandern und zwei – drei Stunden die hübsche Dörtje Elverdink anzustarren. –

Kann der Mann den Gedanken an ein liebenswürdiges Frauenzimmer, das seine Aufmerksamkeit erregte auf diese, jene Weise, nicht los werden, so ist das für ihn der erste Schritt zur Liebe, und so kam es denn auch, daß Pepusch in dem Augenblick, als er bloß jener dunklen Erinnerung nachzugrübeln glaubte, in die schöne Holländerin schon ganz verliebt war.

Wer wollte sich jetzt noch um die Flöhe kümmern, über die die Holländerin, alles an sich ziehend, den glänzendsten Sieg davongetragen hatte? Der Flohbändiger fühlte selbst, daß er mit seinen Flöhen eine etwas alberne Rolle spiele; er sperrte daher seine Mannschaft bis auf andere Zeiten ein und gab mit vielem Geschick seinem Schauspiel eine andere Gestalt, der schönen Nichte aber die Hauptrolle.

Der Flohbändiger hatte nämlich den glücklichen Gedanken gefaßt, Abendunterhaltungen anzuordnen, auf die man sich mit einer ziemlich hohen Summe abonnierte und in denen, nachdem er einige artige optische Kunststücke gezeigt, die fernere Unterhaltung der Gesellschaft seiner Nichte oblag. – In vollem Maße ließ die Schöne ihr soziales Talent glänzen, dann nützte sie aber die kleinste Stockung, um durch Gesang, den sie selbst auf der Guitarre begleitete, der Gesellschaft einen neuen Schwung zu geben. Ihre Stimme war nicht stark, ihre Methode nicht grandios, oft wider die Regel, aber der süße Ton, die Klarheit, Nettigkeit ihres Gesanges entsprach ganz ihrem holden Wesen, und vollends wenn sie unter den schwarzen seidnen Wimpern den schmachtenden Blick wie feuchten Mondesstrahl hineinleuchten ließ unter die Zuhörer, da wurde jedem die Brust enge, und selbst der Tadel des eigensinnigsten Pedanten mußte verstummen. –

Pepusch setzte in diesen Abendunterhaltungen sein Studium eifrig fort, das heißt, er starrte zwei Stunden lang die Holländerin an und verließ dann mit den übrigen den Saal.

Einmal stand er der Holländerin näher als gewöhnlich und hörte deutlich, wie sie zu einem jungen Manne sprach: „Sagen Sie mir, wer ist dieses leblose Gespenst, das mich jeden Abend stundenlang anstarrt und dann lautlos verschwindet?"

Pepusch fühlte sich tief verletzt, tobte und lärmte auf seinem Zimmer, stellte sich so ungebärdig, daß kein Freund ihn in diesem tollen Wesen wiedererkannt haben würde. Er schwur hoch und teuer, die boshafte Holländerin niemals wiederzusehen, unterließ aber nicht, gleich am andern Abend sich zur gewöhnlichen Stunde bei Leuwenhoek einzufinden und womöglich die schöne Dörtje mit noch erstarrterem Blick anzugaffen. Schon auf der Treppe war er freilich darüber sehr erschrocken, daß er eben die Treppe hinaufstieg, und hatte in aller Schnelligkeit den weisen Vorsatz gefaßt, sich wenigstens von dem verführerischen Wesen ganz entfernt zu halten. Diesen Vorsatz führte er auch wirklich aus, indem er sich in einen Winkel des Saals verkroch; der Versuch, die Augen niederzuschlagen, mißglückte aber durchaus, und wie gesagt, noch starrer als sonst schaute er der Holländerin in die Augen.

Selbst wußte er nicht, wie es geschah, daß Dörtje Elverdink plötzlich in seinem Winkel dicht neben ihm stand.

Mit einem Stimmlein, das süßlispelnde Melodie war, sprach die Holde: „Ich erinnere mich nicht, mein Herr, Sie schon anderwärts gesehen zu haben als hier in Berlin, und doch finde ich in den Zügen Ihres Antlitzes, in Ihrem ganzen Wesen so viel Bekanntes. Ja, es ist mir, als wären wir vor gar langer Zeit einander ganz befreundet gewesen, jedoch in einem sehr fernen Lande und unter ganz andern seltsamen Umständen. Ich bitte Sie, mein Herr, reißen Sie mich aus der Ungewißheit, und täuscht mich nicht vielleicht eine Ähnlichkeit, so lassen Sie uns das freundschaftliche Verhältnis erneuern, das in dunkler Erinnerung ruht wie ein schöner Traum."

Dem Herrn George Pepusch wurde bei diesen anmutigen

Worten der schönen Holländerin gar sonderbar zumute. Die Brust war enge, und indem ihm die Stirn brannte, fröstelte es ihm durch alle Glieder, als läg er im stärksten Fieber. Wollte das nun auch nichts anders bedeuten, als daß Herr Pepusch in die Holländerin bis über den Kopf verliebt war, so gab es doch noch eine andere Ursache des durchaus verwirrten Zustandes, der ihm alle Sprache, ja beinahe alle Besinnung raubte. Sowie nämlich Dörtje Elverdink davon sprach, daß sie glaubte, vor langer Zeit ihn schon gekannt zu haben, war es ihm, als würde in seinem Innern wie in einer Laterna magica plötzlich ein anderes Bild vorgeschoben, und er erblickte ein weit entferntes Sonst, das lange zurückliege hinter der Zeit, als er zum erstenmal Muttermilch gekostet, und in dem er selbst doch ebensogut als Dörtje Elverdink sich rege und bewege. Genug! – der Gedanke, der sich eben durch vieles Denken erst recht klar und fest gestaltete, blitzte in diesem Augenblick auf, und dieser Gedanke war nichts Geringeres, als daß Dörtje Elverdink die Prinzessin Gamaheh, Tochter des Königs Sekakis sei, die er schon in der grünen Zeit geliebt, da er noch die Distel Zeherit gewesen. Gut war es, daß er diesen Gedanken andern Leuten nicht sonderlich mitteilte; man hätte ihn sonst vielleicht für wahnsinnig gehalten und eingesperrt, wiewohl die fixe Idee eines Partiell-Wahnsinnigen oft nichts anders sein mag als die Ironie eines Seins, welches dem jetzigen vorausging.

„Aber mein Himmel, Sie scheinen ja stumm, mein Herr!“ So sprach die Kleine, indem sie mit den niedlichsten Fingerchen Georgs Brust berührte. Doch aus den Spitzen dieser Finger fuhr ein elektrischer Strahl dem Georg bis ins Herz hinein, und er erwachte aus seiner Betäubung. In voller Ekstase ergriff er die Hand der Kleinen, bedeckte sie mit glühenden Küssen und rief: „Himmlisches, göttliches Wesen“ – usw. Der geneigte Leser wird wohl sich denken können, was Herr Georg Pepusch in diesem Augenblick noch alles gerufen. –

Es genügt zu sagen, daß die Kleine Georgs Liebesbeteurungen so aufnahm, wie er es nur wünschen konnte, und daß die verhängnisvolle Minute im Winkel des Leuwenhoekschen Saals ein

Liebesverhältnis gebar, das den guten Herrn Georg Pepusch erst in den Himmel, dann aber der Abwechslung wegen in die Hölle versetzte. War nämlich Pepusch melancholischen Temperaments und dabei mürrisch und argwöhnisch, so konnt es nicht fehlen, daß Dörtjes Betragen ihm Anlaß gab zu mancher Eifersüchtelei. Gerade diese Eifersüchtelei reizte aber Dörtjes etwas schalkischen Humor, und es war ihre Lust, den armen Herrn Georg Pepusch auf die sinnreichste Weise zu quälen. Da nun aber jedes Ding nur bis zu einer gewissen Spitze getrieben werden kann, so kam es denn auch zuletzt bei Pepusch zum Ausbruch des lang verhaltenen Ingrimms. Er sprach nämlich einmal gerade von jener wunderbaren Zeit, da er als Distel Zeherit die schöne Holländerin, die damals die Tochter des Königs Sekakis gewesen, so innig geliebt, und gedachte mit aller Begeisterung der innigsten Liebe, daß eben jenes Verhältnis, der Kampf mit dem Egelkönig ihm schon das unbestrittenste Recht auf Dörtjes Hand gegeben. Dörtje Elverdink versicherte, wie sie sich jener Zeit, jenes Verhältnisses gar wohl erinnere und die Ahnung davon zuerst wieder in ihre Seele gekommen, als Pepusch sie mit dem Distelblick angeschaut. Die Kleine wußte so anmutig von diesen wunderbaren Dingen zu reden, sie tat so begeistert von der Liebe zu der Distel Zeherit, die dazu bestimmt gewesen, in Jena zu studieren und dann in Berlin die Prinzessin Gamaheh wiederzufinden, daß Herr Georg Pepusch im Eldorado alles Entzückens zu sein glaubte. – Das Liebespaar stand am Fenster, und die Kleine litt es, daß der verliebte George den Arm um sie schlug. In dieser vertraulichen Stellung kosten sie miteinander, denn zum Gekose wurde das träumerische Reden von den Wundern in Famagusta. Da begab es sich, daß ein sehr hübscher Offizier von den Garde-Husaren in funkelnagelneuer Uniform vorüberging und die Kleine, die er aus den Abendgesellschaften kannte, sehr freundlich grüßte. Dörtje hatte die Augen halb geschlossen und das Köpfchen abgewendet von der Straße; man hätte denken sollen, daß es ihr unmöglich sein müßte, den Offizier zu gewahren; aber mächtig ist der Zauber einer neuen glänzenden Uniform! Die Kleine, vielleicht schon erregt durch das bedeutungsvolle Klappern des Säbels auf dem Steinpflaster, öffnete die Äugelein hell und klar, wand sich aus Georgs Arm, riß das Fenster auf, warf dem Offizier ein Kußhändchen zu und schaute ihm nach, bis er um die Ecke verschwunden.

„Gamaheh", schrie die Distel Zeherit ganz außer sich, „Gamaheh, was ist das? – spottest du meiner? Ist das die Treue, die du deiner Distel angelobt?" – Die Kleine drehte sich auf dem Absatz herum, schlug ein helles Gelächter auf und rief: „Geht, geht, George! Bin ich die Tochter des würdigen alten Königs Sekakis, seid Ihr die Distel Zeherit, so ist jener allerliebste Offizier der Genius Thetel, der mir eigentlich viel besser gefällt wie die traurige stachlichte Distel." – Damit sprang die Holländerin fort durch die Türe, Georg Pepusch geriet aber, wie man denken kann, sofort in Wut und Verzweiflung und rannte wild die Treppe hinab, zum Hause hinaus, als hetzten ihn tausend Teufel. Das Geschick wollt es, daß Georg einem Freunde begegnete, der in einer Postkalesche saß und fort wollte. „Halt, ich reise mit Euch!" So rief die Distel Zeherit, flog schnell nach Hause, zog einen Überrock an, steckte Geld ein, gab den Stubenschlüssel der Wirtin, setzte sich in die Kalesche hinein und fuhr mit dem Freunde von dannen.

Unerachtet dieser feindseligen Trennung war aber die Liebe zur schönen Holländerin in Georgs Brust ganz und gar nicht erloschen, und ebensowenig konnte er sich entschließen, die gerechten Ansprüche aufzugeben, die er als Distel Zeherit auf Gamahehs Hand und Herz zu haben glaubte. Er erneuerte daher diese Ansprüche, als er nach etlichen Jahren wiederum im Haag mit Leuwenhoek zusammentraf, und wie eifrig er sie auch in Frankfurt verfolgte, hat der geneigte Leser bereits erfahren. – –

Ganz trostlos rannte Herr George Pepusch in der Nacht durch die Gassen, als der flackernde, ungewöhnlich helle Schein eines Lichts, der durch die Spalte eines Fensterladen im untern Stock eines ansehnlichen Hauses auf die Straße fiel, seine Aufmerksamkeit erregte. Er glaubte, es müsse in der Stube brennen, und schwang sich daher am Gitterwerk hinauf, um in die Stube zu schauen. Grenzenlos war aber sein Erstaunen über das, was er erblickte.

Ein helles, lustiges Feuer loderte in dem Kamin, der dem Fenster geradeüber gelegen; vor diesem Kamin saß oder lag vielmehr in einem breiten altväterischen Lehnstuhl die kleine Holländerin, geputzt wie ein Engel. Sie schien zu schlummern, während ein sehr alter ausgetrockneter Mann vor dem Feuer kniete und, Brill' auf der Nase, in einen Topf guckte, in dem wahrscheinlich irgendein Getränk kochte. Pepusch wollte sich noch höher hinaufschwingen, um besser die Gruppe ins Auge zu fassen, fühlte sich indessen bei den Beinen gepackt und mit Gewalt heruntergezogen. Eine barsche Stimme rief: „Seht mal den Spitzbuben, das wäre mir recht. – Fort, Patron, ins Hundeloch!" – Es war der Nachtwächter, der Georgen bemerkt hatte, wie er an das Fenster hinanklimmte, und nichts anders vermuten konnte, als daß er einbrechen wolle ins Haus. Aller Protestationen unerachtet wurde Herr George Pepusch von dem Wächter, dem die herbeieilende Patrouille zu Hilfe geeilt war, fortgeschleppt, und auf diese Weise endete seine nächtliche Wanderung fröhlich in der Wachtstube. –

Drittes Abenteuer

Erscheinung eines kleinen Ungeheuers. Fernere Erläuterungen über die Schicksale der Prinzessin Gamaheh. Merkwürdiges Freundschaftsbündnis, welches Herr Peregrinus Tyß eingeht, und Aufschluß, wer der alte Herr ist, der in seinem Hause zur Miete wohnt. Sehr wunderbare Wirkung eines ziemlich kleinen mikroskopischen Glases. Unvermutete Verhaftung des Helden der Geschichte.

Wer solche Dinge an einem Abende erfahren hat wie Herr Peregrinus Tyß, ja, wer sich in solcher Stimmung befindet als er, kann ganz unmöglich gut schlafen. Unruhig wälzte Herr Peregrinus sich auf seinem Lager, und wenn er in das Delirieren geriet, das dem Schlaf vorherzugehen pflegt, so hatte er wieder das kleine holde Wesen in den Armen und fühlte heiße glühende

Küsse auf seinen Lippen. – Dann fuhr er auf und glaubte noch wachend Alinens liebliche Stimme zu hören. In brünstiger Sehnsucht wünschte er, sie möge nicht entflohen sein, und doch fürchtete er wieder, sie werde gleich hineintreten und ihn verstricken in ein unauflösliches Netz. Dieser Kampf widersprechender Gefühle beklemmte seine Brust und erfüllte sie zugleich mit süßer, nie gekannter Angst.

„Schlaft nicht, Peregrinus, schlaft nicht, edler Mann, ich muß augenblicklich mit Euch reden!" So lispelte es dicht vor Peregrinus, und immerfort: „schlaft nicht! schlaft nicht!", bis er endlich die Augen aufschlug, die er geschlossen, nur um die holde Aline deutlicher zu sehen.

In dem Schimmer der Nachtlampe gewahrte er ein kleines, kaum spannlanges Ungeheuer, das auf seiner weißen Bettdecke saß und vor dem er sich im ersten Augenblick entsetzte, dann griff er aber mutig mit der Hand darnach, um sich zu überzeugen, ob seine Phantasie ihn nicht täusche. Doch sogleich war das kleine Ungeheuer spurlos verschwunden.

Konnte die genaue Porträtierung der schönen Aline, Dörtje Elverdink oder Prinzessin Gamaheh – denn daß eine und dieselbe Person sich nur scheinbar in drei Personen zerspaltet, weiß der geneigte Leser schon längst – füglich unterbleiben, so ist dagegen es durchaus nötig, ganz genau das kleine Ungeheuer zu beschreiben, das auf der Bettdecke saß und dem Herrn Peregrinus einiges Entsetzen verursachte.

Wie schon erwähnt, war die Kreatur kaum eine Spanne lang; in dem Vogelkopf staken ein Paar runde glänzende Augen, und aus dem Sperlingsschnabel starrte noch ein langes spitzes Ding wie ein dünnes Rapier hervor, dicht über dem Schnabel streckten sich zwei Hörner aus der Stirne. Der Hals begann dicht unter dem Kopf auch vogelartig, wurde aber immer dicker, so daß er ohne Unterbrechung der Form zum unförmlichen Leibe wuchs, der beinahe die Gestalt einer Haselnuß hatte und mit dunkelbraunen Schuppen bedeckt schien wie der Armadillo. Das Wunderlichste und Seltsamste war aber wohl die Gestaltung der Arme und Beine. Die ersteren hatten zwei Gelenke und wurzelten in den beiden Backen der Kreatur dicht bei dem Schnabel. Gleich unter diesen Armen befand sich ein Paar Füße und denn weiterhin noch ein Paar, beide zweigelenkig, wie die Arme. Diese letzten Füße schienen aber diejenigen zu sein, auf deren Tüchtigkeit die Kreatur sich eigentlich verließ, denn außerdem daß diese Füße merklich länger und stärker waren als die andern, so trug die Kreatur auch an denselben sehr schöne goldne Stiefel mit diamantnen Sporen.

War nun, wie gesagt, das kleine Ungeheuer spurlos verschwunden, sowie Peregrinus darnach faßte, so hätte er gewiß alles für Täuschung seiner aufgeregten Sinne gehalten, wäre nicht gleich unten in der Ecke des Bettes eine leise Stimme hörbar geworden, die sich also vernehmen ließ: „Mein Himmel, Peregrinus Tyß, sollte ich mich in Euch geirrt haben? Ihr handeltet gestern an mir so edel, und jetzt, da ich Euch meine Dankbarkeit beweisen will, greift Ihr nach mir mit mörderischer Hand? – Doch vielleicht mißfiel Euch meine Gestalt, und ich tat Verkehrtes, mich Euch mikroskopisch zu zeigen, damit Ihr mich nur gewiß bemerken solltet, welches nicht so leicht ist, als Ihr wohl denken möchtet. Ebenso wie vorher sitze ich jetzt auf Eurer weißen Bettdecke, und Ihr seht mich doch ganz und gar nicht. Nehmt's nicht übel, Peregrinus, aber Eure Sehnerven sind wahrlich ein wenig zu grob für meine schlanke Taille. Doch versprecht mir nur, daß ich bei Euch sicher bin und daß Ihr nichts Feindseliges gegen mich unternehmen wollt, so werde ich Euch näher kommen und manches erzählen, was zu erfahren Euch eben nicht unrecht sein wird."

„Sagt mir", erwiderte Peregrinus Tyß der Stimme, „sagt mir nur erst, wer Ihr seid, guter unbekannter Freund, das übrige wird sich denn wohl finden. Versichern kann ich Euch indessen zum voraus, daß irgend Feindseliges gar nicht in meiner Natur ist und daß ich fortfahren werde, gegen Euch edel zu handeln, wiewohl ich zurzeit gar nicht begreifen kann, auf welche Weise ich schon jetzt Euch meinen Edelmut bewiesen haben sollte. Bewahrt aber doch nur immer Euer Inkognito, denn Euer Anblick ist eben nicht anmutig."

„Ihr seid“, sprach die Stimme weiter, nachdem sie sich ein wenig ausgeräuspert, „Ihr seid, ich wiederhole es mit Vergnügen, ein edler Mann, Herr Peregrinus, aber nicht sonderlich tief eingedrungen in die Wissenschaft und überhaupt ein wenig unerfahren, sonst hättet Ihr mich erkannt auf den ersten Blick. – Ich könnte ein wenig prahlerisch reden, ich könnte sagen, daß ich einer der mächtigsten Könige sei und über viele, viele Millionen herrsche. Aus angeborner Bescheidenheit, und weil auch am Ende der Ausdruck: König! nicht recht paßlich, will ich es aber unterlassen. – In dem Volk, an dessen Spitze zu stehen ich die Ehre habe, herrscht nämlich eine republikanische Verfassung. Ein Senat, der höchstens aus fünfundvierzigtausendneunhundertundneunundneunzig Mitgliedern bestehen darf, der leichteren Übersicht beim Votieren halber, vertritt die Stelle des Regenten, wer aber an der Spitze dieses Senats steht, führt, weil er in allen Dingen des Lebens zur Meisterschaft gelangt sein muß, wirklich den Namen: Meister! – Ohne weitere Umschweife will ich es Euch denn nun entdecken, daß ich, der ich hier mit Euch spreche, ohne daß Ihr mich gewahrt, kein anderer bin als der Meister Floh. – Daß Ihr mein Volk kennet, daran will ich nicht im mindesten zweifeln, denn gewiß habt Ihr, würdiger Herr, schon so manchen von meinem Volk mit Euerm eignen Blut erfrischt und gestärkt. Bekannt muß es darum Euch wenigstens wohl sein, daß mein Volk von einem beinahe unzähmbaren Freiheitssinn beseelt ist und recht eigentlich aus lauter leichtsinnigen Springinsfelden besteht, die geneigt sind, sich jeder soliden Gestaltung zu entziehen durch fortwährendes Hüpfen. Was für ein Talent dazu gehört, von einem solchen Volk Meister zu sein, werdet Ihr einsehen, Herr Peregrinus, und schon deshalb die gehörige Ehrfurcht vor mir haben. Versichert mir das, Herr Peregrinus, ehe ich weiter rede.“ –

Einige Augenblicke hindurch war es dem Herrn Peregrinus Tyß, als drehe sich in seinem Kopf ein großes Mühlrad, von brausenden Wellen getrieben. Dann wurde er aber ruhiger, und es wollte ihn bedünken, daß die Erscheinung der fremden Dame bei dem Buchbinder Lämmerhirt ebenso wunderbar als das, was sich jetzt begebe, und dies vielleicht eben nur die richtige Fortsetzung der seltsamsten Geschichte sei, in die er verflochten.

Herr Peregrinus erklärte dem Meister Floh, daß er ihn schon jetzt seiner seltenen Gaben halber ganz ungemein verehre und daß er um so begieriger sei, mehr von ihm zu erfahren, als seine Stimme sehr wohlklinge und eine gewisse Zartheit in der Rede seinen feinen zierlichen Körperbau verrate.

„Sehr", fuhr Meister Floh fort, „sehr danke ich Euch, bester Herr Tyß, für Eure gute Gesinnung und hoffe Euch bald zu überzeugen, daß Ihr Euch in mir nicht geirrt habt. – Damit Ihr erfahrt, bester Mann, welchen Dienst Ihr mir erwiesen habt, ist es indessen nötig, Euch meine vollständige Biographie mitzuteilen. – Vernehmt also! – Mein Vater war der berühmte – doch! eben fällt mir ein, daß Lesern und Hörern die schöne Gabe der Geduld merklich ausgegangen ist und daß ausführliche Lebensbeschreibungen, sonst am mehrsten geliebt, jetzt verabscheut werden. Ich will daher, statt gründlich zu sein, nur flüchtig und episodisch dasjenige berühren, was auf meinen Aufenthalt bei Euch sich zunächst bezieht. Schon weil ich wirklich Meister Floh bin, müßt Ihr, teurer Herr Peregrinus, in mir einen Mann von der umfangreichsten Erudition, von der tiefsten Erfahrung in allen Zweigen des Wissens erkennen. Doch! – nicht messen könnt Ihr den Grad meiner Wissenschaft nach Euerm Maßstabe, da Euch die wunderbare Welt unbekannt ist, in der ich mit meinem Volk lebe. In welches Erstaunen würdet Ihr geraten, wenn Euer Sinn erschlossen werden sollte für diese Welt, die Euch das seltsamste, unbegreiflichste Zauberreich dünken würde. Eben daher möget Ihr es auch gar nicht befremdlich finden, wenn alles, was aus jener Welt herstammt, Euch vorkommen wird wie ein verwirrtes Märchen, das ein müßiges Gehirn ausgebrütet. Laßt Euch aber dadurch nicht irremachen, sondern traut meinen Worten. – Seht, mein Volk ist Euch Menschen in manchen Dingen weit überlegen, z. B. was Durchschauen der Geheimnisse der Natur, Stärke, Gewandtheit, geistige und körperliche Gewandtheit betrifft. Doch auch wir haben Leidenschaften, und diese sind, so wie bei Euch, gar oft die Quelle vieles Ungemachs, ja gänzlichen Verderbens. So war auch ich von meinem Volk geliebt, ja angebetet, mein Meistertum hätte mich auf die höchste Stufe des Glücks bringen können, verblendete mich nicht eine unglückliche Leidenschaft zu einer Person, die mich ganz und gar beherrschte, ohne jemals meine Gattin werden zu können. Man wirft überhaupt unserm Geschlecht eine ganz besondere, die Schranken des Anstandes überschreitende Vorliebe für das schöne Geschlecht vor. Mag dieser Vorwurf auch gegründet sein, so weiß auf der andern Seite jeder – Doch! – ohne weitere Umschweife! – Ich sah des Königs Sekakis Tochter, die schöne Gamaheh, und wurde augenblicklich so entsetzlich verliebt in sie, daß ich mein Volk, mich selbst vergaß und nur in der Wonne lebte, auf dem schönsten Halse, auf dem schönsten Busen umherzuhüpfen und die Holde mit süßen Küssen zu kitzeln. Oft haschte sie mit den Rosenfingern nach mir, ohne mich jemals fangen zu können. Dies dünkte mir anmutiges Kosen, liebliche Tändelei beglückter Liebe! – Wie töricht ist der Sinn eines Verliebten, ist dieser auch selbst der Meister Floh. – Es genügt zu sagen, daß die arme Gamaheh von dem häßlichen Egelprinzen überfallen wurde, der sie zu Tode küßte; mir wär es aber gelungen, die Geliebte zu retten, hätte sich nicht ein einfältiger Prahlhans und ein ungeschickter Tölpel ohne Beruf in die Sache gemischt und alles verdorben. Der Prahlhans war aber die Distel Zeherit und der Tölpel der Genius Thetel. – Als sich der Genius Thetel mit der entschlummerten Prinzessin in die Lüfte erhob, klammerte ich mich fest an die Brüßler Kanten, die sie gerade um den Hals trug, und war so Gamahehs treuer Reisegefährte, ohne von dem Genius bemerkt zu werden. Es geschah, daß wir über zwei Magier wegflogen, die auf einem hohen Turm gerade den Lauf der Gestirne beobachteten. Da richtete der eine dieser Magier sein Glas so scharf auf mich, daß ich schier von dem Schein des magischen Instruments geblendet wurde. Mich überfiel ein starker Schwindel, vergebens suchte ich mich festzuhalten, ich stürzte rettungslos hinab aus der entsetzlichen Höhe, fiel dem beobachtenden

Magier gerade auf die Nase; nur meine Leichtigkeit, meine außerordentliche Gewandtheit erhielt mich am Leben.

Noch war ich zu betäubt, um von des Magiers Nase herabzuhüpfen und mich ganz in Sicherheit zu setzen, als der Unhold, der verräterische Leuwenhoek (der war der Magier), mich geschickt mit den Fingern erhaschte und sogleich in ein Rußwurmsches Universal-Mikroskop setzte. Unerachtet es Nacht war und er daher die Lampe anzünden mußte, war er doch ein viel zu geübter Beobachter und viel zu tief eingedrungen in die Wissenschaft, um nicht sogleich mich als den Meister Floh zu erkennen. Hoch erfreut, daß ein glücklicher Zufall ihm diesen vornehmen Gefangenen in die Hände gespielt, entschlossen, allen Vorteil daraus zu ziehen, der nur möglich, schlug er mich Ärmsten in Ketten, und so begann eine qualvolle Gefangenschaft, aus der ich durch Euch, Herr Peregrinus Tyß, erst gestern vormittags befreit wurde. – Mein Besitz gab dem fatalen Leuwenhoek volle Macht über meine Vasallen, die er bald scharenweise um sich her versammelte und mit barbarischer Härte eine sogenannte Kultur einführte, die uns bald um alle Freiheit, um allen Genuß des Lebens brachte. Was die Schulstudien und überhaupt die Wissenschaften und Künste betrifft, so fand Leuwenhoek gar bald zu seinem Erstaunen und Ärger, daß wir beinahe gelehrter waren als er selbst; die höhere Kultur, die er uns aufzwang, bestand aber vorzüglich darin, daß wir durchaus was werden, wenigstens was vorstellen mußten. Eben dieses Was-Werden, dieses Was-Vorstellen führte eine Menge Bedürfnisse herbei, die wir sonst gar nicht gekannt hatten und die wir nun im Schweiß unseres Angesichts erringen mußten. Zu Staatsmännern, Kriegsleuten, Professoren und, was weiß ich alles, schuf uns der grausame Leuwenhoek um. Diese mußten einhertreten in der Tracht des verschiedenen Standes, mußten Waffen tragen usw. So entstanden aber unter uns Schneider, Schuster, Friseurs, Sticker, Knopfmacher, Waffenschmiede, Gürtler, Schwertfeger, Stellmacher und eine Menge anderer Professionisten, die nur arbeiteten, um einen unnötigen, verderblichen Luxus zu befördern. Am allerschlimmsten war es, daß Leuwenhoek nichts im Auge hatte als seinen eignen Vorteil, daß er uns kultivierte Leute den Menschen zeigte und sich Geld dafür bezahlen ließ. Überdies aber kam unsere Kultur ganz auf seine Rechnung, und er erhielt die Lobsprüche, die uns allein gebührten. Recht gut wußte Leuwenhoek, daß mit meinem Verlust auch seine Herrschaft über mein Volk ein Ende hatte; um so fester verschlang er daher den Zauber, der mich an ihn bannte, und um so quälender war meine unglückliche Gefangenschaft. – Mit heißer Sehnsucht dachte ich an die holde Gamaheh und sann auf Mittel, Nachricht von ihrem Schicksal zu erhalten. – Was aber der schärfste Verstand nicht zu ersinnen vermochte, das führte die Gunst des Zufalls von selbst herbei. – Meines Magiers Freund und Bundesgenosse, der alte Swammerdamm, hatte die Prinzessin Gamaheh in dem Blumenstaube einer Tulpe entdeckt und diese Entdekkung dem Freunde mitgeteilt. Durch Mittel, die ich Euch, guter Herr Peregrinus Tyß, weiter zu entwickeln unterlasse, da Ihr nicht sonderlich viel davon verstehen würdet, gelang es dem Herrn, der Prinzessin natürliche Gestalt wieder herzustellen und sie ins Leben zurückzurufen. Am Ende waren aber doch beide hochweise Herren ebenso ungeschickte Tölpel als der Genius Thetel und die Distel Zeherit. Sie hatten nämlich im Eifer die Hauptsache vergessen, und so kam es, daß die Prinzessin in demselben Augenblick, als sie zum Leben erwacht, wiederum tot niedersinken wollte. Ich allein wußte, woran es lag; die Liebe zur schönen Gamaheh, die in meiner Brust emporgelodert stärker als jemals, gab mir Riesenkraft; ich zerriß meine Ketten, ich sprang mit einem mächtigen Satz der Holden auf die Schulter – nur ein einziger kleiner Stich genügte, das stockende Blut in Wallung zu setzen. Sie lebte! – Nun muß ich Euch aber sagen, Herr Peregrinus Tyß, daß dieser Stich wiederholt werden muß, wenn die Prinzessin in Schönheit und Jugend fortblühen soll; sie würde entgegengesetzten Falls in wenigen Monaten zusammenschrumpfen zum alten abgelebten Mütterlein. Deshalb bin ich ihr, das werdet Ihr einsehen, ganz unentbehrlich, und nur aus der Furcht, mich zu verlieren, läßt sich der schwarze Undank erklären, mit dem Gamaheh meine Liebe lohnte. Sie lieferte mich nämlich ohne weiteres dem abscheulichen Quälgeist, dem Leuwenhoek, aus, der mich in stärkere Fesseln schlug, als ich sie je getragen, jedoch zu seinem eignen Verderben. – Trotz aller Vorsicht des alten Leuwenhoek und der schönen Gamaheh gelang es mir endlich dennoch, in einer unbewachten Stunde aus meinem Kerker zu entspringen. Hinderten mich auch die schweren Reiterstiefel, die ich nicht Zeit hatte von den Füßen abzustreifen, sehr an der Flucht, so kam ich doch glücklich bis an die Bude des Spielsachenkrämers, bei dem Ihr Waren einkauftet. Nicht lange dauerte es, so trat, zu meinem nicht geringen Schreck, auch Gamaheh in den Laden. Ich hielt mich für verloren; Ihr allein konntet mich retten, edler Herr Peregrinus; ich klagte Euch leise meine Not, und Ihr wart gütig genug, mir eine Schachtel zu öffnen, in die ich schnell hineinhüpfte und die Ihr dann ebenso schnell mit Euch nahmet; Gamaheh suchte mich vergebens und erfuhr erst viel später, wie und wohin ich geflüchtet. Sowie ich in Freiheit war, hatte Leuwenhoek auch die Macht über mein Völklein verloren. Alle befreiten sich, entschlüpften und ließen dem Tyrannen zum Hohn Pfefferkörner, Obstkerne u. d. m. in den Kleidern stecken. Nochmals meinen herzlichen Dank, guter edler Herr Peregrinus, für die große Wohltat, die Ihr mir erzeigt habt und die ich zu schätzen weiß wie keiner. Erlaubt, daß ich mich als ein freier Mann wenige Zeit bei Euch aufhalte; ich kann Euch in manchen recht wichtigen Angelegenheiten Eures Lebens so nützlich sein, als Ihr es kaum denken möget. Zwar könnte es für gefährlich zu achten sein, daß Ihr in heftiger Liebe entbrannt seid zu dem holden Wesen –“

„Was sagt Ihr“, unterbrach Peregrinus den kleinen Unsichtbaren, „was sagt Ihr, Meister, *ich* – *ich* entbrannt in Liebe?“

„Es ist nicht anders“, fuhr Meister Floh fort, „denkt Euch mein Entsetzen, meine Angst, als Ihr gestern eintratet mit der Prinzessin in den Armen, ganz erhitzt von wilder Leidenschaft; als sie alle Verführungskünste anwandte, die ihr leider nur zu sehr zu Gebote stehen, um Euch zu meiner Auslieferung zu bewegen! – Doch! erst da erkannte ich Eure Großmut im ganzen Umfange, als Ihr standhaft bliebt, als Ihr geschickt so tatet, als wüßtet Ihr gar nichts von meinem Aufenthalt bei Euch, als verständet Ihr gar nicht, was die Prinzessin eigentlich von Euch verlange.“ –

„Das“, unterbrach Peregrinus den Meister Floh aufs neue, „das war ja aber auch in der Tat der Fall. Ihr rechnet mir, lieber Meister Floh, Dinge als Verdienst an, die ich gar nicht geahnt habe. Weder Euch noch das hübsche Frauenzimmer, das mich aufsuchte bei dem Buchbinder Lämmerhirt und das Ihr seltsamerweise Prinzessin Gamaheh zu nennen beliebt, habe ich in der Bude gewahrt, wo ich Spielsachen einkaufte. Ganz unbekannt war es mir, daß unter den Schachteln, die ich mitnahm und in welchen ich bleierne Soldaten und ebensolche Jagden vermutete, sich eine leere befand, in der Ihr saßet, und wie in aller Welt hätte ich es erraten können, daß *Ihr* der Gefangene wart, den das anmutige Kind so stürmisch verlangte. Seid nicht wunderlich, Meister Floh, und laßt Euch Dinge träumen, von denen keine Ahnung in meiner Seele liegt.“

„Ihr wollt“, erwiderte Meister Floh, „meinen Danksagungen ausweichen auf geschickte Weise, guter Herr Peregrinus, und dies gibt mir zu großem Trost aufs neue den lebhaften Beweis Eurer uneigennützigen Denkungsart. – Wißt, edler Mann! daß Leuwenhoeks, Gamahehs Bemühungen, mich wieder zu erhaschen, ganz vergeblich bleiben, solange Ihr mir Euern Schutz gewährt. Freiwillig müßt Ihr mich meinen Peinigern übergeben, alle anderen Mittel sind fruchtlos. Herr Peregrinus Tyß! Ihr seid verliebt.“ –

„O sprecht“, fiel Peregrinus dem Meister ins Wort, „o sprecht doch nur nicht so! – Nennt Liebe nicht eine augenblickliche törichte Aufwallung, die schon jetzt vorüber ist!“ –

Herr Peregrinus fühlte, daß Glutröte ihm ins Antlitz stieg und ihn Lügen strafte. Er kroch unters Deckbette.

„Es ist“, fuhr Meister Floh fort, „es ist gar nicht zu verwundern, daß auch Ihr dem wunderbaren Liebreiz der Prinzessin Gamaheh nicht widerstehen konntet, zumal sie manche gefährliche Kunst anwandte, Euch zu fangen. Der Sturm ist noch nicht vorüber. Manches Zaubermittel, wie es auch wohl andern anmutigen Weibern, die nicht gerade die Prinzessin Gamaheh sind, zu Gebote steht, wird die kleine Boshafte noch aufbieten, um Euch in ihr Liebesnetz zu verstricken. Sie wird sich Eurer so ganz zu bemächtigen suchen, daß Ihr nur für sie, für ihre Wünsche leben sollt, und dann – weh mir! – Es wird darauf ankommen, ob Euer Edelmut stark genug ist, Eure Leidenschaft zu besiegen, ob Ihr es vorziehen werdet, Gamahehs Wünschen nachzugeben und nicht allein Euern Schützling, sondern auch das arme Völklein, welches Ihr niedriger Knechtschaft entrissen, aufs neue ins Elend zu stürzen oder der bösen falschen Verlokkung eines verführerischen Wesens zu widerstehen und so mein und meines Volkes Glück zu begründen. – Oh daß Ihr mir das letztere versprechen wolltet – könntet!" –

„Meister", antwortete Herr Peregrinus, indem er die Bettdecke vom Gesichte wegzog, „lieber Meister, Ihr habt recht, nichts ist gefährlicher als die Verlockung der Weiber; sie sind alle falsch, boshaft, sie spielen mit uns wie die Katzen mit der Maus, und für unsere zärtlichsten Bemühungen ernten wir nichts ein als Spott und Hohn. Deshalb stand mir auch sonst der kalte Todesschweiß auf der Stirne, sowie sich nur ein weibliches Wesen nahte, und ich glaube selbst, daß mit der schönen Aline oder, wie Ihr wollt, mit der Prinzessin Gamaheh, es eine besondere Bewandtnis haben muß, unerachtet ich alles, was Ihr mir erzählt habt, mit meinem schlichten gesunden Menschenverstande gar nicht begreifen kann und es mir vielmehr zumute ist, als läge ich in wirren Träumen oder läse in Tausendundeiner Nacht. – Doch, mag dem sein, wie ihm wolle, Ihr habt Euch einmal in meinen Schutz begeben, lieber Meister, und nichts soll mich vermögen, Euch Euern Feinden auszuliefern; die verführerische Dirne will ich gar nicht wiedersehen. Ich verspreche das feierlich und würde Euch die Hand darauf reichen, hättet Ihr eine dergleichen, die meine zu erfassen und meinen ehrlichen Druck zu erwidern." – Damit streckte Herr Peregrinus seinen Arm weit aus über die Bettdecke.

„Nun", sprach der kleine Unsichtbare, „nun bin ich ganz getröstet, ganz beruhigt. Habe ich auch keine Hand Euch darzureichen, so erlaubt wenigstens, daß ich Euch in den rechten

Daumen steche, teils um Euch meine innige Freude zu bezeugen, teils um unser Freundschaftsbündnis noch fester zu besiegeln."

Herr Peregrinus fühlte auch in dem Augenblick an dem Daumen der rechten Hand einen Stich, der so empfindlich schmerzte, daß er nur von dem ersten Meister aller Flöhe herrühren konnte.

„Ihr stecht", rief Peregrinus, „Ihr stecht ja wie ein kleiner Teufel." – „Nehmt das", erwiderte Meister Floh, „für ein lebhaftes Zeichen meiner biedern guten Gesinnung. Doch billig ist es, daß ich als Pfand meiner Dankbarkeit Euch eine Gabe zukommen lasse, die zu dem Außerordentlichen gehört, was die Kunst jemals hervorgebracht hat. Es ist nichts anders als ein Mikroskop, welches ein sehr geschickter, kunstvoller Optiker aus meinem Volk verfertigte, als er noch in Leuwenhoeks Dienste war. Euch wird das Instrument etwas subtil vorkommen, denn in der Tat ist es wohl an einhundertzwanzigmal kleiner als ein Sandkorn; aber der Gebrauch läßt keine sonderliche Größe zu. Ich setze das Glas nämlich in die Pupille Eures linken Auges, und dieses Auge wird dann mikroskopisch. – Die Wirkung soll Euch überraschen, ich will daher für jetzt darüber schweigen und Euch nur bitten, daß Ihr mir erlaubt, die Operation vorzunehmen dann, wenn ich überzeugt bin, daß Euch das mikroskopische Auge große Dienste leisten muß. Und nun schlaft wohl, Herr Peregrinus, Euch ist noch einige Ruhe vonnöten."

Peregrinus schlief nun wirklich ein und erwachte erst am hellen Morgen.

Er vernahm das wohlbekannte Kratzen des Besens der alten Aline, die das Nebenzimmer auskehrte. Ein kleines Kind, das sich irgendeiner Unart bewußt, kann sich nicht so vor der Rute der Mutter fürchten, als Herr Peregrinus sich fürchtete vor den Vorwürfen des alten Weibes. Leise trat die Alte endlich hinein mit dem Kaffee. Herr Peregrinus schielte durch die Bettgardinen, die er zugezogen, und war nicht wenig über den hellen Sonnenschein verwundert, der auf dem Gesicht der Alten ausgebreitet lag.

„Schlafen Sie noch, lieber Herr Tyß?“ so fragte die Alte mit dem süßesten Ton, der in ihrer Kehle liegen mochte.

Peregrinus erwiderte, ganz ermutigt, ebenso liebreich: „Nein, liebe Aline; setzte Sie nur das Frühstück auf den Tisch, ich steige gleich aus dem Bette.“

Als Peregrinus nun aber wirklich aufstand, war es ihm, als wehe der süße Atem des lieblichen Geschöpfs, das in seinen Armen lag, durch das Zimmer; es wurde ihm so heimisch und dabei so ängstlich zumute; er hätte um alles in der Welt wissen mögen, was aus dem Geheimnis seiner Liebe geworden; denn wie dies Geheimnis selbst war ja das allerliebste Wesen erschienen und verschwunden.

Während Herr Peregrinus vergeblich versuchte, Kaffee zu trinken und Weißbrot zu genießen, da ihm jeder Bissen im Munde quoll, trat die Alte hinein und machte sich dies und das zu schaffen, während sie vor sich hin murmelte: „Wundersam! – Unglaublich! – Was man nicht alles erlebt! – Wer hätte das gedacht!“ –

Peregrinus, der es vor Herzklopfen nicht länger aushalten konnte, fragte: „Was ist denn wundersam, liebe Aline?“

„Allerlei, allerlei!“ erwiderte die Alte schalkisch lächelnd, indem sie in ihrem Geschäft, das Zimmer aufzuräumen, fortfuhr. – Die Brust wollte dem armen Peregrinus zerspringen, und unwillkürlich rief er mit dem Tone der schmerzlichsten Sehnsucht: „Ach, Aline!“

„Ja, Herr Tyß, hier bin ich, was befehlen Sie?“ – So sprach die Alte und stellte sich breit hin vor Peregrinus, als erwarte sie seine Befehle.

Peregrinus starrte in das kupfrige, abscheulich verzerrte Gesicht der Alten, und alle Scheu brach sich an dem tiefen Unwillen, der ihn plötzlich erfüllte.

„Was ist“, so fragte er mit ziemlich barschem Tone, „was ist aus der fremden Dame geworden, die sich gestern abend hier befand? – Hat Sie ihr die Haustüre aufgeschlossen, hat Sie, wie ich befohlen, für einen Wagen gesorgt? Ist die Dame nach ihrer Wohnung gebracht worden?“ – „Türe aufgeschlossen?“ sprach die Alte mit einem fatalen Grinsen, welches aussehen sollte wie schlaues Lächeln, „Wagen geholt? – Nach Hause gebracht? – War alles nicht vonnöten! Die schöne Dame, das allerliebste Ding, ist im Hause geblieben, befindet sich noch hier und wird das Haus auch wohl nicht vor der Hand verlassen."

Peregrinus fuhr auf im freudigen Schreck; die Alte erzählte ihm nun, wie, als die Dame die Treppe auf eine Art hinabgesprungen, daß ihr Hören und Sehen vergangen, unten der alte Herr Swammer in der Türe seines Zimmers gestanden mit einem mächtigen Armleuchter in der Hand. Der alte Herr habe unter vielen Verbeugungen, wie es sonst gar nicht seine Art sei, die Dame in sein Zimmer eingeladen, diese sei auch gleich ohne Anstand hineingeschlüpft, und Herr Swammer habe dann die Türe fest verschlossen und verriegelt.

Viel zu sonderbar sei ihr doch des menschenscheuen Herrn Swammers Beginnen vorgekommen, um nicht ein wenig an der Türe zu lauschen und durch das Schlüsselloch zu gucken. Da habe dann Herr Swammer mitten im Zimmer gestanden und so beweglich und kläglich zu der Dame gesprochen, daß ihr, der Alten, die Tränen in die Augen gekommen, unerachtet sie kein einziges Wort verstehen können, da Herrn Swammers Sprache ausländisch gewesen. Nichts anders habe sie glauben können, als daß Herr Swammer sich gemüht, die Dame auf den Weg der Tugend und Gottesfurcht zurückzubringen, denn er sei immer mehr in Eifer geraten, bis die Dame auf die Knie gesunken und gar demütig seine Hand geküßt, auch dabei etwas geweint. Sehr freundlich habe aber nun Herr Swammer die Dame aufgehoben, sie auf die Stirne geküßt, wobei er sich sehr bücken müssen, und sie dann zu einem Lehnstuhl geführt. Sehr geschäftig habe Herr Swammer ein Feuer im Kamin gemacht, ein Gewürz herbeigetragen und, soviel sie wahrnehmen können, einen Glühwein zu kochen begonnen. Unglücklicherweise habe sie, die Alte, jetzt etwas Tabak genommen und stark geniest. Da sei es ihr denn durch alle Glieder gefahren und sie wie vernichtet gewesen, als der Herr Swammer den Arm ausgestreckt nach der Türe und mit einer furchtbaren Stimme, die Mark und Bein durchdrungen, gerufen: „Hebe dich hinweg, horchender Satan!“ – Sie wisse gar nicht, wie sie herauf und ins Bett gekommen. Am Morgen, als sie die Augen aufgeschlossen, habe sie geglaubt, ein Gespenst zu sehen. Denn Herrn Swammer habe sie erblickt vor ihrem Bette in einem schönen Zobelpelz mit goldnen Schnüren und Troddeln, Hut auf dem Kopfe, Stock in der Hand.

„Gute Frau Aline“, habe Herr Swammer zu ihr gesprochen, „ich muß in wichtigen Geschäften ausgehen und werde vielleicht erst nach mehreren Stunden wiederkehren. Sorgen Sie dafür, daß auf dem Flur des Hauses vor meinem Zimmer kein Geräusch entstehe oder gar jemand es wage, in mein Gemach eindringen zu wollen. – Eine vornehme Dame, und daß Sie es nur wissen, eine fremde, reiche, wunderbar schöne Prinzessin hat sich zu mir geflüchtet. Ich war in früherer Zeit am Hofe ihres königlichen Vaters ihr Informator, deshalb hat sie Zutrauen zu mir, und ich werde und muß sie schützen wider alle böse Angriffe. Ich sage Ihnen das, Frau Aline, damit Sie der Dame die Ehrfurcht beweisen, die ihrem Range gebührt. Sie wird, erlaubt es Herr Tyß, Ihre Bedienung in Anspruch nehmen, und Sie sollen, gute Frau Aline, dafür königlich belohnt werden, insofern Sie nämlich schweigen können und niemanden den Aufenthalt der Prinzessin verraten.“

Damit sei Herr Swammer dann schnell fortgegangen.

Herr Peregrinus Tyß fragte die Alte, ob es ihr denn nicht gar seltsam vorkomme, daß die Dame, die er, wie er nochmals beteuern könne, bei dem Buchbinder Lämmerhirt in der Kalbächer Straße getroffen, eine Prinzessin sein und zu dem alten Herrn Swammer geflüchtet sein solle. Die Alte meinte indessen, sie traue Herrn Swammers Worten mehr noch als ihren eignen Augen und glaube daher, daß alles, was sich bei dem Buchbinder Lämmerhirt und hier im Zimmer zugetragen, entweder nur zauberisches Blendwerk gewesen oder daß die Angst, die Verwirrung auf der Flucht die Prinzessin zu solchem abenteuerlichen Beginnen vermocht. Übrigens werde sie ja wohl bald alles von der Prinzessin selbst erfahren.

„Aber“, sprach Herr Peregrinus weiter, eigentlich nur um das

Gespräch über die Dame fortzusetzen, „aber wo ist Ihr Verdacht, die böse Meinung geblieben, die Sie gestern von der fremden Dame hegte?“

„Ach“, erwiderte die Alte schmunzelnd, „ach, das ist alles vorbei. Man darf ja nur die liebe Dame recht ansehen, um zu wissen, daß es eine vornehme Prinzessin ist und dabei so engelsschön, wie nur eine Prinzessin gefunden werden kann. Ich mußte, als Herr Swammer fortgegangen war, ein wenig nachsehen, was die gute Dame machte, und guckte durch das Schlüsselloch. Da lag die Dame ausgestreckt auf dem Sofa und hatte das Engelsköpfchen auf die Hand gestützt, so daß die schwarzen Locken durch die lilienweißen Fingerchen quollen, welches ganz hübsch aussah. Und gekleidet war die Dame in lauter Silberzindel, der den niedlichen Busen, die rundlichen Ärmchen durchschimmern ließ. An den Füßchen trug sie goldne Pantoffeln. Einer war herabgefallen, so daß man gewahrte, wie sie keine Strümpfe angezogen; das bloße Füßchen guckte unter dem Kleide hervor, und sie spielte mit den Zehen, welches artig anzusehen war. – Doch gewiß liegt die Dame unten noch ebenso wie vorher auf dem Sofa, und wenn es Ihnen gefällig ist, lieber Herr Tyß, sich an das Schlüsselloch zu bemühen, so –“

„Was sprichst du“, unterbrach Peregrinus die Alte mit Heftigkeit, „was sprichst du! – soll ich mich hingeben dem verführerischen Anblick, der mich vielleicht hinreißen könnte zu allerlei Torheiten?“

„Mut, Peregrinus, widerstehe der Verlockung!“ so lispelte es dicht bei Peregrinus, der die Stimme des Meisters Floh erkannte.

Die Alte lächelte geheimnisvoll und sprach, nachdem sie einige Augenblicke geschwiegen: „Ich will Ihnen nur alles sagen, lieber Herr Tyß, wie mir die ganze Sache vorkommt. – Mag nun die fremde Dame eine Prinzessin sein oder nicht, soviel bleibt gewiß, daß sie sehr vornehm ist und reich und daß Herr Swammer sich ihrer lebhaft annimmt, mithin lange mit ihr bekannt sein muß. Und warum ist die Dame Ihnen nachgelaufen, lieber Herr Tyß? Ich sage, weil sie sich sterblich verliebt hat in Sie, und die Liebe macht ja wohl einen ganz blind und toll und verführt auch wohl Prinzessinnen zu den seltsamsten, unüberlegtesten Streichen. – Eine Zigeunerin hat Ihrer seligen Frau Mutter prophezeit, daß Sie einmal glücklich werden sollten durch eine Heirat, gerade wann Sie am wenigsten daran dächten. Das soll nun wahr werden!" –

Und damit begann die Alte aufs neue zu schildern, wie allerliebst die Dame aussehe.

Man kann denken, wie sich Peregrinus bestürmt fühlte. „Schweige", brach er endlich los, „schweige Sie doch nur, Frau Aline, von solchen Dingen. Verliebt in mich sollte die Dame sein? – wie albern, wie abgeschmackt!"

„Hm", sprach die Alte, „wäre das nicht der Fall, so würde die Dame nicht so gar jämmerlich geseufzt, so würde sie nicht so gar kläglich gerufen haben: ‚Nein, mein lieber Peregrinus, mein süßer Freund, du wirst, du kannst nicht grausam gegen mich sein! – Ich werde dich wiedersehen und alles Glück des Himmels genießen!' – Und unsern alten Herrn Swammer, den hat die fremde Dame ganz umgekehrt. Habe ich sonst außer dem Kronentaler zu Weihnachten auch nur einen einzigen Kreuzer von ihm erhalten? Und diesen schönen blanken Karolin, den gab er mir heute morgen mit solcher freundlicher Miene, wie er sie sonst gar nicht im Antlitz hat, als Douceur im voraus für die Dienste, die ich der Dame leisten werde. Da steckt was dahinter. Was gilt's, Herr Swammer spielt am Ende den Freiwerber bei Ihnen, Herr Tyß?" – Wiederum sprach die Alte von der Liebenswürdigkeit und Anmut der Dame mit begeisterten Worten, die in dem Munde eines abgelebten Weibes seltsam genug klangen, bis Peregrinus, ganz Feuer und Flamme, aufsprang und wie rasend ausrief: „Mag es gehen, wie es will – hinab, hinab, ans Schlüsselloch!" – Vergebens warnte Meister Floh, der in das Halstuch des verliebten Peregrinus gesprungen war und sich dort in den Schlupfwinkel einer Falte versteckt hatte. Peregrinus vernahm nicht seine Stimme, und Meister Floh erfuhr, was er längst hätte wissen sollen, nämlich daß mit dem störrigsten Menschen etwas anzufangen ist, nur nicht mit einem Verliebten.

Die Dame lag in der Tat noch ebenso auf dem Sofa, wie die Alte es beschrieben hatte, und Peregrinus fand, daß keine menschliche Sprache hinreiche, den himmlischen Zauber in Worten auszudrücken, der über der ganzen holden Gestalt ausgebreitet lag. Ihr Anzug, wirklich Silberzindel, mit seltsamer bunter Stickerei, war ganz phantastisch und konnte sehr füglich für das Negligé der Prinzessin Gamaheh gelten, das sie in Famagusta vielleicht in dem Augenblick getragen, als der boshafte Egelprinz sie totküßte. Wenigstens war der Anzug so reizend und dabei so über alle Maßen seltsam, daß die Idee dazu weder in dem Kopfe des genialsten Theaterschneiders entsprossen noch in dem Geiste der sublimsten Putzhändlerin empfangen zu sein schien. „Ja, sie ist es, es ist Prinzessin Gamaheh!“ So murmelte Peregrinus, indem er bebte vor süßer Wonne und dürstendem Verlangen. Als nun aber die Holde aufseufzte: „Peregrinus, mein Peregrinus!“, da erfaßte den Herrn Peregrinus Tyß der volle Wahnsinn der Leidenschaft, und nur eine unnennbare Angst, die ihm alle Kraft des Entschlusses raubte, hielt ihn zurück, nicht die Türe mit Gewalt einzustoßen und sich dem Engelsbilde zu Füßen zu werfen.

Der geneigte Leser weiß bereits, was es mit den zauberischen Reizen, mit der überirdischen Schönheit der kleinen Dörtje Elverdink für eine Bewandtnis hat. Der Herausgeber kann versichern, daß, nachdem er ebenfalls durch das Schlüsselloch geguckt und die Kleine in ihrem phantastischen Kleidchen von Silberzindel erblickt hatte, er weiter nichts sagen konnte, als daß Dörtje Elverdink ein ganz liebenswürdiges, anmutiges Püppchen sei.

Da aber kein junger Mann sich zum erstenmal in ein anderes Wesen verliebt hat als in ein überirdisches, in einen Engel, dem nichts gleichkommt auf Erden, so sei es dem Herrn Peregrinus auch erlaubt, Dörtje Elverdink für ein dergleichen zauberisches überirdisches Wesen zu halten. –

„Nehmt Euch zusammen, denkt an Euer Versprechen, werter Herr Peregrinus Tyß. – Niemals wolltet Ihr die verführerische Gamaheh wiedersehen, und nun! – Ich könnte Euch das Mikroskop ins Auge werfen, aber Ihr müßt ja auch ohne dasselbe gewahren, daß die boshafte Kleine Euch längst bemerkt hat und daß alles, was sie beginnt, trügerische Kunst ist, Euch zu verlokken. Glaubt mir doch nur, ich meine es gut mit Euch!" – So lispelte Meister Floh in der Falte des Halstuchs; solch bange Zweifel aber auch in Peregrinus' Innerm aufstiegen, doch konnte er sich nicht losreißen von dem bezaubernden Anblick der Kleinen, die den Vorteil, sich unbemerkt glauben zu dürfen, gut zu benutzen und, mit verführerischen Stellungen wechselnd, den armen Peregrinus ganz außer sich selbst zu setzen verstand.

Herr Peregrinus Tyß stünde vielleicht noch an der Türe des verhängnisvollen Gemachs, hätte es nicht stark geläutet und hätte die Alte ihm nicht zugerufen, daß der alte Herr Swammer zurückkehre. Peregrinus flog die Treppe hinauf in sein Zimmer. – Hier überließ er sich ganz seinen Liebesgedanken, mit eben diesen Gedanken kamen aber jene Zweifel zurück, die Meister Flohs Mahnungen in ihm erregt hatten. Es hatte sich recht eigentlich ein Floh in sein Ohr gesetzt, und er geriet in allerlei beunruhigende Betrachtungen.

„Muß ich", dachte er, „muß ich wirklich daran glauben, daß das holde Wesen die Prinzessin Gamaheh, die Tochter eines mächtigen Königs, ist? Bleibt dies aber der Fall, so muß ich es für Torheit, für Wahnsinn halten, nach dem Besitz einer so erhabenen Person zu streben. Dann aber hat sie ja auch selbst die Auslieferung eines Gefangenen verlangt, von dem ihr Leben abhinge, und stimmt dies genau mit dem überein, was mir Meister Floh gesagt, so kann ich auch beinahe nicht daran zweifeln, daß alles, was ich auf Liebe zu mir deuten dürfte, vielleicht nur ein Mittel ist, mich ihrem Willen ganz zu unterwerfen. Und doch! – sie verlassen – sie verlieren, das ist Hölle, das ist Tod!" –

Herr Peregrinus Tyß wurde in diesen schmerzlichen Betrachtungen durch ein leises bescheidenes Klopfen an der Türe gestört.

Wer hereintrat, war niemand anders als der Mietsmann des Herrn Peregrinus. – Der alte Herr Swammer, sonst ein zusammengeschrumpfter menschenscheuer, mürrischer Mann, schien plötzlich um zwanzig Jahre jünger geworden zu sein. Die Stirne war glatt, das Auge belebt, der Mund freundlich; er trug statt der häßlichen schwarzen Perücke natürliches weißes Haar und statt des dunkelgrauen Oberrocks einen schönen Zobelpelz, wie ihn Frau Aline beschrieben.

Mit einer heitern, ja freudigen Miene, die ihm sonst ganz und gar nicht eigen, trat Herr Swammer dem Peregrinus entgegen. Er wünsche nicht, sprach Herr Swammer, seinen lieben Herrn Wirt in irgendeinem Geschäft zu stören; seine Pflicht als Mieter erfordere es aber, gleich am Morgen dem Hauswirt anzuzeigen, daß er in der Nacht genötigt worden, ein hilfloses Frauenzimmer bei sich aufzunehmen, das sich der Tyrannei eines bösen Oheims entziehen wolle und daher wohl einige Zeit in dem Hause zubringen werde, wozu es indessen der Erlaubnis des gütigen Wirts bedürfe, um die er hiermit ansuche.

Unwillkürlich fragte Peregrinus, wer denn das hilflose Frauenzimmer sei, ohne daran zu denken, daß dies in der Tat die zweckmäßigste Frage war, die er tun konnte, um die Spur des seltsamen Geheimnisses zu verfolgen.

„Es ist“, erwiderte Herr Swammer, „es ist recht und billig, daß der Hauswirt wisse, wen er in seinem Hause beherbergt. Erfahren Sie also, verehrter Herr Tyß, daß das Mädchen, das sich zu mir geflüchtet, niemand anders ist als die hübsche Holländerin Dörtje Elverdink, Nichte des berühmten Leuwenhoek, der, wie Sie wissen, hier die wunderbaren mikroskopischen Kunststücke zeigt. Leuwenhoek ist sonst mein Intimus; aber ich muß bekennen, daß er ein harter Mann ist und die arme Dörtje, die noch dazu mein Patchen, mißhandelt auf arge Weise. Ein stürmischer Auftritt, der sich gestern abend ereignete, zwang das Mädchen zur Flucht, und daß sie bei mir Trost und Hilfe suchte, scheint natürlich.“

„Dörtje Elverdink“, sprach Peregrinus halb träumend, „Leuwenhoek! – vielleicht ein Abkömmling des Naturforschers Anton von Leuwenhoek, der die berühmten Mikroskope verfertigte?“

„Daß unser Leuwenhoek“, erwiderte Herr Swammer lächelnd, „ein Abkömmling jenes berühmten Mannes sei, kann man so eigentlich nicht sagen, da er der berühmte Mann selbst und es nur eine Fabel ist, daß er vor beinahe hundert Jahren in Delft begraben worden. Glauben Sie das, bester Herr Tyß, sonst könnten Sie wohl noch gar daran zweifeln, daß ich, unerachtet ich mich der Kürze halber und, um nicht über Gegenstände meiner Wissenschaft jedem neugierigen Toren Rede stehen zu müssen, jetzt Swammer nenne, der berühmte Swammerdamm bin. Alle Leute behaupten, ich sei im Jahre 1680 gestorben, aber Sie bemerken, würdiger Herr Tyß, daß ich lebendig und gesund vor Ihnen stehe und daß *ich* wirklich *ich* bin, kann ich jedem, auch dem Einfältigsten aus meiner Biblia naturae demonstrieren. Sie glauben mir doch, werter Herr Tyß?"

„Mir ist", sprach Peregrinus mit einem Ton, der von seiner innern Verwirrung zeugte, „mir ist seit ganz kurzer Zeit so viel Wunderbares geschehen, daß ich, wäre nicht alles deutliche Sinneswahrnehmung, ewig daran zweifeln würde. Aber nun glaube ich an alles, sei es auch noch so toll und ungereimt! – Es kann sein, daß Sie der verstorbene Herr Johann Swammerdamm sind und daher als Revenant mehr wissen als andere gewöhnliche Menschen; was aber die Flucht der Dörtje Elverdink oder der Prinzessin Gamaheh, oder wie die Dame sonst heißen mag, betrifft, so sind Sie im gewaltigen Irrtum. – Erfahren Sie, wie es damit herging."

Peregrinus erzählte nun ganz ruhig das Abenteuer, das er mit der Dame bestanden, von ihrem Eintritt in Lämmerhirts Stube an bis zu ihrer Aufnahme in Herrn Swammers Zimmer.

„Mir scheint", sprach Herr Swammer, als Peregrinus geendigt, „mir scheint, als wenn das alles, was Sie mir zu erzählen beliebt haben, nichts sei als ein merkwürdiger, jedoch ganz angenehmer Traum. Ich will das aber dahingestellt sein lassen und Sie um Ihre Freundschaft bitten, deren ich vielleicht gar sehr bedürfen werde. Vergessen Sie mein mürrisches Betragen und lassen Sie uns einander nähertreten. Ihr Vater war ein einsichtsvoller Mann und mein herzlichster Freund; aber was Wissenschaft, tiefen Verstand, reife Urteilskraft, geübten richtigen

Lebensblick betrifft, so tut es der Sohn dem Vater zuvor. Sie glauben gar nicht, wie ich Sie hochschätze, mein bester würdigster Herr Tyß." –

„Jetzt ist es Zeit", lispelte Meister Floh, und in dem Augenblick fühlte Peregrinus in der Pupille des linken Auges einen geringen schnell vorübergehenden Schmerz. Er wußte, daß Meister Floh ihm das mikroskopische Glas ins Auge gesetzt, doch fürwahr, diese Wirkung des Glases hatte er nicht ahnen können. Hinter der Hornhaut von Swammers Augen gewahrte er seltsame Nerven und Äste, deren wunderlich verkreuzten Gang er bis tief ins Gehirn zu verfolgen und zu erkennen vermochte, daß es Swammers Gedanken waren. Die lauteten aber ungefähr: „Hätte ich doch nicht geglaubt, daß ich hier so wohlfeilen Kaufs davonkomme, daß ich nicht besser ausgefragt werden würde. War aber der Herr Papa ein beschränkter Mensch, auf den ich niemals etwas gab, so ist der Sohn noch verwirrteren Sinnes, dem ein großer Besitz kindischer Albernheit zugegeben. Erzählt mir der Einfaltspinsel die ganze Begebenheit mit der Prinzessin und setzt nicht voraus, daß sie mir schon selbst alles erzählt hat, da mein Beginnen mit ihr ein früheres vertrauliches Verhältnis notwendig voraussetzte. – Aber was hilft's, ich muß schön mit ihm tun, weil ich seiner Hilfe bedarf. Er ist unbefangen genug, mir alles zu glauben, ja wohl in einfältiger Gutmütigkeit meinem Interesse manches Opfer zu bringen, wofür er keinen andern Dank ernten wird, als daß ich ihn, wenn alles gut abgelaufen und Gamaheh wieder mein ist, hinterm Rücken derb auslache." –

„War es", sprach Herr Swammer, indem er dicht herantrat an Herrn Peregrinus, „war es mir doch, als säße ein Floh auf Ihrer Halsbinde, werter Herr Tyß!" – Die Gedanken lauteten: „Alle Wetter, das war doch wirklich Meister Floh! – das wäre ja ein verfluchter Querstreich, wenn Gamaheh sich nicht geirrt hätte."

Schnell trat Peregrinus zurück, indem er versicherte, daß er den Flöhen gar nicht gram sei.

„So", sprach Herr Swammer, sich tief verbeugend, weiter, „so empfehle ich mich dann fürs erste ganz ergebenst, mein lieber wertester Herr Tyß."

Die Gedanken lauteten: „Ich wollte, daß dich der schwarzgefiederte Satan verschlinge, du verdammter Kerl!" –

Meister Floh nahm dem ganz in Erstaunen versunkenen Peregrinus das mikroskopische Glas aus der Pupille und sprach dann: „Ihr habt nun, lieber Herr Peregrinus, die wunderbare Wirkung des Instruments, das wohl in der ganzen Welt seinesgleichen nicht findet, erkannt und werdet einsehen, welche Übermacht es Euch über die Menschen gibt, wenn Euch ihre innersten Gedanken offen vor Augen liegen. Trüget Ihr aber beständig dies Glas im Auge, so würde Euch die stete Erkenntnis der Gedanken zuletzt zu Boden drücken; denn nur zu oft wiederholte sich die bittre Kränkung, die Ihr soeben erfahren habt. Stets werde ich, wenn Ihr Euer Haus verlasset, bei Euch sein, entweder in der Halsbinde, im Jabot, oder sonst an einem schicklichen bequemen Orte sitzen. Wollt Ihr nun die Gedanken dessen wissen, der mit Euch spricht, so dürft Ihr nur mit dem Daumen schnippen, und augenblicklich habt Ihr das Glas im Auge."

Herr Peregrinus Tyß, den unübersehbaren Nutzen dieser Gabe begreifend, wollte sich eben in die heißesten Danksagungen ergießen, als zwei Abgeordnete des hohen Rats eintraten und ihm ankündigten, daß er eines schweren Vergehens angeklagt sei und daß diese Anklage vorläufige Haft und Beschlagnahme seiner Papiere zur Folge haben müsse.

Herr Peregrinus schwur hoch und teuer, daß er sich auch nicht des geringsten Verbrechens bewußt sei. Einer der Abgeordneten meinte aber lächelnd, daß vielleicht in wenigen Stunden seine völlige Unschuld aufgeklärt sein werde; bis dahin müsse er sich aber den Befehlen der Obrigkeit fügen.

Was blieb dem Herrn Peregrinus Tyß übrig, als in den Wagen zu steigen und sich nach dem Gefängnis transportieren zu lassen.

Man kann denken, mit welchen Empfindungen er an Herrn Swammers Zimmer vorüberging.

Meister Floh saß in der Halsbinde des Gefangenen.

Viertes Abenteuer

Unerwartetes Zusammentreffen zweier Freunde. Der Rat Knarrpanti und seine peinlichen Grundsätze. Liebesverzweiflung der Distel Zeherit. Optischer Zweikampf zweier Magier. Somnambuler Zustand der Prinzessin Gamaheh. Die Gedanken des Traums. Wie Dörtje Elverdink beinahe die Wahrheit spricht und die Distel Zeherit mit der Prinzessin Gamaheh von dannen rennt.

Sehr bald war der Fehlgriff des Wächters ausgemittelt, der den Herrn Pepusch als einen nächtlichen Dieb, welcher einzubrechen versucht, zur Haft gebracht hatte. Man wollte indessen einige Unrichtigkeiten in seinen Pässen bemerkt haben, und dies war die Ursache, warum man ihn ersuchte, irgendeinen angesessenen Bürger in Frankfurt als Gewährsmann aufzustellen, bis dahin sich aber den Aufenthalt auf dem Bürgermeisteramt gefallen zu lassen.

Da saß nun Herr George Pepusch in einem ganz artigen Zimmer und sann hin und her, wen er wohl in Frankfurt als seinen Gewährsmann aufstellen könne. So lange war er abwesend gewesen, daß er befürchten mußte, selbst von denen vergessen worden zu sein, die ihn vormals recht gut gekannt hatten, und an sonstigen Adressen fehlte es ihm gänzlich.

Ganz mißmütig sah er zum Fenster heraus und begann laut sein Schicksal zu verwünschen. Da wurde dicht neben ihm ein anderes Fenster geöffnet, und eine Stimme rief: „Wie? sehe ich recht? Bist du es, George?“ – Herr Pepusch war nicht wenig erstaunt, als er den Freund erblickte, mit dem er während seines Aufenthaltes in Madras den vertrautesten Umgang gepflogen.

„Wetter“, sprach Herr Pepusch, „Wetter, wie man so vergeßlich, ja so ganz vor den Kopf geschlagen sein kann! Ich wußt es ja, daß du glücklich in den heimatlichen Stapel eingelaufen bist. Wunderdinge habe ich in Hamburg von deiner seltsamen Lebensweise gehört, und nun ich hier angekommen, denke ich nicht daran, dich aufzusuchen. Doch wer solche Dinge im Kopfe hat als ich – Nun, es ist gut, daß der Zufall mir dich zugeführt.

Du siehst, ich bin verhaftet, du kannst mich aber augenblicklich in Freiheit setzen, wenn du Gewähr leistest, daß ich wirklich der George Pepusch bin, den du seit langen Jahren kennest, und kein Spitzbube, kein Räuber!"

„Ich bin", rief Herr Peregrinus Tyß, „in der Tat jetzt ein herrlicher tadelsfreier Gewährsmann, da ich selbst verhaftet eines schweren Verbrechens halber, das ich nicht kenne, ja von dem ich auch nicht die leiseste Ahnung habe."

Doch, es möchte geraten sein, das Gespräch der beiden Freunde, die sich auf eine Weise wiederfanden, wie sie es wohl nicht vermutet, zu unterbrechen und dem geneigten Leser zu sagen, was es mit der Verhaftung des Herrn Peregrinus Tyß für eine Bewandtnis hatte. Es ist schwer, ja wohl unmöglich darzutun, wie Gerüchte entstehen; sie gleichen dem Winde, von dem man nicht weiß, woher er kommt und wohin er fährt. So hatte sich auch in der Stadt das Gerücht verbreitet, daß am Weihnachtsabende aus einer großen Gesellschaft, die bei einem reichen Bankier versammelt gewesen, eine sehr vornehme Dame auf unbegreifliche Weise entführt worden. Jeder sprach davon, nannte den Namen des Bankiers und klagte laut, daß die Polizei wenig wachsam sein müsse, wenn eine solche gewaltsame Tat ohne Scheu verübt werden dürfe. Der Rat konnte nicht umhin, Nachforschungen anzustellen; alle Gäste, die am Weihnachtsabende bei dem Bankier gewesen, wurden vernommen; jeder sagte, allerdings sei, wie er gehört habe, eine vornehme Dame aus der Gesellschaft entführt worden, und der Bankier bedauerte gar sehr, daß in seinem Hause solch ein Streich geschehen. Keiner wußte indessen den Namen der entführten Dame anzugeben, und als der Bankier die Liste seiner Gäste einreichte, fand es sich, daß keine einzige von den Damen, die zugegen gewesen, vermißt wurde. War dies nun auch der Fall mit sämtlichen einheimischen und fremden Frauen und Mädchen in der ganzen Stadt, von denen keiner am Weihnachtsabende Leids geschehen, so sah der Rat, wie es nicht anders geschehen konnte, das entstandene Gerücht für völlig grundlos und die ganze Sache für erledigt an.

Da erschien aber vor dem Rat ein seltsamer Mensch, sowohl seiner Kleidung als seinem ganzen Wesen nach, welcher sagte, er sei Geheimer Hofrat und nenne sich Knarrpanti. Darauf zog er ein Papier mit einem großen Siegel aus der Tasche und überreichte es mit einer höflichen Verbeugung und einer Miene, die deutlich aussprach, wie sehr der Rat durch die hohe Würde, die er, der Geheime Hofrat Knarrpanti, bekleide, und durch den wichtigen Auftrag, den er erhalten, überrascht sein und welcher Respekt ihm nun erwiesen werden würde. Knarrpanti war ein sehr wichtiger Mann, ein sogenanntes Faktotum an dem Hofe eines kleinen Fürsten, auf dessen Namen sich der Herausgeber nicht besinnen kann und von dem nur zu sagen ist, daß es ihm beständig an Geld fehlte und daß von allen Staatseinrichtungen, die er aus der Geschichte kannte, ihm keine besser gefiel als die Geheime Staats-Inquisition, wie sie ehemals in Venedig stattfand. Diesem Fürsten war wirklich vor einiger Zeit eine von seinen Prinzessinnen abhanden gekommen, man wußte nicht recht, wie? Als nun dem Knarrpanti, der sich gerade in Frankfurt befand, um womöglich einiges Geld für seinen Herrn aufzuborgen, das Gerücht von der entführten vornehmen Dame zu Ohren kam, schrieb er sogleich an den Fürsten, daß es seinen Bemühungen gelungen, der verlornen Prinzessin auf die Spur zu kommen. Darauf erhielt er sofort den Auftrag, den Räuber zu verfolgen und alles anzuwenden, die Prinzessin aufzufinden und sich ihrer zu bemächtigen, koste es, was es wolle. Diesem Auftrage war ein höfliches Schreiben an den Rat beigelegt, worin derselbe ersucht wurde, dem Geheimen Hofrat Knarrpanti in seinen Nachforschungen möglichst beizustehen und auf seinen Antrag den Räuber zu verhaften und ihm den Prozeß zu machen. Dies Schreiben war aber jenes Papier, welches Knarrpanti dem Rat in der Audienz überreichte und von dem er sich solche große Wirkung versprach. Der Rat erwiderte, das Gerücht von einer vornehmen Dame, die entführt sein solle, sei als grundlos widerlegt, dagegen vollkommen ermittelt, daß überhaupt niemand entführt worden, es könne daher von Ausmittlung eines Entführers nicht die Rede sein, und werde der Herr Geheime Hofrat

Knarrpanti, aller weiteren Nachforschungen entübrigt, wohl keines Beistandes bedürfen.

Knarrpanti hörte dies alles mit einem selbstzufriedenen Lächeln an und versicherte, daß es seiner ungemeinen Sagazität bereits gelungen, den Täter zu erforschen. – Auf die Erinnerung, daß doch eine Tat begangen sein müsse, wenn es einen Täter geben solle, meinte Knarrpanti, daß, sei erst der Verbrecher ausgemittelt, sich das begangene Verbrechen von selbst finde. Nur ein oberflächlicher leichtsinniger Richter sei, wenn auch selbst die Hauptanklage wegen Verstocktheit des Angeklagten nicht festzustellen, nicht imstande, dies und das hineinzuinquirieren, welches dem Angeklagten doch irgendeinen kleinen Makel anhänge und die Haft rechtfertige. Er müsse schon jetzt dringend auf die schleunige Verhaftung des Entführers seiner Prinzessin antragen, und dieser Entführer sei niemand anders als Herr Peregrinus Tyß, der ihm schon längst als höchst verdächtig bekannt und dessen Papiere er sofort in Beschlag zu nehmen bitte.

Der Rat erstaunte über die kecke Anklage eines stillen unbescholtenen Bürgers und wies Knarrpantis Antrag mit vielem Geräusch zurück.

Knarrpanti kam nicht im mindesten aus der Fassung, sondern versicherte mit einer gewissen widerlichen Anmaßung, die ihm überhaupt eigen, daß, verlange man von ihm zuvor den Nachweis seiner Anklage, er diesen sehr leicht führen könne. Durch zwei Zeugen wolle er nämlich dartun, daß Herr Peregrinus Tyß in der Weihnachtsnacht mit Gewalt ein schön geputztes Mädchen in sein Haus geschleppt habe.

Mehr, um die Absurdität dieser Behauptung völlig darzutun, als um auf die Sache wirklich einzugehen, beschloß der Rat, die beiden vorgeschlagenen Zeugen vernehmen zu lassen. Beide, ein Nachbar des Herrn Peregrinus Tyß, der in jener verhängnisvollen Weihnachtsnacht zufällig eben in sein Haus treten wollen, sowie der Wächter hatten aber aus der Ferne den ganzen Auftritt, als Peregrinus die geheimnisvolle Schöne herbeitrug, beobachtet und bekundeten einstimmig, daß Herr Tyß allerdings eine geputzte Dame in sein Haus gebracht. Beide wollten denn auch bemerkt haben, daß die Dame sich sehr gesträubt und jämmerlich lamentiert. Auf die Frage, warum sie denn dem bedrängten Frauenzimmer nicht zu Hilfe geeilt, erwiderten sie, solches sei ihnen nicht eingefallen.

Die Aussage dieser Zeugen setzte den Rat in nicht geringe Verlegenheit, da Herr Peregrinus sich wirklich des Vergehens schuldig gemacht zu haben schien, dessen man ihn anklagte. Knarrpanti sprach wie ein Cicero und bewies, wie der Umstand, daß man jetzt keine Dame vermisse, gar nichts entscheide, da die Dame sich ja wieder aus Peregrinus' Hause gerettet haben und aus purer Scham den ganzen Vorfall verschweigen könne. Wer die Dame sei, sowie was Herr Tyß noch sonst in gefährlichen Liebesumtrieben begonnen, das würde sich gewiß aus des Verbrechers Papieren ergeben, und er nahm die Gerechtigkeitsliebe des Rats in Anspruch, nach der gewiß keine fluchwürdige Tat ungeahndet bleiben dürfe. Der Rat beschloß fürs erste, dem Gesuch des würdigen Geheimen Hofrats nachzugeben, und so geschah es, daß des armen Peregrinus Tyß schnelle Verhaftung sowie die Beschlagnahme seiner Papiere erfolgte. –

Wir kehren zu den beiden Freunden, die nebeneinander die Köpfe aus den Fenstern ihrer Gefängnisse gesteckt haben, zurück.

Peregrinus hatte dem Freunde ausführlich erzählt, wie er bei seiner Rückkehr nach Frankfurt sich verwaist gefunden und seitdem in völliger Abgeschiedenheit nur in der Erinnerung an die früheren Tage mitten in der geräuschvollen Stadt ein einsames freudenloses Leben führe.

„O ja", erwiderte Pepusch mürrisch, „ich habe davon gehört, mir sind die Narrenspossen erzählt worden, die du treibst, um das Leben zu verbringen in kindischer Träumerei. Du willst ein Held der Gemütlichkeit, der Kindlichkeit sein, und darum verhöhnst du die gerechten Ansprüche, die das Leben, die menschliche Gesellschaft an dich macht. Du gibst eingebildete Familienschmäuse und spendest die köstlichen Speisen, die teuern Weine, die du für Tote auftischen ließest, den Armen. Du bescherst dir selbst den Heiligen Christ ein und tust, als seist du noch ein Kind; dann schenkst du aber die Gaben, welche von der Art sind, wie sie wohl verwöhnten Kindern in reicher Eltern Hause gespendet zu werden pflegen, armen Kindern. Aber du bedenkst nicht, daß es den Armen eine schlechte Wohltat ist, wenn du einmal ihren Gaumen kitzelst und sie nachher ihr Elend doppelt fühlen, wenn sie aus nagendem Hunger kaum genießbare Speise, die mancher leckere Schoßhund verwirft, kauen müssen – ha, wie mir diese Armenabfütterungen anekeln, wenn ich bedenke, daß das, was an einem Tage verspendet wird, hinreichen würde, sie Monate hindurch zu ernähren auf mäßige Weise! – Du überhäufst die Kinder armer Leute mit glänzenden Spielsachen und bedenkst nicht, daß ein hölzerner buntgemalter Säbel, ein Lumpenpüppchen, ein Kuckuck, ein geringes Naschwerk, von Vater und Mutter einbeschert, sie ebenso, ja vielleicht noch mehr erfreut. Aber sie fressen sich überdem an deinem verdammten Marzipan matt und krank, und mit der Kenntnis glänzenderer Gaben, die ihnen in der Folge versagt bleiben, ist der Keim der Unzufriedenheit, des Mißmuts in ihre Seele gepflanzt. Du bist reich, du bist lebenskräftig, und doch entziehst du dich jeder Mitteilung und vereitelst so jedes freundliche Annähern dir wohlwollender Gemüter. Ich will es glauben, daß der Tod deiner Eltern dich erschüttert hat, aber wenn jeder, der einen empfindlichen Verlust erlitten hat, in sein Schneckenhaus kriechen sollte, so würde, beim Teufel, die Welt einem Leichenhause gleichen, und ich wollte nicht darin leben. Aber, Patron! weißt du wohl, daß dich die störrigste Selbstsucht regiert, die sich hinter einer albernen Menschenscheue versteckt? – Geh, geh, Peregrinus, ich kann dich nicht mehr achten, nicht mehr dein Freund sein, wenn du dein Leben nicht änderst, die fatale Wirtschaft in deinem Hause nicht aufgibst."

Peregrinus schnippte mit dem Daumen, und sogleich warf ihm Meister Floh das mikroskopische Glas ins Auge.

Die Gedanken des zürnenden Pepusch lauteten: „Ist es nicht ein Jammer, daß ein solcher gemütlicher verständiger Mensch auf solche bedrohliche Abwege geraten konnte, die ihn zuletzt zu völliger Abgespanntheit aller bessern Kräfte bringen können? Aber es ist gewiß, daß ein weiches, zum Trübsinn geneigtes Gemüt den Stoß nicht ertragen konnte, den ihm der Tod der Eltern versetzte, und daß er Trost in einem Treiben suchte, das an Wahnsinn grenzt. Er ist verloren, wenn ich ihn nicht rette. Ich will ihm desto härter zusetzen, mit desto grelleren Farben ihm das Bild seiner Torheit aufstellen, je mehr ich ihn hochschätze, sein wahrer Freund bin und bleibe."

Peregrinus erkannte an diesen Gedanken, daß er in dem mürrischen Pepusch seinen alten wahrhaften Freund unverändert wiedergefunden.

„George", sprach Peregrinus, nachdem ihm Meister Floh wieder das mikroskopische Glas aus der Pupille genommen, „George, ich mag mit dir gar nicht darüber rechten, was du über das Tadelnswerte meiner Lebensweise sagst, denn ich weiß, daß du es sehr gut mit mir meinst. Doch muß ich dir sagen, daß es meine Brust hoch erhebt, wenn ich den Armen einen Freudentag bereiten kann, und ist dies, unerachtet ich dabei an niemanden weniger denke als an mich selbst, gehässige Selbstsucht, so fehle ich wenigstens unbewußt. Das sind die Blumen in meinem Leben, das mir sonst vorkommt wie ein trauriges unwirtbares Feld voll Disteln."

„Was", fuhr George Pepusch heftig auf, „was sprichst du von Disteln? warum verachtest du Disteln und setzest sie den Blumen entgegen? Bist du so wenig erfahren in der Naturkunde, um nicht zu wissen, daß die wunderherrlichste Blume, die es nur geben mag, nichts anders ist als die Blüte einer Distel? Ich meine den Cactus grandiflorus. Und ist die Distel Zeherit nicht eben wieder der schönste Cactus unter der Sonne? Peregrinus, ich habe dir so lange verschwiegen oder vielmehr verschweigen müssen, weil ich selbst die klare Erkenntnis davon nicht hatte, aber jetzt erfahre es, daß ich selbst die Distel Zeherit bin und meine Ansprüche auf die Hand der Tochter des würdigen Königs Sekakis, der holden, himmlischen Prinzessin Gamaheh, durchaus nicht aufgeben will und werde. – Ich habe sie gefunden, aber in demselben Augenblick erfaßten mich dämonische

Wächter und Bürgerwachen und schleppten mich ins Gefängnis.“

„Wie“, rief Peregrinus halb erstarrt vor Erstaunen, „auch du, George, bist verflochten in die seltsamste aller Geschichten?“

„Was für eine Geschichte?“ fragte Pepusch.

Peregrinus nahm gar keinen Anstand, auch seinem Freunde, wie Herrn Swammer, alles zu erzählen, was sich bei dem Buchbinder Lämmerhirt und darauf in seinem Hause begeben. Er verschwieg auch nicht die Erscheinung des Meisters Floh, wiewohl, man mag es wohl denken, den Besitz des geheimnisvollen Glases.

Georges Augen brannten, er biß sich in die Lippen, er schlug sich vor die Stirn, er rief, als Peregrinus geendet, in voller Wut: „Die Verruchte! die Treulose! die Verräterin!“ – Um in der Selbstqual verzweifelnder Liebe jeden Tropfen aus dem Giftbecher, den ihm Peregrinus, ohne es zu ahnen, gereicht, gierig auszukosten, ließ er sich jeden kleinen Zug von Dörtjens Beginnen wiederholen. Dazwischen murmelte er: „In den Armen – an der Brust – glühende Küsse“ – Dann sprang er vom Fenster zurück, lief in der Stube umher und gebärdete sich wie ein Rasender.

Vergebens rief Peregrinus ihm zu, er möge ihn doch nur weiter hören, er habe ihm noch viel Tröstliches zu sagen; Pepusch ließ nicht nach mit Toben.

Das Zimmer wurde aufgeschlossen, und ein Abgeordneter des Rats kündigte dem Herrn Peregrinus Tyß an, daß kein gesetzlicher Grund zu seiner längeren Haft gefunden worden und er zurückkehren könne in seine Wohnung.

Der erste Gebrauch, den Peregrinus von seiner wiedererlangten Freiheit machte, war, daß er sich als Gewährsmann für den verhafteten George Pepusch gestellte, dem er bezeugte, daß er wirklich der George Pepusch sei, mit dem er, in innigster Freundschaft verbunden, zu Madras gelebt und der ihm als ein vermögender, ganz unbescholtener Mann bekannt sei. Von der Distel Zeherit, der schönsten aller Fackeldisteln, schwieg Peregrinus wohlweislich, da er einsah, daß unter den vorwaltenden Umständen dies dem Freunde hätte mehr schädlich als nützlich sein können.

Meister Floh ergoß sich in sehr philosophischen lehrreichen Betrachtungen, die darauf hinausliefen, daß die Distel Zeherit, trotz der rauhen störrigen Außenseite, sehr human und verständig sei, jedoch sich stets ein wenig zu anmaßend zeige. Im Grunde genommen habe die Distel mit vollem Recht die Lebensweise des Herrn Peregrinus getadelt, sei auch dies in etwas zu harten Ausdrücken geschehen. Er seinerseits wolle wirklich dem Herrn Peregrinus raten, sich von nun an in die Welt zu begeben.

„Glaubt mir", so sprach Meister Floh, „glaubt mir, Herr Peregrinus, es wird Euch gar manchen Nutzen bringen, wenn Ihr Eure Einsamkeit verlaßt. Fürs erste dürftet Ihr nicht mehr fürchten, scheu und verlegen zu erscheinen, da Ihr, das geheimnisvolle Glas im Auge, die Gedanken der Menschen beherrschet, es daher ganz unmöglich ist, daß Ihr nicht überall den richtigen Takt behaupten solltet. Wie fest, wie ruhig könnt Ihr vor den höchsten Häuptern auftreten, da ihr Innerstes klar vor Euern Augen liegt. Bewegt Ihr Euch frei in der Welt, so wird Euer Blut leichter fließen, jedes trübsinnige Brüten aufhören und, was das beste ist, bunte Ideen und Gedanken werden aufgehen in Euerm Gehirn, das Bild der schönen Gamaheh wird von seinem Glanz verlieren, und bald seid Ihr dann besser imstande, mir Wort zu halten."

Herr Peregrinus fühlte, daß beide, George Pepusch und Meister Floh, es sehr gut mit ihm meinten, und er nahm sich vor, ihren weisen Rat zu befolgen. Doch sowie er die süße Stimme der holden Geliebten vernahm, welche öfters sang und spielte, so glaubte er nicht, wie es möglich sein werde, das Haus zu verlassen, das ihm zum Paradiese geworden.

Endlich gewann er es doch über sich, einen öffentlichen Spaziergang zu besuchen. Meister Floh hatte ihm das Glas ins Auge gesetzt und Platz genommen im Jabot, wo er sich sanft hin und her zu schaukeln wußte.

„Habe ich endlich das seltene Vergnügen, meinen guten lieben

Herrn Tyß wiederzusehen? Sie machen sich rar, bester Freund, und alles schmachtet doch nach Ihnen. Lassen Sie uns irgendwo eintreten, eine Flasche Wein leeren auf Ihr Wohl, mein Herzensfreund! – Wie ich mich freue, Sie zu sehen!" So rief ihm ein junger Mann entgegen, den er kaum zwei-, dreimal gesehen. Die Gedanken lauteten: „Kömmt der alberne Misanthrop auch einmal zum Vorschein? – Aber ich muß ihm schmeicheln, weil ich nächstens Geld von ihm borgen will. Er wird doch nicht des Teufels sein und meine Einladung annehmen? Ich habe keinen Groschen Geld, und kein Wirt borgt mir mehr."

Zwei sehr zierlich gekleidete junge Mädchen traten dem Peregrinus geradezu in den Weg. Es waren Schwestern, weitläufig mit ihm verwandt.

„Ei", rief die eine lachend, „ei, Vetterchen, trifft man Sie einmal? Es ist gar nicht hübsch von Ihnen, daß Sie sich so einsperren, daß Sie sich nicht sehen lassen. Sie glauben nicht, wie Mutterchen Ihnen gut ist, weil Sie solch ein verständiger Mensch sind. Versprechen Sie mir, bald zu kommen. Da! Küssen Sie mir die Hand." – Die Gedanken lauteten: „Wie, was ist das? was ist mit dem Vetter vorgegangen? Ich wollte ihn recht in Furcht und Angst setzen. Sonst lief er vor mir, vor jedem Frauenzimmer, und jetzt bleibt er stehen und guckt mir so ganz sonderbar ins Auge und küßt mir die Hand ohne alle Scheu! Sollte er in mich verliebt sein? Das fehlte noch! – Die Mutter sagt, er sei etwas dämisch. Was tut's, ich nehm ihn; ein dämischer Mann ist, wenn er reich ist wie der Vetter, eben der beste." Die Schwester hatte mit niedergeschlagenen Augen und hochroten Wangen bloß gelispelt: „Ja, besuchen Sie uns recht bald, lieber Vetter!" – Die Gedanken lauteten: „Der Vetter ist ein recht hübscher Mensch, und ich begreife nicht, warum ihn die Mutter albern und abgeschmackt nennt und ihn nicht leiden mag. Wenn er in unser Haus kommt, verliebt er sich in mich, denn ich bin das schönste Mädchen in ganz Frankfurt. Ich nehme ihn, weil ich einen reichen Menschen heiraten will, damit ich bis eilf Uhr schlafen darf und teurere Shawls tragen kann als die Frau von Carsner." – Ein vorüberfahrender Arzt ließ, als er den Peregrinus erblickte, den Wagen halten und schrie zum Schlage heraus: „Guten Morgen, bester Tyß! Sie sehen aus wie das Leben! der Himmel erhalte Sie bei guter Gesundheit! Aber wenn Ihnen was zustoßen sollte, so denken Sie an mich, an den alten Freund Ihres seligen Herrn Vaters. – Solchen kräftigen Naturen helfe ich auf die Beine in weniger Zeit! Adieu!" Die Gedanken lauteten: „Ich glaube, der Mensch ist aus purem Geiz beständig gesund? Aber er sieht mir so blaß, so verstört aus, er scheint mir endlich was am Halse zu haben. Nun! kommt er mir unter die Hände, so soll er nicht wieder so bald vom Lager aufstehen, er soll tüchtig büßen für seine hartnäckige Gesundheit."

„Sei'n Sie schönstens gegrüßt, Wohledler!" rief ihm gleich darauf ein alter Kaufmann entgegen; „sehen Sie, wie ich laufe und renne, wie ich mich plagen muß der Geschäfte halber. Wie weise ist es, daß Sie sich den Geschäften entzogen, unerachtet es bei Ihren Einsichten Ihnen gar nicht fehlen könnte, den Reichtum Ihres braven Herrn Vaters zu verdoppeln."

Die Gedanken lauteten: „Wenn der Mensch nur Geschäfte machen wollte, der verwirrte Einfaltspinsel würde in kurzer Zeit seinen ganzen Reichtum verspekulieren, und das wäre dann ein Gaudium. Der alte Herr Papa, der seine Freude daran hatte, andere ehrliche Leute, die sich durch ein klein Bankerottchen aufhelfen wollten, schonungslos zu ruinieren, würde sich im Grabe umdrehen." –

Noch viel mehr solche schneidende Widersprüche zwischen Worten und Gedanken liefen dem Peregrinus in den Weg. Stets richtete er seine Antworten mehr nach dem ein, was die Leute gedacht, als nach dem, was sie gesprochen, und so konnt es nicht fehlen, daß, da Peregrinus in der Leute Gedanken eingedrungen, sie selbst gar nicht wußten, was sie von dem Peregrinus denken sollten. Zuletzt fühlte sich Herr Peregrinus ermüdet und betäubt. Er schnippte mit dem Daumen, und sogleich verschwand das Glas aus der Pupille des linken Auges.

Als Peregrinus in sein Haus trat, wurde er durch ein seltsames Schauspiel überrascht. Ein Mann stand in der Mitte des Flurs und sah durch ein seltsam geformtes Glas unverwandten Blickes nach Herrn Swammers Stubentür. Auf dieser Türe spielten aber sonnenhelle Kreise in Regenbogenfarben, fuhren zusammen in einen feurigglühenden Punkt, der durch die Türe zu dringen schien. Sowie dies geschehen, vernahm man ein dumpfes Ächzen, von Schmerzenslauten unterbrochen, das aus dem Zimmer zu kommen schien.

Zu seinem Entsetzen glaubte Herr Peregrinus Gamahehs Stimme zu erkennen.

„Was wollen Sie? Was treiben Sie hier?“ So fuhr Peregrinus auf den Mann los, der wirklich Teufelskünste zu treiben schien, indem stets rascher, stets feuriger die Regenbogenkreise spielten, stets glühender der Punkt hineinfuhr, stets schmerzlicher die Jammerlaute aus dem Zimmer ertönten.

„Ah!“ sprach der Mann, indem er seine Gläser zusammenschob und schnell einsteckte, „ah, sieh da, der Herr Wirt! Verzeihen Sie, bester Herr Tyß, daß ich hier ohne Ihre gütige Erlaubnis operiere. Aber ich war bei Ihnen, um mir diese Erlaubnis zu erbitten. Da sagte mir aber die gute freundliche Aline, daß Sie ausgegangen wären, und die Sache hier unten litt keinen Aufschub.“

„Welche Sache?“ fragte Peregrinus ziemlich barsch, „welche Sache hier unten ist's, die keinen Aufschub leidet?“

„Sollten Sie“, fuhr der Mann mit widrigem Lächeln fort, „sollten Sie, wertester Herr Tyß, denn nicht wissen, daß mir meine ungeratene Nichte Dörtje Elverdink entlaufen ist? Sie sind ja, wiewohl mit großem Unrecht, als ihr Entführer verhaftet worden, weshalb ich denn auch, sollte es darauf ankommen, mit vielem Vergnügen Ihre völlige Unschuld bezeugen werde. Nicht zu Ihnen, nein, zu dem Herrn Swammerdamm, der sonst mein Freund war, sich aber jetzt in meinen Feind verkehrt hat, ist die treulose Dörtje geflüchtet. Sie sitzt hier im Zimmer, ich weiß es, und zwar allein, da Herr Swammerdamm ausgegangen. Eindringen kann ich nicht, da die Türe fest verschlossen und verriegelt ist, ich aber viel zu gutmütig bin, um Gewalt anzuwenden. Deshalb nehme ich mir aber die Freiheit, die Kleine mit meinem optischen Marter-Instrument etwas zu quälen, damit sie doch erkenne, daß ich, trotz ihres eingebildeten Prinzessintums, ihr Herr und Meister bin!"

„Der Teufel", schrie Peregrinus im höchsten Grimm, „der Teufel sind Sie, Herr! aber nicht Herr und Meister der holden himmlischen Gamaheh. Fort aus dem Hause, treiben Sie Ihre Satanskünste, wo Sie wollen, aber hier scheitern Sie damit, dafür werde ich sorgen." –

„Ereifern", sprach Leuwenhoek, „ereifern Sie sich doch nur nicht, bester Herr Tyß, ich bin ein unschuldiger Mann, der nichts will als alles Gute. Sie wissen nicht, wessen Sie sich annehmen. Es ist ein kleiner Unhold, ein kleiner Basilisk, der dort im Zimmer sitzt in der Gestalt des holdesten Weibleins. Möchte sie, wenn ihr der Aufenthalt bei meiner Wenigkeit durchaus mißfiel, doch geflohen sein; aber durfte die treulose Verräterin mir mein schönstes Kleinod, den besten Freund meiner Seele, ohne den ich nicht leben, nicht bestehen kann, rauben? Durfte sie mir den Meister Floh entführen? – Sie werden, Verehrtester, nicht verstehen, was ich meine, aber –"

Hier konnte sich Meister Floh, der von dem Jabot des Herrn Peregrinus hinaufgesprungen war und den sicherern und bequemeren Platz in der Halsbinde eingenommen hatte, nicht enthalten, ein feines höhnisches Gelächter aufzuschlagen.

„Ha", rief Leuwenhoek, wie vom jähen Schreck getroffen, „ha! was war das! – sollte es möglich sein? – ja, hier an diesem Orte! – erlauben Sie doch, verehrtester Herr Peregrinus!"

Damit streckte Leuwenhoek den Arm aus, trat dicht heran an Herrn Peregrinus und wollte nach seiner Halsbinde greifen.

Peregrinus wich ihm aber geschickt aus, faßte ihn mit starker Faust und schleppte ihn nach der Haustüre, um ihn ohne weiteres hinauszuwerfen. Eben als Peregrinus sich mit Leuwenhoek, der sich in ohnmächtigen Protestationen erschöpfte, dicht an der Türe befand, wurde diese von außen geöffnet, und hinein stürmte George Pepusch, hinter ihm aber Herr Swammerdamm.

Sowie Leuwenhoek seinen Feind Swammerdamm erblickte, riß er sich los mit der höchsten Anstrengung seiner letzten

Kräfte, sprang zurück und stemmte sich mit dem Rücken gegen die Türe des verhängnisvollen Zimmers, wo die Schöne gefangensaß.

Swammerdamm zog, dies gewahrend, ein kleines Fernglas aus der Tasche, schob es lang aus und ging dem Feinde zu Leibe, indem er laut rief: „Zieh, Verdammter, wenn du Courage hast!“

Schnell hatte Leuwenhoek ein ähnliches Instrument in der Hand, schob es ebenfalls auseinander und schrie: „Nur heran, ich stehe dir, bald sollst du meine Macht fühlen!“ – Beide setzten nun die Ferngläser ans Auge und fielen grimmig gegeneinander aus mit scharfen mörderischen Streichen, indem sie ihre Waffen durch Aus- und Einschieben bald verlängerten, bald verkürzten. Da gab es Finten, Paraden, Volten, kurz alle nur mögliche Fechterkünste, und immer mehr schienen sich die Gemüter zu erhitzen. Wurde einer getroffen, so schrie er laut auf, sprang in die Höhe, machte die wunderlichsten Kapriolen, die schönsten Entrechats, Pirouetten, wie der beste Solotänzer von der Pariser Bühne, bis der andere ihn mit dem verkürzten Fernglase fest fixierte. Geschah diesem nun Gleiches, so machte er es ebenso. So wechselten sie mit den ausgelassensten Sprüngen, mit den tollsten Gebärden, mit dem wütendsten Geschrei; der Schweiß tropfte ihnen von der Stirne herab, die blutroten Augen traten ihnen zum Kopfe heraus, und da man nur ihr wechselseitiges Anblicken durch die Ferngläser, sonst aber keine Ursache ihres Veitstanzes gewahrte, so mußte man sie für Rasende halten, die dem Irrenhause entsprungen. – Die Sache war übrigens ganz artig anzusehen. –

Herrn Swammerdamm gelang es endlich, den bösen Leuwenhoek aus seiner Stellung an der Türe, die er mit hartnäckiger Tapferkeit behauptet, zu vertreiben und den Kampf in den Hintergrund des Flurs zu spielen.

George Pepusch nahm den Augenblick wahr, drückte die frei gewordene Türe, die weder verschlossen noch verriegelt war, auf und schlüpfte ins Zimmer hinein. Sogleich stürzte er aber auch wieder heraus, schrie: „Sie ist fort – fort!“ und eilte mit Blitzesschnelle aus dem Hause von dannen. – Beide, Leuwenhoek und Swammerdamm, hatten sich schwer getroffen, denn beide hüpften, tanzten auf ganz tolle Weise und machten dazu mit Heulen und Schreien eine Musik, die dem Wehgeschrei der Verdammten in der Hölle zu gleichen schien.

Peregrinus wußte in der Tat nicht recht, was er beginnen sollte, die Wütenden auseinanderzubringen und so einen Auftritt zu endigen, der ebenso lächerlich als entsetzlich war. Endlich gewahrten beide, daß die Türe des Zimmers weit offen stand, vergaßen Kampf und Schmerz, steckten die verderblichen Waffen ein und stürzten sich ins Zimmer.

Schwer fiel es nun erst dem Herrn Peregrinus Tyß aufs Herz, daß die Schönste aus dem Hause entflohen, er verwünschte den abscheulichen Leuwenhoek in die Hölle. Da ließ sich auf der Treppe Alinens Stimme vernehmen. Sie lachte laut auf und rief wiederum dazwischen: „Was man nicht alles erlebt! Wundersam – unglaublich! – wer hätte sich das träumen lassen!" –

„Was ist", fragte Peregrinus kleinlaut, „was ist denn schon wieder Unglaubliches vorgefallen?"

„O lieber Herr Tyß", rief ihm die Alte entgegen, „kommen Sie doch nur schnell herauf, gehen Sie doch nur in Ihr Zimmer."

Die Alte öffnete ihm schalkisch kichernd die Türe seines Gemachs. Als er hineintrat, da, o Wunder! o Wonne! hüpfte ihm die holde Dörtje Elverdink entgegen, gekleidet in das verführerische Gewand von Silberzindel, wie er sie bei dem Herrn Swammer erblickt. „Endlich, endlich sehe ich dich wieder, mein süßer Freund", lispelte die Kleine und wußte sich dem Peregrinus so anzuschmiegen, daß er nicht umhinkonnte, sie, aller guten Vorsätze unerachtet, auf das zärtlichste zu umarmen. Die Sinne wollten ihm vergehen vor Entzücken und Liebeslust. –

Wohl oft hat es sich aber begeben, daß jemand gerade im höchsten Rausch der überschwenglichsten Wonne sich recht derb die Nase stieß und plötzlich, geweckt durch den irdischen Schmerz, aus dem seligen Jenseits hinabfiel in das ordinäre Diesseits. Geradeso ging es Herrn Peregrinus. Als er sich nämlich hinabbückte, um Dörtjes süßen Mund zu küssen, stieß er sich ganz entsetzlich die nicht unansehnliche Nase an dem Diadem von funkelnden Brillanten, das die Kleine in den schwarzen Locken trug. Der empfindliche Schmerz des Stoßes an den eckicht geschliffenen Steinen brachte ihn hinlänglich zu sich selbst, um das Diadem zu gewahren. Das Diadem mahnte ihn aber an die Prinzessin Gamaheh, und dabei mußte ihm wieder alles einfallen, was ihm Meister Floh von dem verführerischen Wesen gesagt hatte. Er bedachte, daß einer Prinzessin, der Tochter eines mächtigen Königs, unmöglich an seiner Liebe etwas gelegen sein könne und daß ihr ganzes liebeatmendes Betragen wohl nur als gleisnerischer Trug gelten dürfe, durch den die Verräterin sich den zauberischen Floh wiederverschaffen wolle. – Dies betrachtend, glitt ein Eisstrom durch sein Inneres, der die Liebesflammen, wenn auch nicht gänzlich auslöschte, so doch wenigstens dämpfte.

Peregrinus wand sich sanft aus den Armen der Kleinen, die ihn liebend umfaßt hatte, und sprach leise mit niedergeschlagenen Augen: „Ach du lieber Himmel! Sie sind ja doch die Tochter des mächtigen Königs Sekakis, die schöne, hohe, herrliche Prinzessin Gamaheh! – Verzeihung, Prinzessin, wenn mich ein Gefühl, dem ich nicht widerstehen konnte, hinriß zur Torheit, zum Wahnsinn. Aber Sie selbst, Durchlauchtige –“

„Was“, unterbrach Dörtje Elverdink den Peregrinus, „was sprichst du, mein holder Freund? Ich eines mächtigen Königs Tochter? ich eine Prinzessin? Ich bin ja deine Aline, die dich lieben wird bis zum Wahnsinn, wenn du – doch, wie ist mir denn? Aline, die Königin von Golkonda? die ist ja schon bei dir; ich habe mit ihr gesprochen. Eine gute, liebe Frau, doch alt ist sie geworden, und lange nicht mehr so hübsch als zur Zeit ihrer Verheiratung mit einem französischen General! – Weh mir! ich bin wohl nicht die rechte, ich habe wohl nie in Golkonda geherrscht? – Weh mir!“ –

Die Kleine hatte die Augen geschlossen und begann zu wanken. Peregrinus brachte sie auf den Sofa.

„Gamaheh“, fuhr sie, wie somnambul sprechend, fort, „Gamaheh sagst du? – Gamaheh, die Tochter des Königs Sekakis? Ja, ich erinnere mich, in Famagusta! – ich war eigentlich eine schöne Tulpe – doch nein, schon damals fühlte ich Sehnsucht und Liebe in der Brust. – Still, still davon!"

Die Kleine schwieg, sie schien ganz einschlummern zu wollen. Peregrinus unternahm das gefährliche Wagestück, sie in eine bequemere Stellung zu bringen. Doch sowie er die Holde sanft umschlang, stach ihn eine versteckte Nadel recht derb in den Finger. Seiner Gewohnheit nach schnippte er mit dem Daumen. Meister Floh hielt das aber für das verabredete Zeichen und setzte ihm augenblicklich das mikroskopische Glas in die Pupille.

So wie immer erblickte Peregrinus hinter der Hornhaut der Augen das seltsame Geflecht der Nerven und Adern, die bis in das tiefe Gehirn hineingingen. Aber durch dies Geflecht schlangen sich hell blinkende Silberfaden, wohl hundertmal dünner als die Faden des dünnesten Spinngewebes, und eben diese Faden, die endlos zu sein schienen, da sie sich hinausrankten aus dem Gehirn in ein selbst dem mikroskopischen Auge unentdeckbares Etwas, verwirrten, vielleicht Gedanken sublimerer Art, die andern von leichter zu erfassender Gattung. Peregrinus gewahrte bunt durcheinander Blumen, die sich zu Menschen gestalteten, dann wieder Menschen, die in die Erde zerflossen und dann als Steine, Metalle hervorblinkten. Und dazwischen bewegten sich allerlei seltsame Tiere, die sich unzähligemal verwandelten und wunderbare Sprachen redeten. Keine Erscheinung paßte zu der anderen, und in der bangen Klage brustzerreißender Wehmut, die durch die Luft ertönte, schien sich die Dissonanz der Erscheinungen auszusprechen. Doch eben diese Dissonanz verherrlichte nur noch mehr die tiefe Grundharmonie, die siegend hervorbrach und alles, was entzweit geschienen, vereinigte zu ewiger namenloser Lust.

„Verwirrt", zischelte Meister Floh, „verwirrt Euch nicht, guter Herr Peregrinus, das sind Gedanken des Traums, die Ihr da schaut. Sollte auch vielleicht noch etwas mehr dahintersteken, so ist es wohl jetzt nicht an der Zeit, das weiter zu untersuchen. Ruft nur die verführerische Kleine bei ihrem rechten Namen und fragt sie dann aus, wie Ihr nur Lust habt."

Da die Kleine verschiedene Namen führte, so hätte es, wie man denken sollte, dem Peregrinus schwer fallen müssen, den rechten zu treffen. Peregrinus rief aber, ohne sich im mindesten zu besinnen: „Dörtje Elverdink! Holdes, liebes Mädchen! wäre es kein Trug? wäre es möglich, daß du mich wirklich lieben könntest?" Sogleich erwachte die Kleine aus ihrem träumerischen Zustande, schlug die Äugelein auf und sprach mit leuchtendem Blick: „Welche Zweifel, mein Peregrinus? Kann ein Mädchen wohl das beginnen, was ich begann, wenn nicht die glühendste Liebe ihre Brust erfüllt? Peregrinus, ich liebe dich wie keinen andern, und willst du mein sein, so bin ich dein mit ganzer Seele und bleibe bei dir, weil ich nicht von dir lassen kann, und nicht etwa bloß, um der Tyrannei des Onkels zu entfliehen."

Die Silberfaden waren verschwunden, und die gehörig geordneten Gedanken lauteten: „Wie ist das zugegangen? Erst heuchelte ich ihm Liebe, bloß um den Meister Floh mir und dem Leuwenhoek wiederzugewinnen, und jetzt bin ich ihm in der Tat gut geworden. Ich habe mich in meinen eignen Fallstricken gefangen. Ich denke kaum mehr an den Meister Floh, ich möchte ewig dem Mann angehören, der mir liebenswürdiger vorkömmt als alle, die ich bis jetzt gesehen."

Man kann sich vorstellen, wie diese Gedanken alles selige Entzücken in Peregrinus' Brust entflammten. Er fiel vor der Holden nieder, bedeckte ihre Händchen mit tausend glühenden Küssen, nannte sie seine Wonne, seinen Himmel, sein ganzes Glück. –

„Nun", lispelte die Kleine, indem sie ihn sanft an ihre Seite zog, „nun, mein Teurer, wirst du gewiß einen Wunsch nicht zurückweisen, von dessen Erfüllung die Ruhe, ja das ganze Dasein deiner Geliebten abhängt." –

„Verlange", erwiderte Peregrinus, indem er die Kleine zärtlich umschlang, „verlange alles, mein süßes Leben, alles, was du willst, dein leisester Wunsch ist mir Gebot. Nichts in der Welt ist mir so teuer, daß ich es nicht dir, nicht deiner Liebe mit Freuden opfern sollte."

„Weh mir", zischelte Meister Floh. „Wer hätte das gedacht, daß die Treulose siegen sollte. Ich bin verloren!"

„So höre denn", fuhr die Kleine fort, nachdem sie die glühenden Küsse, die Peregrinus auf ihre Lippen gedrückt, feurig erwidert hatte, „so höre denn, ich weiß, auf welche Art der –"

Die Tür sprang auf, und hinein trat Herr George Pepusch. „Zeherit!" schrie wie in Verzweiflung die Kleine auf und sank leblos in den Sofa zurück.

Die Distel Zeherit flog aber auf die Prinzessin Gamaheh los, nahm sie in den Arm und rannte mit ihr blitzschnell von dannen.

Meister Floh war für diesmal gerettet. –

Fünftes Abenteuer

Merkwürdiger Prozeß und ferneres weises, verständiges Benehmen des Herrn Geheimen Hofrats Knarrpanti. Gedanken junger dichterischer Enthusiasten und schriftstellerischer Damen. Peregrinus' Betrachtungen über sein Leben und Meister Flohs Gelehrsamkeit und Verstand. Seltene Tugend und Standhaftigkeit des Herrn Tyß. Unerwarteter Ausgang eines bedrohlichen tragischen Auftritts.

Der geneigte Leser erinnert sich, daß die Papiere des Herrn Peregrinus Tyß in Beschlag genommen wurden, um einer Tat, die nicht geschehen, näher auf die Spur zu kommen. Beide, der Abgeordnete des Rats und der Geheime Hofrat Knarrpanti, hatten jede Schrift, jeden Brief, ja jedes Zettelchen, das vorgefunden (Wasch- und Küchenzettel nicht ausgenommen), auf das genaueste durchgelesen, waren aber nun rücksichts des Resultats ihrer Erforschungen völlig verschiedener Meinung.

Der Abgeordnete versicherte nämlich, daß die Papiere auch nicht ein Wort enthielten, welches Bezug auf ein Verbrechen haben könne, wie es Peregrinus der Anklage nach begangen haben solle. Des Herrn Geheimen Hofrats Knarrpanti späherisches Falkenauge hatte dagegen gar vieles in den Schriften des

Herrn Peregrinus Tyß entdeckt, das ihn als einen höchst gefährlichen Menschen darstellte. Peregrinus hatte sonst in seinen früheren Jünglingsjahren ein Tagebuch gehalten; in diesem Tagebuch gab es nun aber eine Menge verfänglicher Stellen, die rücksichts der Entführung junger Frauenzimmer nicht allein auf seine Gesinnungen ein sehr nachteiliges Licht warfen, sondern ganz klar nachwiesen, daß er dies Verbrechen schon öfters begangen. –

So hieß es: „Es ist doch was Hohes, Herrliches um diese Entführung!“ Ferner: „Doch hab ich von allen die schönste entführt!“ – Ferner: „Entführt habe ich ihm diese Marianne, diese Philine, diese Mignon!“ – Ferner: „Ich liebe diese Entführungen.“ – Ferner: „Entführt sollte, mußte Julia werden, und es geschah wirklich, da ich sie auf einem einsamen Spaziergange im Walde von Vermummten überfallen und fortschleppen ließ.“

Außer diesen ganz entscheidenden Stellen im Tagebuch fand sich auch noch der Brief eines Freundes vor, in dem es verfänglicherweise hieß: „so möcht ich dich bitten, entführe ihm Friederiken, wo und wie du nur kannst.“

Alle die erwähnten Worte nebst hundert andern Phrasen, waren nur die Wörter: Entführung, entführen, entführt darin enthalten, hatte der weise Knarrpanti nicht allein mit Rotstift dick unterstrichen, sondern noch auf einem besondern Blatte zusammengestellt, welches sich sehr hübsch ausnahm und mit welcher Arbeit er ganz besonders zufrieden schien.

„Sehen Sie wohl“, sprach Knarrpanti zu dem Abgeordneten des Rats, „sehen Sie wohl, wertester Herr Kollege, habe ich es nicht gesagt? Der Peregrinus Tyß ist ein verruchter abscheulicher Mensch, ein wahrer Don Juan. Wer weiß, wo die unglücklichen Schlachtopfer seiner Lüste hingekommen sind, die Marianne, die Philine, und wie sie alle heißen mögen. Es war die höchste Zeit, daß dem Unwesen gesteuert wurde, sonst hätte der gefährliche Mensch durch seine entführerischen Umtriebe die gute Stadt Frankfurt in tausend Leid versetzen können. Was hat der Mensch schon nach seinen eignen Geständnissen für Verbrechen begangen! – Sehen Sie diese Stelle, bester Herr Kollege, und urteilen Sie selbst, wie der Peregrinus das Entsetzliche im Schilde führt."

Die Stelle in dem Tagebuche, auf welche der weise Geheime Hofrat Knarrpanti den Abgeordneten des Rats aufmerksam machte, lautete: „Heute war ich leider *mord*faul." – Die Silbe *mord* war dreimal unterstrichen, und Knarrpanti meinte, ob jemand wohl verbrecherischere Gesinnungen an den Tag legen könne, als wenn er bedauere, heute keinen Mord verübt zu haben!

Der Abgeordnete wiederholte seine Meinung, daß in den Papieren des Herrn Peregrinus Tyß auch nicht die leiseste Spur eines Verbrechens merkbar geworden. Knarrpanti schüttelte ungläubig den Kopf, und der Abgeordnete bat ihn, doch noch einmal jene Stellen, die er selbst als verdächtig ausgezogen, anzuhören, wiewohl im bessern Zusammenhange.

Der geneigte Leser wird sich sehr bald von Knarrpantis sublimer Schlauheit ganz überzeugen. –

Der Abgeordnete schlug das verfängliche Tagebuch auf und las: „Heute sah ich im Theater Mozarts ‚Entführung aus dem Serail' zum zwanzigstenmal mit demselben Entzücken. *Es ist doch was Hohes, Herrliches um diese Entführung.*" Ferner: „Die Blumen, sie konnten mir alle gefallen, *doch hab' ich von allen die schönste entführt.*" Ferner: „*Entführt habe ich ihm diese Marianne, diese Philine, diese Mignon;* denn zu sehr vertiefte er sich in diese Gestaltungen, phantasierte von dem alten Harfner und zankte mit Jarno. ‚Wilhelm Meister' ist kein Buch für solche, die eben aus schwerer Nervenkrankheit erstehen." Ferner: „Jüngers ‚Entführung' ist ein artiges Lustspiel. *Ich liebe diese Entführungen,* weil sie der Intrige ein besonderes Leben einhauchen." Ferner: „Der zu wenig überdachte Plan brachte mich gewaltig in die Enge. *Entführt sollte, mußte Julia werden, und es geschah wirklich, da ich sie auf einem einsamen Spaziergange im Walde von Vermummten überfallen und fortschleppen ließ.* Ich freute mich ungemein über diese neue Idee, die ich breit genug ausführte. Überhaupt war dies Trauerspiel ein gar drolliges Machwerk des begeisterten Knaben, und es tut mir leid, daß ich es ins Feuer geworfen." – Der Brief lautete: „So oft siehst Du Friederiken in der Gesellschaft, Du Glücklicher! Wahrscheinlich läßt Moritz niemanden heran und nimmt ihre ganze Aufmerksamkeit in Beschlag. Wärst Du nicht so blöde, so weiberscheu, *so möcht ich Dich bitten, entführe ihm Friederiken, wo und wie Du nur kannst.*"

Knarrpanti blieb dabei, daß selbst der Zusammenhang die Sache nicht bessere, da es eben arglistige Schlauheit der Verbrecher sei, solche Äußerungen so zu verhüllen, daß sie auf den ersten Blick für ganz indifferent, für ganz unschuldig gelten könnten. Als besonderen Beweis solcher Schlauheit machte der tiefsinnige Knarrpanti den Abgeordneten auf einen Vers aufmerksam, der in Peregrinus' Papieren vorkam und worin von einer *endlosen Führung* des Schicksals die Rede war. Nicht wenig tat sich Knarrpanti auf die Sagazität zugute, mit der er sogleich herausgefunden, daß das Wort Entführung in jenem Verse getrennt worden, um es der Aufmerksamkeit und dem Verdacht zu entziehen. –

Der Rat wollte immer noch nicht auf ein weiteres Verfahren wider den Angeklagten Peregrinus Tyß eingehen, und die Rechtsverständigen bedienten sich eines Ausdrucks, der schon deshalb hier stehen darf, weil er sich in dem Märchen vom Meister Floh wunderlich ausnimmt, das Wunderliche aber, darf das *Wunderbare* der eigentliche Schmuck des Märchens genannt werden, doch als ein angenehmer Schnörkel nicht zu verwerfen ist. Sie sagten (nämlich die Rechtsverständigen), es fehle gänzlich an einem Corpus delicti, der weise Rat Knarrpanti blieb aber fest dabei stehen, daß ihn das delictum den Henker was kümmere, wenn er nur ein Corpus in die Faust bekäme, und das Corpus sei der gefährliche Entführer und Mörder, Herr Peregrinus Tyß. – Der Herausgeber bittet den geneigten nicht rechtsverständigen Leser, vorzüglich aber jede schöne Leserin, sich diese Stelle von einem jungen Rechtsgelehrten erklären zu lassen. Besagter Rechtsgelehrter wird sich augenblicklich in die Brust werfen und beginnen: „In der Rechtssprache heißt usw."

Bloß den Vorfall in der Nacht, von dem die Zeugen gesprochen, hielt der Abgeordnete für einen Gegenstand, worüber Herr Peregrinus Tyß wohl vernommen werden müßte.

Peregrinus geriet in nicht geringe Verlegenheit, als er von dem Abgeordneten über den Hergang der Sache befragt wurde. Er fühlte, daß die ganze Erzählung, weiche er in keinem Umstande von der Wahrheit ab, eben deshalb den Stempel der Lüge, wenigstens der höchsten Unwahrscheinlichkeit tragen müsse. Für ratsam fand er es daher, ganz zu schweigen und sich damit zu schützen, daß, sobald kein wirkliches bestimmtes Verbrechen feststehe, dessen man ihn beschuldige, er nicht nötig zu haben glaube, über einzelne Begebenheiten in seinem Leben Rede zu stehen. Knarrpanti frohlockte über diese Erklärung des Angeklagten, durch die er seinen ganzen Verdacht bestätigt fand.

Er äußerte dem Abgeordneten ziemlich unverhohlen, daß er das Ding nicht recht anzugreifen wisse, und der Abgeordnete war hell und verständig genug, einzusehen, daß eine Vernehmung, die Knarrpanti selbst besorgen wollte, dem Peregrinus keinen Nachteil bringen, sondern vielmehr der Sache den Ausschlag zu seinem Vorteil geben konnte.

Der scharfsinnige Knarrpanti hatte über hundert Fragen in Bereitschaft, mit denen er dem Peregrinus zu Leibe ging und die in der Tat oft nicht leicht waren zu beantworten. Vorzüglich waren sie dahin gerichtet, zu erforschen, was Peregrinus sowohl im allgemeinen sein ganzes Leben hindurch als auch bei diesem, jenem besondern Anlaß, wie z. B. bei dem Aufschreiben der verdächtigen Worte in seinen Papieren, *gedacht* habe.

Das Denken, meinte Knarrpanti, sei an und vor sich selbst schon eine gefährliche Operation und würde bei gefährlichen Menschen eben desto gefährlicher. – Ferner gab es solche verfängliche Fragen, wie z. B. wer der ältliche Mann im blauen Unterrock und kurz verschnittenen Haaren gewesen sei, mit dem er [sich] am vierundzwanzigsten März des vergangenen Jahres mittags an der Wirtstafel über die beste Art, den Rheinlachs zu bereiten, verständigt habe? Ferner: ob er nicht selbst einsehe, daß all die geheimnisvollen Stellen in seinen Papieren mit Recht den Verdacht erweckten, daß das, was er niederzuschreiben unterlassen, noch viel Verdächtigeres, ja ein vollkommenes Zugeständnis der Tat hätte enthalten können?

Diese Art der Untersuchung, ja der Geheime Hofrat Knarrpanti selbst kam dem Peregrinus so seltsam vor, daß er begierig war, die Gedanken des spitzfindigen Schlaukopfs zu erkennen.

Er schnippte mit dem Daumen, und schnell setzte ihm der gehorsame Meister Floh das mikroskopische Glas in die Pupille.

Knarrpantis Gedanken lauteten ungefähr: „Ich glaube selbst gar nicht, daß der junge Mann unsre Prinzessin, die schon vor mehreren Jahren mit einem landstreicherischen Komödianten durchgegangen ist, entführt hat, ja entführt haben kann. Aber ich durfte die Gelegenheit nicht versäumen, zu meinem eigenen Besten einen großen Rumor zu machen. Mein kleiner Herr fing an gleichgültig gegen mich zu werden, und am Hofe nannte man mich einen langweiligen Träumer, ja, man fand mich öfters albern und fade, da doch keiner mir an Geist und Geschmack überlegen war, keiner von allen den kleinen Dienst, durch den man sich eben einschmeichelt bei dem Herrn, [so gut verstand] als ich. Half ich nicht selbst dem Kammerdiener des Fürsten beim Stiefelputzen? Da kam ja die Entführungsgeschichte wie eine Wohltat des Himmels. Mit der Nachricht, daß ich der entflohenen Prinzessin auf die Spur gekommen, erhob ich mich plötzlich wieder zu dem Ansehen, das ich beinahe ganz verloren. Man findet mich wieder verständig, weise, gewandt und vorzüglich dem Herrn so getreu ergeben, daß ich eine Stütze des Staats zu nennen, auf der alles Wohl beruht.

Es wird, es kann aus der Sache gar nichts herauskommen, da die wirklich geschehene Entführung dem Menschen nicht nachzuweisen ist; aber das tut gar nichts zur Sache. Eben deshalb will ich den jungen Mann recht arg quälen mit Kreuz- und Querfragen, soviel ich es nur vermag. Denn je mehr ich dies tue, je höher wird meine Interesse für die Sache, mein reger Eifer für das Wohl meines Herrn gepriesen. Ich muß es nur dahin bringen, daß ich den jungen Mann ungeduldig mache und einige schnippische Antworten erpresse. Die streiche ich denn an mit einem tüchtigen Rotstift, begleite sie auch wohl mit einigen Bemerkungen, und ehe man sich's versieht, steht der Mann da in einem zweideutigen Licht, und aus dem Ganzen erhebt sich ein gehässiger Geist, der ihm Nachteil bringt und sogar solche unbefangene ruhige Leute wie der Herr Abgeordnete da wider ihn einnimmt. Gepriesen sei die Kunst, der gleichgültigsten Sache einen Anstrich von gehässiger Bedeutsamkeit zu geben. Es ist eine Gabe, die mir die Natur verlieh und vermöge der ich mir meine Feinde vom Halse schaffe und selbst im besten Wohlsein bleibe. Ich muß lachen, daß der Rat Wunder glaubt, wieviel mir an der wirklichen Ermittlung der Wahrheit gelegen ist, da ich doch nur mich selbst im Auge habe und die ganze Sache als ein Mittel betrachte, mich bei dem Herrn wichtig zu machen und so viel Beifall und Geld zu erobern, als nur möglich. Kommt auch nichts heraus, so sagt doch keiner, daß meine Bemühungen unnütz gewesen sind; es heißt vielmehr, daß ich wohl recht hatte und durch die getroffenen Maßregeln wenigstens verhinderte, daß der schelmische Peregrinus Tyß die bereits entführte Prinzessin hinterher noch wirklich entführte." –

Da Peregrinus auf diese Art die Gedanken des sublimen Hofrats durchschaute, so war es natürlich, daß er sich in gehöriger Fassung erhielt und statt, wie Knarrpanti wollte, unruhig zu werden, durch gar geschickte Antworten Knarrpantis Scharfsinn zuschanden machte. Der Abgeordnete des Rats schien seine Freude daran zu haben. Diesem erzählte aber Peregrinus, nachdem Knarrpanti sein endloses Verhör hauptsächlich aus Mangel an Atem geschlossen, unaufgefordert mit wenigen Worten, daß die junge Dame, die er in jener Christnacht auf ihr ausdrückliches Verlangen in sein Haus getragen, niemand anders sei als die Nichte des optischen Künstlers Leuwenhoek, namens Dörtje Elverdink, und daß diese sich jetzt bei ihrem Paten, dem Herrn Swammer, aufhalte, der bei ihm im Hause zur Miete wohne.

Man fand diese Angabe richtig, und der merkwürdige Entführungsprozeß war beendigt.

Knarrpanti drang zwar noch auf fernere Vernehmung und las im Rat sein scharfsinniges Verhörsprotokoll vor; dies Meisterstück erregte aber ein allgemeines schallendes Gelächter. Man fand es denn auch sehr ratsam, daß der Herr Geheime Hofrat Knarrpanti Frankfurt verließe und als Resultat seiner Bemühungen, als Beweis seiner Sagazität, seines regen Diensteifers das bewunderungswürdige Aktenstück seinem Herrn selbst überbringe. Der seltsame Entführungsprozeß wurde zum Stadtgespräch, und der würdige Knarrpanti mußte zu seinem nicht geringen Verdruß bemerken, daß die Leute sich mit allen Zeichen des Ekels und Abscheus die Nasen zuhielten, wenn er vorüberging, und ihre Plätze verließen, wenn er sich an die Wirtstafel setzen wollte. Bald machte er sich fort aus der Stadt. So mußte aber Knarrpanti das Feld mit Schimpf und Schande räumen, auf dem er Lorbeern zu sammeln gehofft hatte.

Das, was hier hintereinander fort erzählt worden, hatte aber den Zeitraum von mehreren Tagen ausgefüllt; denn man mag nicht denken, daß Knarrpanti in geringer Zeit einen ziemlichen Folioband zusammenzuschreiben vermochte. Einem solchen Bande glich aber das merkwürdige Verhörsprotokoll. Knarrpantis tägliche Quälerei, sein albernes anmaßendes Betragen erregte in Peregrinus tiefen Unmut, der aber noch merklich durch die Ungewißheit vermehrt wurde, in der er über das Schicksal der Schönsten schwebte.

Mit Blitzesschnelle hatte, wie es der geneigte Leser am Schlusse des vierten Abenteuers erfahren hat, George Pepusch die Kleine aus des verliebten Peregrinus Armen entführt und diesen zurückgelassen, starr vor Erstaunen und Schreck.

Als Peregrinus endlich, zur Besinnung gekommen, aufsprang und dem räuberischen Freunde nachsetzte, war alles öde und still im Hause. Auf wiederholtes starkes Rufen pantoffelte die alte Aline aus dem entferntesten Zimmer heran und versicherte, von dem ganzen Vorfall auch nicht das mindeste bemerkt zu haben.

Peregrinus wollte über Dörtjes Verlust beinahe außer sich geraten. Meister Floh ließ sich aber vernehmen mit tröstenden Worten: „Ihr wißt“, sprach er mit einem Ton, der dem Hoffnungslosesten Zutrauen einflößen mußte, „Ihr wißt ja noch gar nicht, teurer Herr Peregrinus Tyß, ob die schöne Dörtje Elverdink Euer Haus wirklich verlassen hat. Soviel wie ich mich auf solche Dinge verstehe, ist sie gar nicht weit; mir ist's, als wittere ich ihre Nähe. Doch wollt Ihr meinem freundschaftlichen Rat vertrauen und ihn befolgen, so überlaßt die schöne Dörtje ihrem Schicksal. Glaubt mir, die Kleine ist ein wetterwendisches Ding; mag es sein, daß sie, wie Ihr mir gesagt habt, Euch jetzt wirklich gut geworden ist, wie lange wird es dauern, und sie versetzt Euch in solch Trübsal und Leid, daß Ihr Gefahr lauft, darüber den Verstand zu verlieren wie die Distel Zeherit. Noch einmal sage ich es Euch, gebt Euer einsames Leben auf. Ihr werdet Euch besser dabei befinden. Was für Mädchen habt Ihr denn schon kennengelernt, daß Ihr die Dörtje für die schönste achtet; welchem Weibe habt Ihr Euch denn schon genähert mit freundlichen Liebesworten, daß Ihr glaubt, nur Dörtje könne Euch lieben? Geht, geht, Peregrinus, die Erfahrung wird Euch eines Bessern überzeugen. Ihr seid ein ganz hübscher stattlicher Mann, und ich müßte nicht so verständig und scharfsichtig sein, als es der Meister Floh wirklich ist, wenn ich nicht voraussehen sollte, daß Euch das Glück der Liebe noch lachen wird auf ganz andere Weise, als Ihr es wohl jetzt vermutet." –

Peregrinus hatte dadurch, daß er an öffentliche Örter ging, bereits die Bahn gebrochen, und es wurde ihm nun weniger schwer, Gesellschaften zu besuchen, denen er sich sonst entzogen. Meister Floh tat ihm dabei mit dem mikroskopischen Glase vortreffliche Dienste, und Peregrinus soll während der Zeit ein Tagebuch gehalten und die wunderlichsten ergötzlichsten Kontraste zwischen Worten und Gedanken, wie sie ihm täglich aufstießen, aufgezeichnet haben. Vielleicht findet der Herausgeber des seltsamen Märchens, Meister Floh geheißen, künftig Gelegenheit, manches weiterer Mitteilung Würdige aus diesem Tagebuch ans Licht zu fördern; hier würde es nur die Geschichte aufhalten und darum dem geneigten Leser eben nicht willkommen sein. So viel kann gesagt werden, daß manche Redensarten mit den dazugehörenden Gedanken stereotypisch wurden, wie

z. B. „Ich erbitte mir Ihren gütigen Rat", lautet in Gedanken: „Er ist albern genug, zu glauben, daß ich wirklich in einer Sache, die längst beschlossen, seinen Rat verlange, und das kitzelt ihn!" – „Ich vertraue Ihnen ganz!" – „Ich weiß ja längst, daß du ein Spitzbube bist usw." Endlich darf auch noch bemerkt werden, daß manche Leute doch den Peregrinus mit seinen mikroskopischen Betrachtungen in große Verlegenheit setzten. Das waren nämlich die jungen Männer, die über alles in den höchsten Enthusiasmus geraten und sich in einen brausenden Strom der prächtigsten Redensarten ergießen konnten. Unter diesen schienen am tiefsten und herrlichsten junge Dichter zu sprechen, die von lauter Phantasie und Genialität strotzten und vorzüglich von Damen viel Anbetung erleiden mußten. Ihnen reihten sich schriftstellerische Frauen an, die alle Tiefen des Seins hienieden, sowie alle echt philosophische, das Innerste durchdringende Ansichten der Verhältnisse des sozialen Lebens, wie man zu sagen pflegt, recht am Schnürchen hatten und mit prächtigen Worten herzusagen wußten, wie eine Festtagspredigt. – Kam es dem Peregrinus wunderbar vor, daß die Silberfaden aus Gamahehs Gehirn herausrankten in ein unentdeckbares Etwas, so erstaunte er nicht weniger darüber, was er im Gehirn der erwähnten Leute wahrnahm. Er sah zwar das seltsame Geflecht von Adern und Nerven, bemerkte aber zugleich, daß diese gerade, wenn die Leute über Kunst und Wissenschaft, über die Tendenzen des höhern Lebens überhaupt ganz ausnehmend herrlich sprachen, gar nicht eindrangen in die Tiefe des Gehirns, sondern wieder zurückwuchsen, so daß von deutlicher Erkennung der Gedanken gar nicht die Rede sein konnte. Er teilte seine Bemerkung dem Meister Floh mit, der wie gewöhnlich in einer Falte des Halstuchs saß. Meister Floh meinte, daß das, was Peregrinus für Gedanken halte, gar keine wären, sondern nur Worte, die sich vergeblich mühten, Gedanken zu werden.

Erlustigte sich nun Herr Peregrinus Tyß in der Gesellschaft auf mannigfache Weise, so ließ auch sein treuer Begleiter, Meister Floh, viel von seinem Ernste nach und bewies sich als ein kleiner schalkischer Lüstling, als ein aimable roué. Keinen schönen Hals, keinen weißen Nacken eines Frauenzimmers konnte er nämlich sehen, ohne bei der ersten besten Gelegenheit sich aus seinem Schlupfwinkel hervor und auf den einladenden Sitz zu schwingen, wo er jeder Nachstellung gespitzter Finger geschickt zu entgehen wußte. Dies Manöver umfaßte ein doppeltes Interesse. Einmal fand er selbst seine Lust daran, dann wollte er aber auch Peregrinus' Blicke auf Schönheiten ziehen, die Dörtjes Bild verdunkeln sollten. Dies schien aber ganz vergebliche Mühe zu sein; denn keine einzige der Damen, denen sich Peregrinus ohne alle Scheu mit voller Unbefangenheit näherte, kam ihm so gar hübsch und anmutig vor als seine kleine Prinzessin. Weshalb aber auch nun vollends seine Liebe zur Kleinen festhielt, war, daß bei keiner er Worte und Gedanken so zu seinen Gunsten übereinstimmend fand als bei ihr. Er glaubte sie nimmermehr lassen zu können und erklärte dies unverhohlen. Meister Floh ängstigte sich nicht wenig.

Peregrinus bemerkte eines Tages, daß die alte Aline schalkisch vor sich hinlächelte, öfter als sonst Tabak schnupfte, sich räusperte, undeutliches Zeug murmelte, kurz, in ihrem ganzen Wesen tat wie jemand, der etwas auf dem Herzen hat und es gern los sein möchte. Dabei erwiderte sie auf alles: „Ja! – man kann das nicht wissen, man muß das abwarten!" – mochten nun diese Redensarten passen oder nicht. „Sage", rief Peregrinus endlich voll Ungeduld, „sage Sie es nur lieber gleich heraus, Aline, was es wieder gibt, ohne so um mich herumzuschleichen mit geheimnisvollen Mienen."

„Ach", rief die Alte, indem sie die dürren Fäuste zusammenschlug, „ach, das herzige allerliebste Zuckerpüppchen, das zarte liebe Ding!"

„Wen meint Sie denn?" unterbrach Peregrinus die Alte verdrießlich.

„Ei", sprach diese schmunzelnd weiter, „ei, wen sollte ich denn anders meinen als unsere liebe Prinzeß hier unten bei Herrn Swammer, Ihre liebe Braut, Herr Tyß."

„Weib", fuhr Peregrinus auf, „unglückliches Weib, sie ist hier, hier im Hause, und das sagst du mir erst jetzt?"

„Wo sollte", erwiderte die Alte, ohne im mindesten aus ihrer behaglichen Ruhe zu kommen, „wo sollte die Prinzeß auch wohl anders sein, als hier, wo sie ihre Mutter gefunden hat."

„Wie", rief Peregrinus, „was sagt Sie, Aline?"

„Ja", sprach die Alte, indem sie den Kopf erhob, „ja, Aline, das ist mein rechter Name, und wer weiß, was in kurzer Zeit, vor Ihrer Hochzeit, noch alles an das Tageslicht kommen wird."

Ohne sich an Peregrinus' Ungeduld, der sie bei allen Engeln und Teufeln beschwor, doch nur zu reden, zu erzählen, auch nur im mindesten zu kehren, nahm die Alte gemächlich Platz in einem Lehnstuhl, zog die Dose hervor, nahm eine große Prise und bewies dann dem Peregrinus sehr umständlich mit vielen Worten, daß es keinen größern, schädlichern Fehler gäbe als die Ungeduld.

„Ruhe", so sprach sie, „Ruhe, mein Söhnchen, ist dir vor allen Dingen nötig; denn sonst läufst du Gefahr, alles zu verlieren in dem Augenblick, als du es gewonnen zu haben glaubst. Ehe du ein Wörtchen von mir hörst, mußt du dich dort still hinsetzen wie ein artiges Kind und mich beileibe nicht in meiner Erzählung unterbrechen."

Was blieb dem Peregrinus übrig, als der Alten zu gehorchen, die, sowie Peregrinus Platz genommen, Dinge vorbrachte, die wunderlich und seltsam genug anzuhören waren.

So wie die Alte erzählte, hatten die beiden Herren, nämlich Swammerdamm und Leuwenhoek, sich in dem Zimmer noch recht tüchtig herumgebalgt und dabei entsetzlich gelärmt und getobt. Dann war es zwar stille geworden, ein dumpfes Ächzen hatte indessen die Alte befürchten lassen, daß einer von beiden auf den Tod verwundet. Als nun aber die Alte neugierig durch das Schlüsselloch guckte, gewahrte sie ganz etwas anderes, als sie geglaubt. Swammerdamm und Leuwenhoek hatten den George Pepusch erfaßt und strichen und drückten ihn mit ihren Fäusten so, daß er immer dünner und dünner wurde, worüber er denn so ächzte, wie es die Alte vernommen. Zuletzt, als Pepusch so dünn geworden wie ein Distelstengel, versuchten sie, ihn durch das Schlüsselloch zu drücken. Der arme Pepusch hing schon mit dem halben Leibe heraus auf den Flur, als die Alte entsetzt von dannen floh. Bald darauf vernahm die Alte ein lautes schallendes Gelächter und gewahrte, wie Pepusch in seiner natürlichen Gestalt von den beiden Magiern ganz friedlich zum Hause hinausgeführt wurde. In der Türe des Zimmers stand die schöne Dörtje und winkte die Alte hinein. Sie wollte sich putzen und hatte dabei die Hilfe der Alten nötig.

Die Alte konnte gar nicht genug von der großen Menge Kleider reden, die die Kleine aus allerlei alten Schränken herbeigeholt und ihr gezeigt und von denen eins immer reicher und prächtiger gewesen als das andere. Dann versicherte die Alte auch, daß wohl nur eine indische Prinzessin solch Geschmeide besitzen könne als die Kleine; die Augen täten ihr noch weh von dem blendenden Gefunkel.

Die Alte erzählte weiter, wie sie mit dem lieben Zuckerkinde während des Ankleidens dies und jenes gesprochen, wie sie an den seligen Herrn Tyß, an das schöne Leben, das sonst im Hause geführt worden, gedacht und wie sie zuletzt auf ihre verstorbene Verwandten gekommen.

„Sie wissen“, so sprach die Alte, „Sie wissen, lieber Herr Tyß, daß mir nichts über meine selige Frau Muhme, die Kattundruckerfrau, geht. Sie war in Mainz, und ich glaube gar, auch in Indien gewesen und konnte französisch beten und singen. Habe ich dieser Frau Muhme den unchristlichen Namen Aline zu verdanken, so will ich ihr das gern im Grabe verzeihen, da ich, was die feine Lebensart, die Manierlichkeit, den Verstand, die Worte hübsch zu setzen, allein von ihr profitiert habe. Als ich nun recht viel von der Frau Muhme erzählte, fragte die kleine Prinzessin nach meinen Eltern, Großeltern und immer so weiter und weiter in die Familie hinein. Ich schüttete mein Herz aus, ich sprach ganz ohne Rückhalt davon, daß meine Mutter beinahe ebenso schön gewesen sei als ich, wiewohl ich sie in Ansehung der Nase übertreffe, die vom Vater abstamme und überhaupt nach der Form in der Familie gebräuchlich sei, schon seit Menschengedenken. Da kam ich denn auch auf die Kirchweihe zu reden, als ich den Deutschen tanzte mit dem Sergeanten Häberpiep und die himmelblauen Strümpfe angezogen hatte mit den roten Zwickeln. – Nun! lieber Gott, wir sind alle schwache, sündige Menschen. – Doch, Herr Tyß, Sie sollten nun selbst gesehen haben, wie die kleine Prinzeß, die erst gekichert und gelacht hatte, daß es eine Lust war, immer stiller und stiller wurde und mich anstarrte mit solchen seltsamen Blicken, daß mir in der Tat ganz graulich zumute wurde. – Und, denken Sie sich, Herr Tyß, plötzlich, ehe ich mir's versehen, liegt die kleine Prinzeß vor mir auf den Knien und will mir durchaus die Hand küssen und ruft: ‚Ja du bist es, nun erst erkenne ich dich, ja, du bist es selbst!' – Und als ich nun ganz erstaunt frage, was das heißen soll –"

Die Alte stockte, und als Peregrinus in sie drang, doch nur weiter zu reden, nahm sie ganz ernst und bedächtig eine große Prise und sprach: „Wirst es zeitig genug erfahren, mein Söhnchen, was sich nun weiter begab. Jedes Ding hat seine Zeit und seine Stunde!"

Peregrinus wollte eben noch schärfer in die Alte dringen, ihm mehr zu sagen, als diese in ein gellendes Gelächter ausbrach. Peregrinus mahnte sie mit finstrem Gesicht daran, daß sein Zimmer eben nicht der Ort sei, wo sie mit ihm Narrenspossen treiben dürfe. Doch die Alte schien, beide Fäuste in die Seiten stemmend, ersticken zu wollen. Die brennend rote Farbe des Antlitzes ging über in ein angenehmes Kirschbraun, und Peregrinus stand im Begriffe, der Alten ein volles Glas Wasser ins Gesicht zu gießen, als sie zu Atem kam und die Sprache wiedergewann. „Soll", sprach sie, „soll man nicht lachen über das kleine närrische Ding. – Nein, solche Liebe gibt es gar nicht mehr auf Erden! – Denken Sie sich, Herr Tyß" – die Alte lachte aufs neue, dem Peregrinus wollte die Geduld ausgehen. Endlich brachte er dann mit Mühe heraus, daß die kleine Prinzeß in dem Wahne stehe, daß er, Herr Peregrinus Tyß, durchaus die Alte heiraten wolle und daß sie, die Alte, ihr aufs feierlichste versprechen müssen, seine Hand auszuschlagen. –

Dem Peregrinus war es, als sei er in ein böses Hexenwesen

verflochten, und es wurde ihm so unheimlich zumute, daß ihm selbst die alte ehrliche Aline ein gespenstiges Wesen bedünken wollte, dem er nicht schnell genug entfliehen könne.

Die Alte ließ ihn nicht fort, weil sie ihm noch ganz geschwind etwas vertrauen müsse, was die kleine Prinzeß angehe.

„Es ist", sprach die Alte vertraulich, „es ist nun gewiß, daß Ihnen, lieber Herr Peregrinus, der schöne leuchtende Glücksstern aufgegangen, aber es bleibt nun Ihre Sache, sich den Stern günstig zu erhalten. Als ich der Kleinen beteuerte, daß Sie ganz erstaunlich in sie verliebt und weit entfernt wären, mich heiraten zu wollen, meinte sie, daß sie sich nicht eher davon überzeugen und Ihnen ihre schöne Hand reichen könne, bis Sie ihr einen Wunsch gewährt, den sie schon lange im tiefsten Herzen trage. Die Kleine behauptet, Sie hätten einen kleinen allerliebsten Negerknaben bei sich aufgenommen, der aus ihrem Dienste entlaufen; ich habe dem zwar widersprochen, sie behauptet aber, der Bube sei so winzig klein, daß er in einer Nußschale wohnen könne. Diesen Knaben nun –"

„Daraus wird nichts", fuhr Peregrinus, der längst wußte, wo die Alte hinauswollte, heftig auf und verließ stürmisch Zimmer und Haus.

Es ist eine alte hergebrachte Sitte, daß der Held der Geschichte, ist er von heftiger Gemütsbewegung ergriffen, hinausläuft in den Wald oder wenigstens in das einsam gelegene Gebüsch. Die Sitte ist darum gut, weil sie im Leben wirklich herrscht. Hiernach konnt es sich aber mit Herrn Peregrinus Tyß nicht anders begeben, als daß er von seinem Hause auf dem Roßmarkt aus so lange in einem Strich fortrannte, bis er die Stadt hinter sich und ein nahegelegenes Gebüsch erreicht hatte. Da es ferner in einer romanhaften Historie keinem Gebüsch an rauschenden Blättern, seufzenden, lispelnden Abendlüften, murmelnden Quellen, geschwätzigen Bächen usw. fehlen darf, so ist zu denken, daß Peregrinus das alles an seinem Zufluchtsorte fand. Auf einen bemoosten Stein, der zur Hälfte im spiegelhellen Bache lag, dessen Wellen kräuselnd um ihn her plätscherten, ließ sich Peregrinus nieder mit dem festen Vorsatz, die seltsamen Abenteuer des Augenblicks überdenkend, den Ariadnefaden zu suchen und zu finden, der ihm den Rückweg aus dem Labyrinth der wunderlichsten Rätsel zeigen sollte.

Es mag wohl sein, daß das in abgemessenen Pausen wiederkehrende Geflüster der Büsche, das eintönige Rauschen der Gewässer, das gleichmäßige Klappern einer entfernten Mühle bald sich als Grundton gestaltet, nach dem sich die Gedanken zügeln und formen, so daß sie nicht mehr ohne Rhythmus und Takt durcheinanderbrausen, sondern zu deutlicher Melodie werden. So kam denn auch Peregrinus, nachdem er einige Zeit sich an dem anmutigen Orte befunden, zu ruhiger Betrachtung.

„In der Tat", sprach Peregrinus zu sich selbst, „ein phantastischer Märchenschreiber könnte nicht tollere, verwirrtere Begebenheiten ersinnen, als ich sie in dem geringen Zeitraum von wenigen Tagen wirklich erlebt habe." – Die Anmut, das Entzükken, die Liebe selbst kommt dem einsiedlerischen Misogyn entgegen, und ein Blick, ein Wort reicht hin, Flammen in seiner Brust anzufachen, deren Marter er scheute, ohne sie zu kennen! Aber Ort, Zeit, die ganze Erscheinung des fremden, verführerischen Wesens ist so geheimnisvoll, daß ein seltsamer Zauber sichtbarlich einzugreifen scheint, und nicht lange dauert es, so zeigt ein kleines, winziges, sonst verachtetes Tier Wissenschaft, Verstand, ja eine wunderbare magische Kraft. Und dieses Tier spricht von Dingen, die allen gewöhnlichen Begriffen unerfaßlich sind, auf eine Weise, als sei das alles nur das tausendmal wiederholte Gestern und Heute des gemeinen Lebens hinter der Bratenschüssel und der Weinflasche.

„Bin ich dem Schwungrad zu nahe gekommen, das finstre unbekannte Mächte treiben, und hat es mich erfaßt in seinen Schwingungen? Sollte man nicht glauben, man müsse über derlei Dinge, wenn sie das Leben durchschneiden, den Verstand verlieren? – Und doch befinde ich mich ganz wohl dabei; ja, es fällt mir gar nicht sonderlich mehr auf, daß ein Flohkönig sich in meinen Schutz begeben und dafür ein Geheimnis anvertraut hat, das mir das Geheimnis der innern Gedanken erschließt und so mich über allen Trug des Lebens erhebt. – Wohin wird, kann aber das alles führen? Wie, wenn hinter dieser wunderlichen Maske eines Flohs ein böser Dämon stäke, der mich verlocken wollte ins Verderben, der darauf ausginge, mir alles Liebesglück, das in Dörtjes Besitz mir erblühen könnte, zu rauben auf schnöde Weise? – Wär es nicht besser, sich des kleinen Ungetüms gleich zu entledigen?" – „Das war", unterbrach Meister Floh das Selbstgespräch des Peregrinus, „das war ein sehr unfeiner Gedanke, Herr Peregrinus Tyß! Glaubt Ihr, daß das Geheimnis, welches ich Euch anvertraute, ein geringes ist? Kann Euch dies Geschenk nicht als das entscheidendste Kennzeichen meiner aufrichtigen Freundschaft gelten? Schämt Euch, daß Ihr so mißtrauisch seid! Ihr verwundert Euch über den Verstand, über die Geisteskraft eines winzigen, sonst verachteten Tierchens, und das zeugt, nehmt es mir nicht übel, wenigstens von der Beschränktheit Eurer wissenschaftlichen Bildung. Ich wollte, Ihr hättet, was die denkende, sich willkürlich bestimmende Seele der Tiere betrifft, den griechischen Philo oder wenigstens des Hieronymi Rorarii Abhandlung: ‚quod animalia bruta ratione utantur melius homine' oder dessen ‚oratio pro muribus' gelesen. Oder Ihr wüßtet, was Lipsius und der große Leibniz über das geistige Vermögen der Tiere gedacht haben, oder Euch wäre bekannt, was der gelehrte tiefsinnige Rabbi Maimonides über die Seele der Tiere gesagt hat. Schwerlich würdet Ihr dann mich meines Verstandes halber für einen bösen Dämon halten oder gar die geistige Vernunftmasse nach der körperlichen Extension abmessen wollen. Ich glaube, am Ende habt Ihr Euch zur scharfsinnigen Meinung des spanischen Arztes Gomez Pereira hingeneigt, der in den Tieren nichts weiter findet als künstliche Maschinen ohne Denkkraft, ohne Willensfreiheit, die sich willkürlos, automatisch bewegen. Doch nein, für so abgeschmackt will ich Euch nicht halten, guter Herr Peregrinus Tyß, und fest daran glauben, daß Ihr längst durch meine geringe Person eines Bessern belehrt seid. – Ich weiß ferner nicht recht, was Ihr Wunder nennt, schätzbarster Herr Peregrinus, oder auf welche Weise Ihr es vermöget, die Erscheinungen unseres Seins, die wir eigentlich wieder nur selbst sind, da sie uns und wir sie wechselseitig bedingen, in wunderbare und nicht wunderbare zu teilen. Verwundert Ihr Euch über etwas deshalb, weil es Euch noch nicht geschehen ist oder weil Ihr den Zusammenhang von Ursache und Wirkung nicht einzusehen wähnt, so zeugt das nur von der natürlichen oder angekränkelten Stumpfheit Eures Blicks, der Eurem Erkenntnisvermögen schadet. Doch – nehmt es nicht übel, Herr Tyß – das Drolligste bei der Sache ist, daß Ihr Euch selbst spalten wollt in zwei Teile, von denen einer die sogenannten Wunder erkennt und willig glaubt, der andere dagegen sich über diese Erkenntnis, über diesen Glauben gar höchlich verwundert. Ist es Euch wohl jemals aufgefallen, daß Ihr an die Bilder des Traums glaubt?"

„Ich", unterbrach Peregrinus den kleinen Redner, „ich bitt Euch, bester Mann! wie möget Ihr doch vom Traume reden, der nur als Resultat [von] irgendeiner Unordnung in unserm körperlichen oder geistigen Organismus herrührt."

Meister Floh schlug bei diesen Worten des Herrn Peregrinus Tyß ein ebenso feines als höhnisches Gelächter auf.

„Armer", sprach er hierauf zu dem etwas bestürzten Peregrinus, „armer Herr Tyß, so wenig erleuchtet ist Euer Verstand, daß Ihr nicht das Alberne solcher Meinungen einsehet? Seit der Zeit, daß das Chaos zum bildsamen Stoff zusammengeflossen – es mag etwas lange her sein –, formt der Weltgeist alle Gestaltungen aus diesem vorhandenen Stoff, und aus diesem geht auch der Traum mit seinen Gebilden hervor. Skizzen von dem, was war oder vielleicht noch sein wird, sind diese Gebilde, die der Geist schnell hinwirft zu seiner Lust, wenn ihn der Tyrann, Körper genannt, seines Sklavendienstes entlassen. Doch ist es hier weder Ort noch Zeit, Euch zu widerlegen und eines Bessern überzeugen zu wollen; es würde vielleicht auch von gar keinem Nutzen sein. Nur eine einzige Sache möcht ich Euch noch entdecken."

„Sprecht", rief Peregrinus, „sprecht oder schweigt, lieber Meister, tut das, was Euch am geratensten dünkt; denn ich sehe genugsam ein, daß Ihr, seid Ihr auch noch so klein, doch unendlich mehr Verstand und tiefe Kenntnis habt. Ihr zwingt mich zum unbedingten Vertrauen, unerachtet ich Eure verblümten Redensarten nicht ganz verstehe."

„So vernehmt", nahm Meister Floh wieder das Wort, „so vernehmt denn, daß Ihr in die Geschichte der Prinzessin Gamaheh verflochten seid auf ganz besondere Weise. Swammerdamm und Leuwenhoek, die Distel Zeherit und der Egelprinz, überdem aber noch der Genius Thetel, alle streben nach dem Besitz der schönen Prinzessin, und ich selbst muß gestehen, daß leider meine alte Liebe erwacht und ich Tor genug sein konnte, meine Herrschaft mit der holden Treulosen zu teilen. Doch Ihr, Ihr, Herr Peregrinus, seid die Hauptperson, ohne Eure Einwilligung kann die schöne Gamaheh niemandem angehören. Wollt Ihr den eigentlichen tiefern Zusammenhang der Sache, den ich selbst nicht weiß, erfahren, so müßt Ihr mit Leuwenhoek darüber sprechen, der alles herausgebracht hat und gewiß manches Wort fallen lassen wird, wenn Ihr Euch die Mühe nehmen wollt und es versteht, ihn gehörig auszuforschen."

Meister Floh wollte in seiner Rede fortfahren, als ein Mensch in voller Furie aus dem Gebüsch hervor und auf den Peregrinus losstürzte.

„Ha!" schrie Georg Pepusch – das war der Mensch – mit wilden Gebärden; „ha, treuloser verräterischer Freund! – Treffe ich dich? – treffe ich dich in der verhängnisvollen Stunde? – Auf denn, durchbohre diese Brust oder falle von meiner Hand!"

Damit riß Pepusch ein paar Pistolen aus der Tasche, gab ein Pistol dem Peregrinus in die Hand und stellte sich mit dem andern in Positur, indem er rief: „Schieße, feige Memme!"

Peregrinus stellte sich, versicherte aber, daß nichts ihn zu dem heillosen Wahnsinn bringen würde, sich mit seinem einzigen Freunde in einen Zweikampf einzulassen, ohne die Ursache auch nur zu ahnen. Wenigstens würde er in keinem Fall den Freund zuerst mörderisch angreifen.

Da schlug aber Pepusch ein wildes Gelächter auf, und in dem Augenblick schlug auch die Kugel aus dem Pistol, das Pepusch abgedrückt, durch den Hut des Peregrinus. Dieser starrte, ohne den Hut, der zur Erde gefallen, aufzuheben, den Freund an in tiefem Schweigen. Pepusch näherte sich dem Peregrinus bis auf wenige Schritte und murmelte dann dumpf: „Schieße!"

Da drückte Peregrinus das Pistol schnell ab in die Luft.

Laut aufheulend wie ein Rasender, stürzte George Pepusch nun an die Brust des Freundes und schrie mit herzzerschneidendem Ton: „Sie stirbt – sie stirbt aus Liebe zu dir, Unglücklicher – Eile – rette sie – du kannst es! – rette sie für dich, und mich laß untergehen in wilder Verzweiflung!" –

Pepusch rannte so schnell von dannen, daß Peregrinus ihn sogleich aus dem Gesicht verloren hatte.

Schwer fiel es aber nun dem Peregrinus aufs Herz, daß des Freundes rasendes Beginnen durch irgend etwas Entsetzliches veranlaßt sein müsse, das sich mit der holden Kleinen begeben. Schnell eilte er nach der Stadt zurück.

Als er in sein Haus trat, kam ihm die Alte entgegen und jammerte laut, daß die arme schöne Prinzeß plötzlich auf das heftigste erkrankt sei und wohl sterben werde; der alte Herr Swammer sei eben selbst nach dem berühmtesten Arzt gegangen, den es in Frankfurt gebe.

Den Tod im Herzen, schlich Peregrinus in Herrn Swammers Zimmer, das ihm die Alte geöffnet. Da lag die Kleine, blaß, erstarrt wie eine Leiche auf dem Sofa, und Peregrinus spürte erst dann ihren leisen Atem, als er niedergekniet sich über sie hinbeugte. Sowie Peregrinus die eiskalte Hand der Armen faßte, spielte ein schmerzliches Lächeln um ihre bleichen Lippen, und sie lispelte: „Bist du es, mein süßer Freund? – Kommst du her, noch einmal die zu sehen, die dich so unaussprechlich liebt? – Ach! die eben deshalb stirbt, weil sie ohne dich nicht zu atmen vermag!"

Peregrinus, ganz aufgelöst im herbsten Weh, ergoß sich in Beteurungen seiner zärtlichsten Liebe und wiederholte, daß nichts in der Welt ihm so teuer sei, um es nicht der Holden zu opfern. Aus den Worten wurden Küsse, aber in diesen Küssen wurden wiederum wie Liebeshauch Worte vernehmbar.

„Du weißt", so mochten diese Worte lauten, „du weißt, mein Peregrinus, wie sehr ich dich liebe. Ich kann dein sein, du mein, ich kann gesunden auf der Stelle, erblüht wirst du mich sehen in frischem jugendlichem Glanz wie eine Blume, die der Morgentau erquickt und die nun freudig das gesenkte Haupt emporhebt – aber – gib mir den Gefangenen heraus, mein teurer, geliebter Peregrinus, sonst siehst du mich vor deinen Augen vergehen in namenloser Todesqual! – Peregrinus – ich kann nicht mehr – es ist aus" –

Damit sank die Kleine, die sich halb aufgerichtet hatte, in die Kissen zurück, ihr Busen wallte wie im Todeskampf stürmisch auf und nieder, blauer wurden die Lippen, die Augen schienen zu brechen. – In wilder Angst griff Peregrinus nach der Halsbinde; doch von selbst sprang Meister Floh auf den weißen Hals der Kleinen, indem er mit dem Ton des tiefsten Schmerzes rief: „Ich bin verloren!"

Peregrinus streckte die Hand aus, den Meister zu fassen; plötzlich war es aber, als hielte eine unsichtbare Macht seinen Arm zurück, und ganz andere Gedanken als die, welche ihn bis jetzt erfüllt, gingen ihm durch den Kopf.

„Wie", dachte er, „weil du ein schwacher Mensch bist, der sich hingibt in toller Leidenschaft, der im Wahnsinn aufgeregter Begier das für Wahrheit nimmt, was doch nur lügnerischer Trug sein kann, darum willst du den treulos verraten, dem du deinen Schutz zugesagt? Darum willst du ein freies harmloses Völklein in Fesseln ewiger Sklaverei schmieden, darum den Freund, den du als den einzigen befunden, dessen Worte mit den Gedanken stimmen, rettungslos verderben? – Nein – nein, ermanne dich, Peregrinus! – lieber den Tod leiden als treulos sein!" –

„Gib – den – Gefangenen – ich sterbe!" – So stammelte die Kleine mit verlöschender Stimme.

„Nein", rief Peregrinus, indem er in heller Verzweiflung die Kleine in die Arme faßte, „nein – nimmermehr, aber laß mich mit dir sterben."

In dem Augenblick ließ sich ein durchdringender harmonischer Laut hören, als würden kleine Silberglöckchen angeschlagen; Dörtje, plötzlich frischen Rosenschimmer auf Lipp' und Wangen, sprang auf vom Sofa und hüpfte, in ein konvulsivisches Gelächter ausbrechend, im Zimmer umher. Sie schien vom Tarantelstich getroffen.

Entsetzt betrachtete Peregrinus das unheimliche Schauspiel, und ein Gleiches tat der Arzt, der ganz versteinert in der Türe stehenblieb und dem Herrn Swammer, der ihm folgen wollte, den Eingang versperrte.

Sechstes Abenteuer

Seltsames Beginnen reisender Gaukler in einem Weinhause nebst hinlänglichen Prügeln. Tragische Geschichte eines Schneiderleins zu Sachsenhausen. Wie George Pepusch ehrsame Leute in Staunen setzt. Das Horoskop. Vergnüglicher Kampf bekannter Leute im Zimmer Leuwenhoeks.

Alle Vorübergehende blieben stehen, reckten die Hälse lang aus und guckten durch die Fenster in die Weinstube hinein. Immer dichter wälzte sich der Haufe heran, immer ärger stieß und drängte sich alles durcheinander, immer toller wurde das Gewirre, das Gelächter, das Toben, das Jauchzen. Diesen Rumor verursachten zwei Fremde, die sich in der Weinstube eingefunden und die, außerdem daß ihre Gestalt, ihr Anzug, ihr ganzes Wesen etwas ganz Fremdartiges in sich trug, das widerwärtig war und lächerlich zu gleicher Zeit, solche wunderliche Künste trieben, wie man sie noch niemals gesehen hatte. Der eine, ein alter Mensch von abscheulichem schmutzigem Ansehen, war in einen langen sehr engen Überrock von fahlschwarzem glänzendem Zeuge gekleidet. Er wußte sich bald lang und dünn zu machen, bald schrumpfte er zu einem kurzen dicken Kerl zusammen, und es war seltsam, daß er sich dabei ringelte wie ein glatter Wurm. Der andere, hochfrisiert, im bunten seidnen Rock, ebensolchen Unterkleidern, großen silbernen Schnallen, einem Petitmaitre aus der letzten Hälfte des vorigen Jahrhunderts gleichend, flog dagegen einmal über das andere hoch hinauf an die Stubendecke und ließ sich sanft wieder herab, indem er mit heiserer Stimme mißtönende Lieder in gänzlich unbekannter Sprache trällerte.

Nach der Aussage des Wirts waren beide, einer kurz auf den andern, als ganz vernünftige bescheidene Leute in die Stube hineingetreten und hatten Wein gefordert. Dann blickten sie sich schärfer und schärfer ins Antlitz und fingen an zu diskutieren. Unerachtet ihre Sprache allen Gästen unverständlich war, so zeigte doch Ton und Gebärde, daß sie in einem Zank begriffen, der immer heftiger wurde.

Plötzlich standen sie, in ihre jetzige Gestalt verwandelt, da und begannen das tolle Wesen zu treiben, das immer mehr Zuschauer herbeilockte.

„Der Mensch", rief einer von den Zuschauern, „der Mensch, der so schön auf und nieder fliegt, das ist ja wohl der Uhrmacher Degen aus Wien, der die Flugmaschine erfunden hat und damit einmal übers andere aus der Luft hinabpurzelt auf die Nase?" – „Ach nein", erwiderte ein anderer, „das ist nicht der Vogel Degen. Eher würd ich glauben, es wäre das Schneiderlein aus Sachsenhausen, wüßt ich nicht, daß das arme Ding verbrannt ist." –

Ich weiß nicht, ob der geneigte Leser die merkwürdige Geschichte von dem Schneiderlein aus Sachsenhausen kennt? – Hier ist sie:

Geschichte des Schneiderleins aus Sachsenhausen

Es begab sich, daß ein zartes frommes Schneiderlein zu Sachsenhausen an einem Sonntage gar schön geputzt mit seiner Frau Liebsten aus der Kirche kam. Die Luft war rauh, das Schneiderlein hatte zu Nacht nichts genossen als ein halbes weichgesottenes Ei und eine Pfeffergurke, morgens aber ein kleines Schälchen Kaffee. Wollte ihm daher flau und erbärmlich zumute werden, weil er überdem in der Kirche gar heftig gesungen, und ihm nach einem Magenschnäpschen gelüsten. War die Woche über fleißig gewesen und auch artig gegen die Frau Liebste, der er von den Stücken Zeug, die beim Zuschneiden unter die Bank gefallen, einen propren Unterrock gefertigt. Frau Liebste bewilligte also freundlich, daß das Schneiderlein in die Apotheke treten und ein erwärmendes Schnäpschen genießen möge. Trat auch wirklich in die Apotheke und forderte dergleichen. Der ungeschickte Lehrbursche, der allein in der Apotheke zurückgeblieben, da der Rezeptarius, das Subjekt, kurz, alle übrigen klügeren Leute fortgegangen, vergriff sich und holte eine verschlossene Flasche vom Repositorio herab, in der kein Magenelixier befindlich, wohl aber brennbare Luft, womit die Luftbälle gefüllt werden. Davon schenkte der Lehrbursche ein Gläschen voll; das setzte das Schneiderlein stracks an den Mund und schlürfte die Luft begierig hinunter als ein angenehmes Labsal. Wurde ihm aber alsbald gar possierlich zumute, war ihm, als hätte er ein Paar Flügel an den Achseln oder als spiele jemand mit ihm Fangball. Denn ellenhoch und immer höher mußte er in der Apotheke aufsteigen und niedersinken. „Ei Jemine, Jemine", rief er, „wie bin ich doch solch ein flinker Tänzer geworden!" – Aber dem Lehrburschen stand das Maul offen vor lauter Verwunderung. Geschah nun, daß jemand die Türe rasch aufriß, so daß das Fenster gegenüber aufsprang. Strömte alsbald ein starker Luftzug durch die Apotheke, erfaßte das Schneiderlein, und schnell wie der Wind war es fort durch das offne Fenster in alle Lüfte; niemand hat es wieder gesehen. Begab sich nach mehrerer Zeit, daß die Sachsenhäuser zur Abendzeit hoch in den Lüften eine Feuerkugel erblickten, die mit blendendem Glanz die ganze Gegend erleuchtete und dann verlöschend zur Erde hinabfiel. Wollten alle wissen, was zur Erde gefallen, liefen hin an den Ort, fanden aber nichts als ein kleines Klümpchen Asche; dabei aber den Dorn einer Schuhschnalle, ein Stückchen eiergelben Atlas mit bunten Blumen und ein schwarzes Ding, das beinahe anzusehen war wie ein Stockknopf von schwarzem Horn. Haben alle darüber nachgedacht, wie solche Sachen in einer Feuerkugel aus dem Himmel fallen mögen. Da ist aber die Frau Liebste des entfahrnen Schneiderleins dazugekommen, und als diese die gefundenen Sachen erblickt, hat sie die Hände gerungen, gar erbärmlich getan und geschrien: „Ach Jammer, das ist meines

Liebsten Schnallendorn, ach Jammer, das ist meines Liebsten Sonntagsweste, ach Jammer, das ist meines Liebsten Stockknopf!" Hat aber ein großer Gelehrter erklärt, der Stockknopf sei kein Stockknopf, sondern ein Meteorstein oder ein mißratener Weltkörper. Ist nun aber auf diese Weise den Sachsenhäusern und aller Welt kund worden, daß das arme Schneiderlein, dem der Apothekerbursche brennbare Luft gegeben statt Magenschnaps, in den hohen Lüften verbrannt und heruntergesunken ist zur Erde als Meteorstein oder mißratner Weltkörper.

Ende der Geschichte
von dem Schneiderlein aus Sachsenhausen.

Der Kellner wurde endlich ungeduldig, daß der wunderliche Fremde nicht aufhörte, sich groß und klein zu machen, ohne auf ihn zu achten, und hielt ihm die Flasche Burgunder, die er bestellt hatte, dicht unter die Nase. Sogleich sog sich der Fremde an der Flasche fest und ließ nicht nach, bis der letzte Tropfen eingeschlürft war. Dann fiel er wie ohnmächtig in den Lehnsessel und konnte sich nur ganz schwach regen.

Die Gäste hatten mit Erstaunen gesehen, wie er während des Trinkens immer mehr aufgeschwollen und nun ganz dick und unförmlich erschien. Des andern Flugwerk schien nun auch zu stocken, er wollte sich keuchend und ganz außer Atem niederlassen; als er aber gewahrte, daß sein Gegner halb tot dalag, sprang er schnell auf ihn zu und begann ihn mit geballter Faust derb abzubläuen.

Da riß ihn aber der Hauswirt zurück und erklärte, daß er ihn gleich zum Hause hinauswerfen werde, wenn er nicht Ruhe halte. Wollten sie beide ihre Taschenspielerkünste zeigen, so möchten sie das tun, jedoch ohne sich zu zanken und zu prügeln wie gemeines Volk. –

Den Flugbegabten schien es etwas zu verschnupfen, daß der Wirt ihn für einen Taschenspieler hielt. Er versicherte, daß er nichts weniger sei als ein schnöder Gaukler, der lose Künste treibe. Sonst habe er die Ballettmeisterstelle bei dem Theater eines berühmten Königs bekleidet, jetzt privatisiere er als schöner Geist und heiße, wie es sein Metier erfordere, nämlich Legénie. Habe er im gerechten Zorn über den fatalen Menschen dort etwas höher gesprungen als gebührlich, so sei das seine Sache und gehe niemanden etwas an.

Der Wirt meinte, daß das alles noch keine Prügelei rechtfertige; der schöne Geist erwiderte indessen, daß der Wirt den boshaften hinterlistigen Menschen nur nicht kenne, da er ihm sonst einen zerbläuten Rücken recht herzlich gönnen würde. Der Mensch sei nämlich ehemals französischer Douanier gewesen, nähre sich jetzt vom Aderlassen, Schröpfen und Barbieren und heiße Monsieur Egel. Ungeschickt, tölpisch, gefräßig, sei er jedem zur Last. Nicht genug, daß der Taugenichts überall, wo er mit ihm zusammentreffe, so wie es eben jetzt geschehen, ihm den Wein vor dem Maule wegsaufe, so führe er auch, der Verruchte, jetzt nichts Geringeres im Schilde, als ihm die schöne Braut wegzukapern, die er aus Frankfurt heimzuführen gedenke.

Der Douanier hatte alles gehört, was der schöne Geist vorgebracht; er blitzte ihn an mit den kleinen, giftiges Feuer sprühenden Augen und sprach dann zum Wirt: „Glaubt doch, Herr Wirt, nichts von dem allen, was der Galgenschwengel, der unnütze Haselant dort hergeplappert.

Fürwahr, ein schöner Ballettmeister, der mit seinen Elefantenfüßen den zarten Tänzerinnen die Beine zerquetscht und bei der Pirouette dem Maitre des Spektakels an der Kulisse einen Backzahn aus dem Kinnbacken und den Operngucker vom Auge wegschlägt! – Und seine Verse, die haben ebensolche plumpe Füße wie er selbst und taumeln hin und her wie Betrunkene und treten die Gedanken zu Brei. Und da denkt der einbildische Faselhans, weil er zuweilen schwerfällig durch die Lüfte flattert, wie ein verdrossener Gänserich, müßte die Schönste seine Braut sein."

Der schöne Geist schrie: „Du tückischer Satanswurm sollst den Schnabel des Gänserichts fühlen!" und wollte von neuem in voller Furie auf den Douanier los; der Wirt erfaßte ihn aber von hinten mit starken Armen und warf ihn unter dem unaussprechlichsten Jubel des versammelten Haufens zum Fenster hinaus.

Sowie nun der schöne Geist von hinnen war, hatte Monsieur Egel sogleich wieder die solide schlichte Gestalt angenommen, in der er hereingetreten war. Die Leute draußen hielten ihn für einen ganz andern als den, der sich so auseinanderzuschrauben gewußt hatte, und zerstreuten sich. Der Douanier dankte dem Wirt in den verbindlichsten Ausdrücken für die Hilfe, die er ihm gegen den schönen Geist geleistet, und erbot sich, um diese dankbare Gesinnung recht an den Tag zu legen, den Wirt, ohne irgendeine Gratifikation, auf eine solche leichte, angenehme Weise zu rasieren, wie er es in seinem Leben noch nicht empfunden. Der Wirt faßte sich an den Bart, und da es in dem Augenblick ihm vorkam, als wüchsen ihm die Haare lang und stachelicht heraus, so ließ er sich Monsieur Egels Vorschlag gefallen. Der Douanier begann auch das Geschäft mit geschickter leichter Hand zu besorgen; doch plötzlich schnitt er dem Wirt so derb in die Nase, daß die hellen Blutstropfen hervorquollen. Der Wirt, dies für tückische Bosheit haltend, sprang wütend auf, packte den Douanier, und er flog ebenso schnell und behende zur Türe hinaus als der schöne Geist durchs Fenster. Bald darauf entstand auf dem Hausflur ein unziemlicher Lärm; der Wirt nahm sich kaum Zeit, die wunde Nase sattsam mit Feuerschwamm zu mappieren, und rannte hinaus, um nachzusehen, welch ein Satan den neuen Rumor errege.

Da erblickte er zu seiner nicht geringen Verwunderung einen jungen Menschen, der mit einer Faust den schönen Geist, mit der andern aber den Douanier bei der Brust gepackt hatte und, indem seine glühenden Augen wild rollten, wütend schrie: „Ha, satanische Brut, du sollst mir nicht in den Weg treten, du sollst mir meine Gamaheh nicht rauben!“ Dazwischen kreischten der schöne Geist und der Douanier: „Ein wahnsinniger Mensch – rettet – rettet uns, Herr Wirt! – Er will uns ermorden – er mißkennt uns!“ – „Ei“, rief der Wirt, „ei, lieber Herr Pepusch, was fangen Sie denn an? Sind Sie von diesen wunderlichen Leuten beleidigt worden? Irren Sie sich vielleicht in den Personen? Dies ist der Ballettmeister Herr Legénie, und dieser der Douanier, Monsieur Egel." – „Ballettmeister Legénie? – Douanier Egel?" wiederholte Pepusch mit dumpfer Stimme. Er schien, aus einem Traum erwachend, sich auf sich selbst besinnen zu müssen. Indessen waren auch zwei ehrsame Bürgersleute aus der Stube getreten, die den Herrn George Pepusch ebenfalls kannten und die ihm auch zuredeten, ruhig zu bleiben und die schnakischen fremden Leute gehen zu lassen.

Noch einmal wiederholte Pepusch: „Ballettmeister Legénie? – Douanier Egel?" und ließ die Arme kraftlos herabsinken. Mit Windesschnelle waren die Freigelassenen fort, und manchem auf der Straße wollt es auffallen, daß der schöne Geist über das Dach des gegenüberstehenden Hauses hinwegflog, der Bartscherer sich aber in dem Schlammwasser verlor, das gerade vor der Türe zwischen den Steinen sich gesammelt hatte.

Die Bürgersleute nötigten den ganz verstörten Pepusch, in die Stube zu treten und mit ihnen eine Flasche echten Nierensteiner zu trinken. Pepusch ließ sich das gefallen und schien auch den edlen Wein mit Lust und Appetit hinunterzuschlürfen, wiewohl er ganz stumm und starr dasaß und auf alles Zureden kein Wörtchen erwiderte. Endlich erheiterten sich seine Züge, und er sprach ganz leutselig: „Ihr tatet gut, ihr lieben Leute und freundlichen Kumpane, daß ihr mich abhieltet, diese Elenden, die sich in meiner Gewalt befanden, auf der Stelle zu töten. Aber ihr wißt nicht, was für bedrohliche Geschöpfe sich hinter diesen wunderlichen Masken versteckt hatten." –

Pepusch hielt inne, und man kann denken, mit welcher gespannten Neugier die Bürgersleute aufhorchten, was nun Pepusch entdecken würde. Auch der Wirt hatte sich genähert, und alle drei, die Bürgersleute und der Wirt, steckten nun, indem sie sich mit übereinandergeschlagenen Armen über den Tisch lehnten, die Köpfe dicht zusammen und hielten den Atem an, daß ja kein Laut aus Pepuschens Munde verlorengehen möge.

„Seht", sprach Herr George Pepusch weiter, ganz leise und feierlich, „seht, ihr guten Männer, *der*, den ihr den Ballettmeister Legénie nennt, ist kein anderer als der böse, ungeschickte Genius

Thetel, *der*, den ihr für den Douanier Egel haltet, ist aber der abscheuliche Blutsauger, der häßliche Egelprinz. Beide sind in die Prinzessin Gamaheh, die, wie es euch bekannt sein wird, die schöne herrliche Tochter des mächtigen Königs Sekakis ist, verliebt und sind hier, um sie der Distel Zeherit abspenstig zu machen. Das ist nun die albernste Torheit, die nur in einem dummen Gehirn hausen kann, denn außer der Distel Zeherit gibt es in der ganzen Welt nur noch ein einziges Wesen, dem die schöne Gamaheh angehören darf, und dieses Wesen wird vielleicht auch ganz vergeblich in den Kampf treten mit der Distel Zeherit. Denn bald blühet die Distel um Mitternacht auf in voller Pracht und Kraft, und in dem Liebestod dämmert die Morgenröte des höhern Lebens. – Ich selbst bin aber die Distel Zeherit, und eben daher könnet ihr mir's nicht verdenken, ihr guten Leute, wenn ich ergrimmt bin auf jene Verräter und mir überhaupt die ganze Geschichte gar sehr zu Herzen nehme."

Die Leute rissen die Augen weit auf und glotzten den Pepusch sprachlos an mit offnem Munde. Sie waren, wie man zu sagen pflegt, aus den Wolken gefallen, und der Kopf dröhnte ihnen vom jähen Sturz.

Pepusch stürzte einen großen Römer Wein hinunter und sprach dann, sich zum Wirt wendend: „Ja ja, Herr Wirt, bald werdet Ihr's erleben, bald blühe ich als Cactus grandiflorus, und in der ganzen Gegend wird es unmenschlich nach der schönsten Vanille riechen; Ihr könnet mir das glauben."

Der Wirt konnte nichts herausbringen als ein dummes: „Ei, das wäre der Tausend!" Die andern beiden Männer warfen sich aber bedenkliche Blicke zu, und einer sprach, indem er Georgs Hand faßte, mit zweideutigem Lächeln: „Sie scheinen etwas in Unruhe geraten zu sein, lieber Herr Pepusch, wie wär es, wenn Sie ein Gläschen Wasser –"

„Keinen Tropfen", unterbrach Pepusch den gutgemeinten Rat, „keinen Tropfen; hat man jemals Wasser in siedendes Öl gegossen, ohne die Wut der Flammen zu reizen? – In Unruhe sei ich, meint Ihr, geraten? In der Tat, das mag der Fall sein und der Teufel ruhig bleiben, wenn er sich, so wie ich es eben getan, mit dem Herzensfreunde herumgeschossen und dann sich selbst eine Kugel durchs Gehirn gejagt! – Hier! – in Eure Hände liefere ich die Mordwaffen, da nun alles vorbei ist."

Pepusch riß ein paar Pistolen aus der Tasche, der Wirt prallte zurück, die beiden Bürgersleute griffen darnach und brachen, sowie sie die Mordwaffe in Händen hatten, aus in ein unmäßiges Gelächter. – Die Pistolen waren von Holz, ein Kinderspielzeug vom Christmarkt her.

Pepusch schien gar nicht zu bemerken, was um ihn her vorging; er saß da in tiefen Gedanken und rief dann einmal übers andere: „Wenn ich ihn nur finden könnte, wenn ich ihn nur finden könnte!" –

Der Wirt faßte Herz und fragte bescheiden: „Wen meinen Sie eigentlich, bester Herr Pepusch, wen können Sie nicht finden?"

„Kennt Ihr", sprach Pepusch feierlich, indem er den Wirt scharf ins Auge faßte, „kennt Ihr einen, der dem König Sekakis zu vergleichen an Macht und wunderbarer Kraft, so nennt seinen Namen, und ich küsse Euch die Füße! – Doch wollt ich übrigens Euch fragen, ob Ihr jemanden wißt, der den Herrn Peregrinus Tyß kennt und mir sagen kann, wo ich ihn in diesem Augenblick treffen werde?" –

„Da", erwiderte freundlich schmunzelnd der Wirt, „da kann ich dienen, verehrtester Herr Pepusch, und Ihnen berichten, daß der gute Herr Tyß sich erst vor einer Stunde hier befand und ein Schöppchen Würzburger zu sich nahm. Er war sehr in Gedanken und rief plötzlich, als ich bloß erwähnte, was die Börsenhalle Neues gebracht: ‚Ja, süße Gamaheh! – ich habe dir entsagt! – Sei glücklich in meines Georgs Armen!' – Dann sprach eine feine kuriose Stimme: ‚Laßt uns jetzt zum Leuwenhoek gehen und ins Horoskop gucken!' – Sogleich leerte Herr Tyß eiligst das Glas und machte sich samt der Stimme ohne Körper von dannen; wahrscheinlich sind beide, die Stimme und Herr Tyß, zum Leuwenhoek gegangen, der sich im Lamento befindet, weil ihm sämtliche abgerichtete Flöhe krepiert sind."

Da sprang George in voller Furie auf, packte den Wirt bei der Kehle und schrie: „Halunkischer Egelsbote, was sprichst du? –

Entsagt? – ihr entsagt – Gamaheh – Peregrinus – Sekakis?“ – –

– Des Wirts Erzählung war ganz der Wahrheit gemäß; den Meister Floh hatte er vernommen, der den Herrn Peregrinus Tyß mit feiner Silberstimme aufforderte, zum Mikroskopisten Leuwenhoek zu gehen; der geneigte Leser weiß bereits, zu welchem Zweck. Peregrinus begab sich auch wirklich auf den Weg dahin.

Leuwenhoek empfing den Peregrinus mit süßlich widerwärtiger Freundlichkeit und mit jenem demütigen Komplimentenwesen, in dem sich das lästige, erzwungene Anerkenntnis der Superiorität ausspricht. Da aber Peregrinus das mikroskopische Glas in der Pupille hatte, so half dem Herrn Anton von Leuwenhoek alle Freundlichkeit, alle Demut ganz und gar nichts, vielmehr erkannte Peregrinus alsbald den Mißmut, ja den Haß, der des Mikroskopisten Seele erfüllte.

Während er versicherte, wie sehr ihn des Herrn Tyß Besuch ehre und erfreue, lauteten die Gedanken: „Ich wollte, daß dich der schwarzgefiederte Satan zehntausend Klafter tief in den Abgrund schleudere, aber ich muß freundlich und unterwürfig gegen dich tun, da die verfluchte Konstellation mich unter deine Herrschaft gestellt hat und mein ganzes Sein in gewisser Art von dir abhängig ist. – Doch werde ich dich vielleicht überlisten können; denn trotz deiner vornehmen Abkunft bist du doch ein einfältiger Tropf. – Du glaubst, daß die schöne Dörtje Elverdink dich liebt, und willst sie vielleicht gar heiraten? – Wende dich nur deshalb an mich, denn fällst du doch trotz der Macht, die dir inwohnt, ohne daß du es weißt, in meine Hand, und ich werde alles anwenden, dich zu verderben und der Dörtje sowie des Meisters Floh habhaft zu werden.“

Natürlicherweise richtete Peregrinus sein Betragen nach diesen Gedanken ein und hütete sich wohl, der schönen Dörtje Elverdink auch nur mit einem Worte zu erwähnen; vielmehr gab er vor, gekommen zu sein, Herrn von Leuwenhoeks gesammelte naturhistorische Merkwürdigkeiten in Augenschein zu nehmen.

Während nun Leuwenhoek die großen Schränke öffnete, sagte Meister Floh dem Peregrinus ganz leise ins Ohr, daß auf dem Tische am Fenster sein (des Peregrinus) Horoskop liege. Peregrinus näherte sich behutsam und blickte scharf hin. Da sah er nun zwar allerlei Linien, die sich mystisch durchkreuzten, und andere wunderbare Zeichen; da es ihm indessen an astrologischer Kenntnis gänzlich mangelte, so konnte er so scharf hinblicken, als er nur wollte, alles blieb ihm doch undeutlich und verworren. Seltsam schien es ihm nur, daß er den roten glänzenden Punkt in der Mitte der Tafel, auf der das Horoskop entworfen, ganz deutlich für sein Selbst anerkennen mußte. Je länger er den Punkt anschaute, desto mehr gewann er die Gestalt eines Herzens, desto brennender rötete er sich; doch funkelte er nur wie durch Gespinst, womit er umzogen.

Peregrinus merkte wohl, wie Leuwenhoek sich mühte, ihn von dem Horoskop abzuziehen, und beschloß ganz vernünftig, seinen freundlichen Feind ohne alle weitere Umschweife geradezu um die Bedeutung der geheimnisvollen Tafel zu befragen, da er nicht Gefahr laufe, belogen zu werden.

Leuwenhoek versicherte, hämisch lächelnd, daß ihm nichts größere Freude verursachen könne, als seinem hochverehrtesten Freunde die Zeichen auf der Tafel, die er selbst nach seiner geringen Kenntnis von solchen Sachen entworfen, zu erklären.

Die Gedanken lauteten: „Hoho! willst du da hinaus, mein kluger Patron? Fürwahr, Meister Floh hat dir gar nicht übel geraten! Ich selbst soll, die geheimnisvolle Tafel erklärend, dir vielleicht auf die Sprünge helfen, rücksichts der magischen Macht deiner werten Person? – Ich könnte dir was vorlügen, doch was könnte das nützen, da du, wenn ich dir auch die Wahrheit sage, doch kein Jota von allem verstehst, sondern dumm bleibst wie vorher. Aus purer Bequemlichkeit und um mich nicht mit neuer Erfindung in Unkosten zu setzen, will ich daher von den Zeichen der Tafel so viel sagen, als mir gerade gut dünkt."

Peregrinus wußte nun, daß er zwar nicht alles erfahren, jedoch wenigstens nicht belogen werden würde.

Leuwenhoek brachte die Tafel auf das einer Staffelei ähnliche Gestell, welches er aus einem Winkel in die Mitte des Zimmers hervorgerückt hatte. Beide, Leuwenhoek und Peregrinus, setzten sich vor die Tafel hin und betrachteten sie stillschweigend.

„Ihr ahnet", begann endlich Leuwenhoek mit einiger Feierlichkeit, „Ihr ahnet vielleicht nicht, Peregrinus Tyß, daß jene Züge, jene Zeichen auf der Tafel, die Ihr so aufmerksam betrachtet, Euer eignes Horoskop sind, das ich mit geheimnisvoller astrologischer Kunst unter günstigem Einfluß der Gestirne entworfen. – ‚Wie kommt Ihr zu solcher Anmaßung, wie mögt Ihr eindringen in die Verschlingungen meines Lebens, wie mein Geschick enthüllen wollen?' So könntet Ihr mich fragen, Peregrinus, und hättet vollkommenes Recht dazu, wenn ich Euch nicht sogleich meinen innern Beruf dazu nachzuweisen imstande wäre. Ich weiß nicht, ob Ihr vielleicht den berühmten Rabbi Isaac Ben Harravad gekannt oder wenigstens von ihm gehört habt.* Unter andern tiefen Kenntnissen besaß Rabbi Harravad die seltene Gabe, den Menschen es am Gesicht anzusehen, ob ihre Seele schon früher einen andern Körper bewohnt oder ob solche für gänzlich frisch und neu zu achten. Ich war noch sehr jung, als der alte Rabbi starb an einer Unverdaulichkeit, die er sich durch ein schmackhaftes Knoblauchgericht zugezogen. Die Juden liefen mit der Leiche so schnell von dannen, daß der Selige nicht Zeit hatte, alle seine Kenntnisse und Gaben, die die Krankheit auseinandergestreut, zusammenzuraffen und mitzunehmen. Lachende Erben teilten sich darin; ich aber hatte jene wunderbare Sehergabe in dem Augenblick weggefischt, als sie auf der Spitze des Schwerts schwebte, das der Todesengel auf die Brust des alten Rabbi setzte. So ist aber jene wunderbare Gabe auf mich übergegangen, und auch ich erschaue, wie Rabbi Isaac Ben Harravad, aus dem Gesicht des Menschen, ob seine Seele schon einen andern Körper bewohnt hat oder nicht. Euer Antlitz, Peregrinus Tyß, erregte mir, als ich es zum ersten Male sah, die seltsamsten Bedenken und Zweifel. *Gewiß* wurde mir die lange

* Der Rabbi Isaac Ben Harravad lebte zu Ende des zwölften Jahrhunderts. Siehe Bartolocci, Biblioth. rabbinica. Tom. III. p. 888.

Vorexistenz Eurer Seele, und doch blieb jede Euerm jetzigen Leben vorausgegangene Gestaltung völlig dunkel. Ich mußte meine Zuflucht zu den Gestirnen nehmen und Euer Horoskop stellen, um das Geheimnis zu lösen."

„Und", unterbrach Peregrinus den Flohbändiger, „und habt Ihr etwas herausgebracht, Herr Leuwenhoek?"

„Allerdings", erwiderte Leuwenhoek, indem er noch einen feierlichern Ton annahm, „allerdings! Ich habe erkannt, daß das psychische Prinzip, welches jetzt den angenehmen Körper meines werten Freundes, des Herrn Peregrinus Tyß, belebt, schon lange vorher existierte, wiewohl nur als Gedanke ohne Bewußtsein der Gestaltung. Schaut hin, Herr Peregrinus, betrachtet aufmerksam den roten Punkt in der Mitte der Tafel. Das seid Ihr nicht allein selbst, sondern der Punkt ist auch die Gestalt, deren sich Euer psychisches Prinzip einst nicht bewußt werden konnte. Als strahlender Karfunkel lagt Ihr damals im tiefen Schacht der Erde, aber über Euch, hingestreckt auf die grüne Fläche des Bodens, schlummerte die holde Gamaheh, und nur in jener Bewußtlosigkeit zerrann auch ihre Gestaltung. Seltsame Linien, fremde Konstellationen durchschneiden nun Euer Leben von dem Zeitpunkt an, als der Gedanke sich gestaltete und zum Herrn Peregrinus Tyß wurde. Ihr seid im Besitz eines Talismans, ohne es zu wissen. Dieser Talisman ist eben der rote Karfunkel; es kann sein, daß der König Sekakis ihn als Edelstein in der Krone trug oder daß er gewissermaßen selbst der Karfunkel war; genug – Ihr besitzt ihn jetzt; aber ein gewisses Ereignis muß hinzutreten, wenn seine schlummernde Kraft erweckt werden soll, und mit diesem Erwachen der Kraft Eures Talismans entscheidet sich das Schicksal einer Unglücklichen, die bis jetzt zwischen Furcht und schwankender Hoffnung ein mühseliges Scheinleben geführt hat. – Ach! nur ein Scheinleben konnte die süße Gamaheh durch die tiefste magische Kunst gewinnen, da der wirkende Talisman uns geraubt war! Ihr allein habt sie getötet, Ihr allein könnet ihr Leben einhauchen, wenn der Karfunkel aufgeglüht ist in Eurer Brust!" –

„Und", unterbrach Peregrinus den Flohbändiger aufs neue,

„und jenes Ereignis, wodurch die Kraft des Talismans geweckt werden soll, wißt Ihr mir das zu deuten, Herr Leuwenhoek?“

Der Flohbändiger glotzte den Peregrinus an mit weit aufgerissenen Augen und sah gerade so aus wie einer, den plötzlich große Verlegenheit überrascht und der nicht weiß, was er sagen soll. Die Gedanken lauteten: „Wetter, wie ist es gekommen, daß ich viel mehr gesagt habe, als ich eigentlich sagen wollte? Hätte ich wenigstens nicht von dem Talisman das Maul halten sollen, den der glückselige Schlingel im Leibe trägt und der ihm so viel Macht geben kann über uns, daß wir alle nach seiner Pfeife tanzen müssen? – Und nun soll ich ihm das Ereignis sagen, von dem das Erwachen der Kraft seines Talismans abhängt! – Darf ich ihm denn gestehen, daß ich es selbst nicht weiß, daß alle meine Kunst daran scheitert, den Knoten zu lösen, in den sich alle Linien verschlingen, ja, daß, wenn ich dieses siderische Hauptzeichen des Horoskops betrachte, es mir ganz jämmerlich zumute wird und mein ehrwürdiges Haupt mir selbst vorkommt wie ein bunt bemalter Haubenstock, aus schnöder Pappe gefertigt? – Fern sei von mir solch ein Geständnis, das mich ja herabwürdigen und ihm Waffen gegen mich in die Hände geben würde. Ich will dem Pinsel, der sich so klug dünkt, etwas aufheften, das ihm durch alle Glieder fahren und ihm alle Lust benehmen soll, weiter in mich zu dringen.“ –

„Allerliebster“, sprach nun der Flohbändiger, indem er ein sehr bedenkliches Gesicht zog, „allerliebster Herr Tyß, verlangt nicht, daß ich von diesem Ereignis sprechen soll. Ihr wißt, daß das Horoskop uns zwar über das Eintreten gewisser Umstände klar und vollständig belehrt, daß aber, so will es die Weisheit der ewigen Macht, der Ausgang bedrohlicher Gefahr stets dunkel bleibt und hierüber nur zweifelhafte Deutungen möglich und zulässig sind. Viel zu lieb hab ich Euch als einen guten vortrefflichen Herzensmann, bester Herr Tyß, um Euch vor der Zeit in Unruhe und Angst zu setzen; sonst würde ich Euch wenigstens so viel sagen, daß das Ereignis, welches Euch das Bewußtsein Eurer Macht geben dürfte, auch in demselben Augenblick die jetzige Gestaltung Eures Seins unter den entsetzlichsten Qualen der Hölle zerstören könnte. – Doch nein! – Auch *das* will ich Euch verschweigen, und nun kein Wort weiter von dem Horoskop. – Ängstigt Euch nur ja nicht, bester Herr Tyß, unerachtet die Sache sehr schlimm steht und ich, nach aller meiner Wissenschaft, kaum einen guten Ausgang des Abenteuers herausdeuten kann. Vielleicht rettet Euch doch eine ganz unvermutete Konstellation, die noch jetzt außer dem Bereich der Beobachtung liegt, aus der bösen Gefahr." –

Peregrinus erstaunte über Leuwenhoeks tückische Falschheit, indessen kam ihm die ganze Lage der Sache, die Stellung, in der Leuwenhoek, ohne es zu wissen, zu ahnen, ihm gegenüberstand, so ungemein ergötzlich vor, daß er sich nicht enthalten konnte, in ein schallendes Gelächter auszubrechen.

„Worüber", fragte der Flohbändiger etwas betreten, „worüber lacht Ihr so sehr, mein wertester Herr Tyß?"

„Ihr tut", erwiderte Peregrinus, noch immer lachend, „Ihr tut sehr klug, Herr Leuwenhoek, daß Ihr mir das bedrohliche Ereignis aus purer Schonung verschweigt. Denn außerdem, daß Ihr viel zu sehr mein Freund seid, um mich in Angst und Schrecken zu setzen, so habt Ihr noch einen andern triftigen Grund dazu, der in nichts anderm besteht, als daß Ihr selbst nicht das mindeste von jenem Ereignisse wißt. Vergebens blieb ja all Euer Mühen, jenen verschlungenen Knoten zu lösen; mit Eurer ganzen Astrologie ist es ja nicht weit her; und wäre Euch Meister Floh nicht ohnmächtig auf die Nase gefallen, so stünde es mit all Euren Künsten herzlich schlecht."

Wut entflammte Leuwenhoeks Antlitz, er ballte die Fäuste, er knirschte mit den Zähnen, er zitterte und schwankte so sehr, daß er vom Stuhle gefallen, hätte ihn nicht Peregrinus beim Arm so fest gepackt als George Pepusch den unglücklichen Weinwirt bei der Kehle. Diesem Wirt gelang es, sich durch einen geschickten Seitensprung zu retten. Alsbald flog Pepusch zur Türe hinaus und trat in Leuwenhoeks Zimmer, gerade in dem Augenblick, als Peregrinus ihn auf dem Stuhle festhielt und er grimmig zwischen den Zähnen murmelte: „Verruchter Swammerdamm, hättest du mir das getan!"

Sowie Peregrinus seinen Freund Pepusch erblickte, ließ er den Flohbändiger los, trat dem Freunde entgegen und fragte ängstlich, ob denn die entsetzliche Stimmung vorüber, die ihn mit solcher verderblichen Gewalt ergriffen.

Pepusch schien beinahe bis zu Tränen erweicht, er versicherte, daß er Zeit seines Lebens nicht so viel abgeschmackte Torheiten begangen als eben heute, wozu er vorzüglich rechne, daß er, nachdem er sich im Walde eine Kugel durch den Kopf geschossen, in einem Weinhause, selbst wisse er nicht mehr, wo es gewesen, ob bei Protzler, im „Schwan", im „Weidenhof" oder sonst irgendwo, zu gutmütigen Leuten von überschwenglichen Dingen gesprochen und den Wirt meuchelmörderischerweise erwürgen wollen, bloß weil er aus seinen abgebrochenen Reden zu entnehmen geglaubt, daß das Glückseligste geschehen, was ihm (dem Pepusch) nur widerfahren könne. Alle seine Unfälle würden nun bald die höchste Spitze erreichen, denn nur zu gewiß hätten die Leute seine Reden, sein ganzes Beginnen für den stärksten Ausbruch des Wahnsinnes gehalten, und er müßte fürchten, statt die Früchte des frohsten Ereignisses zu genießen, in das Irrenhaus gesperrt zu werden. – Pepusch deutete hierauf an, was der Weinwirt über Peregrinus' Betragen und Äußerungen fallen lassen, und fragte hocherrötend mit niedergeschlagenen Augen, ob ein solches Opfer, eine solche Entsagung zugunsten eines unglücklichen Freundes, wie er es ahnen wolle, in der jetzigen Zeit, in der der Heroismus von der Erde verschwunden, wohl noch möglich, wohl noch denkbar sein könne.

Peregrinus lebte im Innern ganz auf bei den Äußerungen seines Freundes; er versicherte feurig, daß er seinerseits weit entfernt sei, den bewährten Freund nur im mindesten zu kränken, daß er allen Ansprüchen auf Herz und Hand der schönen Dörtje Elverdink feierlichst entsage und gern auf ein Paradies verzichte, das ihm freilich in glänzendem verführerischem Schimmer entgegengelacht.

„Und dich", rief Pepusch, indem er an die Brust des Freundes stürzte, „und dich wollte ich ermorden, und weil ich nicht an dich glaubte, darum erschoß ich mich selbst! – O der Raserei, o des wüsten Treibens eines verstörten Gemüts!" – „Ich", unterbrach Peregrinus den Freund, „ich bitte dich, George, komme zur Besinnung. Du sprichst von Totschießen und stehest frisch und gesund vor mir! – Wie reimt sich das zusammen?"

„Du hast recht", erwiderte Pepusch, „es scheint, als ob ich nicht mit dir so vernünftig reden könnte, wie es wirklich geschieht, wenn ich mir in der Tat eine Kugel durchs Gehirn gejagt hätte. Die Leute behaupteten auch, meine Pistolen wären keine sonderlich ernste Mordwaffen, auch gar nicht von Eisen, sondern von Holz, mithin nur Kinderspielzeug, und so könnte vielleicht der Zweikampf sowie der Selbstmord nichts gewesen sein als eine vergnügliche Ironie. Hätten wir denn nicht unsere Rollen getauscht, und ich begänne mit der Selbstmystifikation und hantierte mit dummen Kindereien in dem Augenblick, da du aus deiner kindischen Fabelwelt heraustrittst in das wirkliche rege Leben? – Doch dem sei, wie ihm wolle, es ist nötig, daß ich deines Edelmuts und meines Glücks gewiß werde, dann zerstreuen sich wohl bald alle Nebel, die meinen Blick trüben oder die mich vielleicht täuschen mit morganischen Truggebilden. Komm, mein Peregrinus, begleite mich hin zu der holden Dörtje Elverdink, aus deiner Hand empfange ich die süße Braut."

Pepusch faßte den Freund unter den Arm und wollte mit ihm schnell davoneilen; doch der Gang, den sie zu tun gedachten, sollte ihnen erspart werden. Die Türe öffnete sich nämlich, und herein trat Dörtje Elverdink, schön und anmutig wie ein Engelskind, hinter ihr her aber der alte Herr Swammer. Leuwenhoek, der so lange stumm und starr dagestanden und nur bald dem Pepusch, bald dem Peregrinus zornfunkelnde Blicke zugeworfen hatte, schien, als er den alten Swammerdamm erblickte, wie von einem elektrischen Schlage getroffen. Er steckte ihm die geballten Fäuste entgegen und schrie mit vor Wut gellender Stimme: „Ha! kommst du, mich zu verhöhnen, alter betrügerischer Unhold? – Aber es soll dir nicht gelingen. Verteidige dich, deine letzte Stunde hat geschlagen."

Swammerdamm prallte einige Schritte zurück und zog, da Leuwenhoek mit dem Fernglas bereits gegen ihn ausfiel, die gleiche Waffe zu seiner Verteidigung. Der Zweikampf, der im Hause des Herrn Peregrinus Tyß sich entzündet, schien aufs neue beginnen zu wollen.

George Pepusch warf sich zwischen die Kämpfenden, und indem er einen mörderischen Blick Leuwenhoeks, der den Gegner zu Boden gestreckt haben würde, geschickt mit der linken Faust wegschlug, drückte er mit der rechten die Waffe, womit der Swammerdamm sich eben blickfertig ausgelegt hatte, hinab, so daß sie den Leuwenhoek nicht verwunden konnte.

Pepusch erklärte dann laut, daß er irgendeinen Streit, irgendeinen gefährlichen Kampf zwischen Leuwenhoek und Swammerdamm nicht eher zulassen werde, bis er die Ursache ihres Zwists von Grund aus erfahren. Peregrinus fand das Beginnen seines Freundes so vernünftig, daß er gar keinen Anstand nahm, ebenfalls zwischen die Kämpfer zu treten und sich ebenso zu erklären wie Pepusch.

Beide, Leuwenhoek und Swammerdamm, waren genötigt, den Freunden nachzugeben. Swammerdamm versicherte überdem, daß er durchaus nicht in feindlicher Absicht, sondern nur deshalb gekommen sei, um rücksichts der Dörtje Elverdink mit Leuwenhoek in gütlichen Vergleich zu treten und so eine Fehde zu enden, die zwei für einander geschaffene Prinzipe, deren gemeinschaftliches Forschen nur den tiefsten Born der Wissenschaft erschöpfen könne, feindlich entzweit und nur zu lange gedauert habe. Er blickte dabei den Herrn Peregrinus Tyß lächelnd an und meinte, Peregrinus werde, wie er zu hoffen sich unterstehe, da Dörtje doch eigentlich in seine Arme geflohen, den Vermittler machen.

Leuwenhoek versicherte dagegen, daß Dörtjes Besitz freilich der Zankapfel sei; indessen habe er soeben eine neue Tücke seines unwürdigen Kollegen entdeckt. Nicht allein, daß er den Besitz eines gewissen Mikroskops leugne, das er bei einer gewissen Gelegenheit als Abfindung erhalten, um seine unrechtmäßigen Ansprüche auf Dörtjes Besitz zu erneuern, so habe er noch überdem jenes Mikroskop einem andern überlassen, um ihn, den Leuwenhoek, noch mehr zu quälen und zu ängstigen.

Swammerdamm schwur dagegen hoch und teuer, daß er das Mikroskop niemals empfangen und große Ursache habe, zu glauben, daß es von Leuwenhoek boshafterweise unterschlagen worden.

„Die Narren", lispelte Meister Floh dem Peregrinus leise zu, „die Narren, sie sprechen von dem Mikroskop, das Euch im Auge sitzt. Ihr wißt, daß ich bei dem Friedenstraktat, den Swammerdamm und Leuwenhoek über den Besitz der Prinzessin Gamaheh abschlossen, zugegen war. Als nun Swammerdamm das mikroskopische Glas, das er in der Tat von Leuwenhoek erhalten, in die Pupille des linken Auges werfen wollte, schnappte ich es weg, weil es nicht Leuwenhoeks, sondern *mein* rechtmäßiges Eigentum war. Sagt nur gerade heraus, Herr Peregrinus, daß Ihr das Kleinod habt."

Peregrinus nahm auch gar keinen Anstand, sogleich zu verkünden, daß *er* das mikroskopische Glas besitze, welches Swammerdamm von Leuwenhoek erhalten sollen, aber nicht erhalten; mithin sei jener Vergleich noch gar nicht ausgeführt worden, und keiner, weder Leuwenhoek noch Swammerdamm, habe zurzeit das unbedingte Recht, die Dörtje Elverdink für seine Pflegetochter anzusehen.

Nach vielem Hin- und Herreden kamen die beiden Streitenden dahin überein, daß Herr Peregrinus Tyß die Dörtje Elverdink, welche ihn auf das zärtlichste liebe, zu seiner Frau Gemahlin erkiesen und dann nach sieben Monaten selbst entscheiden solle, wer von beiden Mikroskopisten als wünschenswerter Pflege- und Schwiegervater anzusehen.

So anmutig und allerliebst auch Dörtje Elverdink in dem zierlichsten Anzuge, den Amoretten geschneidert zu haben schienen, aussehen, solche süße, schmachtende Liebesblicke sie auch dem Herrn Peregrinus Tyß zuwerfen mochte, doch gedachte Peregrinus seines Schützlings sowie seines Freundes und blieb dem gegebenen Worte getreu und erklärte von neuem, daß er auf Dörtjes Hand verzichte.

Die Mikroskopisten waren nicht wenig betreten, als Peregrinus den George Pepusch für denjenigen erklärte, der die mehrsten und gerechtesten Ansprüche auf Dörtjes Hand habe, und meinten, daß er wenigstens zurzeit gar keine Macht habe, ihren Willen zu bestimmen.

Dörtje Elverdink wankte, indem ein Tränenstrom ihr aus den Augen stürzte, auf Peregrinus zu, der sie in seinen Armen auffing, als sie eben halb ohnmächtig zu Boden sinken wollte. „Undankbarer“, seufzte sie, „du brichst mir das Herz, indem du mich von dir stößest! – Doch du willst es! – nimm noch diesen Abschiedskuß und laß mich sterben.“

Peregrinus bückte sich hinab; als aber sein Mund den Mund der Kleinen berührte, biß sie ihn so heftig in die Lippen, daß das Blut hervorsprang. „Unart“, rief sie dabei ganz lustig, „so muß man dich züchtigen! – Komm zu Verstande, sei artig und nimm mich, mag auch der andere schreien, wie er will.“ – Die beiden Mikroskopisten waren indessen wieder, der Himmel weiß, worüber, in heftigen Zank geraten. George Pepusch warf sich aber ganz trostlos der schönen Dörtje zu Füßen und rief mit einer Stimme, die jämmerlich genug klang, um aus der heiseren Kehle des unglücklichsten Liebhabers zu kommen: „Gamaheh! so ist denn die Flamme in deinem Innern ganz erloschen, so gedenkst du nicht mehr der herrlichen Vorzeit in Famagusta, nicht mehr der schönen Tage in Berlin, nicht mehr –“

„Du bist“, fiel die Kleine dem Unglücklichen lachend ins Wort, „du bist ein Hasenfuß, George, mit deiner Gamaheh, mit deiner Distel Zeherit und all dem andern tollen Zeuge, das dir einmal geträumt hat. Ich war dir gut, mein Freund, und bin es noch und nehme dich, unerachtet mir der Große dort besser gefällt, wenn du mir heilig versprichst, ja feierlich schwörst, daß du alle deine Kräfte anwenden willst –“

Die Kleine lispelte dem Pepusch etwas ganz leise ins Ohr; Peregrinus glaubte aber zu vernehmen, daß von Meister Floh die Rede.

Immer heftiger war indessen der Zank zwischen den beiden Mikroskopisten geworden, sie hatten aufs neue zu den Waffen gegriffen, und Peregrinus mühte sich eben, die erhitzten Gemüter zu besänftigen, als die Gesellschaft sich wiederum vermehrte.

Unter widerwärtigem Kreischen und häßlichem Geschrei wurde die Türe aufgestoßen, und hinein stürzten der schöne Geist, Monsieur Legénie, und der Bartscherer Egel. Mit wilder entsetzlicher Gebärde sprangen sie los auf die Kleine, und der Bartscherer hatte sie schon bei der Schulter gepackt, als Pepusch den häßlichen Feind mit unwiderstehlicher Gewalt wegdrängte, ihn gleichsam mit dem ganzen biegsamen Körper umwand und dermaßen zusammendrückte, daß er ganz lang und spitz in die Höhe schoß, indem er vor Schmerz laut brüllte.

Während dies dem Bartscherer geschah, hatten die beiden Mikroskopisten bei der Erscheinung der Feinde sich augenblicklich miteinander versöhnt und den schönen Geist gemeinschaftlich bekämpft mit vielem Glück. Nichts half es nämlich dem schönen Geist, daß er sich, als er unten gehörig abgebläut worden, zur Stubendecke erhob. Denn beide, Leuwenhoek und Swammerdamm, hatten kurze dicke Knittel ergriffen und trieben den schönen Geist, sowie er herabschweben wollte, durch denjenigen Teil des Körpers, der es am besten vertragen kann, geschickt applizierte Schläge immer wieder in die Höhe. Es war ein zierliches Ballonspiel, bei dem freilich der schöne Geist notgedrungen die ermüdendste und zugleich die undankbarste Rolle übernommen, nämlich die des Ballons.

Der Krieg mit den dämonischen Fremden schien der Kleinen großes Entsetzen einzujagen; sie schmiegte sich fest an Peregrinus und flehte ihn an, sie fortzuschaffen aus diesem bedrohlichen Getümmel. Peregrinus konnte das um so weniger ablehnen, als er überzeugt sein mußte, daß es auf dem Kampfplatz seiner Hilfe nicht bedurfte; er brachte daher die Kleine in ihre Wohnung, das heißt in die Zimmer seines Mietsmanns.

Es genügt, zu sagen, daß die Kleine, als sie sich mit Herrn Peregrinus allein befand, aufs neue alle Künste der feinsten Koketterie anwandte, um ihn in ihr Netz zu verlocken. Mocht er es auch noch so fest im Sinn behalten, daß das alles Falschheit sei und nur dahin ziele, seinen Schützling in Sklaverei zu bringen, so ergriff ihn doch eine solche Verwirrung, daß er sogar nicht an das mikroskopische Glas dachte, welches ihm zum wirksamen Gegengift gedient haben würde.

Meister Floh geriet aufs neue in Gefahr, er wurde jedoch auch diesmal durch Herrn Swammer gerettet, der mit George Pepusch eintrat.

Herr Swammer schien ausnehmend vergnügt, Pepusch hatte dagegen Wut und Eifersucht im glühenden Blick. Peregrinus verließ das Zimmer.

Den tiefsten bittersten Unmut im wunden Herzen, durchstrich er düster und in sich gekehrt die Straßen von Frankfurt; er ging zum Tore hinaus und weiter, bis er endlich zu dem anmutigen Plätzchen kam, wo das seltsame Abenteuer mit seinem Freunde Pepusch sich zugetragen.

Er bedachte aufs neue sein wunderbares Verhängnis, anmutiger, holder, im höhern Liebreiz als jemals ging ihm das Bild der Kleinen auf, sein Blut wallte stärker in den Adern, heftiger schlugen die Pulse, die Brust wollte ihm zerspringen vor brünstiger Sehnsucht. Nur zu schmerzlich fühlte er die Größe des Opfers, das er gebracht und mit dem er alles Glück des Lebens verloren zu haben glaubte.

Die Nacht war eingebrochen, als er zurückkehrte nach der Stadt. Ohne es zu gewahren, vielleicht aus unbewußter Scheu, in sein Haus zurückzukehren, war er in mancherlei Nebenstraßen und zuletzt in die Kalbächer Gasse geraten. Ein Mensch, der ein Felleisen auf dem Rücken trug, fragte ihn, ob hier nicht der Buchbinder Lämmerhirt wohne. Peregrinus schaute auf und gewahrte, daß er wirklich vor dem schmalen hohen Hause stand, in welchem der Buchbinder Lämmerhirt wohnte; er erblickte in luftiger Höhe die hellerleuchteten Fenster des fleißigen Mannes, der die Nacht hindurch arbeitete. Dem Menschen mit dem Felleisen wurde die Türe geöffnet, und er ging ins Haus.

Schwer fiel es dem Peregrinus aufs Herz, daß er in der Verwirrung der letzten Zeit vergessen hatte, dem Buchbinder Lämmerhirt verschiedene Arbeiten zu bezahlen, die er für ihn gefertigt hatte; er beschloß, gleich am folgenden Morgen hinzugehen und seine Schuld zu tilgen.

Siebentes Abenteuer

Feindliche Nachstellungen der verbündeten Mikroskopisten nebst ihrer fortwährenden Dummheit. Neue Prüfungen des Herrn Peregrinus Tyß und neue Gefahren des Meisters Floh. Röschen Lämmerhirt. Der entscheidende Traum und Schluß des Märchens.

Fehlt es auch über den eigentlichen Ausgang des Kampfs in Leuwenhoeks Zimmer gänzlich an bestimmten Nachrichten, so steht doch nichts anders zu vermuten, als daß die beiden Mikroskopisten mit Hilfe des jungen Herrn George Pepusch einen vollständigen Sieg über die bösen feindlichen Gesellen erfochten haben mußten. Unmöglich hätte sonst der alte Swammer bei seiner Rückkehr so freundlich, so vergnügt sein können, als er es wirklich war. – Mit derselben frohen freudigen Miene trat Swammer oder vielmehr Herr Johannes Swammerdamm am andern Morgen hinein zu Herrn Peregrinus, der noch im Bette lag und mit seinem Schützling, dem Meister Floh, in tiefem Gespräch begriffen war.

Peregrinus unterließ nicht, sogleich, als er den Herrn Swammerdamm erblickte, sich das mikroskopische Glas in die Pupille werfen zu lassen.

Nach vielen langen und ebenso langweiligen Entschuldigungen seines zu frühzeitigen Besuchs nahm endlich Swammerdamm Platz dicht an Peregrinus' Bett. Durchaus wollte der Alte nicht zugeben, daß Peregrinus aufstehe und den Schlafrock umwerfe.

In den wunderlichsten Redensarten dankte der Alte dem Peregrinus für die großen Gefälligkeiten, die er ihm erwiesen und die darin bestehen sollten, daß er ihn nicht allein als Mietsmann in sein Haus aufgenommen, sondern auch erlaubt, daß der Hausstand durch ein junges, bisweilen etwas zu lebhaftes und zu lautes Frauenzimmer vermehrt worden. Ferner aber müsse er die größte Gefälligkeit darin finden, daß Peregrinus, nicht ohne selbst Opfer zu bringen, seine (des Alten) Versöhnung mit dem alten Freunde und Kunstkollegen Anton von Leuwenhoek bewirkt habe. So wie Swammerdamm erzählte, hatten sich beider Herzen in dem Augenblick zueinander hingeneigt, als sie von dem schönen Geist und dem Bartscherer überfallen wurden und die schöne Dörtje Elverdink retten mußten vor den bösen Unholden. Die förmliche ernstliche Versöhnung der Entzweiten war dann bald darauf erfolgt.

Leuwenhoek hatte den günstigen Einfluß, den Peregrinus auf beide gehabt, ebensogut erkannt als Swammerdamm, und der erste Gebrauch, den sie von dem wiederhergestellten Freundschaftsbunde machten, bestand darin, daß sie gemeinschaftlich das seltsam und wunderbar verschlungene Horoskop des Herrn Peregrinus Tyß betrachteten und soviel als möglich zu deuten suchten.

„Was", so sprach Herr Johannes Swammerdamm, „was meinem Freunde Anton von Leuwenhoek allein nicht gelang, das brachten unsere gemeinschaftlichen Kräfte zustande, und so war dieses Experiment das zweite, welches wir trotz aller Hindernisse, die sich uns entgegenstemmten, mit dem glänzendsten Erfolg unternahmen."

„Der alberne kurzsichtige Tor", lispelte Meister Floh, der dicht neben Peregrinus' Ohr auf dem Kopfkissen saß, „noch immer glaubt er, daß durch ihn Prinzessin Gamaheh belebt worden ist. Fürwahr, ein schönes Leben ist das, zu dem die Ungeschicklichkeit der blöden Mikroskopisten die Ärmste gezwungen!" –

„Mein bester", fuhr Swammerdamm fort, der den Meister Floh um so weniger vernommen, als er gerade stark zu niesen genötigt, „mein bester, vortrefflichster Herr Peregrinus Tyß, Sie sind ein von dem Weltgeist ganz besonders Erkorner, ein Schoßkind der Natur; denn Sie besitzen den wunderbarsten, mächtigsten Talisman oder, um richtiger und wissenschaftlicher zu sprechen, das herrlichste Tsilmenaja oder Tilsemoht, das jemals, getränkt von dem Tau des Himmels, aus dem Schoß der Erde hervorgegangen. Es macht meiner Kunst Ehre, daß ich und nicht Leuwenhoek es herausgebracht, daß dieses glückliche Tsilmenaja von dem Könige Nacrao abstammt, der lange vor der Sündflut in Ägypten herrschte. – Doch die Kraft des Talismans ruht zurzeit, bis eine gewisse Konstellation eintritt, die ihren Mittelpunkt in Ihrer werten Person findet. Mit Ihnen selbst, bester Herr Tyß, muß und wird sich etwas ereignen, das Ihnen in demselben Augenblick, als die Kraft des Talismans erwacht ist, auch dieses Erwachen erkennen läßt. Mag Ihnen Leuwenhoek über diesen schwierigsten Punkt des Horoskops gesagt haben, was er will, alles ist erlogen, denn er wußte über jenen Punkt so lange nicht das mindeste, bis ich ihm die Augen geöffnet. – Vielleicht hat Ihnen, bester Herr Tyß, mein lieber Herzensfreund sogar bange machen wollen vor irgendeiner bedrohlichen Katastrophe; denn ich weiß, er liebt es, Leuten unnützerweise Schrecken einzujagen; doch – trauen Sie Ihrem Sie verehrenden Mietsmann, der, Hand aufs Herz, Ihnen schwört, daß Sie durchaus nichts zu befürchten haben. – Gern möchte ich aber denn doch wissen, ob Sie zurzeit den Besitz des Talismans gar nicht verspüren und was Sie über die ganze Sache überhaupt zu denken belieben?"

Swammerdamm sah bei den letzten Worten mit giftigem Lächeln dem Herrn Peregrinus so scharf ins Auge, als wolle er seine tiefsten Gedanken durchschauen; das konnte ihm aber freilich nicht so gelingen als dem Peregrinus mit seinem mikroskopischen Glase. Mittelst dieses Glases erfuhr Peregrinus, daß nicht sowohl die gemeinschaftliche Bekämpfung des schönen Geistes und des Bartscherers als eben jenes geheimnisvolle Horoskop die Versöhnung der beiden Mikroskopisten herbeigeführt. Der Besitz des mächtigen Talismans, das war es nun, wornach beide strebten. Swammerdamm war, was den gewissen geheimnisvoll verschlungenen Knoten im Horoskop des Herrn Peregrinus betrifft, ebenso in verdrießlicher Dummheit verblieben als Leuwenhoek, doch meinte er, daß in Peregrinus' Innerm durchaus die Spur liegen müsse, die zur Entdeckung jenes Geheimnisses führe. Diese Spur wollte er nun geschickt aus dem Unwissenden herauslocken und ihn dann mit Leuwenhoeks Hilfe um den Besitz des unschätzbaren Kleinods bringen, noch ehe er dessen Wert erkannt. Swammerdamm war überzeugt, daß der Talisman des Herrn Peregrinus Tyß ganz dem Ringe des weisen Salomo gleich zu achten, da er wie dieser dem, der ihn besitze, die vollkommene Herrschaft über das Geisterreich verleihe.

Peregrinus vergalt Gleiches mit Gleichem, indem er den alten Herrn Swammerdamm, der ihn zu mystifizieren sich mühte, selbst mystifizierte. Geschickt wußte er in solchen verblümten Redensarten zu antworten, daß Swammerdamm befürchten mußte, die Weihe habe bereits begonnen und ihm werde sich bald das Geheimnis erschließen, das zu enthüllen keiner von beiden, weder er noch Leuwenhoek, vermocht. –

Swammerdamm schlug die Augen nieder, räusperte sich und stotterte unverständliche Worte heraus; der Mann befand sich wirklich in gar übler Lage, seine Gedanken schnurrten beständig durcheinander: „Teufel – was ist denn das, ist das der Peregrinus, der zu mir spricht? – Bin ich der gelehrte weise Swammerdamm oder ein Esel!“ –

Ganz verzweifelt raffte er sich endlich zusammen und begann: „Doch von etwas anderm, verehrtester Herr Tyß, von etwas anderm und, wie es mir vorkommen will, von etwas Schönem und Erfreulichem!“ –

So wie Swammerdamm nun weiter sprach, hatte er sowohl als Leuwenhoek mit großer Freude die innige Zuneigung der schönen Dörtje Elverdink zu dem Herrn Peregrinus Tyß entdeckt. War nun auch sonst jeder anderer Meinung gewesen, indem jeder geglaubt, Dörtje müsse bei *ihm* bleiben und an Liebe und Heirat sei gar nicht zu denken, so hatten sie sich doch jetzt eines Bessern überzeugt. In Peregrinus' Horoskop meinten sie nämlich zu lesen, daß er durchaus die schöne anmutige Dörtje Elverdink zu seiner Gemahlin erkiesen müsse, um das für alle Konjunkturen seines ganzen Lebens Ersprießlichste zu tun. Beide zweifelten nicht einen Augenblick, daß Peregrinus nicht in gleicher glühender Liebe zur holden Kleinen befangen sein solle, und hielten daher die Angelegenheit für völlig abgeschlossen. Swammerdamm meinte noch, daß Herr Peregrinus Tyß überdem der einzige sei, der seine Nebenbuhler ohne alle Mühe aus dem Felde schlagen könne, und daß selbst die bedrohlichsten

Gegner, wie z. B. der schöne Geist und der Bartscherer, gar nichts gegen ihn ausrichten würden.

Peregrinus erkannte aus Swammerdamms Gedanken, daß die Mikroskopisten wirklich in seinem Horoskop die unabänderliche Notwendigkeit seiner Vermählung mit der kleinen Dörtje Elverdink gefunden zu haben glaubten. Nur dieser Notwendigkeit wollten sie nachgeben und selbst aus Dörtjes scheinbarem Verlust den größten Gewinn ziehen, nämlich den Herrn Peregrinus Tyß selbst einfangen mitsamt seinem Talisman.

Man kann denken, wie wenig Vertrauen Peregrinus zu der Weisheit und Wissenschaft der beiden Mikroskopisten haben mußte, da beide den Hauptpunkt des Horoskops nicht zu enträtseln vermochten. Gar nichts gab er daher auf jene angebliche Konjunktur, die die Notwendigkeit seiner Vermählung mit der schönen Dörtje bedingen sollte, und es wurde ihm nicht im mindesten schwer, ganz bestimmt und fest zu erklären, daß er auf Dörtjes Hand verzichtet, um seinen besten innigsten Freund, den jungen George Pepusch, der ältere und bessere Ansprüche auf den Besitz des holden Wesens habe, nicht zu kränken, und daß er unter keiner Bedingung der Welt sein gegebenes Wort brechen werde.

Herr Swammerdamm schlug die graugrünen Katzenaugen, die er so lange zu Boden gesenkt, auf, glotzte den Peregrinus mächtig an und lächelte wie die Fuchsschlauheit selbst.

Sei, meinte er dann, der Freundschaftsbund mit George Pepusch der einzige Skrupel, der den Peregrinus abhalte, seinen Gefühlen freien Raum zu gönnen, so sei derselbe in diesem Augenblick gehoben; denn eingesehen habe Pepusch, unerachtet er an einigem Wahnsinn leide, daß seiner Vermählung mit Dörtje Elverdink die Konstellation der Gestirne entgegen sei und daß daraus nichts entstehen könne als nur Unglück und Verderben; deshalb habe Pepusch allen Ansprüchen auf Dörtjes Hand entsagt und nur erklärt, daß er mit seinem Leben die Schönste, die niemandem angehören könne als seinem Herzensfreunde Tyß, verteidigen wolle gegen den ungeschickten Tölpel von schönem Geist und gegen den blutgierigen Bartkratzer.

Den Peregrinus durchfuhren eiskalte Schauer, als er aus Swammerdamms Gedanken erkannte, daß alles wahr, was er gesprochen. Übermannt von den seltsamsten widersprechendsten Gefühlen, sank er zurück in die Kissen und schloß die Augen.

Herr Swammerdamm lud den Peregrinus dringendst ein, sich herabzubegeben und selbst aus Dörtjes, aus Georgs Munde die jetzige Lage der Dinge zu vernehmen. Dann empfahl sich derselbe auf ebenso weitläufige und zeremoniöse Weise, wie er gekommen.

Meister Floh, der die ganze Zeit über ruhig auf dem Kopfkissen gesessen, sprang plötzlich hinauf bis zum Zipfel der Nachtmütze des Herrn Peregrinus. Da erhob er sich hoch auf den langen Hinterbeinen, rang die Hände, streckte sie flehend zum Himmel empor und rief mit von bittern Tränen halberstickter Stimme: „Weh mir Ärmsten! Schon glaubte ich geborgen zu sein, und erst jetzt kommt die gefährlichste Prüfung! – Was hilft aller Mut, alle Standhaftigkeit meines edlen Beschützers, wenn sich alles, alles gegen mich auflehnt! – Ich gebe mich! – es ist alles aus!"

„Was", sprach Herr Peregrinus mit matter Stimme, „was lamentiert Ihr so auf meiner Nachtmütze, lieber Meister? Glaubt Ihr denn, daß Ihr allein zu klagen habt, daß ich mich selbst nicht auch in dem miserabelsten Zustande von der Welt befinde, da ich in meinem ganzen Wesen ganz zerrüttet und verstört bin und nicht weiß, was ich anfangen, ja, wohin ich meine Gedanken wenden soll? Glaubt aber nicht, lieber Meister Floh, daß ich töricht genug sein werde, mich in die Nähe der Klippe zu wagen, an der ich mit all meinen schönen Vorsätzen und Entschlüssen scheitern kann. Ich werde mich hüten, Swammerdamms Einladung zu folgen und die verführerische Dörtje Elverdink wiederzusehen."

„In der Tat", erwiderte Meister Floh, nachdem er wieder den alten Platz auf dem Kopfkissen neben dem Ohr des Herrn Peregrinus Tyß eingenommen, „in der Tat, ich weiß nicht, ob ich, sosehr es mir verderblich scheint, Euch doch nicht gerade raten sollte, sogleich zu Swammerdamm hinunterzugehen. Es ist mir, als wenn die Linien Eures Horoskops jetzt immer schneller und schneller zusammenliefen und Ihr selbst im Begriff ständet, in den roten Punkt zu treten. – Mag nun das dunkle Verhängnis beschlossen haben, was es will, ich sehe ein, daß selbst ein Meister Floh solchem Beschluß nicht zu entgehen vermag und daß es ebenso albern als unnütz sein würde, von Euch meine Rettung zu verlangen. – Geht hin, seht sie, nehmt ihre Hand, überliefert mich der Sklaverei, und damit alles geschehe, wie es die Sterne wollen, ohne daß Fremdes sich einmische, so macht auch keinen Gebrauch von dem mikroskopischen Glase.“ –

„Scheint“, sprach Peregrinus, „scheint doch sonst, Meister Floh, Euer Herz stark, Euer Geist fest, und doch seid Ihr jetzt so kleinmütig, so verzagt! Aber möget Ihr sonst auch so weise sein, wie Ihr wollt, ja, mag Clemens des Siebenten hochberühmter Nuntius Rorar Euern Verstand weit über den unsrigen setzen, so habt Ihr doch keinen sonderlichen Begriff von dem festen Willen des Menschen und schlagt ihn wenigstens viel zu geringe an. Noch einmal! – ich breche nicht mein Euch gegebenes Wort, und damit Ihr sehet, wie es mein fester Entschluß ist, die Kleine nicht wiederzusehen, werde ich jetzt aufstehen und mich, wie ich es mir schon gestern vorgenommen, zum Buchbinder Lämmerhirt begeben.“

„O Peregrinus“, rief Meister Floh, „des Menschen Wille ist ein gebrechliches Ding, oft knickt ihn ein daherziehendes Lüftchen. Welch eine Kluft liegt zwischen dem, was man will, und dem, das geschieht! – Manches Leben ist nur ein stetes Wollen, und mancher weiß vor lauter Wollen am Ende selbst nicht, was er will. – Ihr wollt Dörtje Elverdink nicht wiedersehen, und wer steht Euch dafür, daß es geschieht in dem nächsten Augenblick, da Ihr diesen Entschluß ausgesprochen?“

Seltsam genug war es wohl, daß wirklich sich begab, was Meister Floh mit prophetischem Geiste vorausgesagt.

Peregrinus stand nämlich auf, kleidete sich an und wollte, seinem Vorsatz getreu, zum Buchbinder Lämmerhirt gehen; als er indessen bei Swammerdamms Zimmer vorbeikam, wurde die Türe weit geöffnet, und Peregrinus wußte selbst gar nicht, wie es geschah, daß er plötzlich an Swammerdamms Arm mitten im Zimmer dicht vor Dörtje Elverdink stand, die ganz fröhlich und unbefangen ihm hundert Küsse zuwarf und mit ihrem silbernen Glockenstimmlein freudig rief: „Guten Morgen, mein herzlieber Peregrinus!"

Wer sich aber noch in dem Zimmer befand, das war Herr George Pepusch, der zum offnen Fenster hinausguckte und ein Liedchen pfiff. Jetzt warf er das Fenster heftig zu und drehte sich um. „Ach, sieh da", rief er, als gewahre er jetzt erst den Freund Peregrinus, „ach, sieh da! – Du besuchst deine Braut, das ist in der Ordnung und jeder Dritte dabei nur lästig. Ich werde mich darum auch gleich fortpacken; doch zuvor laß es dir sagen, mein guter Freund Peregrinus, daß George Pepusch jede Gabe verschmäht, die der barmherzige Freund ihm gleich dem armen Sünder hinwirft wie ein Almosen! – Verwünscht sei deine Aufopferung, ich will dir nichts zu verdanken haben. Nimm sie hin, die schöne Gamaheh, die dich so innig liebt, aber hüte dich, daß die Distel Zeherit nicht Wurzel faßt und die Mauern deines Hauses zersprengt."

Georges Ton und ganzes Betragen grenzte an renommistische Brutalität, und Peregrinus wurde von dem tiefsten Unmut erfüllt, als er gewahrte, wie sehr ihn Pepusch in seinem ganzen Beginnen mißverstanden. „Nie", sprach er, ohne jenen Unmut zu bergen, „nie ist es mir in den Sinn gekommen, dir in den Weg zu treten; der Wahnsinn eifersüchtiger Verliebtheit spricht aus dir, sonst würdest du bedenken, wie schuldlos ich an allem bin, was du in deiner eignen Seele ausgebrütet. Verlange nicht, daß ich die Schlange töten soll, die du zu deiner Selbstqual nährst in deiner Brust! Und daß du es nur weißt, *dir* warf ich keine Gabe hin, *dir* brachte ich kein Opfer, als ich der Schönsten, vielleicht dem höchsten Glück meines Lebens entsagte. Andere, höhere Pflichten, ein unwiderrufliches Wort zwangen mich dazu!" –

Pepusch ballte in wildem Zorn die Faust und erhob sie gegen den Freund. Da sprang aber die Kleine zwischen die Freunde und faßte die Hand des Peregrinus, indem sie lachend rief: „Laß doch nur die geckische Distel laufen, sie hat nichts als wirres Zeug im Kopfe und ist, wie es Distelart ist, starr und störrisch, ohne zu wissen, was sie eigentlich will; du bist mein und bleibst es auch, mein süßer herzlieber Peregrinus!" –

Damit zog die Kleine den Peregrinus auf das Kanapee und setzte sich ohne weitere Umstände auf seinen Schoß. Pepusch rannte, nachdem er sich die Nägel sattsam zerkaut, wild zur Türe hinaus.

Die Kleine, wiederum in das fabelhafte verführerische Gewand von Silberzindel gekleidet, war ebenso anmutig, ebenso ganz Liebreiz als sonst; Peregrinus fühlte sich durchströmt von der elektrischen Wärme ihres Leibes, und doch wehten ihn dazwischen eiskalte unheimliche Schauer an wie Todeshauch. Zum erstenmal glaubte er tief in den Augen der Kleinen etwas seltsam Lebloses, Starres zu gewahren, und der Ton ihrer Stimme, ja selbst das Rauschen des wunderlichen Silberzindels schien ein fremdartiges Wesen zu verraten, dem nimmermehr zu trauen. Es fiel ihm schwer aufs Herz, daß damals, als Dörtje gerade so gesprochen, wie sie gedacht, sie auch in Zindel gekleidet gewesen; warum er gerade den Zindel bedrohlich fand, wußte er selbst nicht; aber die Gedanken von Zindel und unheimlicher Wirtschaft verbanden sich von selbst miteinander, so wie ein Traum das Heterogenste vereint und man alles für aberwitzig erklärt, dessen tiefern Zusammenhang man nicht einzusehen vermag.

Peregrinus, weit entfernt, das kleine süße Ding zu kränken mit etwa falschem Verdacht, unterdrückte mit Gewalt seine Gefühle und wartete nur auf einen günstigen Moment, sich loszuwickeln und der Schlange des Paradieses zu entfliehen.

„Aber", sprach Dörtje endlich, „aber wie kommst du mir heute vor, mein süßer Freund, so frostig, so unempfindlich! Was liegt dir im Sinn, mein Leben?"

„Kopfschmerz", erwiderte Peregrinus so gleichmütig, als er es nur vermochte, „Kopfschmerz – Grillen – einfältige Gedanken – nichts anders ist es, das mich etwas verstört, mein holdes

Kind. Laß mich ins Freie, und alles ist vorüber in wenigen Minuten; mich ruft ohnedies noch ein Geschäft." –

„Es ist", rief die Kleine, indem sie rasch aufsprang, „es ist alles gelogen; aber du bist ein böser Affe, der erst gezähmt werden muß!" –

Peregrinus war froh, als er sich auf der Straße befand; doch ganz ausgelassen freudig gebärdete sich Meister Floh, der in Peregrinus' Halsbinde unaufhörlich kicherte und lachte und die Vorderhände zusammenschlug, daß es hell klatschte.

Dem Peregrinus war diese Fröhlichkeit seines kleinen Schützlings etwas lästig, da sie ihn in seinen Gedanken störte. Er bat den Meister Floh ruhig zu sein, denn schon hätten ihn ernsthafte Leute mit Blicken voll Vorwurfs betrachtet, glaubend, er sei es, der so kichere und lache und närrische Streiche treibe auf öffentlicher Straße.

„O ich Tor", rief aber Meister Floh, in den Ausbrüchen seiner unmäßigen Freude beharrend, „o ich blödsinniger Tor, daß ich da an dem Siege zweifeln konnte, wo gar kein Kampf mehr vonnöten. Ja, Peregrinus, es ist nicht anders, gesiegt hattet Ihr in dem Augenblick, als selbst der Tod der Geliebten Euern Entschluß nicht zu erschüttern vermochte. Laßt mich jauchzen, laßt mich jubeln, denn alles müßte mich trügen, wenn nicht bald das helle Sonnenlicht aufgehen sollte, das alle Geheimnisse aufklärt."

Als Peregrinus an Lämmerhirts Türe pochte, rief eine sanfte weibliche Stimme: „Herein!" Er öffnete die Türe, ein Mädchen, die sich allein in der Stube befand, trat ihm entgegen und fragte ihn freundlich, was ihm zu Diensten stehe.

– Mag es dem geneigten Leser genügen, wenn gesagt wird, daß das Mädchen ungefähr achtzehn Jahre alt sein mochte, daß sie mehr groß als klein und schlank im reinsten Ebenmaß der Glieder gewachsen war, daß sie hellbraunes Haar und dunkelblaue Augen und eine Haut hatte, die das zarte Flockengewebe schien von Lilien und Rosen. Mehr als alles dies wollte aber gelten, daß des Mädchens Antlitz jenes zarte Geheimnis jungfräulicher Reinheit, hohen himmlischen Liebreizes aussprach, wie es mancher alte deutsche Maler in seinen Gebilden erfaßt. –

Sowie Peregrinus der holden Jungfrau ins Auge blickte, war es ihm, als habe er in schwerlastenden Banden gelegen, die eine wohltätige Macht gelöst, und der Engel des Lichts stehe vor ihm, an dessen Hand er eingehen werde in das Reich namenloser Liebeswonne und Sehnsucht. – Das Mädchen wiederholte, indem sie, vor Peregrinus' starrem Blick errötend, sittsam die Augen niederschlug, die Frage, was dem Herrn beliebe. Mühsam stotterte Peregrinus heraus, ob der Buchbinder Lämmerhirt hier wohne. Als nun das Mädchen erwiderte, daß Lämmerhirt allerdings hier wohne, daß er aber in Geschäften ausgegangen, da sprach Peregrinus wirr durcheinander von Einbänden, die er bestellt, von Büchern, die Lämmerhirt ihm verschaffen sollen; zuletzt kam er etwas ins Geleise und gedachte der Prachtausgabe des Ariost, die Lämmerhirt in roten Maroquin binden sollen mit reicher goldner Verzierung. Da war es aber, als durchführe die holde Jungfrau ein elektrischer Funke; sie schlug die Hände zusammen und rief, Tränen in den Augen: „Ach Gott! – Sie sind Herr Tyß!" – Sie machte eine Bewegung, als wolle sie Peregrinus' Hand ergreifen, trat aber schnell zurück, und ein tiefer Seufzer schien die volle Brust zu entlasten. Dann überstrahlte ein anmutiges Lächeln der Jungfrau Antlitz wie liebliches Morgenrot, und sie ergoß sich nun in Dank und Segenswünsche dafür, daß Peregrinus des Vaters, der Mutter Wohltäter sei, daß nicht dies allein – nein! – seine Milde, seine Freundlichkeit, die Art, wie er noch zu vorigen Weihnachten die Kinder beschenkt und Freude und Fröhlichkeit verbreitet, ihnen den Frieden, die Heiterkeit des Himmels gebracht. Sie räumte schnell des Vaters Lehnstuhl ab, der mit Büchern, Skripturen, Heften, ungebundenen Drucken bepackt war, rückte ihn heran und lud mit anmutiger Gastlichkeit den Peregrinus ein, sich niederzulassen. Dann holte sie den sauber gebundenen Ariost hervor, fuhr mit einem leinenen Tuch leise über die Maroquinbände und überreichte das Meisterwerk der Buchbinderkunst dem Peregrinus mit leuchtenden Blicken, wohl wissend, daß Peregrinus der schönen Arbeit des Vaters seinen Beifall nicht versagen werde. –

Peregrinus nahm einige Goldstücke aus der Tasche; die Holde, dies gewahrend, versicherte schnell, daß sie den Preis der Arbeit nicht wisse und daher keine Bezahlung annehmen könne, Herr Peregrinus möge es sich aber gefallen lassen, einige Augenblicke zu verweilen, da der Vater gleich zurückkommen müsse. Dem Peregrinus war es, als schmölze das nichtswürdige Metall in seiner Hand in einen Klumpen zusammen, er steckte die Goldstücke schneller wieder ein, als er sie hervorgeholt. Das Mädchen griff jetzt, als Peregrinus sich mechanisch in Lämmerhirts breiten Lehnsessel niedergelassen, nach ihrem Stuhl; aus instinktmäßiger Höflichkeit sprang Herr Peregrinus auf und wollte den Stuhl heranrücken, da geschah es aber, daß er statt der Stuhllehne des Mädchens Hand erfaßte, und er glaubte, als er das Kleinod leise zu drücken wagte, einen kaum merkbaren Gegendruck zu fühlen. –

„Kätzchen, Kätzchen, was machst du!" Mit diesen Worten wandte sich das Mädchen und hob ein Zwirnknäuel von dem Fußboden auf, das die Katze zwischen den Vorderpfoten hielt, ein mystisches Gewebe beginnend. Dann faßte sie mit kindlicher Unbefangenheit den Arm des in Himmelsentzücken versunkenen Peregrinus, führte ihn zum Lehnsessel und bat ihn nochmals, sich niederzulassen, indem sie selbst sich ihm gegenübersetzte und irgendeine weibliche Arbeit zur Hand nahm.

Peregrinus schwankte im Sturm auf einem wogenden Meer. „O Prinzessin!" Das Wort entschlüpfte ihm, selbst wußte er nicht, wie es geschah. Das Mädchen schaute ihn ganz erschrokken an; da war es ihm, als habe er gegen die Holde gefrevelt, und er rief mit dem weichsten, wehmütigsten Ton: „Meine liebste, teuerste Mademoiselle!"

Das Mädchen errötete und sprach mit holder jungfräulicher Verschämtheit: „Die Eltern nennen mich Röschen, nennen Sie mich auch so, lieber Herr Tyß, denn ich gehöre ja auch zu den Kindern, denen Sie so viel Gutes erzeigt und von denen Sie so hoch verehrt werden."

„Röschen!“ rief Peregrinus ganz außer sich; er hätte der holden Jungfrau zu Füßen stürzen mögen, kaum hielt er sich zurück.

Röschen erzählte nun, indem sie ruhig fortarbeitete, wie seit der Zeit, als die Eltern durch den Krieg in die bitterste Dürftigkeit geraten, sie von einer Base in einem benachbarten kleinen Städtchen aufgenommen, wie diese Base vor wenigen Wochen gestorben und wie sie dann zu den Eltern zurückgekehrt.

Peregrinus hörte nur Röschens süße Stimme, ohne viel von den Worten zu verstehen, und er überzeugte sich erst, daß er nicht selig träume, als Lämmerhirt ins Zimmer trat und ihn mit dem herzlichsten Willkommen begrüßte. Nicht lange dauerte es, so folgte auch die Frau mit den Kindern, und wie denn in des Menschen unergründlichem Gemüt Gedanken, Regungen, Gefühle in seltsamem bunten Gewirr durcheinanderlaufen, so geschah es, daß Peregrinus selbst in der Ekstase, die ihn einen nie geahnten Himmel schauen ließ, plötzlich daran dachte, wie der murrköpfische Pepusch sein Beschenken der Lämmerhirtschen Kinder getadelt. Es war ihm sehr lieb, auf Befragen zu vernehmen, daß keins von den Kindern sich den Magen am Naschwerk verdorben, und die freundlich feierliche Art, ja der gewisse Stolz, womit sie nach dem hohen Glasschrank, der das glänzende Spielzeug enthielt, heraufblickten, zeigte, daß sie die letzte Bescherung für etwas Außerordentliches hielten, das wohl niemals wiederkehren dürfte. –

Die übelgelaunte Distel hatte also ganz unrecht.

„O Pepusch“, sprach Peregrinus zu sich selbst, „dein verstörtes, zerrissenes Gemüt durchdringt kein reiner Lichtstrahl der wahrhaften Liebe!“ – Damit meinte Peregrinus nun wieder wohl mehr als ein beschertes Naschwerk und Spielzeug. – Lämmerhirt, ein sanfter, stiller, frommer Mann, sah mit sichtlicher Freude auf Röschen, die geschäftig aus- und eingegangen, Butter und Brot herbeigebracht und nun an einem kleinen Tischchen in der entfernten Ecke des Zimmers dem Geschwister stattliche Butterstollen bereitete. Die muntern Jungen drängten sich dicht an die liebe Schwester, und wenn sie in verzeihlicher kindischer

Begier das Maul etwas weiter aufsperrten, als gerade nötig, so tat das der häuslichen Idylle doch keinen sonderlichen Eintrag.

Den Peregrinus entzückte des holden Mädchens Beginnen, ohne daß ihm dabei Werthers Lotte und ihre Butterbrote in den Sinn kamen.

Lämmerhirt näherte sich dem Peregrinus und begann halb leise von Röschen zu reden, was sie für ein frommes gutes, liebes Kind sei, der der Himmel auch die Gabe äußerer Schönheit verliehen, und wie er nur Freude an dem holden Kinde zu erleben hoffe. Was, setzte er hinzu, indem sein Gesicht sich in Wonne verklärte, was ihm aber so recht im innersten Herzen wohl tue, sei, daß Röschen sich auch zur edlen Buchbinderkunst hinneige und seit den wenigen Wochen, während sie sich bei ihm befinde, in feiner zierlicher Arbeit ungemein viel profitiert habe, so daß sie bereits viel geschickter sei als mancher Lümmel von Lehrbursche, der Jahre hindurch Maroquin und Gold vergeude und die Buchstaben schief und krumm stelle, daß sie aussähen wie betrunkene Bauern, die aus der Schenke torkeln.

Ganz zutraulich flüsterte der entzückte Vater dem Peregrinus ins Ohr: „Es muß heraus, Herr Tyß, es drückt mir sonst das Herz ab, *ich* kann mir nicht helfen. – Wissen Sie wohl, daß *mein Röschen* den Schnitt des Ariosto vergoldet hat?“

Sowie Peregrinus dies vernahm, griff er hastig nach den saubern Maroquinbänden, als müsse er sich des Heiligtums bemächtigen, ehe ein feindlicher Zufall es ihm raube. Lämmerhirt hielt das für ein Zeichen, daß Peregrinus fort wolle, und bat ihn, es sich noch einige Augenblicke in der Familie gefallen zu lassen. Eben dies erinnerte aber den Peregrinus, daß er doch endlich sich losreißen müsse. Er zahlte schnell die Rechnung, und Lämmerhirt reichte ihm wie gewöhnlich die Hand zum Abschiede, die Frau tat dasselbe und auch Röschen! – Die Jungen standen in der offnen Türe, und damit der Liebestorheit ihr Recht geschehe, riß Peregrinus im Hinausschreiten dem Jüngsten das Restchen Butterstolle aus der Hand, an dem er eben kaute, und rannte wie gehetzt die Treppe hinab.

„Nun, nun“, sprach der Kleine ganz verdutzt, „was ist denn das? Hätt es mir ja sagen können, der Herr Tyß, wenn er hungrig war, hätt ihm ja gern meine ganze Stolle gegeben!“ –

Schritt vor Schritt ging Herr Peregrinus Tyß nach Hause, die schweren Quartanten mühsam unter dem Arm fortschleppend und mit verklärtem Blick einen Bissen des Butterstollenrestes nach dem andern auf die Lippe nehmend, als genösse er himmlisches Manna.

„Der ist nunmehro auch übergeschnappt!“ sagte ein vorübergehender Bürger. Es war dem Mann nicht zu verdenken, daß er dergleichen von Peregrinus dachte. –

Als Herr Peregrinus Tyß ins Haus trat, kam ihm die alte Aline entgegen und winkte mit Gebärden, die Angst und Besorgnis ausdrückten, nach dem Zimmer des Herrn Swammerdamm. Die Türe stand offen, und Peregrinus gewahrte Dörtje Elverdink, die erstarrt auf einem Lehnstuhl saß und deren zusammengeschrumpftes Gesicht einer Leiche zu gehören schien, die bereits im Grabe gelegen. Ebenso erstarrt, ebenso leichenähnlich saßen vor ihr auf Lehnstühlen Pepusch, Swammerdamm und Leuwenhoek. „Ist das“, sprach die Alte, „ist das eine tolle gespenstische Wirtschaft hier unten! So sitzen die drei unseligen Menschen schon den ganzen lieben Tag über und essen nichts und trinken nichts und reden nichts und holen kaum Atem!“ –

Dem Peregrinus wollte zwar ob des in der Tat etwas schauerlichen Anblicks halber einiges Entsetzen anwandeln, indessen wurde, indem er die Treppe hinaufstieg, das gespenstische Bild von dem wogenden Meer der Himmelsträume verschlungen, in dem der entzückte Peregrinus schwamm seit dem Augenblick, als er Röschen gesehen. – Wünsche, Träume, selige Hoffnungen strömen gern über in das befreundete Gemüt; aber gab es für den armen Peregrinus jetzt ein anderes als das ehrliche des guten Meisters Floh? – Dem wollte er nun sein ganzes Herz ausschütten, dem wollte er von Röschen alles erzählen, was sich eigentlich gar nicht so recht erzählen ließ. Doch er mochte so viel rufen, so viel locken, als er wollte, kein Meister Floh ließ sich sehen, er war auf und davon. In der Falte der Halsbinde, wo sonst

Meister Floh bei Ausgängen sich beherbergt, fand Peregrinus bei sorgfältigerem Nachsuchen ein kleines Schächtelchen, worauf die Worte standen:

„Hierin befindet sich das mikroskopische Gedankenglas. Seht Ihr mit dem linken Auge scharf in die Schachtel hinein, so sitzt Euch das Glas augenblicklich in der Pupille; wollt Ihr es wieder heraushaben, so dürft Ihr nur, das Auge in die Schachtel hineinhaltend, die Pupille sanft drücken, und das Glas fällt auf den Boden der Schachtel. – Ich arbeite in Euern Geschäften und wage viel dabei, doch für meinen lieben Schutzherrn tue ich alles als

Euer dienstwilligster
Meister Floh."

– Hier gäb es nun für einen tüchtigen handfesten Romanschreiber, der mit starker, kielbewaffneter Hand alles menschliche Tun und Treiben zusammenarbeitet nach Herzenslust, die erwünschteste Gelegenheit, den heillosen Unterschied zwischen Verliebtsein und Lieben, nachdem solcher theoretisch genugsam abgehandelt, praktisch darzutun durch Peregrinus' Beispiel. Viel ließe sich da sagen vom sinnlichen Triebe, von dem Fluch der Erbsünde und von dem himmlischen Prometheusfunken, der in der Liebe die wahrhafte Geistergemeinschaft des diversen Geschlechts entzündet, die den eigentlichen notwendigen Dualismus der Natur bildet. Sollte nun auch besagter Prometheusfunken nebenher die Fackel des Ehegottes anstecken wie ein tüchtiges hellbrennendes Wirtschaftslicht, bei dem es sich gut lesen, schreiben, stricken, nähen läßt, sollte auch eine fröhliche Nachkommenschaft sich ebensogut die Mäulchen gelegentlich mit Kirschmus beschmieren als jede andere, so ist das hienieden nun einmal nicht anders. Überdem nimmt sich eine solche himmlische Liebe als erhabene Poesie sehr gut aus, und als das Beste darf in der Tat gerühmt werden, daß diese Liebe kein leeres Hirngespinst, sondern daß wirklich etwas daran ist, wie viele Leute bezeugen können, denen es mit dieser Liebe bald gut, bald schlimm ergangen. –

Der geneigte Leser hat es aber längst erraten, daß Herr Peregrinus Tyß in die kleine Dörtje sich bloß beträchtlich verliebt hatte, daß aber erst in dem Augenblick, da er Lämmerhirts Röschen, das holde liebe Engelskind erblickte, die wahre himmlische Liebe hell aufloderte in seiner Brust.

Wenigen Dank würde aber gegenwärtiger Referent des tollsten, wunderlichsten aller Märchen einernten, wenn er, sich steif und fest an dem Paradeschritt der dahinstolzierenden Romanisten haltend, nicht unterlassen könnte, hier die jedem regelrechten Roman höchst nötige Langeweile sattsam zu erregen. Nämlich dadurch, daß er bei jedem Stadium, das das Liebespaar, nach gewöhnlicher Weise, zu überstehen hat, sich gemächliche Ruh' und Rast gönnte. Nein! laß uns, geliebter Leser, wie wackre, rüstige Reiter auf mutigen Rennern daherbrausend und alles, was links und rechts liegt, nicht achtend, dem Ziel entgegeneilen. – Wir sind da! – Seufzer, Liebesklagen, Schmerz, Entzücken, Seligkeit, alles einigt sich in dem Brennpunkt des Augenblicks, da das holde Röschen, das reizende Inkarnat holder Jungfräulichkeit auf den Wangen, dem überglücklichen Peregrinus Tyß gesteht, daß sie ihn liebe, ja, daß sie es gar nicht sagen könne, wie so sehr, wie so über alle Maßen sie ihn liebe, wie sie nur in ihm lebe, wie er allein ihr einziger Gedanke, ihr einziges Glück sei.

Der finstere arglistige Dämon pflegt in die hellsten Sonnenblicke des Lebens hineinzugreifen mit seinen schwarzen Krallen; ja! durch den finstern Schatten seines unheilbringenden Wesens jenen Sonnenschein zu verdunkeln ganz und gar. So geschah es, daß in Peregrinus böse Zweifel aufstiegen, ja, daß ein gar böser Argwohn sich regte in seiner Brust.

„Wie?" schien eine Stimme ihm zuzuflüstern, „wie? auch jene Dörtje Elverdink gestand dir ihre Liebe, und doch war es schnöder Eigennutz, von dem beseelt sie dich verlocken wollte, die Treue zu brechen und Verräter zu werden an dem besten Freunde, an dem armen Meister Floh?

Ich bin reich, man sagt, daß ein gewisses gutmütiges Betragen, eine gewisse Offenheit, von manchem Einfalt genannt, mir die zweideutige Gunst der Menschen und auch wohl gar der Weiber verschaffen könne; und diese, die dir nun ihre Liebe gesteht. –"

Schnell griff er nach dem verhängnisvollen Geschenk des Meister Floh, er brachte das Schächtelchen hervor und war im Begriff, es zu öffnen, um sich das mikroskopische Glas in die Pupille des rechten Auges zu setzen und so Röschens Gedanken zu durchschauen.

Er blickte auf, und das reine Himmelsazur der schönsten Augen leuchtete in seine Seele hinein. Röschen, seine innere Bewegung wohl bemerkend, sah ihn ganz verwundert und beinahe besorglich an.

Da war es ihm, als durchzucke ihn ein jäher Blitz, und das vernichtende Gefühl der Verderbtheit seines Sinnes zermalmte sein ganzes Wesen.

„Wie?" sprach er zu sich selbst, „in das himmelreine Heiligtum dieses Engels willst du eindringen in sündhaftem Frevel? Gedanken willst du erspähen, die nichts gemein haben können mit dem verworfenen Treiben gemeiner, im Irdischen befangener Seelen? Verhöhnen willst du den Geist der Liebe selbst, ihn mit den verruchten Künsten bedrohlicher unheimlicher Mächte versuchend?"

Er hatte mit Hast das Schächtelchen in seine Tasche verborgen, es war ihm, als habe er eine Sünde begangen, die er nie, nie werde abbüßen können.

Ganz aufgelöst in Wehmut und Schmerz, stürzte er dem erschrockenen Röschen zu Füßen, rief, er sei ein Frevler, ein sündiger Mensch, der der Liebe eines engelreinen Wesens wie Röschen nicht wert sei, badete sich in Tränen.

Röschen, die nicht begreifen konnte, welcher finstere Geist über Peregrinus gekommen, sank zu ihm nieder, umfaßte ihn, indem sie weinend lispelte: „Um Gott, mein geliebter Peregrinus, was ist dir? was ist dir geschehen? welcher schlimme Feind stellt sich zwischen uns? o komm, o komm, setze dich ruhig zu mir nieder!"

Peregrinus ließ sich schweigend, keiner willkürlichen Bewegung fähig, von Röschen sanft in die Höhe ziehen.

Es war gut, daß das alte, etwas zerbrechliche Kanapee wie gewöhnlich mit broschierten Büchern, fertigen Einbänden und einem nicht geringen Vorrat von allerlei Buchbinderutensilien bepackt war; so daß Röschen manches wegräumen mußte, um Platz für sich und den zerknirschten Herrn Peregrinus Tyß zu gewinnen. Er bekam dadurch Zeit, sich zu erholen, und sein großer Schmerz, seine herzzerreißende Wehmut löste sich auf in das mildere Gefühl verübter, jedoch wohl zu sühnender Unbill.

War er zuvor, was seine Gesichtszüge betrifft, dem trostlosen Sünder zu vergleichen, über den das Verdammungsurteil unwiderruflich ausgesprochen, so sah er jetzt nur noch ein wenig einfältig aus. Solches Aussehen ist aber bei derlei Umständen jedesmal ein gutes Prognostikon.

Als nun beide, Röschen und Herr Peregrinus Tyß, zusammen auf besagtem gebrechlichem Kanapee des ehrsamen Buchbindermeisters Lämmerhirt saßen, begann Röschen mit niedergeschlagenen Augen und halb verschämtem Lächeln: „Ich mag wohl erraten, mein Geliebter, was dein Gemüt so plötzlich bestürmt. Gestehen will ich es dir, man hat mir allerlei Wunderliches von den seltsamen Bewohnern deines Hauses erzählt. Die Nachbarinnen – nun du weißt, wie Nachbarinnen sind, die schwatzen und schwatzen gar gern und wissen oft selbst nicht einmal, was –, ja, diese bösen Nachbarinnen haben mir erzählt, in deinem Hause sei ein gar wunderbares Frauenzimmer, die manche gar für eine Prinzessin hielten und die du selbst in der Christnacht in dein Haus getragen. Der alte Herr Swammer habe sie freilich als seine entflohene Nichte bei sich aufgenommen, aber die Person stelle dir nach mit seltsamen Verlockungen. Doch das ist beileibe noch nicht das Schlimmste, denke dir, mein geliebter Peregrinus, die alte Muhme geradeüber – du kennst sie wohl, die alte Frau mit der spitzen Nase, die so freundlich hinübergrüßt, wenn sie dich sieht, und von der du einmal sagtest, als du sie sonntags in ihrem bunten stoffenen Ehrenkleide nach der Kirche ziehen sahst – ich muß noch lachen, wenn ich daran denke –, es wolle dich gemahnen, als wandle ein Feuerlilienstrauch über die Straße, diese mißtrauische Muhme hat mir allerlei Böses in den Kopf setzen wollen.

So freundlich sie dich auch grüßt, so hat sie mich doch stets vor dir gewarnt und nichts Geringeres behauptet, als daß in deinem Hause Satanskünste getrieben würden und daß die kleine Dörtje gar nichts anders sei als ein kleines verkapptes Teufelchen, welches, um dich zu verlocken, in Menschengestalt umherwandle, und zwar in gar anmutiger und verführerischer.

Peregrinus! mein holder, geliebter Peregrinus, sieh mir ins Auge, du wirst keine Spur des leisesten Argwohns finden, ich habe dein reines Gemüt erkannt, niemals hat dein Wort, dein Blick nur einen verfinsternden Hauch auf den hellen klaren Spiegel meiner Seele geworfen.

Ich vertraue dir, ich vertraue dem Gedanken der Seligkeit, die über uns kommen wird, wann ein festes Band uns verknüpft, und die mir süße Träume voll Liebe und Sehnsucht verkündet! Peregrinus! mögen auch finstre Geister über dich beschlossen haben, was sie wollen, ihre Macht scheitert, gebrochen an deinem frommen Wesen, das fest und stark ist in Liebe und unwandelbarer Treue.

Was soll, was kann eine Liebe verstören wie die unsrige; verbanne jeden Zweifel, unsre Liebe ist der Talisman, vor dem die nächtigen Gestalten fliehen.“ –

Dem Peregrinus kam Röschen in diesem Augenblick vor wie ein höheres Wesen, jedes ihrer Worte wie Trost des Himmels. Ein unbeschreiblich Gefühl der reinsten Wonne durchströmte sein Innres wie milder süßer Frühlingshauch. Er war nicht mehr der Sünder, der vermeßne Frevler, für den er sich gehalten, er glaubte mit Entzücken zu erkennen, daß er wert sei der Liebe der holdesten, engelreinsten Jungfrau.

Der Buchbindermeister Lämmerhirt kehrte mit seiner Familie von einem Spaziergange zurück.

Dem Peregrinus sowie dem süßen Röschen strömte das Herz über, und Herr Peregrinus verließ beim Einbruch der Nacht die enge Wohnung des himmelhoch erfreuten Buchbinders und seiner guten Alten, die vor lauter Wonne und Freude ein wenig mehr schluchzten als gerade nötig, als glücklicher, seliger Bräutigam.

Alle glaubwürdige und sehr authentische Notizen, aus denen diese wundersame Geschichte entnommen, stimmen darin überein, und der hundertjährige Kalender bestätiget es, daß gerade in der Nacht, da Herr Peregrinus Tyß als glücklicher Bräutigam nach Hause kam, der Vollmond sehr hell und freundlich schien, so daß der ganze Roßmarkt sich in seinem Silberglanz gar anmutig geputzt hatte. Natürlich scheint es, daß Herr Peregrinus Tyß, statt die Ruhe zu suchen, sich ins offene Fenster legte, um, wie es Liebenden ziemlich ist und wohl ansteht, in den Mond guckend, noch ein wenig den Gedanken an seine holde Geliebte nachzuhängen.

Mag es nun aber auch bei dem geneigten Leser, vorzüglich aber bei den geneigten Leserinnen dem Herrn Peregrinus Tyß zum offenbaren Nachteil gereichen, der Wahrheit muß ihr Recht geschehen, und es darf nicht verschwiegen bleiben, daß Herr Peregrinus, trotz seiner Seligkeit, zweimal so übermäßig und so laut gähnte, daß ein etwas angetrunkener Markthelfer, der gerade über die Straße taumelte, ihm laut zurief: „Na! er da oben mit der weißen Nachtmütze, freß er mich nur nicht auf!" Dies war nun die genügende Ursache, warum Herr Peregrinus Tyß ganz unwillig das Fenster zuwarf, so daß die Scheiben klirrten. Man will sogar behaupten, daß er während dieses Akts laut genug gerufen: „Grober Schlingel!!" Doch kann dies durchaus nicht verbürgt werden; da solches mit seiner sanften Gemütsart und Seelenstimmung ganz unverträglich scheint. Genug! Herr Peregrinus Tyß warf das Fenster zu und begab sich zur Ruhe. Das Bedürfnis des Schlafes schien indessen durch jenes unmäßige Gähnen beseitigt zu sein. Gedanken und Gedanken durchkreuzten sein Gehirn, und vorzüglich lebhaft trat ihm die überstandene Gefahr vor Augen, da eine finstere Macht ihn zu einem verruchten Gebrauch des mikroskopischen Glases verlocken wollen; doch nun erst ging es ihm auch deutlich auf, daß Meister Flohs verhängnisvolles Geschenk, habe er es selbst auch gut damit gemeint, doch in jedem Betracht ein Geschenk sei, das der Hölle angehöre.

„Wie?" sprach er zu sich selbst, „ein Mensch, der die geheimsten Gedanken seiner Brüder erforscht, bringt über den diese verhängnisvolle Gabe nicht jenes entsetzliche Verhängnis, welches den Ewigen Juden traf, der durch das bunteste Gewühl der Welt ohne Freude, ohne Hoffnung, ohne Schmerz, in dumpfer Gleichgültigkeit, die das Caput mortuum der Verzweiflung ist, wie durch eine unwirtbare trostlose Einöde wandelte?

Immer aufs neue hoffend, immer aufs neue vertrauend und immer wieder bitter getäuscht, wie kann es anders möglich sein, als daß Mißtrauen, böser Argwohn, Haß, Rachsucht in der Seele sich festnisten und jede Spur des wahrhaft menschlichen Prinzips, das sich ausspricht in mildem Vertrauen, in frommer Gutmütigkeit, wegzehren muß? Nein! dein freundliches Gesicht, deine glatten Worte sollen mich nicht täuschen, du, in dessen tiefem Innern vielleicht unverdienter Haß gegen mich verborgen; ich will dich für meinen Freund halten, ich will dir Gutes erzeigen, wie ich nur kann, ich will dir meine Seele erschließen, weil es mir wohl tut, und das bittre Gefühl des Augenblicks, wenn du mich enttäuschest, ist geringzuachten gegen die Freuden eines schönen vergangenen Traumes. Und selbst die wahrhaften Freunde, die es wirklich gut meinen – wie wandelbar ist des Menschen Gemüt! – Kann nicht selbst ein böses Zusammentreffen widerwärtiger Umstände, eine Mißstimmung, von der Unbill des launischen Zufalls erzeugt, in der Seele dieser Freunde einen vorübergehenden feindseligen Gedanken hervorbringen?

Und diesen Gedanken – erfaßt das unglückselige Glas, finsteres Mißtrauen erfüllt das Gemüt, und im ungerechtesten Zorn, in wahnsinniger Betörtheit stoß ich auch den wahren Freund von der Brust, und immer tiefer und tiefer bis in die Wurzel des Lebens frißt das tötende Gift des bösen Grolls, der mich mit allem Sein hienieden entzweit, mich mir selbst entfremdet.

Nein! Frevel, ruchloser Frevel ist es, sich wie jener gefallene Engel des Lichts, der die Sünde über die Welt brachte, gleichstellen zu wollen der ewigen Macht, die das Innere des Menschen durchschaut, weil sie es beherrscht.

Fort, fort mit der unseligen Gabe!“

Herr Peregrinus Tyß hatte das kleine Schächtelchen, worin das mikroskopische Glas befindlich, ergriffen und war im Begriff, es mit aller Gewalt gegen die Stubendecke zu schleudern.

Plötzlich saß Meister Floh in seiner mikroskopischen Gestalt, gar hübsch und anmutig anzuschauen, mit gleißendem Schuppenpanzer und den schönsten polierten goldenen Stiefeln dicht vor dem Herrn Peregrinus Tyß auf der Bettdecke. „Halt!“ rief er, „halt, Verehrtester! beginnt kein unnützes Zeug! Eher würdet Ihr ein Sonnenstäubchen vernichten, als dieses kleine unvertilgbare Glas auch nur einen Fuß breit fortschaffen, solange ich in der Nähe bin. Übrigens hatte ich mich, ohne daß Ihr es merktet, schon beim ehrlichen Buchbindermeister Lämmerhirt, wie gewöhnlich, in die Falte Eurer Halsbinde versteckt und war daher Zeuge alles dessen, was sich begeben. Ebenso habe ich Euer jetziges erbauliches Selbstgespräch mit angehört und manche Lehre daraus gezogen.

Zuvörderst habt Ihr jetzt erst Euer von der wahrhaften Liebe rein beseeltes Gemüt in der glänzendsten Glorie wie einen mächtigen Strahl aus Euerm Innern hervorblitzen lassen, so daß, wie ich glaube, der höchste entscheidende Moment sich naht.

Dann habe ich auch eingesehen, daß, in Rücksicht des mikroskopischen Glases, ich in großem Irrtum befangen war. Glaubt es mir, verehrtester, geprüftester Freund, ohnerachtet ich nicht das Vergnügen habe, ein Mensch zu sein wie Ihr, sondern nur ein Floh, wiewohl kein simpler, sondern ein graduierter, meiner glorreichen Meisterschaft halber, so verstehe ich mich dennoch sehr gut auf das menschliche Gemüt und auf das Tun und Treiben der Menschen, unter denen ich ja beständig hausiere. Manches Mal kommt mir dies Treiben sehr possierlich, beinahe albern vor; nehmt das nicht übel, Verehrtester, ich sage das nur als Meister Floh. Ihr habt recht, mein Freund, es wäre ein garstiges Ding und könnte unmöglich zu Gutem führen, wenn ein Mensch dem andern so mir nichts, dir nichts durch das Gehirn schaute; dem unbefangenen heitern Floh ist indessen diese Gabe des mikroskopischen Glases durchaus nicht im mindesten bedrohlich.

Ihr wißt es, verehrtester und bald, will es das Geschick, glückseligster Herr Peregrinus, meine Nation ist leichten, ja leichtfertigen, mutigen Sinnes, und man könnte sagen, sie bestehe aus lauter jugendlich kecken Springinsfelden. Dabei kann ich meinesteils mich aber einer gar besondern Lebensklugheit berühmen, die euch weisen Menschenkindern gemeinhin abzugehen pflegt. Das heißt, ich habe nie etwas getan im unschicklichen Moment. Stechen ist nun einmal das Hauptbedingnis meines Seins; aber stets habe ich zu rechter Zeit und an rechter Stelle gestochen. Laßt Euch das zu Herzen gehen, ehrlicher treuer Freund!

Ich empfange nun das Euch zugedachte Geschenk, welches weder das Präparat von Menschen, Swammerdamm genannt, noch der sich selbst in kleinlicher Mißgunst verzehrende Leuwenhoek besitzen konnte, aus Euren Händen zurück und werde es getreu bewahren. Jetzt, mein verehrtester Herr Tyß, überlaßt Euch dem Schlummer. Bald werdet Ihr in ein träumerisches Delirium verfallen, in welchem der große Moment sich kundtut. Zu rechter Zeit bin ich wieder bei Euch."

Meister Floh verschwand, und der Glanz, den er verbreitet, verlöschte in der tiefen finstren Nacht des Zimmers, dessen Vorhänge fest zugezogen.

Es geschah, wie Meister Floh gesagt hatte.

Herr Peregrinus Tyß wähnte bald, er liege an dem Ufer eines rauschenden Waldbachs und vernehme das Säuseln des Windes, das Flüstern der Gebüsche, das Sumsen von tausend Insekten, die ihn umschwirrten. Dann war es, als würden seltsame Stimmen vernehmbar und deutlicher und immer deutlicher, so daß Peregrinus zuletzt Worte zu verstehen glaubte.

Doch nur ein verwirrtes sinnebetörendes Geschwätz drang in sein Ohr.

Endlich begann eine dumpfe feierliche Stimme, die jedoch immer heller und heller erklang, folgende Worte:

„Unglücklicher König Sekakis, der du das Verständnis der Natur verschmähtest, der du, verblendet von dem bösen Zauber des arglistigen Dämons, den falschen Teraphim erschautest statt des wahrhaften Geistes.

An jenem verhängnisvollen Orte, auf Famagusta, in tiefem Schacht der Erde verborgen, lag der Talisman, doch da du dich selbst vernichtet, gab es kein Prinzip, seine erstarrte Kraft zu entzünden. Vergebens opfertest du deine Tochter, die schöne Gamaheh, vergebens war die Liebesverzweiflung der Distel Zeherit; doch auch ohnmächtig und wirkungslos blieb der Blutdurst des Egelprinzen. Gezwungen wurde selbst der tölpische Genius Thetel, die süße Beute fahren zu lassen; denn so mächtig war noch, o König Sekakis, dein halberloschener Gedanke, daß du die Verlorne wiedergeben konntest dem Urelement, dem sie entsprossen.

Wahnsinnige Detailhändler der Natur, daß euch die Arme in die Hände fallen mußte, daß ihr sie in dem Blumenstaub jener verhängnisvollen Harlemer Tulpe entdecktet! Daß ihr sie quälen mußtet mit euren abscheulichen Versuchen, in kindischem Übermut wähnend, ihr vermöchtet durch eure schnöden Künste das zu bewirken, was nur durch die Kraft des schlummernden Talismans geschehen kann!

Und auch dir, Meister Floh, mocht es nicht vergönnt sein, das Geheimnis zu durchschauen, da deinem klaren Blick doch nicht die Kraft innewohnte, einzudringen in die Tiefe der Erde und den erstarrten Karfunkel zu erspähen.

Die Gestirne zogen daher, durchkreuzten sich auf ihrer Bahn in wunderbaren Schwingungen, und furchtbare Konstellationen erzeugten das Staunenswerte, das dem blöden Auge des Menschen Unerforschliche. Doch kein siderischer Konflikt weckte den Karfunkel; denn nicht geboren wurde das menschliche Gemüt, das den Karfunkel hegen und pflegen müßte, damit er in der Erkenntnis des Höchsten in der menschlichen Natur erwache zu freudigem Leben – doch endlich! –

Das Wunder ist erfüllt, der Augenblick ist gekommen." – Ein heller flackernder Schein fuhr bei Peregrinus' Augen vorüber.

Er erwachte halb aus der Betäubung und – gewahrte zu seinem nicht geringen Erstaunen den Meister Floh, der in seiner mikroskopischen Gestalt, jedoch in den schönsten faltenreichen Talar gehüllt, eine hochauflodernde Fackel in den Vorderpfötchen haltend, emsig und geschäftig in dem Zimmer auf und nieder hüpfte und dabei feine gellende Töne ausstieß.

Herr Peregrinus wollte sich ganz aus dem Schlafe ermuntern; doch plötzlich zuckten tausend feurige Blitze durch das Gemach, das bald von einem einzigen glühenden Feuerballe erfüllt schien.

Da durchzog aber ein milder aromatischer Duft das wilde Feuer, das bald wegloderte und zum sanften Mondesschimmer wurde.

Peregrinus fand sich wieder, auf einem prächtigen Throne stehend, in den reichen Gewändern eines indischen Königs, das funkelnde Diadem auf dem Haupte, die bedeutungsvolle Lotosblume statt des Zepters in der Hand. Der Thron stand in einem unabsehbaren Saal errichtet, dessen tausend Säulen schlanke, himmelhohe Zedern waren.

Dazwischen erhoben aus dunklem Gesträuch die schönsten Rosen sowie wundervolle süßduftende Blumen jeder Art ihre Häupter empor, wie in dürstender Sehnsucht nach dem reinen Azur, das, durch die verschlungenen Zweige der Zedern glänzend, wie mit liebenden Augen hinabblickte.

Peregrinus erkannte sich selbst, er fühlte, daß der zum Leben entzündete Karfunkel glühe in seiner eigenen Brust.

Im fernsten Hintergrund bemühete sich der Genius Thetel, in die Lüfte zu steigen, doch erreichte er nicht die halbe Höhe der Zedernstämme, sondern plumpte schmachvoll zur Erde nieder.

Hier kroch aber der garstige Egelprinz in widerwärtigen Krümmungen hin und her und suchte sich auf ekelhafte Weise bald dick aufzublasen, bald sich lang zu ziehen, und dabei stöhnte er: „Gamaheh – doch mein!“

In der Mitte des Saals saßen auf kolossalen Mikroskopen Leuwenhoek und Swammerdamm und schnitten gar klägliche, jämmerliche Gesichter, indem sie sich vorwurfsvoll wechselsweise zuriefen: „Seht Ihr, das war der Punkt im Horoskop, dessen Bedeutung Ihr nicht herausbringen konntet. Auf ewig ist uns der Talisman verloren!“

Dicht an den Stufen des Thrones schienen aber Dörtje Elverdink und George Pepusch nicht sowohl zu schlummern als in tiefe Ohnmacht versunken.

Peregrinus oder – wir können ihn jetzt allenfalls so nennen – König Sekakis schlug den Königsmantel, dessen Falten seine Brust bedeckten, zurück, und aus seinem Innern schoß der Karfunkel wie Himmelsfeuer blendende Strahlen durch den weiten Saal.

Mit einem dumpfen Geächze zerstäubte der Genius Thetel, indem er sich eben aufs neue in die Höhe schwingen wollte, in unzählige farblose Flocken, die, wie vom Sturme gejagt, sich im Gebüsche verloren.

Mit dem entsetzlichen Tone des herzzerschneidendsten Jammers krümmte sich der Egelprinz zusammen, verschwand in der Erde, und man vernahm ein unwilliges Brausen, als nehme sie den häßlichen unwillkommenen Flüchtling nur ungern auf in ihren Schoß. Leuwenhoek und Swammerdamm waren von den Mikroskopen herab in sich selbst zusammengesunken, und man vernahm aus ihrem angstvollen Stöhnen und Ächzen, aus ihren bangen Todesseufzern, daß eine harte Qual sie erfaßt.

Aber Dörtje Elverdink und George Pepusch, oder wie sie hier besser zu benennen, die Prinzessin Gamaheh und die Distel Zeherit, waren aus ihrer Ohnmacht erwacht und hingekniet vor dem Könige, zu dem sie in sehnsüchtigen Seufzern zu flehen schienen. Doch senkten sie den Blick zur Erde, als vermöchten sie nicht den Glanz des strahlenden Karfunkels zu ertragen.

Sehr feierlich sprach nun Peregrinus:

„Aus schnödem Ton und den Federflocken, die ein einfältiger, schwerfälliger Strauß verloren, hatte dich der böse Dämon zusammengeknetet, dich, der du die Menschen täuschen solltest als Genius Thetel; deshalb vernichtete dich der Strahl der Liebe, dich leeres, wirres Phantom, und du mußtest zerstäuben in das gehaltlose Nichts.

Und auch du, blutdürstiges Ungetüm der Nacht, verhaßter Egelprinz, mußtest vor dem Strahl des glühenden Karfunkels entfliehen in den Schoß der Erde.

Aber ihr arme Betörte, unglücklicher Swammerdamm, beklagenswerter Leuwenhoek, euer ganzes Leben war ein unaufhörlicher ununterbrochener Irrtum. Ihr trachtetet die Natur zu erforschen, ohne die Bedeutung ihres innersten Wesens zu ahnen.

Ihr wagtet es, einzudringen in ihre Werkstatt und ihre geheimnisvolle Arbeit belauschen zu wollen, wähnend, daß es euch gelingen werde, ungestraft die furchtbaren Geheimnisse jener Untiefen, die dem menschlichen Auge unerforschlich, zu erschauen. Euer Herz blieb tot und starr, niemals hat die wahrhafte Liebe euer Wesen entzündet, niemals haben die Blumen, die bunten leichtgeflügelten Insekten zu euch gesprochen mit süßen Worten. Ihr glaubtet die hohen heiligen Wunder der Natur in frommer Bewunderung und Andacht anzuschauen, aber indem ihr freveligem Beginnen die Bedingnisse jener Wunder bis in den innersten Keim zu erforschen euch abmühtet, vernichtetet ihr selbst jene Andacht, und die Erkenntnis, nach der ihr strebtet, war nur ein Phantom, von dem ihr getäuscht wurdet, wie neugierige, vorwitzige Kinder.

Toren! Euch gibt der Strahl des Karfunkels keinen Trost, keine Hoffnung mehr."

„Ha, ha! noch ist wohl Trost, noch ist wohl Hoffnung, die Alte begibt sich zu den Alten, das ist 'ne Liebe, das ist 'ne Treue, das ist 'ne Zärtlichkeit. Und die Alte ist nun wirklich eine Königin und führt ihr Swammerdämmchen, ihr Leuwenhoekchen in ihr Reich, und da sind sie schöne Prinzen und zupfen Silberfaden und Goldfaden und Seidenflickchen aus und verrichten andere gescheite und sehr nützliche Dinge."

So sprach die alte Aline, die, plötzlich in wunderlichen Kleidern angetan, welche beinahe dem Anzuge der Königin von Golkonda in der Oper glichen, zwischen beiden Mikroskopisten stand. Diese waren aber auf solche Weise zusammengeschrumpft, daß sie kaum noch eine Spanne hoch zu sein schienen. Die Königin von Golkonda nahm die Kleinen, welche merklich ächzten und stöhnten, an ihre Brust und liebkoste und hätschelte sie wie kleine Bübchen, indem sie ihnen mit tändelnden Worten freundlich zusprach. Darauf legte die Königin von Golkonda ihre niedlichen Püppchen in zwei kleine, sehr zierlich aus dem schönsten Elfenbein geschnitzte Wiegen und wiegte sie, indem sie dabei sang:

„Schlaf, mein Kindchen, schlaf,
Im Garten gehn zwei Schaf',
Ein schwarzes und ein weißes usw."

Während dies geschah, knieten die Prinzessin Gamaheh und die Distel Zeherit noch immer auf den Stufen des Throns.

Da sprach Peregrinus: „Nein! Verstoben ist der Irrtum, der dein Leben verstörte, du geliebtes Paar. Kommt an meine Brust, Geliebte! Der Strahl des Karfunkels wird euer Herz durchdringen, und ihr werdet die Seligkeit des Himmels genießen." Mit einem Laut freudiger Hoffnung erhoben sich beide, die Prinzessin Gamaheh und die Distel Zeherit, und Peregrinus drückte sie fest an sein flammendes Herz.

Sowie er sie ließ, fielen sie sich in hohem Entzücken in die Arme; – verschwunden war die Leichenblässe von ihrem Antlitz, und frisches jugendliches Leben blühte auf ihren Wangen, leuchtete aus ihren Augen.

Meister Floh, der so lange wie ein zierlicher Trabant an der Seite des Throns gestanden, nahm plötzlich seine natürliche Gestalt an und sprang, indem er laut gellend rief: „Alte Liebe rostet nicht!" mit einem tüchtigen Satz hinein in Dörtjens Nacken.

Doch, o Wunder, in demselben Augenblick lag auch Röschen, in hoher unbeschreiblicher Anmut holder Jungfräulichkeit prangend, überstrahlt von dem Glanz der reinsten Liebe, wie ein Cherub des Himmels, an Peregrinus' Busen.

Da rauschten die Zweige der Zedern, und höher und freudiger erhoben die Blumen ihre Häupter, und gleißende Paradiesvögel schwangen sich durch den Saal, und süße Melodien strömten aus den dunklen Büschen, und wie aus weiter Ferne hallte jauchzender Jubel, und ein tausendstimmiger Hymnus der überschwenglichsten Lust erfüllte die Lüfte, und in der heiligen Weihe der Liebe regten sich die höchsten Wonnen des Lebens und sprühten und loderten empor, reines Ätherfeuer des Himmels! –

Herr Peregrinus Tyß hatte in der Nähe der Stadt ein gar schönes Landhaus gekauft, und hier sollte an einem Tage seine sowie die Hochzeit seines Freundes George Pepusch mit der kleinen Dörtje Elverdink gefeiert werden.

Der geneigte Leser erläßt es mir wohl, den Hochzeitsschmaus zu beschreiben, sowie genau zu sagen, wie sich übrigens alles an dem festlichen Tage begeben.

Gern überlasse ich es auch den schönen Leserinnen, den Anzug der beiden Bräute so zu ordnen, wie das Bild davon ihrer Phantasie gerade vorschwebt. Zu bemerken ist nur, daß Peregrinus und sein holdes Röschen die heitre kindliche Unbefangenheit selbst, George und Dörtje dagegen tief in sich gekehrt waren und, Blick in Blick gesenkt, nur sich zu schauen, zu fühlen, zu denken schienen.

Es war Mitternacht, als plötzlich der balsamische Geruch der großblumigen Fackeldistel den ganzen weiten Garten, das ganze Landhaus durchdrang.

Peregrinus erwachte aus dem Schlaf, er glaubte tief klagende Melodien einer hoffnungslosen Sehnsucht zu vernehmen, und ein seltsames ahnendes Gefühl bemeisterte sich seiner.

Es war ihm, als reiße sich ein Freund gewaltsam von seinem Busen.

Am andern Morgen wurde das zweite Brautpaar, nämlich George Pepusch und Dörtje Elverdink, vermißt, und man erstaunte nicht wenig, als man wahrnahm, daß sie das Brautgemach gar nicht betreten.

Der Gärtner kam in diesem Augenblick ganz außer sich herbei

und rief, er wisse gar nicht, was er davon denken solle, aber ein seltsames Wunder sei im Garten aufgegangen.

Die ganze Nacht habe er vom blühenden Cactus grandiflorus geträumt und nun erst die Ursache davon erfahren. Man solle nur kommen und schauen.

Peregrinus und Röschen gingen herab in den Garten. In der Mitte eines schönen Bosketts war eine hohe Fackeldistel emporgeschossen, die ihre im Morgenstrahl verwelkte Blüte hinabsenkte, und um diese Blüte schlang sich liebend eine lila- und gelbgestreifte Tulpe, die auch den Pflanzentod gestorben. –

„O meine Ahnung", rief Peregrinus, indem ihm die Stimme vor tiefer Wehmut bebte, „o meine Ahnung, sie hat mich nicht getäuscht! Der Strahl des Karfunkels, der mich zum höchsten Leben entzündete, gab dir den Tod, du durch seltsame Verschlingungen eines geheimnisvollen Zwiespalts dunkler Mächte verbundenes Paar.

Das Mysterium ist erschlossen, der höchste Augenblick alles erfüllten Sehnens war auch der Augenblick deines Todes."

Auch Röschen schien die Bedeutung des Wunders zu ahnen, sie bückte sich zu der armen gestorbenen Tulpe herab und vergoß häufige Tränen.

„Ihr habt ganz recht", sprach Meister Floh (der plötzlich in seiner anmutigen mikroskopischen Gestalt auf der Fackeldistel saß), „ja, Ihr habt ganz recht, wertester Herr Peregrinus; es verhält sich alles so, wie Ihr da eben gesprochen habt, und ich verlor nun meine Geliebte auf immer."

Röschen hatte sich beinahe über das kleine Ungetüm entsetzt, da Meister Floh sie aber mit solchen klugen freundlichen Augen anblickte und Herr Peregrinus so vertraulich mit ihm tat, so faßte sie ein Herz, schaute ihm dreist ins kleine niedliche Antlitz und gewann um so mehr Zutrauen zu der kleinen sonderbaren Kreatur, als Peregrinus ihr zuflüsterte: „Das ist mein guter lieber Meister Floh."

„Mein bester Peregrinus", sprach nun Meister Floh sehr zärtlich, „meine holde liebe Frau, ich muß euch jetzt verlassen und zurückkehren zu meinem Volk, doch werde ich euch treu und freundlich gewogen bleiben immerdar, und ihr sollt meine Gegenwart auf euch ergötzliche Weise verspüren. Lebt wohl, lebt beide herzlich wohl! Alles Glück mit euch!"

Meister Floh hatte während dieser Zeit seine natürliche Gestalt angenommen und war spurlos verschwunden. –

Wirklich soll sich auch Meister Floh in der Familie des Herrn Peregrinus Tyß stets als ein guter Hausgeist bewiesen haben und vorzüglich tätig gewesen sein, als nach Jahresfrist ein kleiner Peregrinus das holde Paar erfreute. Da hat Meister Floh am Bette der holden Frau gesessen und der Wärterin in die Nase gestochen, wenn sie eingeschlafen, ist in die mißratene Krankensuppe hinein und wieder herausgesprungen usw.

Gar hübsch war es aber von dem Meister Floh, daß er der Tyßischen Nachkommenschaft am Christtage es nie an den zierlichsten, von den geschicktesten Künstlern seines Volks ausgearbeiteten Spielsächelchen fehlen ließ, so aber den Herrn Peregrinus Tyß auf gar angenehme Weise an jene verhängnisvolle Weihnachtsbescherung erinnerte, die gleichsam das Nest der wunderbarsten, tollsten Ereignisse zu nennen.

Hier brachen plötzlich alle weitere Notizen ab, und die wundersame Geschichte von dem Meister Floh nimmt ein fröhliches und erwünschtes

Ende.

DES VETTERS ECKFENSTER

Meinen armen Vetter trifft gleiches Schicksal mit dem bekannten Scarron. So wie dieser hat mein Vetter durch eine hartnäckige Krankheit den Gebrauch seiner Füße gänzlich verloren, und es tut not, daß er sich, mit Hilfe standhafter Krücken und des nervichten Arms eines grämlichen Invaliden, der nach Belieben den Krankenwärter macht, aus dem Bette in den mit Kissen bepackten Lehnstuhl und aus dem Lehnstuhl in das Bette schrotet. Aber noch eine Ähnlichkeit trägt mein Vetter mit jenem Franzosen, den eine besondere, aus dem gewöhnlichen Gleise des französischen Witzes ausweichende Art des Humors trotz der Sparsamkeit seiner Erzeugnisse in der französischen Literatur feststellte. So wie Scarron schriftstellert mein Vetter; so wie Scarron ist er mit besonderer lebendiger Laune begabt und treibt wunderlichen humoristischen Scherz auf seine eigne Weise. Doch zum Ruhme des deutschen Schriftstellers sei es bemerkt, daß er niemals für nötig achtete, seine kleinen pikanten Schüsseln mit Asa foetida zu würzen, um die Gaumen seiner deutschen Leser, die dergleichen nicht wohl vertragen, zu kitzeln. Es genügt ihm das edle Gewürz, welches, indem es reizt, auch stärkt. Die Leute lesen gerne, was er schreibt; es soll gut sein und ergötzlich; ich verstehe mich nicht darauf. Mich erlabte sonst des Vetters Unterhaltung, und es schien mir gemütlicher, ihn zu hören, als ihn zu lesen. Doch ebendieser unbesiegbare Hang zur Schriftstellerei hat schwarzes Unheil über meinen armen Vetter gebracht; die schwerste Krankheit vermochte nicht den raschen Rädergang der Phantasie zu hemmen, der in seinem Innern fortarbeitete, stets Neues und Neues erzeugend. So kam es, daß er mir allerlei anmutige Geschichten erzählte, die er, des mannigfachen

Wehs, das er duldete, unerachtet, ersonnen. Aber den Weg, den der Gedanke verfolgen mußte, um auf dem Papiere gestaltet zu erscheinen, hatte der böse Dämon der Krankheit versperrt. Sowie mein Vetter etwas aufschreiben wollte, versagten ihm nicht allein die Finger den Dienst, sondern der Gedanke selbst war verstoben und verflogen. Darüber verfiel mein Vetter in die schwärzeste Melancholie. „Vetter!" sprach er eines Tages zu mir, mit einem Ton, der mich erschreckte, „Vetter, mit mir ist es aus! Ich komme mir vor wie jener alte, vom Wahnsinn zerrüttete Maler, der tagelang vor einer in den Rahmen gespannten grundierten Leinwand saß und allen, die zu ihm kamen, die mannigfachen Schönheiten des reichen, herrlichen Gemäldes anpries, das er soeben vollendet; – ich geb's auf, das wirkende, schaffende Leben, welches, zur äußern Form gestaltet, aus mir selbst hinaustritt, sich mit der Welt befreundend! – Mein Geist zieht sich in seine Klause zurück!" Seit der Zeit ließ sich mein Vetter weder vor mir noch vor irgendeinem andern Menschen sehen. Der alte grämliche Invalide wies uns murrend und keifend von der Türe weg wie ein beißiger Haushund. –

Es ist nötig zu sagen, daß mein Vetter ziemlich hoch in kleinen niedrigen Zimmern wohnt. Das ist nun Schriftsteller- und Dichtersitte. Was tut die niedrige Stubendecke? Die Phantasie fliegt empor und baut sich ein hohes, lustiges Gewölbe bis in den blauen glänzenden Himmel hinein. So ist des Dichters enges Gemach, wie jener zwischen vier Mauern eingeschlossene, zehn Fuß ins Gevierte große Garten, zwar nicht breit und lang, hat aber stets eine schöne Höhe. Dabei liegt aber meines Vetters Logis in dem schönsten Teile der Hauptstadt, nämlich auf dem großen Markte, der von Prachtgebäuden umschlossen ist und in dessen Mitte das kolossal und genial gedachte Theatergebäude prangt. Es ist ein Eckhaus, was mein Vetter bewohnt, und aus dem Fenster eines kleinen Kabinetts übersieht er mit einem Blick das ganze Panorama des grandiosen Platzes.

Es war gerade Markttag, als ich, mich durch das Volksgewühl durchdrängend, die Straße hinabkam, wo man schon aus weiter Ferne meines Vetters Eckfenster erblickt. Nicht wenig erstaunte ich, als mir aus diesem Fenster das wohlbekannte rote Mützchen entgegenleuchtete, welches mein Vetter in guten Tagen zu tragen pflegte. Noch mehr! Als ich näher kam, gewahrte ich, daß mein Vetter seinen stattlichen Warschauer Schlafrock angelegt und aus der türkischen Sonntagspfeife Tabak rauchte. – Ich winkte ihm zu, ich wehte mit dem Schnupftuch hinauf; es gelang mir, seine Aufmerksamkeit auf mich zu ziehen, er nickte freundlich. Was für Hoffnungen! – Mit Blitzesschnelle eilte ich die Treppe hinauf. Der Invalide öffnete die Türe; sein Gesicht, das sonst, runzlicht und faltig, einem naß gewordenen Handschuh glich, hatte wirklich einiger Sonnenschein zur passabeln Fratze ausgeglättet. Er meinte, der Herr säße im Lehnstuhl und sei zu sprechen. Das Zimmer war rein gemacht und an dem Bettschirm ein Bogen Papier befestigt, auf dem mit großen Buchstaben die Worte standen:

„Et si male nunc, non olim sic erit."

Alles deutete auf wiedergekehrte Hoffnung, auf neuerweckte Lebenskraft. – „Ei", rief mir der Vetter entgegen, als ich in das Kabinett trat, „ei, kommst du endlich, Vetter; weißt du wohl, daß ich rechte Sehnsucht nach dir empfunden? Denn unerachtet du den Henker was nach meinen unsterblichen Werken frägst, so habe ich dich doch lieb, weil du ein munterer Geist bist und amüsable, wenn auch gerade nicht amüsant."

Ich fühlte, daß mir bei dem Kompliment meines aufrichtigen Vetters das Blut ins Gesicht stieg.

„Du glaubst", fuhr der Vetter fort, ohne auf meine Bewegung zu achten, „du glaubst mich gewiß in voller Besserung oder gar von meinem Übel hergestellt. Dem ist beileibe nicht so. Meine Beine sind durchaus ungetreue Vasallen, die dem Haupt des Herrschers abtrünnig geworden und mit meinem übrigen werten Leichnam nichts mehr zu schaffen haben wollen. Das heißt, ich kann mich nicht aus der Stelle rühren und karre mich in diesem Räderstuhl hin und her auf anmutige Weise, wozu mein alter Invalide die melodiösesten Märsche aus seinen Kriegsjahren pfeift. Aber dies Fenster ist mein Trost, hier ist mir das bunte

Leben aufs neue aufgegangen, und ich fühle mich befreundet mit seinem niemals rastenden Treiben. Komm, Vetter, schau hinaus!“

Ich setzte mich, dem Vetter gegenüber, auf ein kleines Taburett, das gerade noch im Fensterraum Platz hatte. Der Anblick war in der Tat seltsam und überraschend. Der ganze Markt schien eine einzige, dicht zusammengedrängte Volksmasse, so daß man glauben mußte, ein dazwischengeworfener Apfel könne niemals zur Erde gelangen. Die verschiedensten Farben glänzten im Sonnenschein, und zwar in ganz kleinen Flecken; auf mich machte dies den Eindruck eines großen, vom Winde bewegten, hin und her wogenden Tulpenbeets, und ich mußte mir gestehen, daß der Anblick zwar recht artig, aber auf die Länge ermüdend sei, ja wohl gar aufgereizten Personen einen kleinen Schwindel verursachen könne, der dem nicht unangenehmen Delirieren des nahenden Traums gliche; darin suchte ich das Vergnügen, das das Eckfenster dem Vetter gewähre, und äußerte ihm dieses ganz unverhohlen.

Der Vetter schlug aber die Hände über den Kopf zusammen, und es entspann sich zwischen uns folgendes Gespräch.

Der Vetter: Vetter, Vetter! nun sehe ich wohl, daß auch nicht das kleinste Fünkchen von Schriftstellertalent in dir glüht. Das erste Erfordernis fehlt dir dazu, um jemals in die Fußstapfen deines würdigen lahmen Vetters zu treten, nämlich ein Auge, welches wirklich schaut. Jener Markt bietet dir nichts dar als den Anblick eines scheckichten, sinnverwirrenden Gewühls des in bedeutungsloser Tätigkeit bewegten Volks. Hoho, mein Freund, mir entwickelt sich daraus die mannigfachste Szenerie des bürgerlichen Lebens, und mein Geist, ein wackerer Callot oder moderner Chodowiecki, entwirft eine Skizze nach der andern, deren Umrisse oft keck genug sind. Auf, Vetter! ich will sehen, ob ich dir nicht wenigstens die Primizien der Kunst zu schauen beibringen kann. Sieh einmal gerade vor dich herab in die Straße; hier hast du mein Glas, bemerkst du wohl die etwas fremdartig gekleidete Person mit dem großen Marktkorbe am Arm, die, mit einem Bürstenbinder in tiefem Gespräch begriffen, ganz geschwinde andere Domestika abzumachen scheint als die des Leibes Nahrung betreffen?

Ich: Ich habe sie gefaßt. Sie hat ein grell zitronenfarbiges Tuch nach französischer Art turbanähnlich um den Kopf gewunden, und ihr Gesicht sowie ihr ganzes Wesen zeigt deutlich die Französin. Wahrscheinlich eine Restantin aus dem letzten Kriege, die ihr Schäfchen hier ins trockne gebracht.

Der Vetter: Nicht übel geraten. Ich wette, der Mann verdankt irgendeinem Zweige französischer Industrie ein hübsches Auskommen, so daß seine Frau ihren Marktkorb mit ganz guten Dingen reichlich füllen kann. Jetzt stürzt sie sich ins Gewühl. Versuche, Vetter, ob du ihren Lauf in den verschiedensten Krümmungen verfolgen kannst, ohne sie aus dem Auge zu verlieren; das gelbe Tuch leuchtet dir vor.

Ich: Ei, wie der brennende gelbe Punkt die Masse durchschneidet. Jetzt ist sie schon der Kirche nah – jetzt feilscht sie um etwas bei den Buden – jetzt ist sie fort – o weh! ich habe sie verloren – nein, dort am Ende duckt sie wieder auf – dort bei dem Geflügel – sie ergreift eine gerupfte Gans – sie betastet sie mit kennerischen Fingern. –

Der Vetter: Gut, Vetter, das Fixieren des Blicks erzeugt das deutliche Schauen. Doch statt dich auf langweilige Weise in einer Kunst unterrichten zu wollen, die kaum zu erlernen, laß mich lieber dich auf allerlei Ergötzliches aufmerksam machen, welches sich vor unsern Augen auftut. Bemerkst du wohl jenes Frauenzimmer, die sich an der Ecke dort, unerachtet das Gedränge gar nicht zu groß, mit beiden spitzen Ellenbogen Platz macht?

Ich: Was für eine tolle Figur – ein seidner Hut, der in kapriziöser Formlosigkeit stets jeder Mode Trotz geboten, mit bunten, in den Lüften wehenden Federn – ein kurzer seidner Überwurf, dessen Farbe in das ursprüngliche Nichts zurückgekehrt – darüber ein ziemlich honetter Shawl – der Florbesatz des gelbkattunenen Kleides reicht bis an die Knöchel – blaugraue Strümpfe – Schnürstiefeln – hinter ihr eine stattliche Magd mit zwei Marktkörben, einem Fischnetz, einem Mehlsack – Gott sei bei uns! was die seidene Person für wütende Blicke um sich wirft, mit welcher Wut sie eindringt in die dicksten Haufen – wie sie alles angreift, Gemüse, Obst, Fleisch usw.; wie sie alles beäugelt, betastet, um alles feilscht und nichts erhandelt. –

Der Vetter: Ich nenne diese Person, die keinen Markttag fehlt, die rabiate Hausfrau. Es kommt mir vor, als müsse sie die Tochter eines reichen Bürgers, vielleicht eines wohlhabenden Seifensieders sein, deren Hand nebst annexis ein kleiner Geheimsekretär nicht ohne Anstrengung erworben. Mit Schönheit und Grazie hat sie der Himmel nicht ausgestattet, dagegen galt sie bei allen Nachbaren für das häuslichste, wirtschaftlichste Mädchen, und in der Tat, sie ist auch so wirtschaftlich und wirtschaftet jeden Tag vom Morgen bis in den Abend auf solche entsetzliche Weise, daß dem armen Geheimsekretär darüber Hören und Sehen vergeht und er sich dorthin wünscht, wo der Pfeffer wächst. Stets sind alle Pauken- und Trompetenregister der Einkäufe, der Bestellungen, des Kleinhandels und der mannigfachen Bedürfnisse des Hauswesens gezogen, und so gleicht des Geheimsekretärs Wirtschaft einem Gehäuse, in dem ein aufgezogenes Uhrwerk ewig eine tolle Sinfonie, die der Teufel selbst komponiert hat, fortspielt; ungefähr jeden vierten Markttag wird sie von einer andern Magd begleitet. –

Sapienti sat! – Bemerkst du wohl – doch nein, nein, diese Gruppe, die soeben sich bildet, wäre würdig, von dem Krayon eines Hogarths verewigt zu werden. Schau doch nur hin, Vetter, in die dritte Türöffnung des Theaters!

Ich: Ein paar alte Weiber, auf niedrigen Stühlen sitzend – ihr ganzer Kram in einem mäßigen Korbe vor sich ausgebreitet – die eine hält bunte Tücher feil, sogenannte Vexierware, auf den Effekt für blöde Augen berechnet, – die andere hält eine Niederlage von blauen und grauen Strümpfen, Strickwolle usw. Sie haben sich zueinandergebeugt – sie zischeln sich in die Ohren – die eine genießt ein Schälchen Kaffee; die andere scheint, ganz hingerissen von dem Stoff der Unterhaltung, das Schnäpschen zu vergessen, das sie eben hinabgleiten lassen wollte; in der Tat ein paar auffallende Physiognomien! Welches dämonische

Lächeln – welche Gestikulation mit den dürren Knochenärmen!

Der Vetter: Diese beiden Weiber sitzen beständig zusammen, und unerachtet die Verschiedenheit ihres Handels keine Kollision und also keinen eigentlichen Brotneid zuläßt, so haben sie sich doch bis heute stets mit feindseligen Blicken angeschielt und sich, darf ich meiner geübten Physiognomik trauen, diverse höhnische Redensarten zugeworfen. Oh, sieh, sieh, Vetter, immer mehr werden sie ein Herz und eine Seele. Die Tuchverkäuferin teilt der Strumpfhändlerin ein Schälchen Kaffee mit. Was hat das zu bedeuten? Ich weiß es! Vor wenigen Minuten trat ein junges Mädchen von höchstens sechzehn Jahren, hübsch wie der Tag, deren ganzem Äußern, deren ganzem Betragen man Sitte und verschämte Dürftigkeit ansah, angelockt von der Vexierware, an den Korb. Ihr Sinn war auf ein weißes Tuch mit bunter Borte gerichtet, dessen sie vielleicht eben sehr bedurfte. Sie feilschte darum, die Alte wandte alle Künste merkantilischer Schlauheit an, indem sie das Tuch ausbreitete und die grellen Farben im Sonnenschein schimmern ließ. Sie wurden handelseinig. Als nun aber die Arme aus dem Schnupftuchzipfel die kleine Kasse entwickelte, reichte die Barschaft nicht hin zu solcher Ausgabe. Mit hochglühenden Wangen, hellen Tränen in den Augen, entfernte sich das Mädchen, so schnell sie konnte, während die Alte, höhnisch auflachend, das Tuch zusammenfaltete und in den Korb zurückwarf. Artige Redensarten mag es dabei gegeben haben. Aber nun kennt der andere Satan die Kleine und weiß die traurige Geschichte einer verarmten Familie aufzutischen als eine skandalöse Chronik von Leichtsinn und vielleicht gar Verbrechen, zur Gemütsergötzlichkeit der getäuschten Krämerin. Mit der Tasse Kaffee wurde gewiß eine derbe, faustdicke Verleumdung belohnt. –

Ich: Von allem, was du da herauskombinierst, lieber Vetter, mag kein Wörtchen wahr sein, aber indem ich die Weiber anschaue, ist mir, Dank sei es deiner lebendigen Darstellung, alles so plausibel, daß ich daran glauben muß, ich mag wollen oder nicht.

Der Vetter: Ehe wir uns von der Theaterwand abwenden, laß uns noch einen Blick auf die dicke gemütliche Frau mit vor Gesundheit strotzenden Wangen werfen, die in stoischer Ruhe und Gelassenheit, die Hände unter die weiße Schürze gesteckt, auf einem Rohrstuhle sitzt und vor sich einen reichen Kram von hellpolierten Löffeln, Messern und Gabeln, Fayence, porzellanenen Tellern und Terrinen von verjährter Form, Teetassen, Kaffeekannen, Strumpfware, und was weiß ich sonst, auf weißen Tüchern ausgebreitet hat, so daß ihr Vorrat, wahrscheinlich aus kleinen Auktionen zusammengestümpert, einen wahren Orbis pictus bildet. Ohne sonderlich eine Miene zu verziehen, hört sie das Gebot des Feilschenden, sorglos, ob aus dem Handel was wird oder nicht; schlägt zu, streckt die eine Hand unter der Schürze hervor, um eben nur das Geld vom Käufer zu empfangen, den sie die erkaufte Ware selbst fortnehmen läßt. Das ist eine ruhige, besonnene Handelsfrau, die was vor sich bringen wird. Vor vier Wochen bestand ihr ganzer Kram in ungefähr einem halben Dutzend feiner baumwollener Strümpfe und ebensoviel Trinkgläsern. Ihr Handel steigt mit jedem Markt, und da sie keinen bessern Stuhl mitbringt, die Hände auch noch ebenso unter die Schürze steckt wie sonst, so zeigt das, daß sie Gleichmut des Geistes besitzt und sich durch das Glück nicht zu Stolz und Übermut verleiten läßt. Wie kommt mir doch plötzlich die skurrile Idee zu Sinn! Ich denke mir in diesem Augenblick ein ganz kleines schadenfrohes Teufelchen, das, wie auf jenem Hogarthischen Blatt unter den Stuhl der Betschwester, hier unter den Sessel der Krämerfrau gekrochen ist und, neidisch auf ihr Glück, heimtückischerweise die Stuhlbeine wegsägt. Plump! fällt sie in ihr Glas und Porzellan, und mit dem ganzen Handel ist es aus. Das wäre denn doch ein Fallissement im eigentlichsten Sinne des Wortes. –

Ich: Wahrhaftig, lieber Vetter, du hast mich jetzt schon besser schauen gelehrt. Indem ich meinen Blick in dem bunten Gewühl der wogenden Menge umherschweifen lasse, fallen mir hin und wieder junge Mädchen in die Augen, die, von sauber angezogenen Köchinnen, welche geräumige, glänzende Marktkörbe am

Arme tragen, begleitet, den Markt durchstreifen und um Hausbedürfnisse, wie sie der Markt darbietet, feilschen. Der Mädchen modester Anzug, ihr ganzer Anstand läßt nicht daran zweifeln, daß sie wenigstens vornehmen bürgerlichen Standes sind. Wie kommen diese auf den Markt?

Der Vetter: Leicht erklärlich. Seit einigen Jahren ist es Sitte geworden, daß selbst die Töchter höherer Staatsbeamten auf den Markt geschickt werden, um den Teil der Hauswirtschaft, was den Einkauf der Lebensmittel betrifft, praktisch zu erlernen.

Ich: In der Tat eine löbliche Sitte, die nächst dem praktischen Nutzen zu häuslicher Gesinnung führen muß.

Der Vetter: Meinst du, Vetter? Ich für mein Teil glaube das Gegenteil. Was kann der Selbsteinkauf für andere Zwecke haben, als sich von der Güte der Ware und von den wirklichen Marktpreisen zu überzeugen? Die Eigenschaften, das Ansehn, die Kennzeichen eines guten Gemüses, eines guten Fleisches usw. lernt die angehende Hausfrau sehr leicht auf andere Weise erkennen, und das kleine Ersparnis der sogenannten Schwenzelpfennige, das nicht einmal stattfindet, da die begleitende Köchin mit den Verkäufern sich unbedenklich insgeheim versteht, wiegt den Nachteil nicht auf, den der Besuch des Markts sehr leicht herbeiführen kann. Niemals würde ich um den Preis von etlichen Pfennigen meine Tochter der Gefahr aussetzen, eingedrängt in den Kreis des niedrigsten Volks, eine Zote zu hören oder irgendeine lose Rede eines brutalen Weibes oder Kerls einschlucken zu müssen. – Und dann, was gewisse Spekulationen liebeseufzender Jünglinge in blauen Röcken zu Pferde oder in gelben Flauschen mit schwarzen Kragen zu Fuß betrifft, so ist der Markt – Doch sieh, sieh, Vetter! wie gefällt dir das Mädchen, das soeben dort an der Pumpe, von der ältlichen Köchin begleitet, daherkommt? Nimm mein Glas, nimm mein Glas, Vetter!

Ich: Ha, was für ein Geschöpf, die Anmut, die Liebenswürdigkeit selbst, – aber sie schlägt die Augen verschämt nieder – jeder ihrer Schritte ist furchtsam – wankend – schüchtern hält sie sich an ihre Begleiterin, die ihr mit forciertem Angriff den Weg ins

Gedränge bahnt – ich verfolge sie – da steht die Köchin still vor den Gemüsekörben – sie feilscht – sie zieht die Kleine heran, die mit halb weggewandtem Gesicht ganz geschwinde, geschwinde Geld aus dem Beutelchen nimmt und es hinreicht, froh, nur wieder loszukommen – ich kann sie nicht verlieren, Dank sei es dem roten Shawl – sie scheinen etwas vergeblich zu suchen – endlich, endlich, dort weilen sie bei einer Frau, die in zierlichen Körben feines Gemüse feilbietet, – der holden Kleinen ganze Aufmerksamkeit fesselt ein Korb mit dem schönsten Blumenkohl – das Mädchen selbst wählt einen Kopf und legt ihn der Köchin in den Korb, – wie, die Unverschämte! – ohne weiteres nimmt sie den Kopf aus dem Korbe heraus, legt ihn in den Korb der Verkäuferin zurück und wählt einen andern, indem ihr heftiges Schütteln mit dem gewichtigen kantenhaubengeschmückten Haupte noch dazu bemerken läßt, daß sie die arme Kleine, welche zum ersten Male selbständig sein wollte, mit Vorwürfen überhäuft.

Der Vetter: Wie denkst du dir die Gefühle dieses Mädchens, der man eine Häuslichkeit aufdringen will, welche ihrem zarten Sinn gänzlich widerstrebt? Ich kenne die holde Kleine; es ist die Tochter eines geheimen Oberfinanzrats, ein natürliches, von jeder Ziererei entferntes Wesen, von echtem weiblichen Sinn beseelt und mit jenem jedesmal richtig treffenden Verstande und feinen Takt begabt, der Weibern dieser Art stets eigen – Hoho, Vetter! das nenn ich glückliches Zusammentreffen. Hier um die Ecke kommt das Gegenstück zu jenem Bilde. Wie gefällt dir *das* Mädchen, Vetter?

Ich: Ei, welch eine niedliche, schlanke Gestalt! – Jung – leichtfüßig – mit keckem, unbefangenem Blick in die Welt hineinschauend – am Himmel stets Sonnenglanz – in den Lüften stets lustige Musik – wie dreist, wie sorglos sie dem dicken Haufen entgegenhüpft – die Servante, die ihr mit dem Marktkorbe folgt, scheint eben nicht älter als sie und zwischen beiden eine gewisse Kordialität zu herrschen – die Mamsell hat gar hübsche Sachen an, der Shawl ist modern – der Hut passend zur Morgentracht, so wie das Kleid von geschmackvollem Muster

– alles hübsch und anständig – o weh! was erblicke ich, die Mamsell trägt weißseidene Schuhe. Ausrangierte Ballchaussure auf dem Markt! – Überhaupt, je länger ich das Mädchen beobachte, desto mehr fällt mir eine gewisse Eigentümlichkeit auf, die ich mit Worten nicht ausdrücken kann. – Es ist wahr, sie macht, so wie es scheint, mit sorglicher Emsigkeit ihre Einkäufe, wählt und wählt, feilscht und feilscht, spricht, gestikuliert, alles mit einem lebendigen Wesen, das beinah bis zur Spannung geht; mir ist aber, als wolle sie noch etwas anderes als eben Hausbedürfnisse einkaufen. –

Der Vetter: Bravo, bravo, Vetter! dein Blick schärft sich, wie ich merke. Sieh nur, mein Liebster, trotz der modesten Kleidung hätten dir – die Leichtfüßigkeit des ganzen Wesens abgerechnet – schon die weißseidenen Schuhe auf dem Markt verraten müssen, daß die kleine Mamsell dem Ballett oder überhaupt dem Theater angehört. Was sie sonst noch will, dürfte sich vielleicht bald entwickeln – ha, getroffen! Schau doch, lieber Vetter, ein wenig rechts die Straße hinauf und sage mir, wen du auf dem Bürgersteig, vor dem Hotel, wo es ziemlich einsam ist, erblickst?

Ich: Ich erblicke einen großen, schlankgewachsenen Jüngling im gelben kurzgeschnittenen Flausch mit schwarzem Kragen und Stahlknöpfen. Er trägt ein kleines rotes, silbergesticktes Mützchen, unter dem schöne schwarze Locken, beinahe zu üppig, hervorquillen. Den Ausdruck des blassen, männlich schön geformten Gesichts erhöht nicht wenig das kleine schwarze Stutzbärtchen auf der Oberlippe. Er hat eine Mappe unter dem Arm – unbedenklich ein Student, der im Begriff stand, ein Kollegium zu besuchen, – aber fest eingewurzelt steht er da, den Blick unverwandt nach dem Markt gerichtet, und scheint Kollegium und alles um sich her zu vergessen. –

Der Vetter: So ist es, lieber Vetter. Sein ganzer Sinn ist auf unsere kleine Komödiantin gerichtet. Der Zeitpunkt ist gekommen; er naht sich der großen Obstbude, in der die schönste Ware appetitlich aufgetürmt ist, und scheint nach Früchten zu fragen, die eben nicht zur Hand sind. Es ist ganz unmöglich, daß ein guter Mittagstisch ohne Dessert von Obst bestehen kann; unsere kleine Komödiantin muß daher ihre Einkäufe für den Tisch des Hauses an der Obstbude beschließen. Ein runder rotbäckiger Apfel entschlüpft schalkhaft den kleinen Fingern – der Gelbe bückt sich darnach, hebt ihn auf – ein leichter anmutiger Knicks der kleinen Theaterfee – das Gespräch ist im Gange – wechselseitiger Rat und Beistand bei einer sattsam schwierigen Apfelsinenwahl vollendet die gewiß bereits früher angeknüpfte Bekanntschaft, indem sich zugleich das anmutige Rendezvous gestaltet, welches gewiß auf mannigfache Weise wiederholt und variiert wird. –

Ich: Mag der Musensohn liebeln und Apfelsinen wählen, soviel er will; mich interessiert das nicht, und zwar um so weniger, da mir dort an der Ecke der Hauptfronte des Theaters, wo die Blumenverkäuferinnen ihre Ware feilbieten, das Engelskind die allerliebste Geheimeratstochter, von neuem aufgestoßen ist.

Der Vetter: Nach den Blumen dort schau ich nicht gerne hin, lieber Vetter; es hat damit eine eigne Bewandtnis. Die Verkäuferin, welche der Regel nach den schönsten Blumenflor ausgesuchter Nelken, Rosen und anderer seltenerer Gewächse hält, ist ein ganz hübsches, artiges Mädchen, strebend nach höherer Kultur des Geistes; denn sowie sie der Handel nicht beschäftigt, liest sie emsig in Büchern, deren Uniform zeigt, daß sie zur großen Kralowskischen ästhetischen Hauptarmee gehören, welche bis in die entferntesten Winkel der Residenz siegend das Licht der Geistesbildung verbreitet. Ein lesendes Blumenmädchen ist für einen belletristischen Schriftsteller ein unwiderstehlicher Anblick. So kam es, daß, als vor langer Zeit mich der Weg bei den Blumen vorbeiführte – auch an andern Tagen stehen die Blumen zum Verkauf –, ich, das lesende Blumenmädchen gewahrend, überrascht stehenblieb. Sie saß wie in einer dichten Laube von blühenden Geranien und hatte das Buch aufgeschlagen auf dem Schoße, den Kopf in die Hand gestützt. Der Held mußte gerade in augenscheinlicher Gefahr oder sonst ein wichtiger Moment der Handlung eingetreten sein; denn höher glühten des Mädchens Wangen, ihre Lippen bebten, sie schien ihrer Umgebung ganz entrückt. Vetter, ich will dir die seltsame Schwäche eines Schriftstellers ganz ohne Rücksicht gestehen. Ich war wie festgebannt an die Stelle – ich trippelte hin und her; was mag das Mädchen lesen? Dieser Gedanke beschäftigte meine ganze Seele. Der Geist der Schriftstellereitelkeit regte sich und kitzelte mich mit der Ahnung, daß es eins meiner eigenen Werke sei, was eben jetzt das Mädchen in die phantastische Welt meiner Träumereien versetzte. Endlich faßte ich ein Herz, trat hinan und fragte nach dem Preise eines Nelkenstocks, der in einer entfernten Reihe stand. Während daß das Mädchen den Nelkenstock herbeiholte, nahm ich mit den Worten „Was lesen Sie denn da, mein schönes Kind?" das geklappte Buch zur Hand. Oh! all ihr Himmel, es war wirklich ein Werklein von mir, und zwar***. – Das Mädchen brachte die Blumen herbei und gab zugleich den mäßigen Preis an. Was Blumen, was Nelkenstock; das Mädchen war mir in diesem Augenblick ein viel schätzenswerteres Publikum als die ganze elegante Welt der Residenz. Aufgeregt, ganz entflammt von den süßesten Autorgefühlen, fragte ich mit anscheinender Gleichgültigkeit, wie denn dem Mädchen das Buch gefalle. „I, mein lieber Herr", erwiderte das Mädchen, „das ist ein gar schnakisches Buch. Anfangs wird einem ein wenig wirrig im Kopfe; aber dann ist es so, als wenn man mitten darinsäße." Zu meinem nicht geringen Erstaunen erzählte mir das Mädchen den Inhalt des kleinen Märchens ganz klar und deutlich, so daß ich wohl einsah, wie sie es schon mehrmals gelesen haben mußte; sie wiederholte, es sei ein gar schnakisches Buch, sie habe bald herzlich lachen müssen, bald sei ihr ganz weinerlich zumute geworden; sie gab mir den Rat, falls ich das Buch noch nicht gelesen haben sollte, es mir nachmittags von Herrn Kralowski zu holen, denn sie wechsele eben nachmittags Bücher. – Nun sollte der große Schlag geschehn. Mit niedergeschlagenen Augen, mit einer Stimme, die an Süßigkeit dem Honig von Hybla zu vergleichen, mit dem seligen Lächeln des wonnerfüllten Autors lispelte ich: „Hier, mein süßer Engel, hier steht der Autor des Buchs, welches Sie mit solchem Vergnügen erfüllt hat, vor Ihnen in leibhaftiger Person.“ Das Mädchen starrte mich sprachlos an, mit großen Augen und offenem Munde. Das galt mir für den Ausdruck der höchsten Verwunderung, ja eines freudigen Schrecks, daß das sublime Genie, dessen schaffende Kraft solch ein Werk erzeugt, so plötzlich bei den Geranien erschienen. Vielleicht, dachte ich, als des Mädchens Miene unverändert blieb, vielleicht glaubt sie auch gar nicht an den glücklichen Zufall, der den berühmten Verfasser des *** in ihre Nähe bringt. Ich suchte nun ihr auf alle mögliche Weise meine Identität mit jenem Verfasser darzutun, aber es war, als sei sie versteinert, und nichts entschlüpfte ihren Lippen als: „Hm – so – I das wäre – wie –.“ Doch was soll ich dir die tiefe Schmach, welche mich in diesem Augenblick traf, erst weitläufig beschreiben. Es fand sich, daß das Mädchen niemals daran gedacht, daß die Bücher, welche sie lese, vorher gedichtet werden müßten. Der Begriff eines Schriftstellers, eines Dichters war ihr gänzlich fremd, und ich glaube wahrhaftig, bei näherer Nachfrage wäre der fromme kindliche Glaube ans Licht gekommen, daß der liebe Gott die Bücher wachsen ließe wie die Pilze.

Ganz kleinlaut fragte ich nochmals nach dem Preise des Nelkenstocks. Unterdessen mußte eine ganz andere dunkle Idee von dem Verfertigen der Bücher dem Mädchen aufgestiegen sein; denn da ich das Geld aufzählte, fragte sie ganz naiv und unbefangen, ob ich alle Bücher beim Herrn Kralowski mache – pfeilschnell schoß ich mit meinem Nelkenstock von dannen.

Ich: Vetter, Vetter, das nenne ich gestrafte Autoreitelkeit; doch während du mir deine tragische Geschichte erzähltest, verwandte ich kein Auge von meiner Lieblingin. Bei den Blumen allein ließ der übermütige Küchendämon ihr volle Freiheit. Die grämliche Küchengouvernante hatte den schweren Marktkorb an die Erde gesetzt und überließ sich, indem sie die feisten Arme bald übereinanderschlug, bald, wie es der äußere rhetorische Ausdruck der Rede zu erfordern schien, in die Seiten stemmte, mit drei Kolleginnen der unbeschreiblichen Freude des Gesprächs, und ihre Rede war, der Bibel entgegen, gewiß viel mehr als ja, ja und nein, nein. Sieh nur, welch einen herrlichen Blumenflor sich der holde Engel ausgewählt hat und von einem rüstigen Burschen nachtragen läßt. Wie? Nein, das will mir nicht ganz gefallen, daß sie im Wandeln Kirschen aus dem kleinen Körbchen nascht; wie wird das feine Batisttuch, das wahrscheinlich darin befindlich, sich mit dem Obst befreunden?

Der Vetter: Der jugendliche Appetit des Augenblicks frägt nicht nach Kirschflecken, für die es Kleesalz und andere probate Hausmittel gibt. Und das ist eben die wahrhaft kindliche Unbefangenheit, daß die Kleine nun von den Drangsalen des bösen Markts sich in wiedererlangter Freiheit ganz gehen läßt. – Doch schon lange ist mir jener Mann aufgefallen und ein unauflösbares Rätsel geblieben, der eben jetzt dort an der zweiten entfernten Pumpe an dem Wagen steht, auf dem ein Bauerweib aus einem großen Faß um ein billiges Pflaumenmus verspendet. Fürs erste, lieber Vetter, bewundere die Agilität des Weibes, das, mit einem langen hölzernen Löffel bewaffnet, erst die großen Verkäufe zu viertel, halben und ganzen Pfunden beseitigt und dann den gierigen Näschern, die ihre Papierchen, mitunter auch wohl ihre Pelzmütze hinhalten, mit Blitzesschnelle das gewünschte Dreierkleckschen zuwirft, welches sie sogleich als stattlichen Morgenimbiß wohlgefällig verzehren – Kaviar des Volks! Bei dem geschickten Verteilen des Pflaumenmuses mittelst des geschwenkten Löffels fällt mir ein, daß ich einmal in meiner Kindheit hörte, es sei auf einer reichen Bauerhochzeit so splendid hergegangen, daß der delikate, mit einer dicken Kruste von Zimt, Zucker und Nelken überhäutete Reisbrei mittelst eines Dreschflegels verteilt worden. Jeder der werten Gäste durfte nur ganz gemütlich das Maul aufsperren, um die gehörige Portion zu bekommen, und es ging auf diese Weise recht zu wie im Schlaraffenland. Doch, Vetter, hast du den Mann ins Auge gefaßt?

Ich: Allerdings! – Wes Geistes Kind ist die tolle abenteuerliche Figur? Ein wenigstens sechs Fuß hoher, winddürrer Mann, der noch dazu kerzengrade mit eingebogenem Rücken dasteht! Unter dem kleinen dreieckigen, zusammengequetschten Hütchen starrt hinten die Kokarde eines Haarbeutels hervor, der sich dann in voller Breite dem Rücken sanft anschmiegt. Der graue, nach längst verjährter Sitte zugeschnittene Rock schließt sich, vorne von oben bis unten zugeknöpft, enge an den Leib an, ohne eine einzige Falte zu werfen, und schon erst, als er an den Wagen schritt, konnte ich bemerken, daß er schwarze Beinkleider, schwarze Strümpfe und mächtige zinnerne Schnallen in den Schuhen trägt. Was mag er nur in dem viereckigen Kasten haben, den er so sorglich unter dem linken Arme trägt und der beinahe dem Kasten eines Tabulettkrämers gleicht? –

Der Vetter: Das wirst du gleich erfahren, schau nur aufmerksam hin.

Ich: Er schlägt den Deckel des Kastens zurück – die Sonne scheint hinein – strahlende Reflexe – der Kasten ist mit Blech gefüttert – er macht der Pflaumenmusfrau, indem er das Hütchen vom Kopfe zieht, eine beinahe ehrfurchtsvolle Verbeugung. – Was für ein originelles, ausdrucksvolles Gesicht – feingeschlossene Lippen – eine Habichtsnase – große, schwarze Augen – hochstehende, starke Augenbrauen – eine hohe Stirn – schwarzes Haar – das Toupet en cœur frisiert, mit kleinen steifen Löckchen über den Ohren. – Er reicht den Kasten der Bauerfrau auf den Wagen, die ihn ohne weiteres mit Pflaumenmus füllt und ihm freundlich nickend wieder zurückreicht. – Mit einer zweiten Verbeugung entfernt sich der Mann – er windet sich hinan an die Heringstonne – er zieht ein Schubfach des Kastens hervor, legt einige erhandelte Salzmänner hinein und schiebt das Fach wieder zu – ein drittes Schubfach ist, wie ich sehe, zu Petersilie und anderem Wurzelwerk bestimmt. – Nun durchschneidet er mit langen, gravitätischen Schritten den Markt in verschiedenen Richtungen, bis ihn der reiche, auf einem Tisch ausgebreitete Vorrat von gerupftem Geflügel festhält. So wie überall, macht er auch hier, ehe er zu feilschen beginnt, einige tiefe Verbeugungen – er spricht viel und lange mit der Frau, die ihn mit besonders freundlicher Miene anhört – er setzt den Kasten behutsam auf den Boden nieder und ergreift zwei Enten, die er ganz bequem in die weite Rocktasche schiebt. – Himmel! es folgt noch eine Gans – den Puter schaut er bloß an mit liebäugelnden Blicken – er kann doch nicht unterlassen, ihn wenigstens mit dem Zeige-

und Mittelfinger liebkosend zu berühren; schnell hebt er seinen Kasten auf, verbeugt sich gegen das Weib ungemein verbindlich und schreitet, sich mit Gewalt losreißend von dem verführerischen Gegenstand seiner Begierde, von dannen – er steuert geradezu los auf die Fleischerbuden – ist der Mensch ein Koch, der für ein Gastmahl zu sorgen hat? – er erhandelt eine Kalbskeule, die er noch in eine seiner Riesentaschen gleiten läßt. – Nun ist er fertig mit seinem Einkauf; er geht die Charlottenstraße herauf mit solchem ganz seltsamen Anstand und Wesen, daß er aus irgendeinem fremden Lande hinabgeschneit zu sein scheint.

Der Vetter: Genug habe ich mir schon über diese exotische Figur den Kopf zerbrochen. – Was denkst du, Vetter, zu meiner Hypothese? Dieser Mensch ist ein alter Zeichenmeister, der in mittelmäßigen Schulanstalten sein Wesen getrieben hat und vielleicht noch treibt. Durch allerlei industriöse Unternehmungen hat er viel Geld erworben; er ist geizig, mißtrauisch, Zyniker bis zum Ekelhaften, Hagestolz, – nur einem Gott opfert er – dem Bauche; – seine ganze Lust ist, gut zu essen, versteht sich allein auf seinem Zimmer; – er ist durchaus ohne alle Bedienung, er besorgt alles selbst – an Markttagen holt er, wie du gesehen hast, seine Lebensbedürfnisse für die halbe Woche und bereitet in einer kleinen Küche, die dicht bei seinem armseligen Stübchen belegen, selbst seine Speisen, die er dann, da der Koch es stets dem Gaumen des Herrn zu Dank macht, mit gierigem, ja vielleicht tierischem Appetit verzehrt. Wie geschickt und zweckmäßig er einen alten Malkasten zum Marktkorbe aptiert hat, auch das hast du bemerkt, lieber Vetter.

Ich: Weg von dem widrigen Menschen.

Der Vetter: Warum widrig? Es muß auch solche Käuze geben, sagt ein welterfahrner Mann, und er hat recht, denn die Varietät kann nie bunt genug sein. Doch mißfällt dir der Mann so sehr, lieber Vetter, so kann ich dir darüber, was er ist, tut und treibt, noch eine andere Hypothese aufstellen. Vier Franzosen, und zwar sämtlich Pariser, ein Sprachmeister, ein Fechtmeister, ein Tanzmeister und ein Pastetenbäcker, kamen in ihren Jugendjahren gleichzeitig nach Berlin und fanden, wie es damals (gegen das Ende des vorigen Jahrhunderts) gar nicht fehlen konnte, ihr reichliches Brot. Seit dem Augenblick, als die Diligence sie auf der Reise vereinigte, schlossen sie den engsten Freundschaftsbund, blieben ein Herz und eine Seele und verlebten jeden Abend nach vollbrachter Arbeit zusammen, als echte alte Franzosen, in lebhafter Konversation, bei frugalem Abendessen. Des Tanzmeisters Beine waren stumpf worden, des Fechtmeisters Arme durch das Alter entnervt, dem Sprachmeister Rivale, die sich der neuesten Pariser Mundart rühmten, über den Kopf gestiegen, und die schlauen Erfindungen des Pastetenbäckers überboten jüngere Gaumenkitzler, von den eigensinnigsten Gastronomen in Paris ausgebildet.

Aber jeder des treu verbundenen Quatuors hatte indessen sein Schäfchen ins trockne gebracht. Sie zogen zusammen in eine geräumige, ganz artige, jedoch entlegene Wohnung, gaben ihre Geschäfte auf und lebten zusammen, altfranzösischer Sitte getreu, ganz lustig und sorgenfrei, da sie selbst den Bekümmernissen und Lasten der unglücklichen Zeit geschickt zu entgehen wußten. Jeder hat ein besonderes Geschäft, wodurch der Nutzen und das Vergnügen der Sozietät befördert wird. Der Tanzmeister und der Fechtmeister besuchen ihre alten Scholaren, ausgediente Offiziers von höherm Range, Kammerherren, Hofmarschälle usw.; denn sie hatten die vornehmste Praxis und sammeln die Neuigkeiten des Tages zum Stoff für ihre Unterhaltung, der nie ausgehen darf. Der Sprachmeister durchwühlt die Läden der Antiquare, um immer mehr französische Werke auszumitteln, deren Sprache die Akademie gebilligt hat. Der Pastetenbäcker sorgt für die Küche; er kauft ebensogut selbst ein, als er die Speisen ebenfalls selbst bereitet, worin ihm ein alter französischer Hausknecht beisteht. Außer diesem besorgt für jetzt, da eine alte zahnlose Französin, die sich von der französischen Gouvernante bis zur Aufwaschmagd heruntergedient hatte, gestorben, ein pausbäckiger Junge, den die vier von den Orphelins françois zu sich genommen, die Bedienung. – Dort geht der kleine Himmelblaue, an einem Arm einen Korb mit Mundsemmeln, an dem andern einen Korb, in dem der Salat hoch aufgetürmt ist. – So habe ich den widrigen zynischen deutschen Zeichenmeister augenblicklich zum gemütlichen französischen Pastetenbäcker umgeschaffen, und ich glaube, daß sein Äußeres, sein ganzes Wesen recht gut dazu paßt.

Ich: Diese Erfindung macht deinem Schriftstellertalent Ehre, lieber Vetter. Doch mir leuchten schon seit ein paar Minuten dort jene hohen weißen Schwungfedern in die Augen, die sich aus dem dicksten Gedränge des Volkes emporheben. Endlich tritt die Gestalt dicht bei der Pumpe hervor – ein großes, schlankgewachsenes Frauenzimmer von gar nicht üblem Ansehen – der Überrock von rosarotem schweren Seidenzeuge ist funkelnagelneu – der Hut von der neuesten Fasson, der daran befestigte Schleier von schönen Spitzen – weiße Glacéhandschuhe. – Was nötigte die elegante, wahrscheinlich zu einem Dejeuner eingeladene Dame, sich durch das Gewühl des Marktes zu drängen? – Doch wie, auch sie gehört zu den Einkäuferinnen? Sie steht still und winkt einem alten, schmutzigen, zerlumpten Weibe, die ihr, ein lebhaftes Bild der Misere im Hefen des Volks, mit einem halbzerbrochenen Marktkorbe am Arm mühsam nachhinkt. Die geputzte Dame winkt an der Ecke des Theatergebäudes, um dem erblindeten Landwehrmann, der dort an die Mauer gelehnt steht, ein Almosen zu geben. Sie zieht mit Mühe den Handschuh von der rechten Hand – hilf Himmel! eine blutrote, noch dazu ziemlich mannhaft gebaute Faust kommt zum Vorschein. Doch ohne lange zu suchen und zu wählen, drückt sie dem Blinden rasch ein Stück Geld in die Hand, läuft rasch bis in die Mitte der Charlottenstraße und setzt sich dann in einen majestätischen Promenadenschritt, mit dem sie, ohne sich weiter um ihre zerlumpte Begleiterin zu kümmern, die Charlottenstraße hinauf nach den Linden wandelt.

Der Vetter: Das Weib hat, um sich auszuruhen, den Korb an die Erde gesetzt, und du kannst mit einem Blick den ganzen Einkauf der eleganten Dame übersehen.

Ich: Der ist in der Tat wunderlich genug. – Ein Kohlkopf – viele Kartoffeln – einige Äpfel – ein kleines Brot – einige Heringe, in Papier gewickelt – ein Schafkäse, nicht von der appetitlichsten Farbe – eine Hammelleber – ein kleiner Rosenstock – ein Paar Pantoffeln – ein Stiefelknecht. – Was in aller Welt –

Der Vetter: Still, still, Vetter, genug von der Rosenroten! – Betrachte aufmerksam jenen Blinden, dem das leichtsinnige Kind der Verderbnis Almosen spendete. Gibt es ein rührenderes Bild unverdienten menschlichen Elends und frommer, in Gott und Schicksal ergebener Resignation? Mit dem Rücken an die Mauer des Theaters gelehnt, beide abgedürrte Knochenhände auf einen Stab gestützt, den er einen Schritt vorgeschoben, damit das unvernünftige Volk ihm nicht über die Füße laufe, das leichenblasse Antlitz emporgehoben, das Landwehrmützchen in die Augen gedrückt, steht er regungslos vom frühen Morgen bis zum Schluß des Markts an derselben Stelle. –

Ich: Er bettelt, und doch ist für die erblindeten Krieger so gut gesorgt.

Der Vetter: Du bist in gar großem Irrtum, lieber Vetter. Dieser arme Mensch macht den Knecht eines Weibes, welches Gemüse feilhält und die zu der niedrigeren Klasse dieser Verkäuferinnen gehört, da die vornehmere das Gemüse in auf Wagen gepackten Körben herbeifahren läßt. Dieser Blinde kommt nämlich jeden Morgen, mit vollen Gemüsekörben bepackt, wie ein Lasttier, so daß ihn die Bürde beinahe zu Boden drückt und er sich nur mit Mühe im wankenden Schritt mittelst des Stabes aufrecht erhält, herbei. Eine große, robuste Frau, in deren Dienste er steht oder die ihn vielleicht nur eben zum Hinschaffen des Gemüses auf den Markt gebraucht, gibt sich, wenn nun seine Kräfte beinahe ganz erschöpft sind, kaum die Mühe, ihn beim Arm zu ergreifen und weiter an Ort und Stelle, nämlich eben an den Platz, den er jetzt einnimmt, hinzuhelfen. Hier nimmt sie ihm die Körbe vom Rücken, die sie selbst hinüberträgt, und läßt ihn stehen, ohne sich im mindesten um ihn eher zu bekümmern, als bis der Markt geendet ist und sie ihm die ganz oder nur zum Teil geleerten Körbe wieder aufpackt.

Ich: Es ist doch merkwürdig, daß man die Blindheit, sollten auch die Augen nicht verschlossen sein oder sollte auch kein anderer sichtbarer Fehler den Mangel des Gesichts verraten, dennoch an der emporgerichteten Stellung des Hauptes, die den Erblindeten eigentümlich, sogleich erkennt; es scheint darin ein fortwährendes Streben zu liegen, etwas in der Nacht, die den Blinden umschließt, zu erschauen.

Der Vetter: Es gibt für mich keinen rührendern Anblick, als wenn ich einen solchen Blinden sehe, der mit emporgerichtetem Haupt in die weite Ferne zu schauen scheint. Untergegangen ist für den Armen die Abendröte des Lebens, aber sein inneres Auge strebt schon das ewige Licht zu erblicken, das ihm in dem Jenseits voll Trost, Hoffnung und Seligkeit leuchtet. – Doch ich werde zu ernst. – Der blinde Landwehrmann bietet mir jeden Markttag einen Schatz von Bemerkungen dar. Du gewahrst, lieber Vetter, wie sich bei diesem armen Menschen die Mildtätigkeit der Berliner recht lebhaft ausspricht. Oft ziehen ganze Reihen bei ihm vorüber, und keiner daraus verfehlt ihm ein Almosen zu reichen. Aber die Art und Weise, wie dieses Almosen gereicht wird, hierin liegt alles. Schau einmal, lieber Vetter, eine Zeitlang hin und sag mir, was du gewahrst.

Ich: Eben kommen drei, vier, fünf stattliche derbe Hausmägde; die mit zum Teil schwer ins Gewicht fallenden Waren übermäßig vollgepackten Körbe schneiden ihnen beinahe die nervichten, blau aufgelaufenen Arme wund; sie haben Ursache zu eilen, um ihre Last loszuwerden, und doch weilt jede einen Augenblick, greift schnell in den Marktkorb und drückt dem Blinden ein Stück Geld, ohne ihn einmal anzusehen, in die Hand. Die Ausgabe steht als notwendig und unerläßlich auf dem Etat des Markttages. Das ist recht! Da kommt eine Frau, deren Anzuge, deren ganzem Wesen man die Behaglichkeit und Wohlhabenheit deutlich anmerkt, – sie bleibt vor dem Invaliden stehen, zieht ein Beutelchen hervor und sucht und sucht, und kein Stück Geld scheint ihr klein genug zum Akt der Wohltätigkeit, den sie zu vollführen gedenkt, – und sie ruft ihrer Köchin zu – es findet sich, daß auch dieser die kleine Münze ausgegangen, – sie muß erst bei den Gemüseweibern wechseln – endlich ist der zu verschenkende Dreier herbeigeschafft – nun klopft sie dem Blinden auf die Hand, damit er ja merke, daß er etwas empfangen werde, – er öffnet den Handteller – die wohltätige Dame drückt ihm das Geldstück hinein und schließt ihm die Faust, damit die splendide Gabe ja nicht verlorengehe. – Warum trippelt die kleine niedliche Mamsell so hin und her und nähert sich immer mehr und mehr dem Blinden? Ha, im Vorbeihuschen hat sie schnell, daß es gewiß niemand als ich, der ich sie auf dem Kern meines Glases habe, bemerkte, dem Blinden ein Stück Geld in die Hand gesteckt – das war gewiß kein Dreier. Der glaue, wohlgemästete Mann im braunen Rocke, der dort so gemütlich dahergeschritten kommt, ist gewiß ein sehr reicher Bürger. Auch er bleibt vor dem Blinden stehen und läßt sich in ein langes Gespräch mit ihm ein, indem er den übrigen Leuten den Weg versperrt und sie hindert, dem Blinden Almosen zu spenden; – endlich, endlich zieht er eine mächtige grüne Geldbörse aus der Tasche, entknüpft sie nicht ohne Mühe und wühlt so entsetzlich im Gelde, daß ich glaube, es bis hierher klappern zu hören. – Parturiunt montes! – Doch will ich wirklich glauben, daß der edle Menschenfreund, vom Bilde des Jammers hingerissen, sich bis zum schlechten Groschen verstieg. – Bei allem dem meine ich doch, daß der Blinde an den Markttagen nach seiner Art keine geringe Einnahme macht, und mich wundert, daß er alles ohne das mindeste Zeichen von Dankbarkeit annimmt; nur eine leise Bewegung der Lippen, die ich wahrzunehmen glaube, zeigt, daß er etwas spricht, was wohl Dank sein mag, – doch auch diese Bewegung bemerke ich nur zuweilen.

Der Vetter: Da hast du den entschiedenen Ausdruck vollkommen abgeschlossener Resignation: was ist ihm das Geld, er kann es nicht nutzen; erst in der Hand eines andern, dem er sich rücksichtslos anvertrauen muß, erhält es seinen Wert – ich kann mich sehr irren, aber mir scheint, als wenn das Weib, deren Gemüsekörbe er trägt, eine fatale böse Sieben sei, die den Armen schlecht hält, unerachtet sie höchstwahrscheinlich alles Geld, was er empfängt, in Beschlag nimmt. Jedesmal, wenn sie die Körbe zurückbringt, keift sie mit dem Blinden, und zwar in dem Grade mehr oder weniger, als sie einen bessern oder schlechtern

Markt gemacht hat. Schon das leichenblasse Gesicht, die abgehungerte Gestalt, die zerlumpte Kleidung des Blinden läßt vermuten, daß seine Lage schlimm genug ist, und es wäre die Sache eines tätigen Menschenfreundes, diesem Verhältnis näher nachzuforschen.

Ich: Indem ich den ganzen Markt überschaue, bemerke ich, daß die Mehlwagen dort, über die Tücher wie Zelte aufgespannt sind, deshalb einen malerischen Anblick gewähren, weil sie dem Auge ein Stützpunkt sind, um den sich die bunte Masse zu deutlichen Gruppen bildet.

Der Vetter: Von den weißen Mehlwagen und den mehlbestaubten Mühlknappen und Müllermädchen mit rosenroten Wangen, jede eine bella molinara, kenne ich gerade auch etwas Entgegengesetztes. Mit Schmerz vermisse ich nämlich eine Köhlerfamilie, die sonst ihre Ware geradeüber meinem Fenster am Theater feilbot und jetzt hinübergewiesen sein soll auf die andere Seite. Diese Familie besteht aus einem großen robusten Mann mit ausdrucksvollem Gesicht, markichten Zügen, heftig, beinahe gewaltsam in seinen Bewegungen, genug, ganz treues Abbild der Köhler, wie sie in Romanen vorzukommen pflegen. In der Tat, begegnete ich diesem Manne einsam im Walde, es würde mich ein wenig frösteln, und seine freundschaftliche Gesinnung würde mir in dem Augenblick die liebste auf Erden sein. Diesem Mann steht als zweites Glied der Familie im schneidendsten Kontrast ein kaum vier Fuß hoher, seltsam verwachsener Kerl entgegen, der die Possierlichkeit selbst ist. Du weißt, lieber Vetter, daß es Leute gibt von gar seltsamem Bau; auf den ersten Blick muß man sie für bucklig erkennen, und doch vermag man bei näherer Betrachtung durchaus nicht anzugeben, wo ihnen denn eigentlich der Buckel sitzt.

Ich: Ich erinnere mich hiebei des naiven Ausspruchs eines geistreichen Militärs, der mit einem solchen Naturspiel in Geschäften viel zu tun hatte und dem das Unergründliche des wunderlichen Baues ein Anstoß war. „Einen Buckel", sagte er, „einen Buckel hat der Mensch; aber wo ihm der Buckel sitzt, das weiß der Teufel!" –

Der Vetter: Die Natur hatte im Sinn, aus meinem kleinen Kohlenbrenner eine riesenhafte Figur von etwa sieben Fuß zu bilden, denn dieses zeigen die kolossalen Hände und Füße, beinahe die größten, die ich in meinem Leben gesehen. Dieser kleine Kerl, mit einem großkragigen Mäntelchen bekleidet, eine wunderliche Pelzmütze auf dem Haupte, ist in steter rastloser Unruhe; mit einer unangenehmen Beweglichkeit hüpft und trippelt er hin und her, ist bald hier, bald dort und müht sich, den Liebenswürdigen, den Scharmanten, den primo amoroso des Markts zu spielen. Kein Frauenzimmer, gehört sie nicht geradehin zum vornehmeren Stande, läßt er vorübergehn, ohne ihm nachzutrippeln und mit ganz unnachahmlichen Stellungen, Gebärden und Grimassen Süßigkeiten auszustoßen, die nun freilich im Geschmack der Kohlenbrenner sein mögen. Zuweilen treibt er die Galanterie so weit, daß er im Gespräch den Arm sanft um die Hüften des Mädchens schlingt und, die Mütze in der Hand, der Schönheit huldigt oder ihr seine Ritterdienste anbietet. Merkwürdig genug, daß die Mädchen sich nicht allein das gefallen lassen, sondern überdem dem kleinen Ungetüm freundlich zunicken und seine Galanterien überhaupt gar gerne zu haben scheinen. Dieser kleine Kerl ist gewiß mit einer reichen Dosis von natürlichem Mutterwitz, dem entschiedenen Talent fürs Possierliche und der Kraft, es darzustellen, begabt. Er ist der Pagliasso, der Tausendsasa, der Allerweltskerl in der ganzen Gegend, die den Wald umschließt; wo er hauset; ohne ihn kann keine Kindtaufe, kein Hochzeitsschmaus, kein Tanz im Kruge, kein Gelag' bestehen; man freuet sich auf seine Späße und belacht sie das ganze Jahr hindurch. Der Rest der Familie besteht, da die Kinder und etwanigen Mägde zu Hause gelassen werden, nur noch aus zwei Weibern von robustem Bau und finsterm, mürrischen Ansehen, wozu freilich der Kohlenstaub, der sich in den Falten des Gesichts festsetzt, viel beiträgt. Die zärtliche Anhänglichkeit eines großen Spitzes, mit dem die Familie jeden Bissen teilt, den sie während des Marktes selbst genießt, zeigte mir übrigens, daß es in der Köhlerhütte recht ehrlich und patriarchalisch zugehen mag. Der Kleine hat übrigens Riesenkräfte, weshalb die Familie ihn dazu braucht, die verkauften Kohlensäcke den Käufern ins Haus zu schaffen. Ich sah oft ihn von den Weibern mit wohl zehn großen Körben bepacken, die sie hoch übereinander auf seinen Rücken häuften, und er hüpfte damit fort, als fühle er keine Last. Von hinten sah nun die Figur so toll und abenteuerlich aus, als man nur etwas sehen kann. Natürlicherweise gewahrte man von der werten Figur des Kleinen auch nicht das allermindeste, sondern bloß einen ungeheuren Kohlensack, dem unten ein Paar Füßchen angewachsen waren. Es schien ein fabelhaftes Tier, eine Art märchenhaftes Känguruh über den Markt zu hüpfen.

Ich: Sieh, sieh, Vetter! Dort an der Kirche entsteht Lärm. Zwei Gemüseweiber sind wahrscheinlich über das leidige Meum und Tuum in heftigen Streit geraten und scheinen, die Fäuste in die Seiten gestemmt, sich mit feinen Redensarten zu bedienen. Das Volk läuft zusammen – ein dichter Kreis umschließt die Zankenden – immer stärker und gellender erheben sich die Stimmen – immer heftiger fechten sie mit den Händen durch die Lüfte – immer näher rücken sie sich auf den Leib – gleich wird es zum Faustkampf kommen – die Polizei macht sich Platz – wie? Plötzlich erblicke ich eine Menge Glanzhüte zwischen den Zornigen – im Augenblick gelingt es den Gevatterinnen, die erhitzten Gemüter zu besänftigen – aus ist der Streit – ohne Hilfe der Polizei – ruhig kehren die Weiber zu ihren Gemüsekörben zurück – das Volk, welches nur einigemal, wahrscheinlich bei besonders drastischen Momenten des Streits, durch lautes Aufjauchzen seinen Beifall zu erkennen gab, läuft auseinander.

Der Vetter: Du bemerkst, lieber Vetter, daß dieses während der ganzen langen Zeit, die wir hier am Fenster zugebracht, der einzige Zank war, der sich auf dem Markte entspann und der lediglich durch das Volk selbst beschwichtigt wurde. Selbst ein ernsterer, bedrohlicherer Zank wird gemeinhin von dem Volke selbst auf diese Weise gedämpft, daß sich alles zwischen die Streitenden drängt und sie auseinanderbringt. Am vorigen Markttage stand zwischen den Fleisch- und Obstbuden ein großer, abgelumpter Kerl von frechem, wildem Ansehn, der mit dem vorübergehenden Fleischerknecht plötzlich in Streit geriet; er führte ohne weiteres mit dem furchtbaren Knittel, den er wie ein Gewehr über die Schulter gelehnt trug, einen Schlag gegen den Knecht, der diesen wahrscheinlich auf der Stelle zu Boden gestreckt haben würde, wäre er nicht geschickt ausgewichen und in seine Bude gesprungen. Hier bewaffnete er sich aber mit einer gewaltigen Fleischeraxt und wollte dem Kerl zu Leibe. Alle Aspekten waren dazu da, daß das Ding sich mit Mord und Totschlag endigen und das Kriminalgericht in Tätigkeit gesetzt werden würde. Die Obstfrauen, lauter kräftige und wohlgenährte Gestalten, fanden sich aber verpflichtet, den Fleischerknecht so liebreich und fest zu umarmen, daß er sich nicht aus der Stelle zu rühren vermochte; er stand da mit hoch emporgeschwungener Waffe, wie es in jener pathetischen Rede vom rauhen Pyrrhus heißt:

> „wie ein gemalter Wütrich und wie parteilos zwischen
> Kraft und Willen, tat er nichts."

Unterdessen hatten andere Weiber, Bürstenbinder, Stiefelknechtverkäufer usw., den Kerl umringend, der Polizei Zeit gegönnt, heranzukommen und sich seiner, der mir ein freigelassener Sträfling schien, zu bemächtigen.

Ich: Also herrscht in der Tat im Volk ein Sinn für die zu erhaltende Ordnung, der nicht anders als für alle sehr ersprießlich wirken kann.

Der Vetter: Überhaupt, mein lieber Vetter, haben mich meine Beobachtungen des Marktes in der Meinung bestärkt, daß mit dem Berliner Volk seit jener Unglücksperiode, als ein frecher, übermütiger Feind das Land überschwemmte und sich vergebens mühte, *den* Geist zu unterdrücken, der bald wie eine gewaltsam zusammengedrückte Spiralfeder mit erneuter Kraft emporsprang, eine merkwürdige Veränderung vorgegangen ist. Mit *einem* Wort: das Volk hat an äußerer Sittlichkeit gewonnen; und wenn du dich einmal an einem schönen Sommertage gleich nachmittags nach den Zelten bemühst und die Gesellschaften beobachtest, welche sich nach Moabit einschiffen lassen, so wirst du selbst unter gemeinen Mägden und Tagelöhnern ein Streben nach einer gewissen Courtoisie bemerken, das ganz ergötzlich ist. Es ist der Masse so gegangen wie dem einzelnen, der viel Neues gesehn, viel Ungewöhnliches erfahren und der mit dem Nil admirari die Geschmeidigkeit der äußern Sitte gewonnen. Sonst war das Berliner Volk roh und brutal; man durfte z. B. als Fremder kaum nach einer Straße oder nach einem Hause oder sonst nach etwas fragen, ohne eine grobe oder verhöhnende Antwort zu erhalten oder durch falschen Bescheid gefoppt zu werden. Der Berliner Straßenjunge, der den kleinsten Anlaß, einen etwas auffallenden Anzug, einen lächerlichen Unfall, der jemanden geschah, zu dem abscheulichsten Frevel benutzte, existiert nicht mehr. Denn jene Zigarrenjungen vor den Toren, die den „fidelen Hamburger avec du feu" ausbieten, diese Galgenstricke, welche ihr Leben in Spandau oder Strausberg oder, wie noch kürzlich einer von ihrer Rasse, auf dem Schafott endigen, sind keineswegs das, was der eigentliche Berliner Straßenjunge war, der, nicht Vagabund, sondern gewöhnlich Lehrbursche bei einem Meister, – es ist lächerlich zu sagen – bei aller Gottlosigkeit und Verderbnis doch ein gewisses Point d'honneur besaß und dem es an gar drolligem Mutterwitz nicht mangelte.

Ich: Oh, lieber Vetter, laß mich dir in aller Geschwindigkeit sagen, wie neulich mich ein solcher fataler Volkswitz tief beschämt hat. Ich gehe vors Brandenburger Tor und werde von Charlottenburger Fuhrleuten verfolgt, die mich zum Aufsitzen einladen; einer von ihnen, ein höchstens sechzehn-, siebenzehnjähriger Junge, trieb die Unverschämtheit so weit, daß er mich mit seiner schmutzigen Faust beim Arm packt. „Will Er mich wohl nicht anfassen!" fahre ich ihn zornig an. „Nun, Herr", erwiderte der Junge ganz gelassen, indem er mich mit seinen großen, stieren Augen anglotzte, „nun, Herr, warum soll ich Ihnen denn nicht anfassen; sind Sie vielleicht nicht ehrlich?"

Der Vetter: Haha! dieser Witz ist wirklich einer, aber recht aus der stinkenden Grube der tiefsten Depravation gestiegen. – Die Witzwörter der Berliner Obstweiber u. a. waren sonst weltberühmt, und man tat ihnen sogar die Ehre an, sie shakespearesch zu nennen, unerachtet bei näherer Beleuchtung ihre Energie und Originalität nur vorzüglich in der schamlosen Frechheit bestand, womit sie den niederträchtigsten Schmutz als bekannte Schüssel auftischten. – Sonst war der Markt der Tummelplatz des Zanks, der Prügeleien, des Betrugs, des Diebstahls, und keine honette Frau durfte es wagen, ihren Einkauf selbst besorgen zu wollen, ohne sich der größten Unbill auszusetzen. Denn nicht allein, daß das Hökervolk gegen sich selbst und alle Welt zu Felde zog, so gingen noch Menschen ausdrücklich darauf aus, Unruhe zu erregen, um dabei im trüben zu fischen, wie z. B. das aus allen Ecken und Enden der Welt zusammengeworbene Gesindel, welches damals in den Regimentern steckte. Sieh, lieber Vetter, wie jetzt dagegen der Markt das anmutige Bild der Wohlbehaglichkeit und des sittlichen Friedens darbietet. Ich weiß, enthusiastische Rigoristen, hyperpatriotische Aszetiker eifern grimmig gegen diesen vermehrten äußern Anstand des Volks, indem sie meinen, daß mit dieser Abgeschliffenheit der Sitte auch das Volkstümliche abgeschliffen werde und verlorengehe. Ich meinesteils bin der festen, innigsten Überzeugung, daß ein Volk, das sowohl den Einheimischen als den Fremden nicht mit Grobheit oder höhnischer Verachtung, sondern mit höflicher Sitte behandelt, dadurch unmöglich seinen Charakter einbüßen kann. Mit einem sehr auffallenden Beispiel, welches die Wahrheit meiner Behauptung dartut, würde ich bei jenen Rigoristen gar übel wegkommen.

Immer mehr hatte sich das Gedränge vermindert; immer leerer und leerer war der Markt worden. Die Gemüseverkäuferinnen packten ihre Körbe zum Teil auf herbeigekommene Wagen, zum Teil schleppten sie sie selbst fort – die Mehlwagen fuhren ab – die Gärtnerinnen schafften den übriggebliebenen Blumenvorrat auf großen Schiebkarren fort – geschäftiger zeigte sich die Polizei, alles und vorzüglich die Wagenreihe in gehöriger Ordnung zu erhalten; diese Ordnung wäre auch nicht gestört, wenn es nicht hin und wieder einem schismatischen Bauerjungen eingefallen wäre, quer über den Platz seine eigne neue Beringsstraße zu entdecken, zu verfolgen und seinen kühnen Lauf mitten durch die Obstbuden, geradezu nach der Türe der deutschen Kirche, zu richten. Das gab denn viel Geschrei und viel Ungemach des zu genialen Wagenlenkers. „Dieser Markt“, sprach der Vetter, „ist auch jetzt ein treues Abbild des ewig wechselnden Lebens. Rege Tätigkeit, das Bedürfnis des Augenblicks trieb die Menschenmasse zusammen; in wenigen Augenblicken ist alles verödet, die Stimmen, welche im wirren Getöse durcheinanderströmten, sind verklungen, und jede verlassene Stelle spricht das schauerliche ‚Es war!‘ nur zu lebhaft aus.“ – Es schlug ein Uhr, der grämliche Invalide trat ins Kabinett und meinte mit verzogenem Gesicht: der Herr möge doch nun endlich das Fenster verlassen und essen, da sonst die aufgetragenen Speisen wieder kalt würden. „Also hast du doch Appetit, lieber Vetter?“ fragte ich. „O ja“, erwiderte der Vetter mit schmerzlichem Lächeln, „du wirst es gleich sehen.“

Der Invalide rollte ihn ins Zimmer. Die aufgetragenen Speisen bestanden in einem mäßigen, mit Fleischbrühe gefüllten Suppenteller, einem in Salz aufrecht gestellten, weichgesottenen Ei und einer halben Mundsemmel.

„Ein einziger Bissen mehr“, sprach der Vetter leise und wehmütig, indem er meine Hand drückte, „das kleinste Stückchen des verdaulichsten Fleisches verursacht mir die entsetzlichsten Schmerzen und raubt mir allen Lebensmut und das letzte Fünkchen von guter Laune, das noch hin und wieder aufglimmen will.“

Ich wies nach dem am Bettschirm befestigten Blatt, indem ich mich dem Vetter an die Brust warf und ihn heftig an mich drückte.

„Ja, Vetter!“ rief er mit einer Stimme, die mein Innerstes durchdrang und es mit herzzerschneidender Wehmut erfüllte, „ja, Vetter: ‚Et si male nunc, non olim sic erit!‘“

Armer Vetter!

ANMERKUNGEN

Meister Martin der Küfner und seine Gesellen

Die Erzählung „Meister Martin der Küfner und seine Gesellen“, 1817 begonnen, Anfang 1818 abgeschlossen und im Herbst 1818 in dem „Taschenbuch zum geselligen Vergnügen auf das Jahr 1819“ erstmals gedruckt, wurde durch Karl Wilhelm Kolbes (1781–1853) Gemälde „Die Böttcherwerkstatt“ angeregt, das Hoffmann 1816 auf einer Berliner Kunstausstellung gesehen hatte. Die Stadt Nürnberg, den Schauplatz der Novelle, kannte Hoffmann von einem Besuch im März 1812. Material zur Geschichte Nürnbergs lieferte ihm die von dem Altdorfer Professor und Bibliothekar Johann Christoph Wagenseil (1633–1705) geschriebene Chronik „De sacri Romani imperii libera civitate Noribergensi commentatio“ (Bericht über Nürnberg, Freie Stadt des Heiligen Römischen Reiches, 1697). Im Anhang zu dieser Chronik findet sich ein Bericht „Von der Meistersinger holdseligen Kunst“, aus dem Hoffmann seine Kenntnisse über die Satzungen und Gebräuche der Meistersinger bezog. Über das Böttcherhandwerk unterrichtete er sich wahrscheinlich in dem „Schauplatz der Künste und Handwerke, oder vollständige Beschreibung derselben, verfertiget oder gebilliget von denen Herren der Academie der Wissenschaften zu Paris“, Leipzig, Königsberg und Mitau 1765; im vierten Band dieses Werkes wird die „Böttgerkunst“ beschrieben.

Die Erzählung wurde von Hoffmann in den 1819 veröffentlichten zweiten Band der „Serapionsbrüder“ aufgenommen. Die vorliegende Ausgabe folgt dem dort gegebenen Texte.

8 *Grabmal in St. Sebald* – Das Grabmal des heiligen Sebaldus in der Sebalduskirche in Nürnberg (1506–1519) ist das Hauptwerk des Erzgießers Peter Vischer (um 1460–1529), der zusammen mit seinen Söhnen diese ausdrucksvolle Figurengruppe schuf.

Sakramenthäuslein in St. Laurenz – Hauptwerk des Nürnberger Bildhauers Adam Krafft (um 1460–1508/09).

des Paters Rosenblüth – Hans Schnepperer, genannt Rosenplüt, (geb. anfangs des 15. Jahrhunderts), Gelbgießer, später Büchsenmeister und Wappendichter in fürstlichen Diensten; die Überlieferung erzählt, daß er gegen Ende seines Lebens in ein Dominikanerkloster eintrat; die eingeschalteten Verse stammen aus seinem Lobspruch auf Nürnberg (1447).

8 *Zweck* – Ziel (an der Scheibe).

Kerzenmeister – Zunftvorsteher.

9 *Paumgartner* – Altes Nürnberger Patriziergeschlecht.

Handwerksherr – Stadtrat, der die Zunftversammlungen beaufsichtigte.

10 *ohne Feuer getrieben* – Ohne daß die eisernen Reifen vor dem Umlegen erhitzt worden wären.

13 *Cornelius* – Peter von Cornelius (1783–1867), Maler, schuf Illustrationen zu Goethes „Faust" (erschienen 1816), von 1811 bis 1819 in Rom.

„Bin weder Fräulein..." – Vgl. Gretchens Worte im „Faust" I, Straße: „Bin weder Fräulein weder schön...".

Allerwiese – Beliebter Erholungsort und Spielplatz in der Nähe von Nürnberg.

14 *neu auflagern* – Ein neues Faß herstellen.

17 *Endstuhl* – Eine Art Schraubstock, in den das Faß zur Endfertigung eingespannt wird.

Stäbe – Bretter, aus denen die Dauben gefertigt werden.

Klöbeisen – Messer zum Aufspalten der Stäbe.

Lenkbeil – Werkzeug zum Behauen der Stäbe.

Treiber – Keil, der an die Reifen gesetzt wird.

19 *Weinordnung* – Die 1498 von Kaiser Maximilian I. (1459–1519) erlassene Weinordnung, mitgeteilt bei Wagenseil a. a. O. S. 119 ff.

21 *in der... Lobeweis Herrn Hans Berchlers* – Die Töne (Metren) und Weisen (Melodien) des Meistergesangs wurden meist nach ihren Erfindern benannt und mit wunderlichen Beinamen bezeichnet; Hans Berchler war Gastwirt und Meistersinger in Straßburg.

24 *Kimmkeule* – Kimme: Einschnitt in den Dauben der Fässer; Kimmkeule: ein Holzhammer, mit dem man das Kimmeisen eintreibt und so die Kimme herstellt.

Bandhake – Werkzeug, mit dem die Bänder geformt werden.

Fügbank – Hobelbank.

Degsel – Kurzstieliges Beil mit rundlicher, querstehender Klinge.

28 *Benvenuto Cellini* – Italienischer Bildhauer und Goldschmied (1500–1571).

Holzschuer – Name eines Nürnberger Patriziergeschlechtes.

32 *Flammen* – Adern.

37 *Paßglas* – Trinkglas, dessen Mantelfläche durch Pässe (Ringe) unterteilt war.

40 *Gargelkamm* – Gargel oder Kröse: Rinne im Innern des Fasses, in die der Boden eingesetzt wird; sie wird mit dem Gargelkamm eingeschnitten.

43 *Freisingen* – Im Gegensatz zum Hauptsingen durfte beim Freisingen jeder teilnehmen.
falsche Anhänge – Erweiterung eines Worts durch einen unorganischen Laut zur Erzielung der Silbenzahl oder des Reims im Vers.
Klebsilben – Zusammenziehung von Worten zur Erzielung der für den Vers notwendigen Silbenzahl oder des Reims.
falsch Gebäude – Unregelmäßigkeiten im Vers- und Strophenbau.
falsche Blumen – Willkürliche Änderungen in der Melodie.
44 *im zarten Ton Heinrich Frauenlobs* – Heinrich von Meißen, mit Beinamen Frauenlob (gest. 1318), Vertreter des ins Schwülstige und Gekünstelte ausartenden, in den Meistergesang überleitenden Minnesangs.
57 *von dem alten Albrecht* – Gemeint ist Albrecht Dürer.

Das Fräulein von Scuderi

Hoffmanns Novelle „Das Fräulein von Scuderi", im März 1818 begonnen, in der ersten Hälfte desselben Jahres abgeschlossen und im Herbst 1819 in dem von den Gebrüdern Wilmanns in Frankfurt/Main herausgegebenen „Taschenbuch für das Jahr 1820. Der Liebe und Freundschaft gewidmet" erstmals gedruckt, errang den ungeteilten Beifall von Kritik und Lesepublikum und regte in der Folgezeit zu zahlreichen Dramatisierungen an.

Umfangreiche Studien gingen der Niederschrift voran. Den Rohstoff für die Novelle bezog Hoffmann aus der in den Erläuterungen zum „Meister Martin" bereits genannten Chronik Wagenseils. Auf S. 561 ff. des Anhangs findet sich folgende Anekdote:

König Ludwig XIV. erhielt von einem Unbekannten eine Bittschrift in Versen, in der „im Namen aller Verliebten zu Paris" Schutz gegen die „nächtlichen Beutelschneider" begehrt wurde, „damit man ungehindert denen Maitressen die schuldige Aufwartung leisten könne". Bald darauf ging ihm jedoch eine ebenfalls in Versen gehaltene Verteidigungsschrift der Beutelschneider zu, die ihn „als den allergerechtesten König" ersuchte, „dieses billige Urteil zu fällen":

„Un amant qui craigne les voleurs,
N'est point digne d'amour"

(Ein Liebhaber, der die Diebe fürchtet, ist der Liebe nicht würdig). Als Verfasserin dieser galanten Antwort wurde die bei Hofe gefeierte Dichterin Madelaine de Scudéry ermittelt. Wenige Tage darauf gab „ein Mann von schlechter Leibesgestalt und nicht zum besten bekleidet" im Hause der Scudéry ein goldenes Armband, eine goldene Uhr und einen Beutel mit zwölf Pistolen ab und sagte, „die gesamte löbliche Gesellschaft der Beutelschneider hätte ihn abgefertigt und ließe sich gegen das Fräulein gebührend bedanken, daß sie ihre Vertretung bei dem König übernehmen und die wider sie eingegebene Klagschrift so nachdrücklich beantworten wollen". „Es kam aber heraus", so beschließt Wagenseil die Anekdote, „daß die Herzogin von Montausier diese Lust so angestellet und getrachtet, das Fräulein durch dieses Geschenk zu begünstigen."

Die Chronik gab über das Fräulein von Scudéry weiteren Aufschluß: S. 452 ff. berichtet Wagenseil von einem Gespräch, das er mit der Dichterin geführt hatte. Die geschichtlichen Verhältnisse im Zeitalter Ludwigs XIV. lernte Hoffmann aus Voltaires Schrift „Siècle de Louis XIV" kennen. Über die örtlichen Verhältnisse informierte er sich in dem 1805/06 in Leipzig erschienenen dreibändigen Werk „Paris, wie es war, und wie es ist. Aus dem Englischen übersetzt und mit Erläuterungen und einer Einleitung versehen" von E. A. W. von Zimmermann sowie in dem zweibändigen Werk von Friedrich Johann Lorenz von Meyer „Briefe aus der Hauptstadt und dem Innern Frankreichs unter der Konsular-Regierung", Tübingen 1802.

Durch Voltaires Geschichtswerk wurde Hoffmann von den Untaten unterrichtet, die Paris in Atem hielten. Weiteres Material dazu lieferte ihm die Sammlung merkwürdiger Kriminalfälle, die der französische Jurist François Gayot de Pitaval (1673–1743) unter dem Titel „Causes célèbres et intéressantes" zusammengestellt hatte. In Band 1 dieses mehrfach übersetzten Werks wird der in Hoffmanns Novelle wiedergegebene Fall der Marquise de Brinvilliers berichtet.

In den Gesprächen der „Serapionsbrüder" gibt Hoffmann seiner Überzeugung Ausdruck, „daß die Geschichte Eigentümliches darbietet, das der ohne Halt im Leeren schwebende Geist zu schaffen sich vergebens müht". Das „geschickte Benutzen der historisch wahren Gebräuche, Sitten, herkömmlichen Gewohnheiten irgendeines Volkes oder einer besondern Klasse desselben" gebe „der Dichtung eine besondere Lebensfarbe, die sonst schwer zu erlangen" sei. Bei der Novelle „Das Fräulein von Scuderi" hatten ihm seine Studien die „historisch wahren Gebräuche" usw. verfügbar gemacht und ihm die Möglichkeit gesichert, „Begebnisse", die „ganz der Phantasie angehören", „auf wahrhaft historischer Basis" zu entwickeln.

Die Novelle wurde in den 1820 veröffentlichten dritten Band der „Serapionsbrüder" aufgenommen. Die vorliegende Ausgabe folgt dem dort gegebenen Texte.

71 *Magdaleine von Scuderi* – Madelaine de Scudéry (1607–1701), Verfasserin heroisch-galanter Romane, in denen meistens zeitgenössische Personen in antiker Maske dargestellt werden.

71 *Maintenon* – Françoise d'Aubigné, Marquise de Maintenon (1635–1719), zuerst Gattin des Dichters Paul Scarron (1610 bis 1660), dann Mätresse und seit 1685 Gemahlin des französischen Königs Ludwig XIV.

72 *Clelia* – „Clélie", 1654–1660 erschienener zehnbändiger Roman der Scudéry.

74 *Greveplatz* – Auf dem Greveplatz fanden die Hinrichtungen statt.
Marechaussee – Maréchaussée: Gendarmerie, französische berittene Polizei zur Zeit Ludwigs XIV.

76 *Marquise de Brinvillier* – Marie-Madeleine Marquise de Brinvillier, 1676 als Giftmörderin hingerichtet; auch die zuvor benannten Gestalten – Glaser, Exili, Godin de Sainte-Croix – sind historisch beglaubigt.

77 *poudre de succession* – (franz.) Erbschaftspulver; mit diesem Gift hatte die 1680 verurteilte Catherine Voisin ihre Opfer getötet.

79 *Chambre ardente* – (franz.) Brennende Kammer: der außerordentliche Gerichtshof für todeswürdige Verbrechen; so genannt nach den Fackeln, die den schwarz ausgeschlagenen Sitzungssaal erleuchteten.

84 *wie Herkules die Lernäische Schlange* – Zu den zwölf Heldentaten, die Herkules, der Held des griechischen Mythos, verrichtet, zählt die Vernichtung einer neunköpfigen Schlange, die die Gegend von Lernä verwüstete.
wie Theseus den Minotaur – Theseus, ein Held des griechischen Mythos, tötete den Minotauros, ein Ungeheuer mit menschlichem Körper und Stierkopf, dem die Stadt Athen jährlich sieben Jünglinge und sieben Jungfrauen hatte opfern müssen.

86 *Montespan* – Françoise-Athénais, Marquise de Montespan (1641 bis 1707), Geliebte Ludwigs XIV. vor der Herzogin Fontanges (1661–1681) und der obengenannten Marquise de Maintenon.

89 *Cardillac* – Hoffmann bezog aus Voltaires obengenanntem Geschichtswerk nicht bloß die Namen historischer Gestalten, sondern auch die Namen poetischer Gestalten – so Cardillac, Claude Brusson, Olivier u. a.

91 *Racine* – Jean de Racine (1639–1699), französischer Dichter, von der Maintenon begünstigt.

96 *Boileau Despréaux* – Nicolas Boileau-Despréaux (1636–1711), einflußreicher französischer Kritiker und Literaturtheoretiker, trat auch mit satirischen Schriften hervor.
Herzogin von Montansier – Julie-Lucine d'Angennes, Herzogin von Montausier (1607–1671), von Ludwig XIV. 1661 zur Erzieherin der königlichen Prinzen und Prinzessinnen ernannt.

97 *la Chapelle* – Jean de la Chapelle (gest. 1723), Dramatiker in der Nachfolge Racines.

98 *Perrault* – Claude Perrault (1613–1688), von Boileau befeindeter Architekt, entwarf die Ostfassade des Louvre, des Pariser Königsschlosses.

99 *Conciergerie* – Pariser Untersuchungsgefängnis.

115 *Blenden* – Nischen.

120 *Weise Männer sprechen viel...* – In der von Hoffmann eifrig gelesenen medizinischen und psychologischen Literatur der damaligen Zeit wurde die Möglichkeit, daß die Einbildungskraft der schwangeren Mutter auf das werdende Kind einwirke, vielfach erörtert.

Trianon – Lustschloß im Park von Versailles, das Ludwig XIV. für Frau von Maintenon erbauen ließ; Hoffmann verstößt hier gegen die Geschichte.

124 *Henriette von England* – Henriette Anna von England (1644 bis 1670), Tochter Karls I. von England, mit dem Bruder Ludwigs XIV., dem Herzog Philipp von Orleans, verheiratet; angeblich auf Betreiben ihres Gatten durch Gift getötet.

130 *Le vrai peut...* – (franz.) Das Wahre muß nicht immer wahrscheinlich sein, Zitat aus Boileaus „L'art poetique" (Die Dichtkunst), III, 48.

136 *Louvois* – François-Michel de Tellier, Marquis de Louvois (1641 bis 1691), seit 1668 Kriegsminister Ludwigs XIV.

137 *la Valliere* – Louise-Françoise de la Vallière (1644–1710), Geliebte Ludwigs XIV., ging 1675 in ein Karmeliterkloster und hieß dort Sœur Louise de la miséricorde – Barmherzige Schwester Luise.

Meister Floh

Für die bereits in der Einleitung (S. XXXVIII f.) dargelegte Entstehungsgeschichte von Hoffmanns letztem Märchen sind hier nur noch einige Daten und Fakten nachzutragen.

Hoffmann begann das Märchen wahrscheinlich Ende August 1821 niederzuschreiben. Da er jedoch zur gleichen Zeit am zweiten Teil des „Kater Murr" arbeitete und zudem Ende Oktober/Anfang November durch eine Lebererkrankung zurückgeworfen wurde, konnte er erst am 6. November und 21. Dezember die ersten Teile des für das Weihnachtsgeschäft eingeplanten Buches an seinen Verleger Wilmanns nach Frankfurt/Main schicken. Bereits in diesem Arbeitsstadium machten sich die Unterbrechungen und Verzögerungen unangenehm bemerkbar: Hoffmann war, wie der Begleitbrief zur zweiten Manuskriptlieferung ausweist, der Anfang des Märchens entfallen, und er mußte seinen Verleger bitten, eventuelle Überschneidungen auszugleichen. Weitere Verzögerungen ergaben sich durch die im Januar 1822 auftretende, zum Tode führende Krankheit Hoffmanns und durch das Disziplinarverfahren, das wegen der Knarrpanti-Episode gegen ihn angestrengt wurde.

Hoffmann schrieb diese Episode Ende Dezember 1821 und schickte sie mit der dritten Manuskriptlieferung am 12. Januar 1822 ab. Bereits am 20. Januar traf ein Beauftragter des preußischen Innenministers Schuckmann und des Polizeidirektors Kamptz in Frankfurt ein und erwirkte beim Senat die Einsichtnahme in das Manuskript. Gegen eine Kaution von 2600 Gulden wurden die bereits gedruckten Bogen und die Manuskripte beschlagnahmt. Den Weiterdruck des Märchens machten die Berliner Polizeibehörden davon abhängig, daß acht Manuskriptseiten gestrichen würden. Nachdem darüber Einigung erzielt worden war, erhielt Wilmanns die Seiten 21 bis 28 in einer von der Zensur bearbeiteten Abschrift. Ende Februar 1822 wurde der Druck wieder aufgenommen. Zur gleichen Zeit schloß Hoffmann das Märchen ab. Am 4. März 1822 lieferte er die Reinschrift der letzten Seiten, Ende April ist das Märchen in der zensurierten Fassung erschienen.

Noch im gleichen Jahr wurde das Märchen von dem jungen Heinrich Heine im dritten seiner „Briefe aus Berlin“ rezensiert. Heines kritischem Blick entging es nicht, daß der „Meister Floh“ (nicht zuletzt auf Grund seiner diskontinuierlichen Entstehungsgeschichte) an Geschlossenheit und Durchsichtigkeit dem „Goldnen Topf“ nachsteht und daß auch der Versuch, den philosophischen Ideengehalt des Märchens in einer großen Allegorie zusammenzufassen, fragwürdig bleibt. Von der Verstümmelung des Werkes durch die preußische Zensur hatte er offenbar keine Kenntnis, denn er hebt hervor, daß er „keine Zeile“ darin gefunden habe, „die sich auf die demagogischen Umtriebe bezöge“. Erst 1905 gelang es Georg Ellinger, die Akten des Geheimen Staatsarchivs in Berlin einzusehen. Ein Jahr später veröffentlichte er die dem Zensor zum Opfer gefallenen Partien von Hoffmanns Märchen in seinem Aufsatz „Das Disziplinarverfahren gegen E. T. A. Hoffmann“ („Deutsche Rundschau“, 32. Jg., S. 79 ff.). Den vollständigen Text des Märchens legte Hans von Müller in einer 1908 bei Julius Bard in Berlin erschienenen Ausgabe erstmals vor. Die vorliegende Ausgabe schließt bei der Textgestaltung an die Edition Ellingers an, die auf den 1822 veröffentlichten Erstdruck zurückgeht und die die seinerzeit entfernten Partien eingegliedert hat.

141 *medias in res* – (lat.) Mitten in die Dinge hinein; der römische Dichter Quintus Horatius Flaccus (65–8 v. u. Z.) gab in seinem kunsttheoretischen Werk „De arte poetica“ (Die Dichtkunst) den Rat, sofort „medias in res“ zu gehen, ohne alle Einleitung zur Sache zu kommen.

142 *Gärten der Hesperiden* – Im griechischen Mythos bewachten die Hesperiden (Töchter der Hesperis) in dem fern im Westen gelegenen Garten der Hera einen Baum mit goldenen Äpfeln; hier natürlich scherzhaft gemeint.

145 *Offenbacher* – Eine in Offenbach hergestellte gewöhnliche Schnupftabaksorte.

Aline... Königin von Golkonda – Hauptgestalt der gleichbetitelten Erzählung (1761) des Franzosen Stanislas de Boufflers (1738–1815); der Stoff wurde durch zahlreiche Opern und Ballette bekannt; Hoffmann dirigierte in Bamberg die Oper „Aline, Königin von Golkonda" von Henri Montan Berton (1767 bis 1844) und fiel dabei bei dem Orchester durch.

146 *insolvente Schuldner* – zahlungsunfähige Schuldner.

149 *Kalmank* – Wollatlas aus Kammgarn.

Strazzen – Notizbücher, Kladden.

151 *Melis* – Zucker.

157 *gegattert* – kariert.

166 *Aplomb* – Auf Wirkung berechnetes Auftreten.

Merkutio – Vgl. Shakespeare, „Romeo und Julia", 1. Aufzug, 4. Auftritt.

167 *Pucerons* – Blattläuse.

Infusionstiere – Infusorien: Aufgußtierchen.

168 *Leuwenhoek* – Antony van Leeuwenhoek (1632–1723), holländischer Naturforscher, verbesserte das Mikroskop, entdeckte die Blutkörperchen und die Infusorien; Hoffmann gibt das Todesjahr irrtümlich mit 1725 an.

171 *König Sekakis* – Die Namen Sekakis, Gemaheh, Thetel, Zeherit und Nacrao bezog Hoffmann aus Peter Friedrich Arpes Schrift „Die Wunderwerke der Natur und Kunst, die man Talismane und Amulette nennt" (1717); diese lateinische Schrift erschien 1792 in deutscher Übersetzung unter dem Titel „Geschichte der Talismannischen Kunst, von ihrem Ursprunge, Fortgange und Verbreitung. Ein Beitrag zu den geheimen und höheren Kenntnissen des Menschen"; der Name George Pepusch lehnt sich möglicherweise an den Namen des Librettisten von John Gays „Betteloper", Johann Christian Pepusch (1667–1752) an.

172 *Ichor* – Bei Homer die weiße Feuchtigkeit, welche die Götter anstelle des Blutes haben.

Amaryllen – Narzissenlilien.

Cheiranthen – Goldlack.

Samarkand – Stadt in Westturkistan, in der Dichtung als Märchenstadt geläufig.

174 *mittelst eines... Kuffischen Sonnenmikroskops* – Ein das Sonnenlicht ausnutzender Projektionsapparat.

176 *Polröckchen* – Schwarzer, mit Schnüren besetzter Rock.
Pantagruel – In dem Roman „Gargantua und Pantagruel" (1532 bis 1564) des französischen Satirikers François Rabelais (1494 bis 1553) hängt sich der Riese Pantagruel eine Schiffsbarke, mit Salz angefüllt, an den Gürtel (Buch II, Kapitel 28).

177 *Geschichte von den drei Pomeranzen* – „Die Geschichte von den drei Pomeranzen" ist die erste, nur im Szenarium überlieferte Märchenkomödie Carlo Gozzis; Hoffmann entwickelte den Inhalt der Komödie in dem Dialog „Seltsame Leiden eines Theaterdirektors" (1818).

178 *die herrliche Bethmann* – Bertons Oper „Aline, Königin von Golkonda" wurde seit 1804 wiederholt mit der Bethmann in der Titelrolle aufgeführt; Hoffmann sah die Aufführung während seines zweiten Berliner Aufenthalts.
stygisches Bächlein – Styx: im griechischen Mythos Fluß der Unterwelt.

186 *Armadillo* – Armadill: gepanzertes Gürteltier.

192 *Swammerdamm* – Jan Swammerdamm (1637–1680), bedeutender holländischer Naturforscher, erfolgreich auf dem Gebiet der Insektenkunde und Zeugungslehre tätig; hatte später religiöse Zweifel an der Berechtigung der Naturforschung und verbrannte einen großen Teil seiner Arbeiten; Hoffmann ignoriert im „Meister Floh" die – seiner eigenen Abneigung gegen die Naturwissenschaft entgegenkommenden – religiösen Anschauungen des späten Swammerdamm.

200 *Silberzindel* – Zindel: im Mittelalter gebräuchlicher Futterstoff (aus Leinen oder Seide).

205 *Biblia naturae* – (lat.) Natur-Bibel; in diesem Werk beschreibt Swammerdamm die Welt der Insekten und weist anhand ihrer kunstvollen Organismen die Weisheit des Schöpfers nach.
Revenant – Wörtlich: Zurückkommender, von den Toten Auferstandener.

208 *Madras* – Stadt an der Westküste von Ostindien.

210 *Geheime Staats-Inquisition* – Von dieser Institution wurden die Güter der des Hochverrats Überwiesenen für den Staat eingezogen.

212 *Cicero* – Der römische Staatsmann und Schriftsteller Marcus Tullius Cicero (106–43 v. u. Z.) war auch als Redner bekannt.

214 *Cactus grandiflorus* – Besser: Cereus grandiflorus, die aus Amerika stammende, großblumige Fackeldistel, bekannt unter dem Namen „Königin der Nacht".

221 *Finten* – Finte: vorgetäuschter Stoß oder Hieb.
Paraden – Parade: Abwehr eines Ausfalls.
Volten – Volte: Ausweichen vor einem Angriff.

223 *Verheiratung mit einem französischen General* – In Bertons Oper „Aline, Königin von Golkonda" erkennt Aline in dem zu ihr gesandten General ihren früheren Bräutigam und heiratet ihn.

228 *mordfaul* – Unmittelbarer Bezug auf die Demagogenriecherei der preußischen Polizei: 1819 wurde der Student Gustav Asverus unter dem Verdacht demagogischer Umtriebe verhaftet, sein Tagebuch beschlagnahmt; die Eintragung „mordfaul" fand sich später zweimal mit Rotstift unterstrichen; der untersuchende Beamte war wahrscheinlich Kamptz.

Marianne... Philine... Mignon... Harfner... Jarno... – Gestalten aus Goethes Roman „Wilhelm Meisters Lehrjahre" (1796).

Jüngers ‚Entführung' – „Die Entführung" (1792), Lustspiel von Johann Friedrich Jünger.

229 *Corpus delicti* – (lat.) Beweisgegenstand.

delictum – (lat.) Vergehen, Verbrechen.

Corpus – (lat.) Gegenstand, Körper, Person.

235 *aimable roué* – (franz.) liebenswürdiger Wüstling.

242 *den griechischen Philo* – Philon Judäus (um 20 v. u. Z. bis um 54 u. Z.), jüdisch-hellenistischer Philosoph, vermutlicher Verfasser der Schrift „Über die Vernunft der Tiere".

des Hieronymi Rorarii Abhandlung – Hieronymus Rorarius (1485 bis 1556), italienischer Gelehrter, verfaßte „Zwei Bücher, daß die Tiere sich der Vernunft besser bedienen als der Mensch"; so auch der deutsche Titel der von Hoffmann zuerst zitierten Abhandlung; die zweite Abhandlung „Oratio pro muribus": (lat.) Rede für die Mäuse.

Lipsius – Justus Lipsius (1547–1606), niederländischer Philologe, schrieb den Tieren Erkenntnisvermögen zu.

der große Leibniz – Gottfried Wilhelm Leibniz (1646–1716) erkannte zwar den Tieren keine Vernunft zu, wohl aber analoge Fähigkeiten: Assoziation, Gedächtnis, Seele, Aufnahmevermögen.

Rabbi Maimonides – Moses ben Maimun (1135–1204), jüdischer Philosoph, erklärte zwar die Tiere für unvernünftig, erkannte ihnen aber die Fähigkeit zu Willensäußerungen zu.

Gomez Pereira – Pereira (geb. um 1500). Er entwickelte die von Hoffmann wiedergegebenen Gedanken in dem Buch „Antonina Margerite über die Unsterblichkeit der Seele", 1554. Hoffmann bezog seine Kenntnisse aus „Peter Bayles historischem und kritischem Wörterbuch".

247 *Petitmaitre* – (franz.) Stutzer, Geck.

248 *Uhrmacher Degen aus Wien* – Der Wiener Uhrmacher Degen (1756–1815) unternahm zu Anfang des 19. Jahrhunderts in Wien und Paris mehrere erfolglose Flugversuche.

249 *Rezeptarius* – Erster Gehilfe in einer Apotheke.

249 *Subjekt* – Zweiter Gehilfe in einer Apotheke.
250 *Legénie* – (franz.) Wörtlich: das Genie.
251 *mappieren* – Hier: (mit dem Tuch) abwischen.
255 *im Lamento* – in der Klage.
263 *mit morganischen Truggebilden* – Morganisch: abgeleitet von Fata Morgana: Luftspiegelung.
270 *Tsilmenaja oder Tilsemoht* – Friedrich Arpe schreibt in seinem obengenannten Werk, daß die Chaldäer die Talismane so bezeichnet hätten.
275 *Clemens des Siebenten* – Clemens VII. (1478–1534), Papst seit 1523.
Nuntius Rorar – Vgl. Anmerkung zu Rorarius S. 242.
282 *Werthers Lotte* – In Goethes Jugendroman „Die Leiden des jungen Werthers“ (1774) vertritt Lotte an ihren jüngeren Geschwistern die Stelle der Mutter (vgl. 1. Buch, Am 16. Junius).
285 *Romanisten* – Hier: Romanschriftsteller.
290 *Caput mortuum* – (lat.) Restbestand.
291 *graduiert* – Akademisch gebildet, im Besitz eines akademischen Titels.

Des Vetters Eckfenster

Der episch eingekleidete Dialog „Des Vetters Eckfenster“ ist eine der letzten Arbeiten Hoffmanns. Er schrieb sie, auf den Tod krank, in der ersten Aprilhälfte des Jahres 1822.

Den Anstoß für den Dialog gab wahrscheinlich eine 1798 und 1799 im „Taschenbuch zum geselligen Vergnügen“ veröffentlichte Erzählung „Scarron am Fenster“ von Karl Friedrich Kretzschmann (1738 bis 1809). Der gelähmte und von seiner Dienerschaft alleingelassene französische Schriftsteller Scarron gibt in dieser Erzählung ein ironisch gefärbtes Selbstporträt und entwirft satirische Charakterbilder der ihm bekannten Spaziergänger, die er von seinem Fenster aus beobachtet. Wie der Eingang von Hoffmanns Dialog ausweist, erkannte er in dem an den Lehnstuhl gefesselten Scarron sich selbst wieder.

Die in dem Dialog vorgetragenen Kunstanschauungen berühren das in den Gesprächen der „Serapionsbrüder“ formulierte „serapiontische Prinzip“. Anknüpfend an die Gabe des Einsiedlers Serapion, die Gesichte seines Geistes zum deutlichen Bilde zu gestalten, hatte Hoffmann in der Rahmenunterhaltung folgenden für sein Schaffen verbindlichen Grundsatz entwickelt: „Jeder prüfe wohl, ob er auch wirklich das geschaut, was er zu verkünden unternommen, ehe er es wagt, laut damit zu werden. Wenigstens strebe jeder recht ernstlich darnach, das Bild, das ihm im Innern aufgegangen, recht zu erfassen mit allen seinen Gestalten, Farben, Lichtern und Schatten und dann, wenn er sich recht entzündet davon fühlt, die Darstellung ins äußere Leben zu tragen."

„Des Vetters Eckfenster", am 14. April 1822 abgeschlossen, wurde vom 23. April bis 4. Mai 1822 in sechs Fortsetzungen in dem von Symanski herausgegebenen „Zuschauer" veröffentlicht. Mit zahlreichen Änderungen wurde der Dialog im zweiten Teil von Hitzigs Biographie „Aus Hoffmanns Leben und Nachlaß", Berlin 1823, erneut gedruckt. Die vorliegende Ausgabe folgt dem von Georg Ellinger gebotenen, auf den Erstdruck zurückgehenden Text.

301 *Scarron* – Paul Scarron (1610–1660), französischer Schriftsteller; in seinem von Hoffmann gelesenen „Roman comique" schildert er die Torheiten der kleinstädtischen Gesellschaft der damaligen Zeit.
Asa foetida – (lat.) Teufelsdreck; gemeint sind hier die bei Scarron gelegentlich auftauchenden Zweideutigkeiten und frivolen Anspielungen.

302 *jener alte, vom Wahnsinn zerrüttete Maler* – Anspielung auf den Maler Gottfried Berklinger in Hoffmanns Novelle „Der Artushof" (1816).
auf dem großen Markte – Hoffmann wohnte seit dem 1. Juli 1815 in der Taubenstraße 31/ Ecke Charlottenstraße; von seinem Arbeitszimmer aus, dessen Fenster nach der Charlottenstraße gingen, hatte er das Königliche Schauspielhaus und den Gendarmenmarkt vor Augen.

303 *Et si male nunc...* – (lat.) Nach den „Oden" des Horaz, Buch 2, X, 17 f.: Non, si male nunc, et olim sic erit: Wenn es auch jetzt schlecht geht, wird es dereinst nicht so sein.

304 *Chodowiecki* – Daniel Nikolaus Chodowiecki (1726–1801), deutscher Maler und Kupferstecher; Hoffmann führt Callot und Chodowiecki wegen der Treue und Wahrheit an, mit der sie in ihren Graphiken das Leben erfaßten.
Primizien – Anfangsgründe.

305 *Domestika* – Häusliche Angelegenheiten.
Restantin – Hier: Übriggebliebene.

306 *annexis* – (lat.) Zubehör.
Sapienti sat! – (lat.) Dem Verständigen genügt dies wohl!
Krayon – (franz.) (Blei-)Stift.
Hogarth – William Hogarth (1697–1764), zeitkritischer, satirischer englischer Kupferstecher.

308 *Orbis pictus* – (lat.) Gemalte Welt, Welt in Bildern; unter diesem Titel hatte der tschechische Pädagoge Comenius (1592 bis 1670) ein Buch veröffentlicht, das durch Bilder, nicht durch Worte zu belehren suchte.

308 *wie auf jenem Hogarthischen Blatt* – Gemeint ist Hogarths Kupferstich „Credulity, superstition and fanaticism" (Leichtgläubigkeit, Aberglaube und Fanatismus).
Fallissement – Bankrott, Zahlungsunfähigkeit (hier natürlich ein Wortspiel: fallen – Fallissement).
309 *modest* – sittsam, ehrbar.
310 *Servante* – Dienstmädchen, Magd.
Kordialität – Herzlichkeit, Vertraulichkeit.
311 *Ballchaussure* – Chaussure: (franz.) Schuhwerk, Schuhe.
312 *zur großen Kralowskischen ästhetischen Hauptarmee* – F. Kralowski, Berliner Leihbibliothekar, bei dem Hoffmann häufig Bücher auslieh.
313 *** – Gemeint ist wahrscheinlich der „Klein Zaches".
Honig von Hybla – Hybla bei Megara auf Sizilien, durch seinen Honig berühmt.
316 *das Toupet en cœur frisiert* – Die Perücke zum Scheitel frisiert, gescheitelt.
317 *sagt ein welterfahrener Mann* – Faust über Mephistopheles, „Faust", Szene in Marthens Garten.
318 *Diligence* – (franz.) Postkutsche.
des treuverbundenen Quatuors – Quatuor: Quartett.
von den Orphelins françois – (franz.) Von den französischen Waisenknaben, das heißt aus dem französischen Waisenhaus.
322 *Parturiunt montes!* – (lat.) Zitat aus Horaz, „Dichtkunst", Vers 139: „Parturiunt montes nascetur ridiculus mus": Die Berge kreißen, geboren wird eine lächerliche Maus.
323 *bella molinara* – (ital.) Schöne Müllerin; „La Molinara", Oper von Paesiello.
324 *primo amoroso* – (ital.) In der Theatersprache: erster Liebhaber.
Pagliasso – pagliaccio: (ital.) Bajazzo.
325 *Meum und Tuum* – (lat.) Mein und Dein.
326 *in jener pathetischen Rede vom rauhen Pyrrhus* – Vgl. Shakespeare, „Hamlet", 2. Aufzug, 2. Auftritt; der rauhe Pyrrhus: Sohn des Achill.
als ein frecher, übermütiger Feind ... – Gemeint ist Napoleon.
327 *Nil admirari* – (lat.) Nichts bewundern (vgl. Anmerkung Bd. 1, S. 250).
die den „fidelen Hamburger avec du feu" ausbieten – „Der fidele Hamburger": war eine Zigarrensorte; avec du feu: (franz.) mit Feuer.
Point d'bonneur – (franz.) Ehrenpunkt.
328 *enthusiastische Rigoristen, hyperpatriotische Aszetiker* – Gemeint sind der Turnvater Jahn und seine Anhänger (vgl. Einleitung S. XXXVII).

328 *einem schismatischen Bauernjungen* – Schismatisch: abtrünnig, ketzerisch; hier in der scherzhaften Bedeutung: zerrissen, zerlumpt.

Beringsstraße – Nach dem dänischen Seefahrer Vitus Bering benannte Meeresstraße zwischen Alaska und der asiatischen Tschuktschenhalbinsel; hier natürlich scherzhaft gemeint.

INHALTSVERZEICHNIS